The Bristol and Gloucestershire Archaeological Society
Gloucestershire Record Series

Hon. General Editor

C. R. Elrington, M.A., F.S.A., F.R.Hist.S.
formerly General Editor of the
Victoria History of the Counties of England

Volume 10

The Cartulary of St Augustine's Abbey, Bristol

THE CARTULARY OF
ST AUGUSTINE'S ABBEY,
BRISTOL

Edited by David Walker
D.Phil., F.S.A., F.R.Hist.S.

The Bristol and Gloucestershire Archaeological Society

1998

The Bristol and Gloucestershire Archaeological Society
Gloucestershire Record Series

© The Bristol and Gloucestershire Archaeological Society

ISBN 0 900197 46 3

British Library Cataloguing in Publication Data.
A catalogue record of this book is available from the British Library.

Printed J. W. Arrowsmith Ltd., Winterstoke Road, Bristol BS3 2NT

CONTENTS

PREFACE

I record the thanks of the Bristol and Gloucestershire Archaeological Society and my own thanks to the Trustees of the Berkeley Will Trust for permission to publish this edition of the cartulary of St Augustine's Abbey, and I am grateful to them and to the council of the Society for providing me with a microfilm of the manuscript.

David Smith, the Society's honorary secretary and, at that time, editor of the Gloucestershire Record Series, suggested that I might edit the cartulary, and I have drawn great benefits from many discussions with him and from his help in enabling me to consult the manuscript at Gloucester and to use the rich resources of the Gloucestershire Record Office. The staff there have always been very cooperative, producing a large number of documents and maps in quick succession on those days when I could travel from Swansea to Gloucester to work there. The detailed index of the Berkeley Castle muniments compiled by Dr Bridget Wells-Furby has been very valuable.

I am indebted to the archivist and staff of the Somerset Record Office, especially for help with the tithe awards and enclosure awards, and to the archivist and staff of the Bristol Records Office, particularly for producing charters, leases, and records of tenure of city properties held by the dean and chapter of Bristol cathedral. The librarian and staff of Bristol Central Reference Library made it possible for me to consult the manuscripts of Samuel Seyer. The resources of the library of the University of Wales, Swansea, have been an essential aid.

I am also grateful to a number of individuals for their kindness. Elizabeth Sabin gave me the working papers of her father, Arthur Sabin. They contain little which he had not published in his long and active career, but they reinforce his shrewd judgement and detailed knowledge of Bristol cathedral and its history. Dr J. H. Bettey, Mr Keith Gardner, Professor A. M. D'I. Oakeshott, and Dr Nicholas Vincent have been generous in answering my queries and providing information. Over many years, and especially in the preparatory work for this edition, I have found discussion with Dr Elizabeth Ralph illuminating and rewarding. I am much indebted to Professor C. R. Elrington, now editor of the Record Series, for many helpful comments and emendations which he has suggested. My wife, Margaret, has been a help and support at many stages, and especially in preparing the text for press. I accept responsibility for the shortcomings and errors which remain.

Swansea, November 1997   David Walker

LIST OF ABBREVIATIONS

Annales Monastici	*Annales Monastici*, vols. i–iv, ed. H. R. Luard, Rolls Series, 1864–69: vol. i includes *Annales de Margan* and *Annales de Theokesberia*; vol. ii includes *Annales Monasterii de Waverleia*; vol. iv includes *Annales Prioratus de Wigornia*
Bath Deeds	*Medieval Deeds of Bath and District*, ed. B. R. Kemp and D. M. M. Shorrocks, Somerset Record Society, 73, 1974
BCM, GC	Berkeley Castle Muniments, General Charters
BCM, SC	Berkeley Castle Muniments, Select Charters
Bettey, *St Augustine's*	J. Bettey, *St Augustine's Abbey, Bristol*, Bristol Branch of the Historical Association, Local History Pamphlets, 88, 1996
BRO	Bristol Record Office
BRS	Bristol Record Society
Cal. Chart. Rolls	*Calendar of the Charter Rolls preserved in the Public Record Office (1226–1516)*, 6 vols., 1903–27
Cal. Inq. P.M.	*Calendar of Inquisitions Post Mortem and other analogous documents preserved in the Public Record Office*, in progress, 1904–
Cal. Pat. Rolls	*Calendar of Patent Rolls preserved in the Public Record Office*, in progress, 1901–
Curia Regis Rolls	*Curia Regis Rolls preserved in the Public Record Office (Richard I–Henry III)*, in progress, 1922–
DB	*Domesday Book*. Three major editions: (1) *Domesday Book seu Liber Censualis Willelmi Primi Regis Angliae*, ed. Abraham Farley, 2 vols., 1783, with subsequent volumes, 1816. (2) *Great Domesday: facsimile*, ed. R. H. W. Erskine (Alecto), 1986, with separate volumes issued for individual shires in subsequent years: *Gloucestershire*, ed. A. Williams and R. H. W. Erskine, trans. D. Walker, 1989; *Somerset*, ed. A. Williams and R. H. W. Erskine, trans. G. Loud, 1988. (3) the Phillimore edition: *Gloucestershire*, ed. and trans. J. S. Moore, 1982; *Somerset*, ed. and trans. C. and F. Thorn, 1980
Dickinson, *Austin Canons*	J. C. Dickinson, *The Origins of the Austin Canons and their Introduction into England*, London, 1950
Dickinson, 'Origins'	J. C. Dickinson, 'The Origins of St Augustine's, Bristol', *Essays in Bristol and Gloucestershire History*, ed. P. McGrath and J. Cannon, Bristol, 1976, pp. 109–26

EGC	*Earldom of Gloucestershire Charters*, ed. Robert B. Patterson, Oxford, 1973
Essays in Cathedral History	*Essays in Cathedral History*, ed. E. Ralph and J. Rogan, issued by the Friends of Bristol Cathedral, 1991 (selected essays from the Annual Reports of the Friends of Bristol Cathedral)
Excerpta e Rot. Fin.	*Excerpta e Rotulis Finium in Turri Londinensi asservatis, Henrico Tertio Rege*, ed. C. Roberts, 2 vols., 1835–6
Fees	*The Book of Fees commonly called the Testa de Nevill*, The Deputy Keeper of the Records, London, 1920
Jeayes, *Select Charters*	*Descriptive Catalogue of the Charters and Muniments in the Possession of the Rt. Hon. Lord Fitzhardinge at Berkeley Castle*, ed. I. H. Jeayes, Bristol, 1892
Leech, *Topography*	R. H. Leech, *The Topography of Medieval and Early Modern Bristol*, Part I, Bristol Record Society xlviii, 1997
Monasticon	*Monasticon Anglicanum*, ed. John Caley, Henry Ellis, and Bulkeley Bandinell, 6 vols. in 8, London, 1817–30
NS	New Series
Patterson, 'Robert fitz Harding'	Robert B. Patterson, 'Robert fitz Harding of Bristol: Profile of an Early Angevin Burgess-Baron Patrician and his Family's Urban Involvement', *Haskins Society Journal*, i, 1989, pp. 109–22
PR	Pipe Roll
PRO	Public Record Office
PRS	Pipe Roll Society
P–NG	*The Place-Names of Gloucestershire*, ed. A. H. Smith, English Place-Name Society, vols. xxxviii–xli, 1964–5 (the Gloucestershire volumes are numbered *P–NG*, i–iv)
RBE	*The Red Book of the Exchequer*, ed. Hubert Hall, Rolls Series, 3 vols. London, 1896
Regesta iii	*Regesta Regum Anglo-Normannorum 1066–1154*, iii, *Regesta Regis Stephani ac Mathildis Imperatricis ac Gaufridi et Henrici Ducum Normannorum 1135–54*, ed. H. A. Cronne and R. H. C. Davis, Oxford, 1969
St Augustine's Compotus Rolls	*Two Compotus Rolls of St. Augustine's Abbey, Bristol, for 1491–2 and 1511–12*, ed. G. Beachcroft and Arthur Sabin, Bristol Record Society ix, 1938
St Augustine's Manorial Accounts	*Some Manorial Acounts of St. Augustine's Abbey, Bristol*, ed. Arthur Sabin, Bristol Record Society xxii, 1960

St Mark's Cartulary	*Cartulary of St Mark's Hospital Bristol*, ed. C. D. Ross, Bristol Record Society xxi, 1959
Smyth, *Lives*	John Smyth, *Lives of the Berkeleys, The Berkeley Manuscripts*, i, ed. Sir John Maclean, Gloucester, 1883
Som. Fines	*Pedes Finium commonly called Feet of Fines for the County of Somerset*, ed. E. Green, Somerset Record Society 6, 1892
Som. Pleas	*Somersetshire Pleas (Civil and Criminal) from the Rolls of the Itinerant Justices (Close of 12th Century–41 Henry III)*, ed. C. E. H. Chadwyck Healey, Somerset Record Society 11, 1897
Som. Rec. Off.	Somerset Record Office
Som. Rec. Soc.	Somerset Record Society
TBGAS	*Transactions of the Bristol and Gloucestershire Archaeological Society*
VCH Glos.	*The Victoria History of the Counties of England: Gloucestershire*

INTRODUCTION

THE ABBEY'S FOUNDER

Robert fitz Harding was the outstanding member of an old-English family which survived the Norman conquest.[1] Eadnoth, a thegn who served Edward the Confessor as a staller, accepted William the Conqueror's rule. He was made responsible for the defence of Somerset and was killed in 1068 in driving off a threatened invasion by King Harold's sons.[2] Eadnoth's son Harding inherited only a small part of his father's lands, but he in his turn served the Conqueror. He has been identified as Harding, the king's thegn, who held six manors in Somerset in 1086.[3] He was one of the magnates sent by William II in 1096 to hear pleas of the crown in Devon, Cornwall, and Exeter,[4] and he witnessed a charter of Henry I in 1105.[5] William of Malmesbury compared Eadnoth, a leader in battle, with his son Harding 'who is still alive and is more accustomed to sharpen his tongue in lawsuits than to wield weapons in battle', and elsewhere described Harding as 'a very powerful man and an advocate'.[6] Of his four sons the eldest, Nicholas, succeeded to his Somerset estates, Robert was firmly based in Bristol, Elias attested a charter of Robert fitz Harding (no. 67) and, with the fourth son, Jordan, a charter of Richard Foliot.[7] Elias held Coombe, in Wotton under Edge, from his brother Robert.[8] Harding's daughter Cecilia held land in Bristol and gave St Augustine's an orchard, almost certainly in Bilswick (no. 25).

Their donations to St Augustine's provide a measure of the urban property which Robert fitz Harding and his successors held in Bristol. Robert had a house in Broad Street before he built himself a large stone house on the bank of the Frome (no. 72), a tenement in High Street which he held as a mesne tenant of the barony of Richard de St Quintin, and other holdings of the baronies of Richard Foliot and Gilbert de Umfraville (no. 72). He also had land and houses between St John's gate and St Giles's gate.[9] He had a garden on the hill opposite St Michael's church (no. 25). His son Nicholas had property opposite St Werburgh's church (no. 24), as well as in Wine Street and St Nicholas Street (nos. 84–5).

Across the Avon, beyond the town's defences, Robert obtained the manor of Bedminster, where his son Maurice later held property in the rapidly expanding area of Redcliffe Street (no. 481). There Maurice bought a house from Ralph Thuremund, which his wife continued to hold (no. 532). Robert also secured the manor of Bilswick, and there a number of his kinsmen were given tenements. One son, Henry, had houses opposite St Augustine the Less.[10] The manor house, with its gardens and orchard, had

[1]   The most recent study of him, Patterson, 'Robert fitz Harding', uses St Augustine's cartulary widely.
[2]   *Anglo-Saxon Chronicle*, D, s.a. 1067, *English Historical Documents*, ii, ed. D. C. Douglas and G. W. Greenaway, 1953, p. 149. The discrepancy in the date arises from calendrical usage and the chronicler's confused ordering of events.
[3]   A. Williams, *The English and the Norman Conquest*, 1955, p. 120.
[4]   F. Barlow, *William Rufus*, 1983, p. 208.
[5]   Williams, op. cit. p. 123.
[6]   J. Scott, *The Early History of Glastonbury*, 1981, pp. 160–1; Williams, op. cit. p. 121.
[7]   Jeayes, *Select Charters*, p. 10, no. 15.
[8]   Patterson, 'Robert fitz Harding', p. 111, n. 13.
[9]   These holdings are summarised, ibid. p. 110.
[10] *St Mark's Cartulary*, pp. 68–70, nos. 86–7.

presumably been held by another son, Robert (of Weare); it later took its name from his son and successor Maurice, who inherited the lands of his mother and adopted her name, de Gaunt. Matilda of Newport, daughter of Jordan fitz Harding, and Jordan la Warre, a more distant relative, also had houses opposite St Augustine the Less.[1] Herbert la Warre had a garden 'below Bilswick' (no. 24).

The scale of Robert fitz Harding's wealth as an urban landholder can be gauged with some confidence. It should not be a matter of surprise that after the Norman conquest an Anglo-Saxon man of noble stock could flourish in a town as a man of wealth and influence and still be recognised as English rather than French. In urban society English stock and customs survived with an emphasis on the rights and obligations of the family, and lordship, with its authority and obligations, counted for much less. Robert fitz Harding was a younger son, and while he may have been fortunate that his older brother Nicholas withdrew from Bristol's affairs, he was evidently a man of exceptional ability and opportunities to enhance the wealth and standing of his family so effectively. How he made his money is not clear but, again, there are hints of the scale of his operations, and perhaps a suggestion that he was much involved in Bristol's sea-borne trade. The writer of the *Gesta Stephani* needed superlatives to describe Bristol, 'almost the richest city of all in the country, receiving merchandise by sailing-ships from lands near and far'. Unable to produce a realistic number of the ships which could find harbourage there, he settled for a round figure of a thousand.[2] Until the thirteenth century fitz Harding's suburb of Redcliffe provided better facilities for shipping than the borough. Henry II granted and confirmed to his men of Redcliffe the customs, liberties, and quittances enjoyed by his men of Bristol, and in a closely linked charter Robert fitz Harding confirmed these rights 'as our lord king has granted to them and confirmed in his charters'.[3] The expansion of trade there was presumably very profitable, but there is no evidence of Robert's direct participation as a merchant or entrepreneur. He may be compared with the leading figures of Bristol who served as reeves or mayors in the thirteenth century, but while modern writers have identified him as reeve or provost there is no confirmation that he held office in Bristol.

It is easier to assess how Robert fitz Harding used his wealth than how he became rich. The cartulary shows how he chose to invest his money outside the range of commercial involvement but is silent on how he gained it. The turbulent politics of Stephen's reign transformed him from an urban magnate to the lord of a substantial fief, demonstrating how social and political changes could be used for personal advantage. Some of the lands which Robert acquired were granted in return for military service, while others were purchased. From Robert, earl of Gloucester, he acquired Bedminster and Bilswick; a generation later Bedminster was held for the service of a knight's fee, but whether Robert himself owed service for Bilswick is not known.[4] Earl William granted him Almondsbury manor in fee and inheritance.[5] The Somerset manors of Pawlett and Rowberrow came to him from Earl Robert's son, Robert.[6] William de Beaumont, earl of Warwick, gave him a quarter of a knight's fee.[7] He held another two estates, each assessed at a quarter of a fee, one at Bray (Devon) from William de Braose whose charter of enfeoffment recorded the grant in formal and conventional terms,[8] the other at

[1] *St Mark's Cartulary*, p. 70, no. 88.
[2] *Gesta Stephani*, ed. K. R. Potter and R. H. C. Davis, 1976, p. 56.
[3] *Bristol Charters, 1273–1499*, ed. H. A. Cronne, BRS xi, 1946, pp. 33–4.
[4] For Bedminster see *EGC*, p. 171, no. 219.   [5] *EGC*, p. 398. no. 11.
[6] *Cal. Pat. Rolls, 1237–47*, p. 15; Patterson, 'Robert fitz Harding', p. 111.
[7] *RBE*, i, p. 326.   [8] Jeayes, *Select Charters*, p. 7, no. 9.

Wellow (Som.) from Richard, earl of Pembroke.[1] He held four estates for which considerable sums of money were paid. Richard Foliot conveyed to him land at Acton, for which he received a payment of 20 marks (£13 6s 8d), to be held of the earl of Hereford,[2] and Richard of Morville conveyed to him land at Portbury for a payment of 36 marks (£24), to be held of the earl of Devon (no. 290). Fifehead Magdalen (Dorset), which had been part of Eadnoth's estates before the conquest, was granted to Robert and his son Maurice by Ranulf de Gernon, earl of Chester, for a payment of 23 marks (£15 6s 8d) (no. 55). He also purchased a small estate at Coombe, in Wotton under Edge, from Mahel son of Ansger.[3]

With the return of Henry fitz Empress to England in January 1153 Robert received further lands. Henry granted him the manor of Bitton and £100 of land in Berkeley with an undertaking to build a castle there to Robert's requirements, for an annual render of two mewed hawks. Robert became his man and Henry pledged his faith to uphold their agreement with Robert's heirs. Later in the year he granted Berkeley and the whole of Berkeley Harness to Robert for the service of one knight or an annual payment of 100s.[4] In recognition Robert paid the duke 500 marks (£333 6s 8d): Robert gained a rich fee, while Henry secured much-needed money. Both men were playing politics in a singularly hazardous period and both were conscious of the need to secure the future. Berkeley had formerly been held by Stephen's supporter Roger de Berkeley, who might, with a change of political fortunes, regain his land.

The transfer of Berkeley to Robert fitz Harding was accompanied by plans for marriage alliances, formally drawn up in Robert's house in Bristol, intended to secure the Berkeley inheritance for his heirs. His son Maurice was to marry Alice, Roger de Berkeley's daughter; her marriage portion, Slimbridge manor, would extend fitz Harding influence north-east of Berkeley. Roger's son and heir Roger was to marry Robert's daughter Helen. Elaborate contingency plans were made to ensure the succession to the estates for Robert's descendants.[5] The agreement was drawn up in the presence and with the assent of Duke Henry, to whom it brought political advantage. He could be seen to be directing, without reference to King Stephen, local affairs in the enclave so long loyal to his mother the Empress, and he was also able to constrain a royalist supporter and potential enemy.

In or before 1154 Robert granted to St Augustine's the advowson of Berkeley church and all the churches of Berkeley Harness (no. 66). Duke Henry confirmed the grant with the reservation that he wished his treasurer, Henry son of Robert fitz Harding, to hold Berkeley church and to pay the canons an annual rent for it (no. 4). Robert confirmed to Henry the churches of Wotton under Edge, Beverston, Almondsbury, Ashleworth, and Cromhall, as Abbot Richard had granted them (no. 68). In the short term, the revenues of these churches were to be used to maintain a royal official. Robert's gift exposed a limitation of his control over the Berkeley inheritance, for the churches were claimed by Reading abbey. Berkeley church had been given to the monks there by the Empress

---

[1] Patterson, 'Robert fitz Harding', p. 111, citing *Bibliothèque de l'École des Chartes*, 69, 1908, p. 740.

[2] Jeayes, *Select Charters*, p. 8, no. 12.   [3] Ibid. p. 8, no. 11.

[4] *Regesta*, iii, pp. 117–18, nos. 309–10; Jeayes, *Select Charters*, pp. 1–4, nos. 1–2. For the significance of the agreement about Berkeley castle see Charles Coulson, 'The Castles of the Anarchy', *The Anarchy of King Stephen's Reign*, ed. E. King, 1994, pp. 89–90. Coulson is unnecessarily dismissive of Robert and his castle.

[5] The agreement (BCM, SC no. 4) was printed in Jeayes, *Select Charters*, pp. 4–6, no. 4.

Matilda, and the churches of Berkeley Harness by Queen Adeliza.[1] Duke Henry confirmed Berkeley church to Reading before 7 September 1151, but in the second half of 1154 he ordered the abbot of Reading to keep the agreement made about Berkeley. No details were given, but the order presumably followed the grant of Berkeley to St Augustine's and the reservation of its revenues to Henry the Treasurer.[2] Although Henry had imposed his own decision in favour of fitz Harding and St Augustine's the rival claims to the churches were not settled until 1175–6 (no. 11).

For the abbey, Robert fitz Harding's acquisition of Berkeley opened a new era of prosperity. Robert himself and his sons Maurice, settled at Berkeley, Nicholas, settled at Hill, and Robert, provided for at Weare and Bevington, were generous patrons, and their successors and tenants added steadily to the abbey's landed endowment. Robert himself marked an important stage in the development of the abbey, granting Horfield to the canons when they first entered their new church c. 1159 (no. 7). On the same occasion his son Nicholas confirmed Tickenham church to the canons (no. 82).

Robert fitz Harding, who submitted his own reply to Henry II's inquiry into tenure in 1166,[3] paid off a debt to the crown during 1170–1.[4] At some date, presumably during that financial year, he became a canon in the abbey which he had founded, and there he died and was buried in the abbey church. By Michaelmas 1171 he had been succeeded by his son Maurice.[5] On St Michael's Hill, in the expanding suburb of Bristol, his widow Eva founded the Augustinian nunnery of St Mary Magdalene in 1172–3; she was said to be the first prioress, and she died there in 1173.[6]

THE FOUNDATION OF THE ABBEY

The foundation of the abbey has been regarded as a complex process. A clear chronology is possible from 1148, with the earliest datable charter. The canons were formally admitted into their new abbey church during the episcopate of Alfred, bishop of Worcester (1158–60). By then they necessarily had all the buildings required for life under a monastic rule and for liturgical worship, the east end with the high altar and the transepts with subsidiary altars and access from the canons' domestic quarters. Although there is no formal record, the full use of the church implies at the least the dedication of altars by that stage. Since some twelve years passed before the church was consecrated, it is sound to assume that the nave was built between c. 1159 and c. 1170. Two surviving romanesque features, the chapter house, part of the first building phase, and the gateway to the precinct at the western end, suggest that the church was built in an unbroken sequence.[7]

The church was consecrated by Roger, bishop of Worcester, the diocesan bishop and brother of the leading political and social figure in Bristol, William, earl of Gloucester.

---

[1] *Reading Abbey Cartularies*, ed. B. R. Kemp, ii, Camden 4th series 33, 1987, p. 225, nos. 267–8; *TBGAS*, 87, 1968, pp. 96–110. Royal and episcopal confirmations included them among Reading's possessions until the end of the twelfth century.

[2] *Regesta*, iii, p. 261, no. 709.   [3] *RBE*, i, p. 298.

[4] *PR 17 Henry II*, PRS 16, p. 12.

[5] Ibid. p. 11; *PR 18 Henry II*, PRS 18, p. 71.   [6] *VCH Glos.* ii, p. 93.

[7] The twelfth-century nave was demolished before 1515, and the building of a new nave, which had made very little progress before the dissolution of the abbey in 1539, was abandoned (J. Bettey, *Bristol Cathedral: the Rebuilding of the Nave*, Bristol Branch of the Historical Association, Local History Pamphlet no. 82, 1993, p. 2).

He was assisted by Bartholomew, bishop of Exeter,[1] and at the same time fitz Harding's son Maurice gave half a hide in Hinton to the canons in the presence of the bishops of Worcester, Exeter, Llandaff, and St Asaph. Maurice's charter (no. 74) identified each bishop by an initial, but Bishops Roger and Bartholomew were evidently supported by Nicholas of Llandaff and Godfrey of St Asaph. Maurice's grant implies that his father had either already retired into the monastery or had died, and 1170–1 is established as the earliest date of the occasion. Bishop Godfrey was suspended in 1170, and the consecration can confidently be dated *c.* 1170.

The history of the foundation before 1148 is less clear, and it has been argued that there were two successive foundations. A late source assigns the building of the abbey to 1140–6. In 1142–3 the future Henry II, then living at Bristol with his uncle, Robert, earl of Gloucester, either heard discussions about the venture or saw early stages of building work. It left a lasting impression on him, and he referred to it in formal documents issued in 1153. His interest gave rise to the assertion that he was a founder of the abbey, though the canons could never claim the privilege of being a royal foundation.

Uncertainty about the abbey's origins involves several related problems, which cannot be wholly resolved: the connection with the church of St Augustine the Less, lying scarcely 100 yards east of the abbey, about which there has been much discussion, often clouded with an excess of conjecture; the links between the dedication of the abbey church to St Augustine, the apostle of the English, and a 'cult', centred in Bilswick, of St Jordan, disciple of St Augustine; the authority of fifteenth- and sixteenth-century sources; and the dating of a relief carving of the Harrowing of Hell, which was re-used at some stage in the floor of the chapter house and much later rescued and preserved as one of the treasures of Bristol cathedral.

The Site of the Abbey

The first question is whether the present church is on the site which its founder intended. The answer depends on the relationship of the abbey with the church of St Augustine the Less. The cartulary establishes that the canons entered their new church between 1158 and 1160. A note of the event was afterwards added to the cartulary in a late medieval hand (Add. Doc. 5).[2] Where did the canons maintain their round of worship from 1148, or possibly 1140, until *c.* 1159? In that period gifts were placed on the altar of St Augustine (nos. 15, 56, 59, 74, 82), so corporate life and ceremonial occasions were centred on a church. It is not doubted that, until the abbey church had reached a stage when it could be used, the centre of these activities was St Augustine the Less. What has been open to question is the status of that church between 1140 and *c.* 1159, whether it was intended as the site of the new monastery or was a chapel of ease or a parish church.

The abbey precinct is clearly defined. The church was built on a level site near the northern boundary of the precinct. For many years its position on a major road created an exaggerated impression that it lay on the very edge of the precinct. The creation of a pedestrian area in place of the road has restored an earlier perspective. The cloister and

---

[1]   The presence of Bishop Bartholomew is confirmed in one of his charters (G. W. Potto Hicks, 'The Consecration of St Augustine's Bristol', *TBGAS,* 55, 1936, pp. 25–6).

[2]   See below, p. xxii; A. Sabin, 'The Foundation of the Abbey of St Augustine at Bristol', *TBGAS,* 75, p. 38; Dickinson, 'Origins', p. 116. Sabin read the document correctly as a memorandum; Dickinson read it as a brief set of annals.

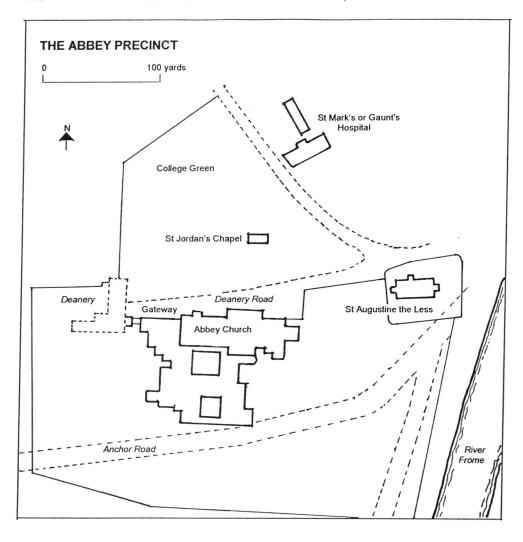

THE ABBEY PRECINCT

0   100 yards

N

College Green

St Mark's or Gaunt's
Hospital

St Jordan's Chapel

Deanery

Gateway

Deanery Road

Abbey Church

St Augustine the Less

Anchor Road

River
Frome

the conventual buildings were laid out on the ground sloping south towards the marsh. They formed only part of the total precinct. The Norman gateway, sited beyond the west front of the abbey church, opened into a large courtyard, later called Lower Green, which extended some 90 yards west of the gateway. South of the main cloister a second cloister was added. The abbot's lodging and later the bishop's palace were further extensions, as was the *cellarium* added to the western area of the precinct.

North of the church lay the large area of open space later, in much reduced form, called College Green. In the twelfth century secular buildings north of this open space were not allowed to encroach upon it. It became the abbey's cemetery. At the north-east edge of the green the abbey's almonry, which became St Mark's hospital or Gaunt's hospital, was to be established. Access to and through the green was essential for both the abbey and the hospital. From the twelfth century to the nineteenth access to the abbey and its precinct was by a cul-de-sac road across the abbey's land parallel with the north wall of the church. A short distance beyond the abbey's gatehouse further extension westward was barred. Once the church had become the cathedral, land west of the gatehouse was used for a deanery, an L-shaped house blocking the end of what became Deanery Road. The deanery was demolished in 1856–7 to make way for a new road towards Hotwells.[1]

There is no evidence that public roads on the south and east sides of the green existed in the later middle ages. Houses were built along the course of the Frome and up the curving road east of St Augustine the Less in the twelfth and thirteenth centuries, but extension along the east side of the green was blocked by the house, garden, and orchard which became Maurice de Gaunt's property, and later by St Mark's hospital. In the thirteenth century, when the abbot of St Augustine's and the master of St Mark's came into conflict over access to and use of the green, they were not concerned with a public right of access (no. 591). In the fifteenth century the topographer William of Worcester discussed Frog Lane and St Augustine's Back as the streets nearest the abbey and St Mark's.[2] He gave detailed measurements for the abbey church, St Mark's church, and the church of St Augustine the Less,[3] but he did not place any of them on a particular or named street.

It has been suggested that St Augustine the Less was planned and built as a first monastic church on the site but was soon replaced.[4] The church, however, was built near the apex of a spur of higher ground, the land falling away sharply to the south, and presenting an awkward site on which to build a cloister and conventual buildings. Before the cutting of a new channel for the river Frome in the thirteenth century there may have been more land available for building. The modern Anchor Road has certainly changed the layout of the area, but the steep incline to the south of the church was unchanged. The church stood near the abbey green, but the green had no obvious function for the small church, as it had for the larger abbey church.

[1] Bettey, *Bristol Cathedral: the Rebuilding of the Nave*, p. 7.

[2] 'The Topographical Account of Bristow', from J. Nasmith (ed.), *Itinerarium sive Liber Rerum Memorabilium Willelmi Botoner dict. de Worcestere*, reissued in *Antiquities of Bristowe in the Middle Centuries*, ed. J. Dallaway, 1834, pp. 37–8, 59, 131.

[3] Ibid. pp. 45, 58–9, 116–17, 119, 129–31.

[4] Dickinson, 'Origins', p. 117. Dickinson recognised that St Augustine the Less could have been the site only for a smaller community than that for which the abbey church was built (ibid. p. 119).

St Augustine the Less was badly damaged in bombing in 1940; the ruins were demolished in 1962, when all the burials inside the church were removed. The churchyard was cleared in 1971 and the whole site was scheduled for commercial development in 1983. Excavations by Eric Boore in 1983–4[1] revealed burials, the earliest of which were identified as 'Saxo-Norman' and dated as *c.* eleventh century. The foundations of part of a small church were excavated:[2]

> The two-bay chancel, which measured 9.20 m × 3.80 m internally, survived with a stone-built corner at the north-west and a doorway to the south. Both were continued by robber trenches extending to the east. The door jambs were constructed of oolitic limestone. The foundation of a north/south partition wall were found 0.82 m east of the doorway. The corner and the doorway were constructed on foundations with internally projecting footings built of Brandon Hill Millstone Grit. Two coarse ware jars were found, set in the ground west of the north wall foundation, in a contemporary context. They are provisionally interpreted as acoustic jars in a possible choir area and are dated to the later twelfth century.

Boore identified a 'Norman church possibly of stone and timber' partly by comparison with similar foundation with internally projecting footings in a secular building in Tower Lane. In keeping with what was then current thinking, he made two assumptions: that it may have been a chapel or temporary church built for the canons while the abbey was being built, and that it probably served as the parochial church of St Augustine the Less in the thirteenth century. The early church was destroyed when the church was totally rebuilt in 1480. The inference that the foundations were those of the church which served the parish of St Augustine the Less was based on the assumption that the parish was established *c.* 1235, and that its previous history was therefore a matter of conjecture.

The cartulary establishes that St Augustine the Less was a parish church in the twelfth century. A charter issued by William, abbot of Tintern, recorded the sale to the canons of St Augustine's of land in Bristol, on the river Frome in the parish of St Augustine the Less (no. 472). Tintern had two abbots named William, one *c.* 1139 who was dead by 1148 and the other in office by 1169 who resigned in 1188.[3] None of the thirteenth-century abbots so far identified was called William.[4] The charter's early date is confirmed by the simple personal names of the two Bristol residents named in the charter, Bouch and Serona the abbot's sister. The parish thus existed nearly fifty years earlier than has previously been assumed. There remains a possible large gap between the building of the 'Norman' church and the clear identification of the parish which it served, but the possibility that it was built as a parish church cannot easily be discarded.

The issue is linked closely with the dedications of the church and abbey to St Augustine and with a local 'cult' of St Jordan. Writing of the abbey in the reign of Henry VIII, John Leland noted the existence of a cemetery on the green and the burial there of St Jordan, one of the disciples of St Augustine, the apostle of the English.[5] The abbey's accounts

---

[1] 'Excavations at St Augustine the Less, Bristol, 1983–4', *Bristol and Avon Archaeology*, 1985, pp. 21–33; a shorter version is 'The Church of St Augustine the Less, Bristol: an interim statement', *TBGAS*, 104, pp. 211–14.

[2] *TBGAS*, 104, p. 211.

[3] D. Knowles, C. N. L. Brooke, and V. C. M. London, *Heads of Religious Houses in England and Wales, 940–1216*, 1972, p. 145.

[4] D. H. Williams, *The Welsh Cistercians*, 1984, ii, App. I (not paginated).

[5] *Itinerary in England and Wales*, ed. L. Toulmin Smith, 1910, v, pp. 86–93, in a passage discussing the churches of Bristol.

refer to Jordan: in 1491–2 alms were collected from the pyx of St Clement in the chapel of St Jordan in the green place at the abbey; in 1511–12 oblations of 22s 9d were made at the images of St Clement and St Jordan in the abbey church.[1] The chapel existed as early as 1393, when Agnes Spelly commissioned John, hermit of the chapel of St Jordan, to convey a legacy. The chapel was noted in the 1490s, and by the mid sixteenth century the building was being used as a school.[2]

The tradition that St Jordan was a disciple of St Augustine was adapted by William Camden, in a curious gloss, to describe him as a companion of St Augustine. He is said to have died in the area which was to become Bilswick, where he was buried. It is hard to envisage any circumstance which would bring Augustine to this spur of land in the marshlands of the Avon; assumption follows assumption, with no factual basis. Canon Dickinson sought to strengthen the tradition by interpreting a phrase which occurs in a charter of William, earl of Gloucester, confirming to St Augustine's 'the place (*locum*) which is called Bilswick in which their church was founded' (no. 37). Dickinson drew on precedents to suggest that *locum* in this context had a special religious significance, derived from the association of Augustine with the site.[3] Arthur Sabin was sceptical about Jordan's existence, and was prepared to see him (if he did exist) as a missionary, perhaps converted by Augustine, who had 'returned to try to help his people just settling hereabouts'.[4]

The record of the chapel of St Jordan as a hermitage may account for the sporadic references to its existence. How early the 'cult' of St Jordan developed in Bilswick cannot be determined. There is no direct reference to it in the twelfth and thirteenth centuries, but one curious feature merits attention. Following the fashionable use by some English families, after the Norman conquest, of French Christian names, Harding son of Eadnoth named three of his sons Nicholas, Robert, and Elias, all popular names. His fourth son he called Jordan. Harding himself was a landholder in 1086 and was still alive *c.* 1125. Robert died *c.* 1171 and is not likely to have been born before 1100; his brother Jordan may have been born in the first decade of the twelfth century. Jordan, not a widely popular name in other boroughs, occurs in Bristol perhaps a dozen times in the twelfth and early thirteenth centuries. The choice of name suggests the intriguing possibility that the 'cult' of Jordan existed, not merely as a memory but in some tangible form, in Bilswick a generation before Robert fitz Harding founded his abbey there. Taken in association with the dedication of the church of St Augustine the Less and the dedication of Robert's abbey to St Augustine, that points to a family piety centred on Bilswick.[5]

The Augustinians' churches were, in general, dedicated to biblical saints, and especially to the Blessed Virgin Mary, or to saints of the early church, and not normally to local or national saints. In a small number of exceptional cases, where they became associated with old foundations, they retained a dedication. Examples include the hospital at Canterbury, founded and dedicated to St Gregory the Great by Archbishop Lanfranc, which became a priory, the collegiate churches of St Frideswide (Oxford), St Petrock (Bodmin), and St Germans in Cornwall, revitalised as Augustinian communities, and the

[1] *St Augustine's Compotus Rolls*, pp. 232–3.
[2] A. Sabin, 'The Chapel in the Green Place', *Essays in Cathedral History*, p. 30.
[3] Dickinson, 'Origins', p. 120.
[4] *Essays in Cathedral History*, p. 28.
[5] The alternative, that the choice of the two names was entirely a matter of coincidence, is difficult to defend.

church of St Wystan, accepted after much confusion as the priory church of Repton. The adoption of the dedication of the church of St Augustine for the new abbey outside Bristol would accord with those examples.[1]

How far back in the eleventh century the evidence can be carried is uncertain. On the one hand is Eric Boore's identification of the foundations of the church of St Augustine the Less as post-conquest. On the other is the splendid relief carving of Christ's Harrowing of Hell, generally assigned to the early or mid eleventh century. At some stage it was abandoned and used as part of the flooring of the chapter house, and it was rediscovered when the damage caused by the Reform Riots of 1831 was being repaired.[2] How and when it came into the possession of the canons is a matter of conjecture.[3]

The Late Medieval Evidence

Canon Dickinson's account of the foundation drew heavily on the Bristol section of William of Worcester's *Itinerary*, parts of which were being written in 1480, and on Abbot Newland's Roll, compiled before 1515. He also gave considerable weight to a memorandum entered in the cartulary (Add. Doc. 5). For his view that there were two successive foundations of St Augustine's abbey he claimed the support of 'no less a person than William of Worcestre'.[4] William refers to St Augustine the Less simply as 'the church of St Augustine' and as 'the parish church near the abbey of regular canons of St Augustine dedicated in honour of St Augustine'.[5] In a complex entry (measuring the distance from the abbey precinct to a house on the boundary of the liberty and franchise of the town towards Rownham and St Vincent's Rocks) he started from the cemetery wall of 'the ancient church newly constructed in this year of Christ 1480'. At the end of this exercise he returned to the church, which he described as 'the old and first church of the said abbey which is now the parish church, newly rebuilt'.[6]

William provided a range of detailed information about Bristol from the late fourteenth century to his own time, and from the history of his own family. He was interested in churches and their founders over a wider range of time.[7] The rebuilding of St Augustine the Less may have occasioned interest in and discussion of its past. His claim that it was the 'first' abbey church may well indicate the view which was current in the late fifteenth century, but it does not carry overwhelming authority.

---

[1]   Canon Dickinson identified one other Augustinian house dedicated to a St Augustine, combined with St Olaf, at Wellow near Grimsby ('Origins', p. 124). Another instance is Hickling (Norfolk), dedicated to St Mary with St Augustine and All Saints.

[2]   For a detailed study see M. Q. Smith, 'The Harrowing of Hell Relief in Bristol Cathedral', *TBGAS*, 94, 1976, pp. 101–6. The early date was endorsed by Professor G. Zarnecki (Dickinson, 'Origins', p. 121). Talbot Rice assigned the relief to *c.* 1025 (*English Art, 871–1100*, 1952, p. 96). F. Saxl and R. Wittkower place it as late as *c.* 1100 (*British Art and the Mediterranean*, 1947, p. 23). Dr J. Bettey dates it *c.* 1100 (*St Augustine's Abbey*, p. 3). N. Pevsner accepted *c.* 1050 (*Buildings of England: North Somerset and Bristol*, 1957, p. 383).

[3]   *TBGAS*, 94, p. 106. Dr Smith assumed that there was an Anglo-Saxon church in the area, and suggested that the carving may have been in the chapel of St Jordan on the site of which the abbey was built, but offered no reason.

[4]   Dickinson, 'Origins', p. 117.

[5]   *Itinerarium*, ed. Dallaway, pp. 58, 137.

[6]   Ibid. pp. 45–6.

[7]   Ibid. pp. 47, 61, 88, 119, 137.

The section of Newland's Roll dealing with the early history of the abbey is in two parts.[1] The first is the introduction to the pedigree of the lords of Berkeley, the ancestry of Robert fitz Harding, the acquisition of Berkeley, the marriage alliances between the children of fitz Harding and Roger de Berkeley, and the foundation of the abbey. The second is a list of the abbots up to the death of Newland's predecessor. It was compiled on a standard pattern: the date at which each abbot succeeded, the number of years for which he ruled the house, and the date of his death or resignation. Of the first abbot, the compiler wrote 'Richard the first Abbot of oure Monastery was inducte on Esterday and the xj day of Aprile in the yere of oure Lord m.c.xlviij.'[2] The date for Easter 1148 is correct. Earlier, in Newland's account of the foundation of the abbey, he recorded that Alfred, bishop of Worcester, 'inducte vj chanons of the Monastery of Wigmore gederid And chosen by Sir Robert fiz [sic] Herding our fundatour in to our churche and Monastery'.[3] That, too, was said to have taken place on Easter Day, 11 April 1148. Alfred was bishop of Worcester from 1158 to 1160 That raises the question: which was inaccurate, the year-date or the name of the bishop?

Canon Dickinson recognised a number of inaccuracies in detail in Newland's Roll but concluded 'that in certain important particulars the testimony of the Roll may well be sound.' He accepted the date and, taking the two entries together, identified a formal induction of abbot and canons into their abbey church at Easter 1148.[4] He then had to consider the fact that, in the presence of Bishop Alfred, the canons entered their newly built abbey c. 1159. Since there could not be two formal occasions when the canons entered the same church, he argued that there were, almost certainly, two successive foundations, the first in St Augustine the Less, the second in the larger abbey church still being built. If, on the other hand, the year-date was wrong and Newland's Roll identified the bishop correctly, the admission of six canons from Wigmore belongs to the years 1158–60, and is not connected with the appointment of the first abbot in 1148.[5] By a subtle change in developing his theme, Dickinson divorced the note of Bishop Alfred's involvement from the date assigned to it by Newland and argued for the admission of the six canons c. 1159. On those terms, the record is not of two distinct entries to different churches, but of only one major occasion on which the canons were introduced.

Canon Dickinson also attached considerable importance to the memorandum about these events written into the cartulary (Add. Doc. 5), identifying it as a set of annals. To what extent should it be treated as an independent source? Direct comparison between Newland's Roll and the memorandum is limited: Newland's Roll is written in English and set the foundation of the abbey within a biographical account, while the memorandum is written in Latin and is impersonal. A substantial amount of material is common to both, as shown overleaf.

In the opening section, with the different framework of the two documents, only the date is given in common terms; the phrase 'began the fundacion of the same' may carry a subtly different sense from the Latin *fundatum erat*.[6] With the dedication of the abbey, the common elements predominate: the year is given as 1146; they agree over the dioceses of the four bishops said to have dedicated the church. Each document has an unusual shortened form of Asaph — Assau' and Asse. The memorandum uses only an

---

[1] 'Abbot Newland's Roll of the Abbots of of St Augustine's Abbey by Bristol', *TBGAS*, 14, 1890, pp. 117–30.

[2] Ibid. p. 126.

[3] Ibid. p. 125.

[4] Dickinson, 'Origins', pp. 116–17.

[5] Ibid. p. 118.

[6] Ibid. p. 115.

Newland's Roll

This goode lorde primere fundatour and Chanon of the Monastery of Seint Augustines bi Bristowe began the fundacion of the same in the yere of our lord M.c xl.

And bilded the churche And all othir howses of offices according to the same bi the space of vj yeres.

And so after in the yere of our lord M.c.xlvi Robertus Bisshoppe of Worcet[r] Boniface Bisshoppe of Excet[r] Nicholas Bisshoppe of Landaf and Gregorie Bisshoppe of Seint Asse dedicate the churche of the saide Monastery.

And then after Alured Bisshoppe of Worcet[r] inducte vj chanons of the Monastery of Wigmore gederid And chosen by Sir Robert fiz Herding our fundatour in to our churche and Monastery aforesaide on the Ester day whiche was that yere the xj of Aprile and in the yere of our lord M. c. xlviij.

Add. Doc. 5

Memorandum quod monasterium Sancti Augustini fundatum erat anno domini millesimo cxl [in festo Pasch' (*added in a later hand*)].

Item quod R. Wigorn' et B. Exon' et R. Landaven' et G. Assau' episcopi dedicaverunt ecclesiam predictam anno domini millesimo cxlvj.

Item quod Alur' episcopus Wigorn' introduxit primo canonicos in monasterium predictum anno domini millesimo cxlviij° tempore regis Stephani.

initial for each bishop, while Newland extends the names and gives the wrong names for Exeter and St Asaph, and for Llandaff gives Nicholas, the name of the bishop from 1148 to 1183.[1] The memorandum adds that Bishop Alfred introduced the canons into the church 'for the first time', and extends the date by adding 'in the time of King Stephen'. The addition, in a later hand, of 'on the feast of Easter' reflects the recurrence of that date in Newland's Roll, and suggests that the memorandum is the earlier document. The two documents reflect the use of a common source; they are related and complementary, rather than two independent sources.

The congruence of these lines of inquiry suggests a sequence of development. The Norman church of St Augustine the Less was built at an early date; whether it was a parish church from the beginning cannot be established, but it had that status in the second half of the twelfth century. The date 1140 in Newland's Roll may mark accurately the inception of Robert fitz Harding's ambitious scheme to build an abbey, which was certainly in hand 1142–3. The indications are that Robert's concept for his abbey was a new building on open land, not the adaptation for community life of the small local church, so near at hand. The dedication to St Augustine was drawn from the local 'cult' which had already provided the dedication for St Augustine the Less. The theory that the abbey was a second foundation, made necessary when the limitations of St Augustine the Less became apparent, cannot be sustained. 1148 is the significant date: the first abbot was appointed; it is the earliest limit of date for the charters granted to the abbey. The building was sufficiently advanced to be ready for use and for altars to be dedicated by *c.* 1159, when the community was enlarged by recruiting six canons from Wigmore. Until then, certainly for eleven years, formal events and the round of liturgical worship took place in St Augustine the Less. That may have left a memory that the smaller church had been used by the canons in their earliest years, and may lie behind the fifteenth-century view that it was the 'first' abbey church. The nave was completed by *c.* 1170, when the church was consecrated.

[1] He was one of the bishops present when the abbey was consecrated *c.* 1170.

ABBOTS, OBEDIENTARIES, AND ADMINISTRATION

For the most part, the abbots in the twelfth and thirteenth centuries made little impression on their contemporaries. The first abbot, Richard of Warwick, 1148–76/7, was a canon of St Victor, Paris, and was linked with Shobdon and Wigmore. He confirmed the abbey as a Victorine house. His successor William of Saltmarsh had served as chamberlain of St Augustine's and was described as prior of the abbey at the time of his election.[1] His family had close links with Berkeley. He was elected bishop of Llandaff in 1184 and consecrated 10 August 1186. His successor John held office for twenty-nine years, 1186/7–1216, and was followed by the prior of St Augustine's, Joseph, who received royal approval 6 April 1216 and died less than six months later, 17 September.

Abbot David, 1216–34, was a man of clear perception and wide experience.[2] A roll of letters compiled at St Augustine's includes the text of forty-six written by him; in some, personal details were omitted, as might be expected in a letter-book intended as a formulary. Those which retain enough detail throw light on his activities and reveal personal traits.[3] Some deal with legal problems and routine diocesan business while others deal with major issues. With the abbots of Wigmore and Keynsham, he was concerned that the links between the English Victorine houses and the general chapter of St Victor had weakened, and he wrote asking that the English houses should not be excluded from the general chapter. Later he expressed his gratitude that they had been received back, and indicated that there were still problems to be resolved: the canons needed to secure permission from the king and the legate to attend the chapter, and he urged the abbot of St Victor to use his influence.[4]

To the abbey's patron, Robert de Berkeley, he wrote asking for letters under his seal to papal judges-delegate who were to hear a dispute over the Trivel mills. Robert's intervention would, he said, be 'for our protection and the conservation of your right'. Robert duly certified that the canons held the land by grant of himself and his ancestors.[5] To strengthen the ties with the patron, he asked the bishop of Exeter for permission to remove the body of 'Sir H. de Berkeley' from the diocese of Exeter for burial at St Augustine's, arguing that most of the family were buried there and that 'by constant remembrance of the deceased, the devotion of the living may increase, and there may be more plentiful almsgiving and offering of prayers for the common solace of the dead'.[6]

---

[1] There is some doubt whether he was prior. The description is in *Annales Monastici*, ii, p. 244, the editor of which noted that the chronicler described the precentor of Rochester as prior (ibid. p. xlv). The description is regarded as an error in *Llandaff Episcopal Acta, 1140–1287*, ed. D. Crouch, 1988, p. xiv and n. 1. William the prior of St Augustine's and William of Saltmarsh, priest, attested a charter of Abbot Richard, which can be dated only from the abbot's tenure (*St Mark's Cartulary*, no. 38; abstract, p. 42, full text, p. 274).

[2] Called David Hundered in *Annales Monastici*, i, p. 93.

[3] Rosalind Hill analysed the MS. and summarised fifty letters in 'A Letter-book of S. Augustine's, Bristol', *TBGAS*, 65, 1944, pp. 141–56. She incorporated the material in *Ecclesiastical Letter-books of the Thirteenth Century* (privately printed, n.d.), quoted in Susan Wood, *English Monasteries and their Patrons in the Thirteenth Century*, 1955. A. Sabin printed transcripts of letters 12, 47, and 48 ('Abbot David Wields the Weapons of Holy Church', *Essays in Cathedral History*, pp. 64–7).

[4] *TBGAS*, 65, p. 155, nos. 42–3.   [5] Ibid. p. 148, nos. 3–4; Wood, op. cit. p. 131.

[6] H. de Berkeley is not easily identified. Henry, archdeacon of Exeter, son of Robert fitz Harding, was rarely in the diocese and died in Rome in August 1188 (R. W. Eyton, *Court, Household, and Itinerary of King Henry II*, 1878, p. 291; A. Morey, *Bartholomew of Exeter, Bishop and Canonist*, 1937, p. 120.

He was also prepared to make himself useful to Robert de Berkeley's powerful ally William Marshal, earl of Pembroke and lord of Leinster, who in 1216 was excommunicated by Ailbe, the Cistercian bishop of Ferns, his opponent at law over title to land. In 1218 David travelled to Ireland to intervene, perhaps to secure a settlement without formal proceedings. At Dublin he met the bishop and his steward, and he hoped that they had established a basis for a peaceful settlement. Abbot David reported progress to his canons, justifying his intervention. He had not made any formal claim for expenses: if he succeeded they would be paid, and if he failed the earl would have no ground for rancour. More important, the Marshal was a powerful friend, and without his help the canons' interests in Ireland would have suffered.[1] His valuation of the Marshal's good will was reflected in an apology for not being with the earl on the feast of St Augustine: he ought to be with his canons in the abbey for that important festival, and he intended to be with the earl five days later, but if the business was urgent he would come even on St Augustine's day.[2] It is no surprise that the Marshal appointed him as one of his executors.

A large proportion of the letters concern the abbey's business and possessions in Ireland, which are not the subject of any charters in the cartulary. David commended a proctor,[3] sought letters of protection,[4] feared an unfavourable interpretation of a charter issued by St Augustine's in a dispute involving their tenant, Andrew Avenel, and Jerpoint abbey, discussed reducing the number of eight priests ministering each day in one of their churches, asked the canons to send a ship to take corn to the abbey,[5] and proposed to obtain from William Marshal a confirmation of the abbey's Irish possessions.[6] Those possessions in the sixteenth century consisted mainly of the rectories in Kilkenny of Casteldonagh (Bananagh), Kilferagh, and Dysart, with land nearby in Thomastown, and elsewhere the rectory of Inhorollyn.[7] Throughout the fourteenth and fifteenth centuries the abbots journeyed to Ireland regularly to deal with the property there, and sought royal licence to appoint deputies to act in their absence.

Abbot David was said to have had many disputes with his canons, and he was deposed by the bishop of Worcester.[8] He may have remained in the community: Newland recorded that he resigned and was buried in the elder Lady Chapel.[9] His successor was the prior, William of Breadstone; that he was from the hamlet of Breadstone, in Berkeley, is confirmed by the writer of the annals of Tewkesbury, who called him William of Berkeley. He was censured when William de Cantilupe, bishop of Worcester, held a visitation of the abbey in 1242, and was forced to resign.[10] The canons then elected the chamberlain of Keynsham abbey, William Long, 1242–64, who had to deal with the consequences of the foundation of St Mark's hospital. The last two abbots during the period covered by the cartulary were Richard of Malmesbury, 1264–75, and John de Marina, 1275–80.

---

[1] *TBGAS*, 65, pp. 144–5, 153, no. 40; Wood, op. cit. p. 120.
[2] *TBGAS*, 65, p. 151, no. 26.
[3] Ibid. pp. 148, 151, 155, nos. 6–7, 27, 45–6.   [4] Ibid. p. 155, no. 44.
[5] Ibid. pp. 153–4, no. 40.   [6] Ibid. p. 154, no. 41.
[7] *VCH Glos.* ii, p. 75, n. 24; *TBGAS*, 65, p. 144. For grain production at Kilferagh see T. B. Parry, *The Archaeology of Medieval Ireland*, 1987, pp. 91–2, 103.
[8] *Annales Monastici*, i, p. 93.
[9] *TBGAS*, 14, p. 127. Newland's dates are confused: he placed David's death 3 July 1233, after nineteen years as abbot. It may mean that David died in July 1235, nineteen years after he became abbot.
[10] *Annales Monastici*, iv, p. 433.

By the early thirteenth century obedientiaries of the abbey controlled their own finances, the sacrist before 1217 (nos. 136, 143, 145), the precentor before 1230 (nos. 336, 473, 505–6). About the same time the custodian of anniversaries occurs (no. 520) and the number of gifts and payments for observing anniversaries, especially in Bristol, increased steadily. Control of these various accounts proved difficult. In his sweeping injunctions of 1278 Bishop Godfrey Giffard insisted that all obedientiaries and bailiffs should present their accounts for audit and, as a safeguard against abuse by the abbot, that two canons should be appointed treasurers and be responsible for allocating money from a central treasury to each of the abbey's officers.

The Almonry: St Mark's Hospital

The office of almoner appears comparatively late in the records, though the abbey's charitable work of feeding the poor was recognised at an early date. When, between 1161 and 1166, Gregory de Turri and William de Bosco gave Halberton church to the abbey (nos. 349–52) the grant was not made for any specific purpose. Bartholomew, bishop of Exeter, confirming the grant, reserved a life-interest in part of the income for Osbert, the cleric who served there, and specified that after Osbert's death the canons should hold the church 'for their own sustenance and to provide hospitality' (no. 355). Between 1194 and 1206 Henry Marshal, bishop of Exeter, confirmed that the canons should have the church 'for their own purposes, for providing hospitality, and for feeding the poor' (no. 358). At the end of the twelfth century or early in the thirteenth prominent Bristol citizens made grants for the same purpose. Peter la Warre and his grandmother Isabella of Kenfig made provision for a series of anniversaries, on each of which thirteen paupers were to be admitted to the abbey's guesthouse and fed (nos. 500, 502). When Jordan Germund established his anniversary he arranged that thirty paupers should be fed (no. 550). Such grants strengthened the canons' reputation for the care of the poor who sought food, and perhaps shelter, at the abbey.

Abbot David secured a generous grant from Maurice de Gaunt which greatly extended the scale of this charitable work. Maurice provided the means of feeding a hundred poor people daily, and for the purpose he had an almonry built, at which the food was to be distributed, and an oratory. The abbot issued a charter recording the details of the gift and the obligations which the canons had undertaken. Notable among these was the recognition of the oratory as a chapel, with the acceptance of the obligation to provide a chaplain to pray there for the souls of the donor and his kindred. The administration of the charity was to be vested in the prior or, in his absence, in the sub-prior or another of the canons. The charter is badly faded, and parts can be read only under ultra-violet light. The text, long known only from a brief and incomplete summary, deserves quotation in full.[1]

Omnibus Christi fidelibus ad quos presens scriptum pervenerit David dei gratia abbas Sancti Augustini de Bristoll' et ejusdem loci conventus salutem in domino. Noverit universitas vestra nos unanimi voluntate et assensu concessisse et hac presenti carta nostra confirmasse domino Mauricio de Gaunt et heredibus ejus ut pro eis predecessoribus et successoribus eorum centum pauperes Christi singulis diebus in perpetuam in elemosinariam quam penes nos construxit admittamus. Ita ut unusquisque panem ad pondus quinquaginta solidorum accipiat. Ad quod perficiendum assignavit nobis dictus Mauricius sexaginta summas frumenti et sexaginta summas fabarum et pisorum singulis annis percipiendas. Assignavit etiam nobis idem Mauricius redditum decem librarum ad quatuor viginti summas ordei ad

[1] BCM, SC no. 229; Jeayes, *Select Charters*, p. 78, no. 229.

dictam elemosinam faciendam annuatim comparandas. Ad potagium vero dictis pauperibus sufficienter inveniendum assignavit nobis memoratus Mauricius triginta summas fabarum et pisorum et tresdecim summas farine de avena. Insuper assignavit nobis Mauricius redditum decem librarum ad potum predictis pauperibus inveniendum in quantum videlicet dicte decem libre poterunt extendi. Ad hec ad instantiam sepedicti Mauricii concessum est eidem ut in oratorio quod juxta dictam elemosinariam construxit capellam constituamus ut divina perpetuo celebretur pro anima ejusdem Mauricii patris et matris et uxoris ipsius et omnium antecessorum et successorum suorum necnon patrum et matrum et benefactorum nostrorum et omnium fidelium defunctorum. Ad cujus sustentationem predictus Mauricius redditum quatuor marcarum nobis assignavit in Bristollo. Si vero bladum predictum ad ampliora possit extendi quod residuum fuerit in usus pauperum convertatur. Concessimus etiam predicto Mauricio communi consilio totius capituli nostri ut prior noster quicumque pro tempore fuerit predicte elemosine curam gerat diligentem. Ita quod si eum quoquam oportuerit proficisci vel eum aliqua de cause contigerit abesse subpriore vel alicui alii fratri prout magis viderit expedire vices suas interim commitat. Et ne premissa in posterum convelli valeant aut infirmari ea presentis scripti patrocinio et sigilli nostri appositione communivimus. Ad majorem etiam pacem et predictam securitatem memoratarum concessionum violatores in capitulo nostro vinculo excommunicationis innodavimus. Hiis testibus, domino Roberto de Gurnay, domino Jordano Warr', domino Willelmo camerario, domino Gilleberto de Sciptun', Petro Warr', Rogero Aillard', Willelmo clerico, Henrico Aki, Ricardo Warr, Philippo Longo, Roberto Farthein, Johanne Warr', Willelmo de Hida, Ada de Budiford', et multis aliis.

By any standard, this recorded a very generous grant to the abbey, and it could have been made at any time after Maurice attained his majority in 1207, since the agreement was reached after the almonry had been established. Maurice's building of both an almonry and an oratory *penes nos* was an extension of the monastic precinct. That it was to be administered by the abbey, through its prior or his deputy, is clear. The agreement determined only that a priest would celebrate in the oratory and that Maurice and his heirs would provide 4 marks a year to maintain that duty. It was to be subsidiary to the obligation of feeding the poor, and if any surplus accrued it was to be used for feeding the poor. The name, the almonry, was in use long enough for it to become a familiar name and to remain popular despite the changes which occurred in later decades. The agreement cannot be dated more precisely than 1216–30, though it is likely that it was made early in that period rather than later. David became abbot in 1216 and Maurice died in the summer of 1230; by November a dispute about part of his inheritance had been decided.[1]

The records of St Mark's hospital indicate radical changes soon afterwards. Maurice de Gaunt's endowment was strengthened by the grant to the almonry of his land in Pawlett, the church of which had already been granted to the abbey. His nephew and heir, Robert de Gurney, followed up his grant, confirming his gift, and by an arbitrary exercise of his right as patron he established the combined almonry and oratory as a separate organisation, initially for a master and three chaplains. In a later version of his foundation charter Robert stipulated that there should be a master, four chaplains, and eight clerks.[2] This was unmistakably the creation of a new ecclesiastical community. He

---

[1] *St Mark's Cartulary*, p. 3, no. 2.

[2] Ibid. pp. 5–6, no. 5.

appointed as master Maurice's younger brother, Henry of Gaunt, who proved to be a powerful and ambitious head. With complete disregard of the interests of the abbey, Robert then gave the members of the foundation the right to elect their own master. In short, the abbey found in the 1230s that the almonry from which its charity was to have been dispensed had become a separate and rival organisation, with which it was to be continually in conflict. Technically a hospital, St Mark's grew steadily. In 1259, when Walter de Cantilupe, bishop of Worcester, issued an ordinance defining the constitution of the hospital, he provided for a master, six chaplains, six clerks, and five lay brothers.[1] The number of poor to be fed each day was much reduced, and in an extraordinary exercise in revision, not without biblical precedent, the community of St Mark's carefully amended the copies of the charters in their cartulary: their obligation to feed a hundred poor each day was erased and replaced by a figure of twenty-seven paupers.[2]

THE ABBEY'S POSSESSIONS

Rural Estates

With few exceptions the abbey's churches and estates lay within easy reach of Bristol, principally because their endowment came from the property acquired by Robert fitz Harding and his family and, to a lesser extent, from the tenants of the earldom of Gloucester. From one of the earl's inner circle, Gregory de Turri, the canons received a church further afield at Finmere in Oxfordshire; with William de Bosco he also gave them the church of Halberton in Devon. A third church at Little Chishall in Essex was their most distant English possession. Their churches and estates in South Wales were part of the earldom of Gloucester; to reach them demanded a regular crossing of the Severn estuary or a long detour towards Gloucester

On the south bank of the Avon the abbey held lands and churches at Leigh Woods, Abbots Leigh, and Portbury (including land near the modern village of Pill), the chapel of St Katherine, and Ham Green. Less than two miles inland from Portbury were their estates at Failand and Wraxall. Near the mouth of the river Avon they had the rectory of Portishead and beyond that a range of possessions along the coast and in the Somerset Levels, in Clevedon, Weston super Mare, Tickenham, Weare, and Pawlett. Further east they drew revenues from Rowberrow, Blagdon, the Harptrees, Baggridge, and Farmborough.

On the Gloucestershire side of the Avon they were richly endowed along the Severn Vale. North of Bristol their holdings extended from Horfield and Filton to the large and valuable manor of Almondsbury, with its rich marshland pastures. Some six miles further north, in different parts of the Vale, were the manors of Hill and Cromhall, in each of which the canons acquired profitable lands. The obvious centre of their interest was Berkeley with its dependent vills — Ham, Stone, Bevington, Wanswell, and Hinton — and Slimbridge manor was in the same area. Their holding there and in Arlingham gave them access to short crossings to South Wales and to rich fishing rights. To the east lay Coombe, part of the manor of Wotton under Edge. At a distance from this concentration of estates the canons were given lands in the closely linked manors of Codrington and Wapley, bordering the market town of Chippping Sodbury, and directly north of Gloucester the valuable manor of Ashleworth.

[1] Ibid. pp. 7–8, no. 9.

[2] Ibid. p. xiii.

At the end of the fifteenth century Ashleworth and Almondsbury were the richest of the abbey's rural possessions. In 1491–2, when churches and other urban property in Bristol produced some 27 per cent of the abbey's total income (paid in money), Almondsbury produced 14.5 per cent and Ashleworth 8 per cent. By contrast, in Somerset, Leigh manor and its vills, the manor and rectory of Pawlett, and the rectories of Portbury, Clevedon, and Tickenham were grouped together for financial purposes and produced 9.5 per cent.[1] The cartulary affords ample evidence of the extent to which the canons built up holdings within their manors between 1148 and 1275, and it would be hazardous to apply those percentages without reservation to the twelfth and thirteenth centuries, but they may indicate the scale of values of the abbey's resources.

Almondsbury and Ashleworth, both rich farming estates, were deeply affected by the river Severn. The church and settlement of Almondsbury nestled below a steep escarpment, and beyond that, towards the river, much of the lowland area of Almondsbury consisted of marshland, some reclaimed and cultivated, and some still salt-marsh. The fifteenth-century house and barn, part of Abbot Walter Newbury's elaborate plans, were the centre from which the canons' bailiff supervised the abbey's lands.[2] A long series of charters points to the care with which the bailiffs defended their control of the rhines and sluices which made the water-meadows and marshland usable and profitable. There is no indication in the cartulary of sea-wall defences. The identification, largely through aerial photography, of the medieval embankments which protected Slimbridge and the work of Thomas de Berkeley in extending those defences in the fourteenth century are indications of the economic importance of controlling the flood-waters of the Severn.[3] Behind those defences, arable farming was made possible. On the narrower but still vulnerable reaches of the Severn north of Gloucester, Ashleworth has always been liable to flood. The medieval enclave of church, manor house, and barn lay at the river's edge. Floodgates provided a measure of control, and the river provided easy access to markets and to the abbey itself. The manor had a comparatively narrow band of riverside pastures. On its northern edge lay Hasfield, where the band of pastures was much wider. The men of Ashleworth enjoyed rights of pasture there, and a long sequence of charters demonstrates the bailiffs' determination to preserve and extend the use of those pastures for the abbey's benefit (nos. 359, 361–7). Large tithe barns secured crops for the canons' use. The barn still in use at Ashleworth was built (presumably as a replacement for an earlier building) by Abbot Newland in the last decades of the fifteenth century. At the same time he built two more barns in the manor.[4] When the abbey was granted land in Codrington by Roger de Cantilupe and his family in the late twelfth and early thirteenth centuries, the place where the abbey's barns should be built was clearly defined (no. 387). In 1491–2 there were two barns in use there.[5]

Large estates required close supervision. The system which operated effectively in the later middle ages can be seen in detail from surviving accounts. The abbey's chamberlain visited their manors in spring (on or near Hockday)[6] and autumn (at Michaelmas) to

[1]   The percentages are based on figures in *St Augustine's Compotus Rolls*, pp. 276–8, 288. Renders in kind increased the abbey's resources. Taking that element into account reduces the percentage values but does not affect the scale.

[2]   K. A. Rodwell, 'Court Farm, Lower Almondsbury', *TBGAS*, 109, 1991, p. 192.

[3]   J. R. L. Allen, 'A Short History of Salt-marsh Reclamation at Slimbridge Warth and Neighbouring Areas, Gloucestershire', *TBGAS*, 104, 1986, pp. 139–55.

[4]   A. Sabin, 'Ashleworth', *Essays in Cathedral History*, p. 36.

[5]   *St Augustine's Compotus Rolls*, p. 206.

[6]   Hockday was the Tuesday after Easter, and could range between 24 March and 27 April.

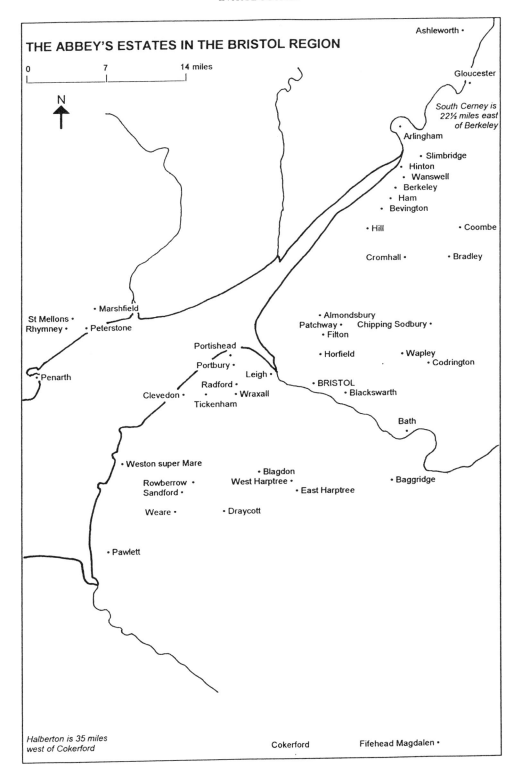

THE ABBEY'S ESTATES IN THE BRISTOL REGION

0   7   14 miles

N

Ashleworth •

Gloucester •

South Cerney is 22½ miles east of Berkeley

• Arlingham

• Slimbridge
• Hinton
• Wanswell
• Berkeley
• Ham
• Bevington

• Hill   • Coombe

Cromhall •   • Bradley

• Marshfield

St Mellons •
Rhymney •   • Peterstone

• Almondsbury
Patchway •   Chipping Sodbury •
• Filton

Portishead •
Portbury •
    Leigh •
Radford •   • Wraxall
Clevedon •   Tickenham

• Horfield   • Wapley
      • Codrington

• BRISTOL
• Blackswarth

Penarth •

Bath •

• Weston super Mare

Rowberrow •
Sandford •

Weare •

• Blagdon
West Harptree •
    • East Harptree

• Baggridge

• Draycott

• Pawlett

Halberton is 35 miles west of Cokerford

Cokerford   Fifehead Magdalen •

oversee their accounts, collect their income, and hold manorial courts. His journeys showed clearly the advantages of having the greater part of the abbey's estates within comparatively easy reach. By 1491 he appears to have followed a regular itinerary: to Ashleworth (with an allowance for expenses at Gloucester), Almondsbury, Berkeley, Blackswarth, Cromhall, Arlingham, Fifehead Magdalen (with an allowance for staying at Bruton on both the outward and the return journey), Horfield, Leigh, Rowberrow, Baggridge, and South Cerney.[1] In Pawlett and Codrington the revenues were rendered by a local agent in a separate account and the chamberlain visited them twice a year to hold the manorial court. At Ashleworth formal sessions were presumably held in the hall of the capital manor, little changed despite later adaptations. At Codrington the abbey's farmer held the manor house with the specific obligation of reserving for the abbot (or an obedientiary or any canon of the abbey) the two best rooms in the southern part of the house whenever he came to superintend the work of the estate.[2]

There is no hint in the cartulary of the emergence of this system, but it is likely to have been in use comparatively early. Rose Graham emphasised the fact that the Augustinians regarded the use of a common treasury as an essential feature of their organisation.[3] That fits well with their view that the individual should be subordinate to the order.[4] Robert fitz Harding's grants created a need for co-ordination from the middle of the twelfth century, and the allocation of revenues to obedientiaries could be taken for granted early in the thirteenth century. That implies separate accounts and some form of audit. Problems of finance and organisation emerged early in other houses of the order. At Cirencester, to take one local example, the need for clarification had become apparent before 1205 and Hubert Walter, archbishop of Canterbury, joined Mauger, bishop of Worcester, in imposing a scheme of financial reform on the abbey. An ordinance was issued, apparently by Mauger's successor, William of Blois, insisting that there should be a common treasury and that two trustworthy canons should be responsible for oversight of the abbey's finances.[5] At St Augustine's similar requirements resulted from the visitation of Godfrey Giffard, bishop of Worcester, in 1278;[6] his injunctions made clear the inadequacies of the abbey's financial organisation and pointed the way for future reform.

Property in Bristol

The cartulary has long been recognised as a particularly valuable source for the history of Bristol in the twelfth and thirteenth centuries. The charters deal with at least 73 tenements in the town and its suburbs. If the information about tenements which abut these properties is taken into account, the cartulary provides information of value about 150 urban properties. Some of them lay in the walled town; many lay in the suburbs of Bilswick and Redcliffe. Much of the detail of these tenements is discussed in the headings and notes of the charters relating to Bristol (nos. 472–599), and need not be repeated here. Later records, particularly those of the dean and chapter from the seventeenth century to the nineteenth, help to identify some of the medieval tenements, though when recording leases the cathedral staff were generally content to draw the shape of a holding accurately without showing its relation to the street frontage.

[1] *St Augustine's Compotus Rolls*, p. 114. Arlingham and Baggridge do not appear in the standardised list, but occur in separate accounts of the chamberlain's half-yearly visit (ibid. p. 110).   [2] Ibid. pp. 206–7.   [3] *VCH Glos.* ii, p. 76, n. 5.
[4] Cf. the Augustinian *Regula Tertia* (Dickinson, *Austin Canons*, pp. 274–9).
[5] *The Cartulary of Cirencester Abbey*, i, ed. C. D. Ross, 1964, pp. xx, 295–7, nos. 327–8.
[6] *VCH Glos.* ii, p. 76.

Marshalling a wide range of sources, including material from the cartulary, Dr Roger Leech has completed and published the first part of a detailed analysis of houses and tenements within the walled area of Bristol,[1] and is continuing his work on properties in the suburbs for future publication. Although a wealth of material can be used, a great many uncertainties remain, and the number of tenements which can be traced from the twelfth century with certainty is not large. In general terms, it is possible to locate a number of the abbey's tenements in areas not yet surveyed by Dr Leech: in Old Market and the road beyond Lawford's gate, Broadmead, Redcliffe Street, and the area around St Thomas's church, one or two tenements in the Temple fee, St Augustine's Back, Frog Lane, Frome Bridge Street, St Michael's Hill, and Woodwell Lane.

Human Problems

Although the charters are mainly concerned with property and rights, human problems emerge. The clerk of Hill, Walter of Cam, had a daughter who married Robert son of Alfred, a serf. Walter bought Robert's freedom, and endowed the couple with land, intending that it should be inherited by their children. With a change of status Robert changed his style and called himself Robert Selwyn. Robert and his wife were generous in their grants to St Augustine's. From their marriage only daughters survived, and eventually the greater part of their holding passed to the abbey (nos. 174–96). In Bristol illness and early death could produce problems. An immigrant from Wales, Geoffrey of Kenfig, and his wife Isabella prospered and acquired a large stone house. Their daughter married into the la Warre family, but her child, Peter la Warre, was left an orphan and was brought up by his maternal grandmother. In due course he took over the family inheritance. The documents in which Isabella and Peter established suitable anniversaries for their family preserve the outline of their story (nos. 500–5). A merchant, John le Veske, had a different problem. His tenant, John le Franceys, died leaving three sons, and he had laid down in detail how his property should be divided between them: the largest portion should go to the eldest son, so that the business could be maintained, the second and third sons sharing a smaller portion, and John le Veske was left with the task of giving effect to their father's will without diminishing the tenement (no. 554). Such personal details in formal documents are rare and for the early period covered by the cartulary they are perhaps all the more valuable for that reason.

THE MANUSCRIPT

When Henry VIII created the diocese of Bristol in 1542 the abbey church of St Augustine became the cathedral, and many of the lands and revenues of the abbey passed to the dean and chapter of the new foundation. Despite that obvious transfer, St Augustine's cartulary, known to generations of historians as the Red Book of St Augustine's, has been held in the archives of Berkeley castle for over four hundred years. In 212 folios it contains 599 charters issued between 1148 and 1275, with a small number of later documents. Since the early seventeenth century it has been the principal source for the early history of the abbey.

The cartulary is a small volume measuring 245 mm by 160 mm. It has been trimmed, and the margins are no longer uniform. The top margin varies from 15 to 20 mm, and exceptionally to 23 mm, with an average depth of 18 mm. The bottom margin varies

---

[1] Leech, *Topography*.

between 50 and 61 mm, with an average depth of 56 mm. The outer margin varies between 29 and 38 mm, with an average of 32 mm.

The volume was rebound in red leather in the nineteenth century, hence its popular name. The medieval title occurs on the last folio of the manuscript: *Liber sancti Augustini Bristollie*.[1] When it was rebound the volume was given modern vellum end pages and three blank folios of modern vellum at the beginning and the end. Surviving from an earlier binding are two sheets of paper and an early vellum flyleaf with brief notes in a modern hand forming a short index. The medieval manuscript was made up of sixteen folios which were originally left blank, followed by twenty-five gatherings of four leaves to produce eight folios in each gathering, and one final gathering consisting of six folios. The folios were numbered in a modern hand, starting with the first of the sixteen originally blank folios. The initial folio of each gathering from f. 17 on (except for the last gathering) was evidently given a medieval *signum* in Roman capitals, but the *signa* on the first four gatherings are no longer legible. Others are incomplete, V[I] on f. 57, X[II]I on f. 113, XI[X] on f. 161, [X]XIIII on f. 201, and on f. 145 there are only faint remains of XVII. The first four leaves of each of the second, third, and seventeenth gatherings have *a*, *b*, *c*, and *d* as *signa* at the foot, i.e. of ff. 25–8, 33–40, 145–8. The cartulary proper ends on f. 212, half way through gathering XXV, the second half of which was later used for additional material. Folios 213–14, 218, 218v., and 220–1 remain unused, and f. 222 was not numbered.

Gatherings I–VI contain royal and comital charters, charters of the founder and his kin, and, in gatherings V and VI, charters of the lords of Berkeley. Gatherings VII–XI are arranged under topographical rubrics and relate to manors in Gloucestershire. Gatherings XII–XIV relate to churches and estates in Somerset and Devon. Gatherings XV–XIX relate to Ashleworth and other Gloucestershire manors. Finally, gatherings XX–XXV contain charters dealing with Bristol and its environs.

The initial letter of each charter was executed in colour and in many instances with scroll-work. In alternate charters a different colour was used, mostly red and blue but occasionally red and green, and in the later folios each of the three colours in turn. The first 45 folios of the cartulary, ff. 17v.–62, the 44 folios of Bristol charters, ff. 168–211v., and a few intermediate folios, ff. 142–146v., 150v.–151, 153, have alternately initials decorated with scroll-work and plain initials, with rare occurrences in ff. 168–211v. of two or three successive charters with decorated or plain initials. Except for the folios already mentioned, ff. 63–167v. have plain initials.

Place-name rubrics were provided on the recto of most folios, and rarely on the verso (ff. 17–167). For the Bristol section, the place-name was frequently split, with *Bris-* on the verso and *-toll'* on the recto. It was clearly intended to provide rubrics for individual charters but in long sections of the cartulary this work was never completed (ff. 65–128, nos. 174–358, ff. 141–167v., nos. 400–71). On f. 97 no. 263 was provided with a rubric, and for two charters rubrics were added in a later hand (ff. 93v.–94, nos. 254–4.)[2]

Those features, taken in conjunction with inaccuracies of the drafting, suggest a scriptorium with a small and perhaps inexperienced staff, not surprisingly in an abbey which may have had on average some fourteen canons. Three slightly different hands

---

[1]   The upper half of the folio has been cut away, and the lower half has the name twice, with two minor variations. The first version reads *Liber Sancti Augustini Bristoll'*.

[2]   There are very faint rubrics on f. 104v., nos. 398, 400.

may be discerned in the text. A new scribe took over at the beginning of gathering VI (f. 57); he wrote in a more angular script, and used slightly different abbreviations. The charters relating to Somerset and Devon show subtle changes which suggest a third scribe at work. One scribe produced most of the rubrics. Certainly two scribes, and probably three, were responsible for writing and decorating the initial capitals.

The Date of the Manuscript

The cartulary was compiled in the late thirteenth century, and arguably in the mid 1270s. Charter no. 325 was issued by Anselm de Gurney, who died in 1286, the latest date at which work on the text could begin. The Statute of Mortmain of 1279 limited severely the grant of lands to the church.[1] Lawsuits, disputes, and legacies continued, but at St Augustine's no documents produced by such transactions in the reign of Edward I have survived. Charters from two other families narrow the limits of date. Nicholas Poyntz, who issued no. 453, died in the autumn of 1273;[2] his widow and her new husband issued no. 458. Master Philip of Leicester (nos. 256–9) was dead by 1274.[3]

The additional documents which were copied after the cartulary had been completed cover a wide range of dates, and those which can be assigned to the 1270s have a special significance. A quitclaim issued between 1248 and c. 1263 by Richard Pauncefoot (Add. Doc. 1) was confirmed by his son Grimbald between 1271 and 1273 (Add. Doc. 2). His charter was attested by Peter de Chauvent, sheriff of Gloucestershire, whose successor, Reginald de Acle, was in office by 23 November 1273.[4] Richard of Malmesbury, abbot of St Augustine's 1264–75, and William clerk of Pudbrook made an agreement about land in Ashleworth (Add. Doc. 4). On 15 March 1273 Edward I issued a writ exempting the abbot of Kingswood from attending the view of frankpledge in Bristol market (Add. Doc. 7). How soon the abbot of St Augustine's became aware of the exemption cannot be determined, but it was presumably entered in the cartulary as a useful precedent. A charter (Add. Doc. 10) issued by J. abbot of St Augustine's, who may have been John de Marina (1275–80) or James Barry (1294–1306), related to land in the vill of Acton identified by reference to tenants who held it in the early and mid thirteenth century, and the balance of probability is that the abbot involved was John de Marina. These documents suggest very strongly that the cartulary was being compiled c. 1273–5, with new material being added to the completed text in the second half of the decade. A comment, written on f. 6, may serve as an assessment of the volume: *multorum manibus grande levatur opus.*

The date of compilation has a bearing on the troubled history of the abbey in the thirteenth century. On two occasions the bishop of Worcester intervened, to depose Abbot David in 1234 and to force William of Breadstone to resign in 1242.[5] In 1278 Bishop Godfrey Giffard carried through a rigorous visitation and issued a series of

---

[1]   The canons received a mortmain licence for the appropriation of Wotton under Edge church, 18 August 1311 (*Cal. Pat. Rolls, 1307–13*, p. 381), and a few further licences at intervals. St Mark's hospital secured its earliest mortmain licence in 1315. At Cirencester there was some confusion or delay in conforming with the statute: the canons bought pardons for obtaining lands without licence, and licences to acquire lands in mortmain (*Cartulary of Cirencester Abbey*, i, ed. C. D. Ross, 1964, pp. 72–88; iii, ed. D. Devine, 1977, pp. 742–4).

[2]   *St Mark's Cartulary*, p. 203, no. 323 n.

[3]   BCM, GC no. 458.

[4]   *Cal. Fine Rolls, 1272–1307*, p. 15.

[5]   *VCH Glos.* ii, pp. 75–6.

stringent injunctions.[1] He found evidence of a general slackness in devotion, discipline, and administration and he ordered greater diligence in keeping the Rule. Where correction was necessary it must be made in chapter and without respect of persons. The abbot was extravagant and his household was too large. He sanctioned irregularities in the administration of the abbey's estates. Bishop Giffard demanded that his retinue be reduced, and that those who had abused their authority be dismissed from office. He required that two canons be appointed as treasurers to oversee the collection and use of the abbey's resources and to allocate money to the abbot and obedientiaries, inaugurating the system of administration still in use in the sixteenth century. A later visitation in 1284 established that reforms had been introduced and that the quality of monastic observance had, with some reservations, been improved.

It might be assumed that the ordering of the abbey's archives was part of the general reform and that a cartulary produced in the late thirteenth century should be linked with the visitation of 1278 and its aftermath. The evidence of the charters, however, suggests two things: that, whatever problems existed at the abbey, the abbot's agents in their rural estates were doing their work well and that the canons' records were in good order. The production of the cartulary was certainly in hand, and may have been completed, before the visitation of 1278 took place.

Transmission of the Manuscript

There is a strong presumption that the cartulary was secured by the Berkeleys, the heirs of the abbey's founder, at the Dissolution. The canons added material to the volume until 1505 (Add. Doc. 13). It does not contain any note or inscription linking it with the dean and chapter. Tanner noted that there were *Registra* in the care of the registrars of the bishop and chapter,[2] but they seem to have been registers appropriate to the administration of the diocese and cathedral.

Samuel Seyer considered it 'probable that all papers and records of the abbey were on its dissolution carried to Berkeley', since the abbey owed its existence and the greater part of its property to the Berkeley family.[3] He argued that some of the family's records were housed in the abbey in the reign of Edward III, citing a request from Thomas de Berkeley for a writ to secure from the abbot of St Augustine's 'delivery of his muniments goods and chattels taken by Richard Lovel and placed in [the abbey's] care'.[4] Seyer inferred, but did not directly state, that there was an interchange of archives between the abbey and Berkeley castle. Detailed comparison of the cartulary with the charters in Berkeley castle indicates, however, that very few original charters from the abbey were housed at Berkeley.

The question needs to be considered in the context of the family rather than the place. Henry VII acquired Berkeley castle and local estates which were retained by the crown until the death of Edward VI, while the Berkeleys found homes elsewhere. In 1553 Henry, Lord Berkeley, regained the family's lands and, until his death in 1613, devoted much of his long life to their care and maintenance. It still remains to discover by what agency the cartulary was secured, and where it may have been housed during the years of his family's virtual exile. At the Dissolution the manor of Canonbury, made up of

---

[1]   For the criticisms and injunctions see *Register of Godfrey Giffard*, ed. J. W. Willis Bund, Worc. Hist. Soc., ii, pp. 100–2. They are analysed in *VCH Glos.* ii, p. 76.

[2]   *Notitia Monastica*, ed. J. Nasmith, 1744, p. 480.

[3]   *Memorials Historical and Topographical of Bristol and its Neighbourhood*, 1821, i, p. ix.

[4]   Quoting *Rolls of Parliament*, vol. ii, p. 385.

Berkeley and its dependent estates, was retained by the king, and the Berkeleys purchased it from the crown in 1570–1. It is possible that the cartulary passed into their keeping on that occasion.[1] What is certain is that when John Smyth became Henry's household steward at Berkeley castle in 1596, and could begin his long and happy researches in the Berkeley archives, the cartulary was available there for his constant use.

In the early nineteenth century, before 1822, Seyer worked on the cartulary at Berkeley castle. He records that he also saw there and admired the charter of Robert fitz Harding to St Augustine's, 'the oldest document now extant relating to the monastery' as he described it, which was 'preserved in the evidence room' in a glass case (no. 67). He also saw the charter of Alice, widow of Maurice de Berkeley, to St Augustine's granting the canons the house and garden in Redcliffe Street which Maurice had bought from Ralph Thuremund and given to her (no. 532), which he described as 'a beautiful and perfect deed'. He drew up a calendar written on loose sheets, some of which were lost before they were mounted and bound.[2]

He was fiercely selective; his surviving transcripts cover only 123 charters from the cartulary. He deliberately omitted many charters relating to Gloucestershire manors (notably nos. 117–22, 124–43, 162–288) and some estates in Somerset and elsewhere (nos. 316–37, 339–53). Even in the Bristol section of the cartulary, which was his primary interest, he tended to omit alternative charters, especially if they were issued by the same donor. Very few charters are transcribed in full; most were abridged, omitting topographical details. A few are recorded only by a brief note, or even a single distinctive spelling of a place-name.

EDITORIAL METHOD

The aim has been to standardise the text while preserving something of the individuality of the scribes who wrote the cartulary in the thirteenth century and the documents added to the volume at later dates.

For the text of the cartulary, modern conventions of punctuation and, with some exceptions, the use of initial capitals have been observed. In the English summaries trade names have been treated consistently as descriptions. The scribe responsible for the Bristol section of the manuscript was less consistent; he sometimes wrote such names as *Corduanarius* or *Cordarius* with an initial capital, which may imply that they were coming into use as surnames. In those cases the printed text retains the capital letter.

In rendering the scribes' use of *i*, *j*, *u*, and *v* the modern usage of *i* and *u* for vowels and *j* and *v* for consonants has been adopted. In words where either *c* or *t* could be used it is not always clear which the scribe intended, and in general the *t* form had been adopted. It

---

[1] Smyth, *Lives*, ii, p. 361. Mr D. J. H. Smith is thanked for the suggestion and the reference.
[2] Bristol City Library, MS. 4532 (part of the Jefferies collection), ff. 79–107. For the charters of Robert and Alice, see ff. 79, 98. At least one page of the calendar has been lost after no. 22, and the greater part of Seyer's abridgement of no. 23, a long confirmation by John as count of Mortain, is missing. Seyer noted briefly six charters of William, earl of Gloucester (nos. 24–9), but the remainder of the comital charters (nos. 30–65) is not now included in the calendar and six charters of Robert fitz Harding (nos. 66–71) are missing. The lacuna occurs at the end of a page of Seyer's notes, and it suggests the loss of a substantial section of his work.

is clear, however, that the scribes preferred the *c* form for a small number of words —
servicium, pertinencia, justicia, and personal names such as *Laurencius* and *Mauricius*
— and with those the scribes' usage has been preserved. They also tended to link
together *indubium, inperpetuum* or *imperpetuum,* and similar common words; that too
has been followed. Where a scribe extended that usage to unusual words or to place-
names, the normal form has been adopted in the printed text with his rendering in a
footnote. With renderings that are faulty or suspect, the correct usage has been adopted
and the variant noted. Words and phrases omitted by the scribes have been supplied in
square brackets; where necessary, abbreviations and extensions have been indicated in
italics.

In the text, place-names in the area of south Gloucestershire and north Somerset where
many of the abbey's estates lay have not been identified by county; identification has
been provided in the index.

Where an original charter exists, the printed text has been taken from it, and variations
in the cartulary have been given in footnotes. With original charters, their use of initial
capitals has been retained; their spacing and punctuation have been followed, with all
variants of punctuation represented by a full point.

In the additional documents, which follow in sequence from f. 1, modern conventions
in the use of initial capitals and punctuation have been adopted, and the scribe's spelling
has been followed.

The cartulary scribes rarely copied a list of witnesses, which makes precise dating
difficult. The lists of witnesses in the large collection of charters preserved in the
Berkeley castle muniments and easily accessible in the impressive catalogue at the
Gloucestershire Record Office and in Professor Ross's edition of the *Cartulary of St
Mark's Hospital* (BRS vol. xxi) make good some of the deficiencies of the text of the St
Augustine's cartulary.

CARTULARY OF
ST AUGUSTINE'S ABBEY, BRISTOL

1. *Charter of King Stephen to St Augustine's confirming grants made by Henry, duke of Normandy. The estates include Leigh near Bristol (Abbots Leigh), Almondsbury, Fifehead Magdalen (Dorset), Ashleworth near Gloucester, land in Wapley, Lasborough, and South Cerney, and a rent of 20s from the weavers of Gloucester. (c. January 1154, at Dunstable.)*[1]

Rubric [f. 17]: Confirmatio regis Stephani de terris nobis a duce Henrico datis.

Stephanus rex Anglorum omnibus archiepiscopis episcopis comitibus baronibus justiciis vicecomitibus et omnibus amicis et fidelibus suis Francis et Angl*icis*, salutem. Sciatis me concessisse et confirmasse ecclesie Sancti Augustini de Bristou et canonicis regularibus ibidem deo servientibus omnes illas terras quas Henricus dux Norm*annorum* eis[2] dedit et concessit et carta sua confirmavit, Lega*m* scilicet juxta Bristou, Almodesberia*m*, Fifihida*m*[3] in Dorseta, Aiseleswrd' juxta Gloucestr', unam hidam[4] apud Wapeleia*m*, viginti solidos redditus de telariis Glo', unam hidam[4] de Lasseb*er*ga, centum solidatas terre apud Cernai.[5] Quare volo et firmiter precipio quatinus predicti canonici de Brist' omnia ista predicta libere et quiete ab omni[6] exactione seculari teneant cum omnibus suis pertinenciis sicut carta prefati Henrici ducis Norm*annorum* testatur, qui ejusdem loci fundator est. Nullus igitur eis injuriam vel dampnum vel molestiam aliquam facere presumat. Testibus,[7] [Willelmo de Kaisneto, Ricardo de Camvill', Ricardo de Hum' constabulario, Manessero Bisset dapifero, Guarino filio Geroldi camerario. Apud Dunstabl'.]

Marginal notes: (1) de fundatore. (2) .iij. Hec cart' confirma' inter alia in anno xj° *regis* Edwardi ij^di.

MS. (A) PRO, C 53/104, m. 5.

Printed: *Cal. Chart. Rolls*, iii, p. 378; *Regesta*, iii, p. 47, no. 127.

[1] Date from *Regesta*, no. 127.   [2] *ei*, A.   [3] *Fifhidam*, A.   [4] *hidriam*, A.
[5] *Cernay*, A.   [6] *omni* omitted, A.   [7] Witness list from A.

2. *Charter of Henry, duke of Normandy and count of Anjou, to St Augustine's which in his earliest years he took under his protection, confirming the grant of Almondsbury, to be held free of tallage, hidage, and royal aids. The text is taken from the original charter. (September 1151×May 1153.)*[1]

Rubric: Carta ducis Henrici de Almodesburia nobis concessa.

Henricus . Dei Gratia Dux Norm*annorum* . et Comes Ande*gavorum*[2]. Archiepiscopis . Episcopis . Abbatibus . Consulibus . Baronibus . et omnibus fidelibus . et Amicis suis francis et anglicis . salutem et dilectionem . Notum vobis facio tam presentibus quam futuris . me concessisse . et presentis mee carte confirmasse Ecclesie Beati Augustini de Bristou de[3] canonicis regularibus quam in initio Juventutis mee beneficiis et protectione cepi Juvare et[4] fovere causa et amore dei pro anima avi mei Henrici regis et mea propria salute Almodesburiam in perpetua elemosina[5] habenda[6] cum omnibus libertatibus & consuetudinibus suis et cum omnibus pertinentiis[7] suis in nemoribus . et pascuis . et pratis . et mariscis . et terris arabilibus liberam et quietam ab omni tallagio et hidagio et auxilio regio . [et][8] ab omni Exactione et inquietudine. Hiis Testibus subscriptis[9] Willelmo Comite Gloec' Raginaldo Comite Cornubie . Rodberto de Dunstanvilla . Rodberto filio Hardingi . Henrico et Mauricio filiis ejus[10]. Ricardo de Humez constabulario . Manaser Biseth dapifero . Guarino filio Geroldi camerario . Huberto dapifero . etc.

Original Charter BRO, DC/E/45.[11]

Printed: *Regesta*, iii, p. 368, no. 996.

Facsimile: *TBGAS*, 109, 1991, p. 130, Plate no. 4.

[1] Count Geoffrey died 7 September 1151; Henry began to use the style duke of Aquitaine in April or May 1153.

[2] MS. *Andeg'*.   [3] *sic*. MS. has *et*.

[4] MS. *de* deleted, *et* interlined.   [5] MS. *perpetuam elemosinam*.

[6] *haberi*, *Regesta*.   [7] MS. *pertinenciis*, following normal convention.

[8] *et* omitted in original.   [9] MS. *T*[*estibus*].   [10] Original has *eis*.

[11] This is one of a group of Berkeley charters which the editors of *Regesta* iii regarded as 'pretended originals' (*Regesta*, iii, pp. 115–8, 368–9, nos. 306, 309–10, 996, 999, 1000). For the defence of these charters see R. B. Patterson, 'The Ducal and Royal *Acta* of Henry Fitz Empress in Berkeley Castle', *TBGAS*, 109, 1991, pp. 117–37.

3. *Charter of Henry, duke of Normandy and count of Anjou, to St Augustine's confirming the grant of Ashleworth, formerly part of the manor of Berkeley, with all the liberties and customs which it had in the reign of Henry I. (May 1153 × December 1154.)*[1]

Rubric: Carta ejusdem Henrici de Asselleswrd et de libertatibus ejus.

Henricus dei gratia dux Normannorum et Aquitannie[2] et comes Andegavorum, omnibus archiepiscopis episcopis abbatibus consulibus baronibus justiciis vicecomitibus et omnibus fidelibus et amicis suis Francis et Anglicis, salutem. Notum fieri volo omnibus tam futuris quam presentibus me pro dei dilectione et pro [f. 17v.] salute mea et meorum antecessorum ecclesie Beati Augustini de Bristou et canonicis regularibus ibidem deo servientibus in perpetuam[3] elemosinam dedisse et concessisse Asseleswrþam juxta Gloecest' cum omnibus pertinenciis suis in bosco et plano in aquis in pratis in pascuis in essartis in viis in semitis cum omnibus libertatibus et consuetudinibus suis quas habebat in tempore Henrici regis avi mei. Quare volo et precipio ut in perpetuam elemosinam prefatam villam habeant et teneant sine vexatione et inquietudine et calumpnia et sine omni exactione sicut liberam elemosinam. Et sciatis quod villa predicta antea fuerat menbrum[4] manerii mei Berkelai donec eam prefate ecclesie dedi. *Testibus*, etc.

Marginal notes: (1) Asselew'. (2) [f. 17v.] de B'k'. (3) (*Early modern*) Mem' Henrici de Berkelai.

Printed: Regesta, iii, p. 368, no. 997.

¹ Issued after the assumption of the title of duke of Aquitaine.
² MS. *Aquitannie*; *Regesta* amends to *Aquitanie*.
³ MS. *in perpetuum*; so too, *Regesta*.
⁴ Cartulary clerks use *menbrum* consistently; *Regesta* has *membrum*.

4. *Charter of Henry, duke of Normandy and Aquitaine and count of Anjou, to St Augustine's granting the advowson of the church of Berkeley, to have as Robert fitz Harding granted it to the canons. He wishes Henry son of Robert fitz Harding, his treasurer, to hold the church from the canons for an annual rent. (May 1153 × December 1154.)*¹

Rubric: Carta ducis Henrici de advocatione ecclesie de Berkele.

Henricus dux Norm*annorum* et Aquit*anorum* et comes And*egavorum*, omnibus archiepiscopis episcopis comitibus baronibus justiciis vicecomitibus et omnibus fidelibus et amicis suis Norm*annie* et Angl*ie*, salutem. Sciatis me concessisse ecclesie Sancti Augustini de Bristou et canonicis ibidem deo servientibus advocationem ecclesie de Berkel' libere et quiete in elemosinam perpetuam habendam sicut Robertus filius Hardingi eandem advocationem illis concessit. Et volo ut Henricus filius Roberti thesaurius meus de ipsis canonicis eandem ecclesiam annuu*m* canone*m* reddendo eis inde habeat, et in bono et in pace cum omnibus ei pertinentibus possideat. Quare volo et firmiter precipio quatinus predicti canonici ecclesiam prefatam cum omnibus adjacentiis suis libere et quiete et honorifice ut liberam elemosinam in perpetuum possideant, nec quis eis injuriam vel dampnum vel molestiam aliquam facere presumat. T*e*s*t*ibus, etc.

Marginal notes: (1) Henricus filius Roberti. (2) (*Early modern*) Hard'² fil' Roberti Thesaur' H.2.

Printed: Regesta, iii, p. 368, no. 998.

¹ This belongs to the period immediately before Henry's accession. His departure from England before Easter, 4 April, 1154, may provide an earlier limit.
² The annotator presumably intended *Henr'*.

5. *Charter of Henry, duke of Normandy and count of Anjou, to St Augustine's confirming those lands and rents which pertain to the crown of England. They include Almondsbury, Wapley, Abbots Leigh, Fifehead Magdalen (Dorset) and Blackswarth, near Bristol. (January × May 1153.)*¹

Rubric: Generalis carta ejusdem ducis Henrici.

H*e*nricus dei gratia dux Norm*annorum* et comes And*egavorum*, archiepiscopis episcopis abbatibus consulibus baronibus et omnibus fidelibus et amicis suis Francis et Anglicis, salutem et dilectionem. Notum vobis facio tam presentibus quam futuris me concessisse et presentis mee carte munimine confirmasse ecclesie Beati Augustini de Bristou et[2] canonicis regularibus quam in initio juventutis mee beneficiis et protectione cepi juvare et fovere causa et amore dei omnes illas terras et redditus pertinentes ad coronam Anglie, qui prefate ecclesie Sancti Augustini et canonicis prenominatis in elemosina a me vel ab alio dati sunt vel in futuro[3] dabuntur; et nominatim Almodesburia*m* cum omnibus libertatibus [f. 18] et pertinenciis et consuetudinibus suis, et hidam terre unam liberam et quietam apud Wapeleiam.[4] Et preterea de alienis feodis Legam et Fifhidam et Blackenes*p*hurd que date sunt eis, et omnes alios redditus qui ecclesie pretaxate in futuro[5] dabantur. Concedo etiam eis et ecclesie confirmo x libratas reddituum quas ego ipse in presenti ipsis canonicis et ecclesie sue predicte dedi pro anima avi mei Henrici regis et mea propria salute; alias quoque x libratas reddituum suppleturus cum hereditatem meam dei gratia adquisitus fuero. *Testibus*[6] [hiis subscriptis, Willelmo comite Glouc', Regnaudo comite Cornub', Roberto de Dunstanvilla, Roberto filio Ardingi, Henrico et Mauricio filiis ejus, Ricardo de Humez constabulario, Manasser Biset dapifero, Guarino filio Geroldi camerario, Huberto dapifero.]

MS. PRO, C 66/149, m. 29.

Printed: *Monasticon*, vi, p. 366, no. iii; *Regesta*, iii, p. 47, no. 126.

[1]   The style points to a date before Henry began to use the title, duke of Aquitaine. The witness list indicates an English provenance; Henry returned to England in mid-January (*Regesta*, iii, p. 47, no. 126).

[2] *Regesta* has *de*; MS. uses an ampersand for *et*.

[3] *futurum*, Pat. Roll, *Regesta*.

[5] *futurum*.

[4] *Wappeleiam*, Pat. Roll, *Regesta*.

[6] Witness list from Pat. Roll.

6. *Charter of Henry II to St Augustine's confirming various gifts: William of Clevedon's gift of the church of Clevedon; William son of Gregory de Turri's gifts of the church of Finmere (Oxon), half a hide in Finmere, and 40 solidates of land in Halberton (Devon); Sefrid's gift of a virgate in Finmere; William and Sefrid's joint gift of Sefrid's tenement in Blackswarth in Bristol; Simon son of William's gift of a virgate in Finmere; Robert son of Gregory's gift of half a hide in Lecton, and of the tenement in Bristol held by Sefrid; Gregory de Turri's gift of 8 solidates in Newport (Mon.); Margaret de Bohun's gifts of 14 acres of meadow called* Laranesmede *and 1 gore in South Cerney; the joint gift of William of Lasborough and his lord, Ralph de Keynes, of a hide in Lasborough. (1165 × c. 1172.)*[1]

Rubric: Generalis carta ejusdem regis Henrici Secundi filii imperatricis.

*H*enricus dei gratia rex Angl*orum* et dux Norm*annorum* et Aquit*anorum* et comes And*egavorum* archiepiscopis episcopis abbatibus comitibus baronibus justic*iis* vicecomitibus et omnibus ballivis et fidelibus suis, salutem. Sciatis me pro dei amore et pro salute anime mee et pro animabus antecessorum et successorum meorum et pro cunctis fidelibus dei defunctis concessisse et presenti carta mea confirmasse deo et ecclesie sancti Augustini de Bristou et canonicis ibidem deo servientibus omnes rationabiles donaciones subscriptas sibi factas et cartas donatorum confirmatas: ex dono Willelmi de Clifdon' ecclesiam de Clifdon' cum pertinenciis suis; ex dono Willelmi filii Gregorii de Turri ecclesiam de Finemere cum pertinenciis suis; ex dono ejusdem Willelmi dimidiam hidam terre cum pertinenciis suis in eadem villa et xl solidatas terre in Halberton'; ex dono Sefridi unam virgatam terre in Finemere; ex dono Symoni filii Willelmi unam virgatam terre in eadem villa; ex dono Roberti filii Gregorii dimidiam hidam terre in Lectona et in Bristou totum tenementum quod Sefridus tenuit de ipso Roberto; ex dono Gregorii de Turri viii solidatas terre apud Novum Burgum; ex dono Margarete de Bohun xiiii acras terre prati cum una gara apud Cernei, scilicet pratum quod dicitur Laranesmede; ex dono Willelmi filii Gregorii et Sefridi hominis sui totum tenementum quod idem Sefridus tenuit de ipso Willelmo apud Blakenesword'; ex dono Willelmi[2] de Lasseberg' et concessione Radulfi de Caham domini sui unam hidam terre in Lasseburg'. Quare volo et firmiter precipio quod prefata ecclesia et canonici habeant et teneant omnia supradicta bene et in pace libere et quiete integre et honorifice in bosco et plano in pratis et pasturis in aquis et molendinis et omnibus aliis locis et rebus ad eam pertinentibus cum omnibus libertatibus et liberis consuetudinibus suis sicut carte donatorum testantur. Testibus, etc.

Marginal notes: (1) Cernei. (2) (Modern) Cernay.

[1] Margaret de Bohun succeeded to her share of the family estates in 1165; William of Clevedon ceases to attest comital charters c. 1172 (EGC, p. 43, no. 20); Henry II used the style dei gratia from May 1172.
[2] MS. Villelmi.

7. *Charter of Henry II confirming to St Augustine's at the request of Robert fitz Harding, land at Horfield which Robert had given the canons when they entered their new church. (c. 1155 × 71.)*[1]

Rubric: [f. 18v.] Carta ejusdem regis Henrici de Horefeldea.

Henricus rex Anglorum et dux Normannorum et Aquitanorum et comes Andegavorum archiepiscopis episcopis comitibus baronibus justiciis vicecomitibus ministris et omnibus hominibus et fidelibus suis totius Anglie, salutem. Sciatis me assensu et petitione Roberti filii Hardingi dedisse et concessisse et carta mea presenti confirmasse canonicis Beati Augustini de Bristollo Horefeldiam, illam videlicet terram quam Robertus filius Hardingi eis concessit in ingressu nove ecclesie sue, cum omnibus pertinenciis ejus. Quare volo et firmiter precipio quod idem canonici habeant predictam terram in perpetuam elemosinam et teneant bene et in pace et honorifice et integre libere et quiete in bosco et in plano in prato et in pasturis et in omnibus locis et rebus cum serviciis et libertate eidem terre pertinentibus. Testibus, etc.

[1] The canons entered their new church c. 1159. Robert fitz Harding was dead by 1171.

8. *Charter of Henry II to St Augustine's confirming the grants of Cromhall and half the fisheries of Arlingham, namely Garn, in Westbury on Severn and Ruddle, in Newnham, which Robert fitz Harding had given them. (1154 × 89; probably before 1171.)*

Rubric: Carta ejusdem regis Henrici de Cromhale et piscariis de Herlingham.

Henricus rex Anglorum et dux Normannorum et Aquitanorum et comes Andegavorum archiepiscopis episcopis et abbatibus comitibus baronibus justiciis vicecomitibus et omnibus ministris et fidelibus suis tam Francis quam Anglis totius Anglie, salutem. Sciatis me concessisse et hac carta mea confirmasse ecclesie Sancti Augustini de Brist' et canonicis regularibus ibidem deo servientibus villam de Cromahala cum pertinenciis suis de tenemento de Berkelai et medietatem piscariarum de Herlingeham scilicet Kerne et Rethlea cum decimis tam illarum partium quam non habent quam illarum quas habent, quam villam cum pertinenciis et piscarias cum decimis Robertus filius Hardingi eis dedit in perpetuam elemosinam. Et ideo volo et firmiter precipio quod prenominata ecclesia et canonici predictam villam cum omnibus pertinenciis suis habeant et teneant in bosco et plano in pratis et pasturis in aquis et molendinis in viis et semitis et in omnibus aliis locis et aliis rebus ad eandem pertinentibus, et prenominatas piscarias cum decimis illarum bene et in pace et libere et quiete et plenarie et honorifice cum omnibus libertatibus et liberis consuetudinibus suis quas villa jam dicta et piscarie habuerunt tempore regis Henrici avi me. Testibus, etc.

Marginal note: Arlingham.

9. *Charter of Henry II to St Augustine's granting permission to build a mill on the Trivel in his manor of Bedminster, so long as it is not detrimental to his mill at Bedminster. They are to hold it in free alms. (1154 × 83.)*[1]

Rubric: Carta ejusdem regis Henrici de molendinis de Trivelea.

Henricus rex Anglorum et dux Normannorum et Aquitanorum et comes Andegavorum justic' vicecomiti et omnibus baronibus et fidelibus suis de Sumerseta, salutem. Concedo quod abbas et canonici de Sancto Augustino faciant unum molendinum ubicunque voluerint et qualiter voluerint super aquam de Trivel in feodo meo de Bedminist' ita quod non [f. 19] noceat molendino de Bedminist'. Et volo et precipio firmiter ut habeant et teneant [predictum molendinum] bene et in pace libere et quiete in perpetuam elemosinam. Testibus, etc.

[1] This grant had been confirmed by Henry the young king before his death in 1183 (no. 18).

10. *Charter of Henry II to St Augustine's confirming the church of Ashleworth. (1154 × 72.)*

Rubric: Carta ejusdem regis Henrici de ecclesia de Hascheleswor þe.

Henricus rex Anglorum et dux Normannorum et Aquitanorum et comes Andegavorum episcopo Wigorn' et justic' et vicecomiti et ministris et fidelibus suis de Gloec', salutem. Sciatis me concessisse et confirmasse canonicis Sancti Augustini de Bristou ecclesiam de Eisselwrda cum omnibus pertinenciis suis. Et volo et firmiter precipio quod eam habeant et teneant in perpetuam elemosinam cum omnibus pertinenciis suis in terris et decimis et omnibus rebus bene et in pace libere et honorifice. Testibus, etc.

11. *Charter of Henry II confirming the decision of judges-delegate settling a dispute between St Augustine's and Reading abbey over the churches of Berkeley Harness. (Late 1175– early 1176.)*[1]

Rubric: Carta ejusdem Henrici de concordia facta inter nos et monacos (*sic*) de Reding.

Henricus dei gratia[2] rex Anglorum et dux Normannorum et Aquitanorum et comes Andegavorum[3] archiepiscopis episcopis abbatibus comitibus baronibus justiciis vicecomitibus et omnibus ministris et fidelibus suis Francis et Anglicis,[4] salutem. Sciatis me concessisse et presenti carta confirmasse conventionem et concordiam que rationabiliter facta fuit coram me et judicibus delegatis Roberto episcopo Hereford' et Symone[5] abbate Sancti Albani et pluribus aliis personis qui[6] aderant inter monachos de Rading' et canonicos Sancti Augustini de Brist' de ecclesiis de Berchelai[7] Hernesse. Hanc scilicet quod canonici Sancti Augustini de Brist' perpetuo possidebunt nomine monachorum de Rading' ecclesias de Berchelai[7] Hernesse cum omnibus ad eas pertinentibus que ipsi canonici vel aliquis eorum nomine possidebat die qua inter eos concordia facta fuit de eisdem[8] ecclesiis, solvendo monachis annuatim pro illis ecclesiis xx marcas, x ad Pascha et x ad festum Sancti Michaelis. Si autem ecclesias vel alia ecclesiastica bona ad Berchelai[9] Hernesse pertinentia monachi et canonici predicti perquirere potuerint, equalibus expensis adquirere debebunt et inter se equaliter partiri. Quare volo[10] et firmiter precipio quod hec conventio et concordia inter eos firmiter inconcussa teneatur sicut coram me et personis que aderant facta fuit et utrobique concessa et sicut carte quas inde habent testantur. T[estibus, Ricardo Cant' archiepiscopo, Gileberto London', Ricardo Vint', Gaufredo Heliensi, Bartholomeo Exon', Johanne Norwic', Roberto Herford' episcopis, Simone abbate Sancti Albani, comite Willelmo de Mand', Ricardo de Luci, Willelmo filio Audelini dapifero,[11] Reginaldo de Curtenai, Thoma Basset, Willelmo de Stutevilla, Hugone de Creissi, et Roberto filio Bernardi et Thoma fratre suo. Apud Westmonasterium].[12]

Marginal note: (*in pencil*) Hernesse.

Printed: *Reading Abbey Cartularies*, ed. B. R. Kemp, R. Hist. Soc., Camden 4th ser. 31, p. 232, no. 279. The charter occurs in (A) BL Egerton MS. 3031, ff. 23v.–24 and (B) BL

Harley MS. 1708, f. 25v. The editor made a limited collation with the St Augustine's cartulary text.

[1] The agreement (*Reading Abbey Cartularies*, 31, p. 299, no. 277) was recorded on 18 October 1175. Henry's confirmation was issued after 14 December 1175, when John was consecrated as bishop of Norwich.   [2] *dei gratia* omitted, A.

[3] *Anglie* in full, A; the editor used the same form for *Norm'*, *Aquit'*, and *And'*. In B, the address reads *Anglie etc.*   [4] *Anglie*, A.   [5] *Simone*, A.

[6] MS. *que*.   [7] *Berkeleai*, A.   [8] *illis*, A.

[9] *Berkelaih'*, A.

[10] MS. omits *volo* which has been added in the margin in a later hand.

[11] *dapiferi*, A.   [12] Witness list from A.

12. *Charter of Henry II to St Augustine's issued at the request of William, earl of Gloucester, confirming the tenement in Penarth (Glam.) which Osbert of Penarth had granted to the canons, and 7 acres of arable land and 1½ acres of meadow which Reginald son of Osbert restored and quitclaimed to them. (Before 1173.)*[1]

Rubric: Carta ejusdem regis Henrici de villa de Pennard.

Henricus dei gratia rex Anglorum et dux Normannorum et Aquitanorum et comes Andegavorum archiepiscopis episcopis abbatibus comitibus baronibus justiciis vicecomitibus ministris et fidelibus suis totius Anglie, salutem. Sciatis me ad petitionem comitis Willelmi Glouer' concessisse [f. 19v.] et presenti carta mea confirmasse deo et ecclesie Sancti Augustini de Bristou et canonicis ibidem deo servientibus totum tenementum de Pennard quod Osbertus de Pennard assensu Roberti et Roberti[2] fratrum et heredum suorum eis dedit, et vii acras terre[3] arabiles et unam acram prati et dimidiam quas Reginaldus filius ejusdem Osberti ipsis canonicis reddidit et quietas clamavit. Que omnia predictus comes eis confirmavit et quodlibet servicium quod ad eum inde pertinebat eis remisit. Quare volo et firmiter precipio quod supradicta ecclesia Sancti Augustini et canonici in ea deo servientes omnia predicta habeant et teneant in libera et perpetua elemosina bene et in pace libere et quiete plenarie integre et honorifice in bosco et plano in pratis et pasturis in aquis et molendinis in viis et semitis et in omnibus aliis locis et aliis rebus ad ea pertinentibus cum omnibus libertatibus et liberis consuetudinibus ad prefatum comitem pertinentibus, sicut carta ejusdem comitis testatur. Testibus, etc.

[1] Earl William confirmed the grants made by Osbert and Reginald three years after the coronation of Henry, the young king (no. 38; *EGC*, p. 47, no. 29). Henry used the *dei gratia* formula from May 1172.

[2] This appears to be an error, though it is possible that two sons were given the same baptismal name. The duplication is common to confirmations issued by Earl William (nos. 38, 41; *EGC*, p. 42, no. 19; p. 48, no. 30). In one confirmation (no. 41), Robert was identified as Osbert's younger brother. The charters indicate that Osbert's brothers were his heirs, though he also had a son called Reginald (nos. 38, 39, 41).

[3] *acras terre* repeated and deleted.

13. *General confirmation by Henry II to St Augustine's confirming the following gifts: the churches of Rhymney (Mon.), Halberton (Devon), Great Gransden (Hunts.), and All Saints, Bristol; land in Cibwyr (Glam.); the land of Roger son of Mauger in Newport (Mon.); land in Penarth called Welsh land (*terra Walesche*), which William, earl of Gloucester, has confirmed; the church of Portbury, land in Ham, and land beyond the watercourse which meets the pill near the chapel of St Katherine in Portbury, given by Richard of Morville; the churches of Tickenham, Weare, and Pawlett, given by Robert fitz Harding. (1154 × c. 1172.)*[1]

Rubric: Carta generalis ejusdem Henrici de ecclesiis et quibusdam terris.

Henricus rex Anglorum et dux Normannorum et Aquitanorum et comes Andegavorum archiepiscopis episcopis abbatibus comitibus baronibus justiciis vicecomitibus et omnibus ministris et fidelibus suis Francis et Anglis totius Anglie, salutem. Sciatis me concessisse et presenti carta confirmasse ecclesie Sancti Augustini de Brist' et canonicis regularibus ibidem deo servientibus ecclesiam de Rummia et ecclesiam de Haubertona et ecclesiam de Grantendona et ecclesiam Omnium Sanctorum in villa de Bristou et c acras in Kiburn et viii solidatas terre que fuerunt Rogeri filii Maugerii apud Novum Burgum et c acras apud Pennart que vocantur terre Walesche; quas ecclesias et quas terras Willelmus comes Glouc' eis rationabiliter eis dedit et concessit in perpetuam elemosinam et cartis suis confirmavit. Preterea ecclesiam de Portburi cum pertinenciis suis et duas virgatas terre apud Hamme et totam terram ultra duitellum qui cadit in pullam juxta capellam Sancte Katherine cum toto bosco quod in illa terra est; quam ecclesiam et quas terras cum bosco Ricardus de Morevilla eis dedit et concessit rationabiliter in perpetuam elemosinam. Et ecclesiam de Ticheham et ecclesiam de Wera et ecclesiam de Poulet cum omnibus pertinenciis suis quas Robertus filius Hardingi eis rationabiliter dedit et concessit in perpetuam [f. 20] elemosinam. Quare volo et firmiter precipio quod predicta ecclesia et canonici habeant et teneant predictas ecclesias et terras cum omnibus pertinenciis suis in bosco et plano in pratis et pasturis in securitate et in omnibus aliis rebus ad illas pertinentibus cum omnibus libertatibus et liberis consuetudinibus suis sicut carte donatorum testantur. Testibus, etc.

Marginal note: Rumeis.

[1] Earl William confirmed a number of these gifts in separate charters (nos. 33, 35, 36, 41, 43, 47; *EGC*, pp. 42–5, nos. 21, 25, 22, 19, 24, 18), probably issued before 1166.

14. *Charter of protection by Henry II to St Augustine's. (c. 1172 × 89, probably early in that period.)*

Rubric: Littere ejusdem Henrici de protectione.

Henricus dei gratia rex Anglorum et dux Normannorum et Aquitanorum et comes Andegavorum archiepiscopis episcopis abbatibus comitibus baronibus justiciis vicecomitibus et omnibus ballivis suis, salutem. Sciatis quod abbas et canonici Sancti Augustini de Brist' sunt in manu et custodia et protectione mea. Et ideo precipio vobis quod custodiatis et protegatis et omnes res et possessiones ad abbatiam illam pertinentes sicut res meas dominicas. Nec aliquam injuriam vel contumeliam aut gravamen aliquid eis faciatis vel fieri permittatis. Et si quis eis vel rebus suis in aliquo forisfecerit plenariam justiciam eis inde sine dilatione fieri faciatis. Et prohibeo ne ipsi ponantur in placitum de aliquo tenemento quod teneant in dominico suo nisi coram me vel capitali justicia mea. Testibus, etc.

Marginal note: prot' bona.

15. *Charter of Henry II to St Augustine's granting Ashleworth to the canons with all the appurtenances it had in the reign of Henry I, and confirming a number of grants made by various donors, including the earls of Hereford and Chester. There are anachronistic features in the charter. Henry is given the full royal title as king of England, duke of Normandy and Aquitaine, and count of Anjou. His style also includes the* dei gratia *formula. The witness list includes one witness, William Cumin, who is not thought to have attested Henry's charters after he became king. (? January 1154.)*[1]

Rubric: Carta ejusdem regis Henrici de Asselleswor þe.

Henricus dei gratia[2] rex Anglorum et dux Normannorum et Aquitanorum et comes Andegavorum omnibus archiepiscopis episcopis abbatibus consulibus baronibus justiciis vicecomitibus et omnibus fidelibus et amicis suis Francis et Anglicis, salutem. Notum facio omnibus tam futuris quam presentibus me pro dei amore et mea salute et pro salute meorum antecessorum dedisse et in perpetuam elemosinam concessisse ecclesie Beati Augustini de Brist'[3] et canonicis regularibus ibidem deo servientibus Asseleswrþam juxta Glocestriam cum omnibus pertinenciis [suis][4] in bosco et plano in aquis in pratis in pascuis in essartis in viis in semitis cum omnibus libertatibus et consuetudinibus suis quas habebat in tempore Henrici regis avi mei. Quare volo et firmiter precipio ut in perpetuam elemosinam prefatam villam habeant et teneant sine vexatione et inquietudine et calumpnia[5] et sine omni exactione sicut liberam elemosinam. Et sciatis quod predicta villa fuit adjacens ad Berkeliam[6] et menbrum[7] ejus donec illam optuli in elemosinam perpetuam super altare Sancti Augustini de Bristou. Preterea [f. 20v.] sciatis me concessisse et concessionem meam presenti carta confirmasse predicte ecclesie Sancti Augustini de Bristou et canonicis ibidem deo servientibus in perpetuam elemosinam omnes illas terras et redditus illos qui juste dati sunt vel dabuntur predicte ecclesie Sancti Augustini in elemosinam, nominatim Almodesberiam cum omnibus pertinenciis suis et libertatibus que fuit menbrum[7] de Berkeleia; et Legam que fuit menbrum[7] Bedmunstre[8] que est juxta Brist';[9] et Fifhidam in Dorseta que est de feudo comitis Cestrie quam comes Cestrie Randulfus predicte ecclesie in elemosinam perpetuam donavit; et centum solidatas terre et quatuor culturus[10] preter hec quas Rogerus comes Herefordie donavit predicte ecclesie de suo hereditario jure apud Cernei;[11] et unam hidam[12] terre apud Wappelegiam et ecclesiam ejusdem ville cum pertinenciis suis; et dimidiam hidam terre apud Cudrintunam[13] et terram quam habent apud Blakeneswrthiam; et xxti solidos de annuo redditu apud Glocestriam;[14] et intra villam de Brist'[15] ecclesiam Sancti Leonardi et ecclesiam Sancti Nicholai.[16] T[este, Willelmo Cumin, Henrico thesaurario, Willelmo comite Gloucestrie, et Reginaldo comite Cornubie, Roberto de Dunstaunvilla, Roberto filio Hardingi, et Mauricio filio ejus, Ricardo de Humez constabulario, Manaset Biseth dapifero, Guarino filio Geroldi camerario, Willelmo filio Hamundi, Gregorio de Turre, Hugone de Gundevilla, Hugone de Longocampo].[17]

MS. PRO, C 53/104, m.5.

Printed: Cal. Chart. Rolls, iii, p. 377; *Regesta*, iii, p. 46, no. 128.

[1] The editors of the *Regesta* accept this charter, assume that the royal title was added in error, and ascribe it to ? January, 1154.

[2] The variant readings which follow are from the Charter Roll. *dei gratia rex Anglorum* omitted.

[3] *Bristou.*

[4] *suis.*	[5] *calumnia.*	[6] *Berkeleiam.*
[7] *membrum.*	[8] *Bedmunstre.*	[9] *Bristou.*
[10] *culturas.*	[11] *Cernay.*	[12] *hydam.*
[13] *Cuderintunam.*	[14] *Gloucestriam.*	[15] *Bristou.*
[16] *Nichol'.*		

[17] The witness list is from the Charter Roll.

16. *Charter of Henry, the young king, son of Henry II, addressed to the bishop of Worcester, and to the sheriff and administrators of Gloucestershire, confirming to St Augustine's the church of Ashleworth. (1170 × 83.)*[1]

Rubric: Carta Henrici filii regis Henrici de ecclesia de Hasselleswor þe.

Henricus rex Anglorum et dux Normannorum et comes Andegavorum, regis Henrici filii, episcopo Wigornie justic' et vicecomiti et ministris et fidelibus suis de Gloec', salutem. Sciatis me concessisse et confirmasse canonicis Sancti Augustini de Bristoll' ecclesiam de Eisseleswrd cum omnibus pertinenciis suis sicut dominus rex pater [meus] eis concessit et carta sua confirmavit. Quare volo et firmiter precipio quod eam habeant et teneant in perpetuam elemosinam cum omnibus pertinenciis suis in terris et decimis et omnibus rebus bene et in pace libere et quiete et honorifice. *Testibus*, etc.

[1] The young king was crowned on 14 June 1170, and died on 11 June 1183.

17. *Charter of Henry, the young king, son of Henry II, to St Augustine's confirming the grant of Horfield by Robert fitz Harding. (1170 × 83.)*

Rubric: Carta ejusdem Henrici de Horefeldia.

Henricus rex Anglorum et dux Normannorum et comes Andegavorum, regis Henrici filius, archiepiscopis episcopis comitibus baronibus justiciis vicecomitibus ministris et omnibus hominibus et fidelibus suis Francis et Anglis, salutem. Sciatis me concessisse et presenti carta confirmasse canonicis Sancti

Augustini de Bristoll' Horefeldiam, illam videlicet terram quam Robertus filius Hardingi eis concessit in ingressu nove ecclesie sue, cum omnibus pertinenciis suis, sicut dominus rex pater meus eis concessit et carta sua confirmavit. Quare volo et firmiter precipio quod idem canonici habeant predictam terram in perpetuam elemosinam et teneant bene et in pace et honorifice et integre libere et quiete in bosco et in plano in pratis et pasturis et in omnibus locis et rebus cum serviciis et libertatibus [f. 21] eidem terre pertinentibus. *Testibus*, etc.

18. *Charter of Henry, the young king, son of Henry II, to St Augustine's confirming the mill which the canons have built on the Trivel at Bedminster, provided that it does no harm to the king's mill there. (1170 × 83.)*

Rubric: Carta ejusdem Henrici de molendinis de Trivele.

Henricus rex Anglorum et dux Normannorum et comes Andegavorum, regis Henrici filius, just' vicecomiti et omnibus baronibus et fidelibus suis de Sumerseta, salutem. Concedo quod canonici de Sancto Augustino de Brist' habeant et teneant unum molendinum quod fecerunt super aquam de Trivela in feodo meo de Bedministra, ita quod non noceat molendino de Bedministra, sicut dominus rex pater meus eis concessit et carta sua confirmavit. Et volo et firmiter precipio ut illud habeant et teneant bene et in pace libere et quiete in perpetuam elemosinam. *Testibus*, etc.

Marginal note: Trivele.

19. *General confirmation to St Augustine's issued by Henry, the young king. (1170 × 83.)*

Rubric: Generalis carta ejusdem Henrici.

Henricus rex Anglorum et dux Normannorum et comes Andegavorum, regis Henrici filius, omnibus archiepiscopis episcopis abbatibus comitibus baronibus justiciis vicecomitibus ministris et omnibus fidelibus et amicis suis Francis et Anglicis, salutem. Sciatis me concessisse et presenti carta confirmasse deo et ecclesie Sancti Augustini Bristoll' et canonicis regularibus ibi deo servientibus pro salute domini mei regis Henrici patris mei, et mea, et pro salute anime regis Henrici avi domini regis patris mei et antecessorum nostrorum Asseleswrd' juxta Gloecest' cum pertinenciis suis in bosco et plano et essartis et libertatibus et consuetudinibus suis quas habebat in tempore regis Henrici avi domini regis patris mei, que erat menbrum pertinens ad honorem de Berkelai quando dominus rex pater meus illam optulit in perpetuam elemosinam super altare Sancti Augustini de Brist'; et Almodesbiriam similiter cum omnibus pertinenciis et libertatibus et consuetudinibus suis que erat similiter menbrum de Berkelai; et Legam que fuit menbrum de Bedministra juxta Brist'; et Thiffhydam in Dorset' de feodo comitis Cestrie, quam comes Cestrie Randulfus dedit predicte ecclesie in perpetuam elemosinam; et c solidatas terre et quatuor culturas preter hec quas

Rogerus comes Herefordie donavit predicte ecclesie de suo hereditario jure apud Cernai; et ecclesiam de Wappeleia cum pertinenciis suis et terram quam idem canonici habent apud Blakeneswrd'; et intra villam Brist' ecclesiam Sancti Leonardi et ecclesiam Sancti Nicholai. Preterea concessi eis et confirmavi omnes terras illas et redditus alios qui juste dati sunt vel dabuntur predicte ecclesie Sancti Augustini in elemosinam. Quare volo et firmiter precipio quod predicti canonici Sancti Augustini habeant hac predicta et teneant bene et in pace libere et honorifice cum omnibus libertatibus et liberis consuetudinibus in bosco et plano in aquis in pratis et pasturis in viis et semitis, sicut carta domini regis patris mei et carte donatorum testantur. T*estibus*, etc.

Marginal notes: (1) (*at the appropriate lines*) Asselew', Almod', Lega, Fifhida. (2) Hec carta confir' inter alia in anno xj° R*egis* E*dwardi* ij^{di}. Lega, Fifhida.

20. *Charter of protection issued by King John to St Augustine's. (1199 × 1216.)*

Rubric [f. 21v.]: Carta regis Johannis de protectione.

Joh*annes* dei gratia rex Anglie dominus Hibernie dux Norm*annie* et Aquit*anie* et comes And*egavie* archiepiscopis episcopis abbatibus comitibus baronibus justic*iis* vicecomitibus et omnibus ballivis suis, salutem. Sciatis quod abbas et canonici Sancti Augustini de Bristoll' sunt in manu et custodia et protectione nostra. Et ideo precipimus vobis quod custodiatis et protegatis et manuteneatis ipsum abbatem et canonicos et omnes res et possessiones ad abbatiam pertinentes sicut res nostras dominicas, nec aliquam injuriam vel contumeliam aut gravamen aliquid eis faciatis vel fieri permittatis. Et si quis eis vel rebus suis in aliquo forisfecerit, plenariam justiciam eis inde sine dilatione fieri faciatis. Et prohibemus ne ipsi ponantur in placitum de aliquo tenemento suo quod teneant in dominico suo nisi coram nobis vel capitali justicia nostra sicut littere patentes H*enrici* regis patris nostri testantur. T*estibus*, etc.

21. *Charter of protection issued by John, as count of Mortain, to St Augustine's. (1189 × 99.)*[1]

Rubric: Carta ejusdem Joh*annis* comitis Moriton' de protectione.

Joh*annes* comes Moret*onie* justic*iis* vicecomitibus et omnibus ballivis suis Angl*ie* et Wallie et Hibern*ie*, salutem. Sciatis quod abbas et canonici Sancti Augustini de Brist' sunt in manu et custodia et protectione mea. Et ideo precipio vobis quod custodiatis et protegatis et manuteneatis[2] ipsum abbatem et canonicos et omnes res et possessiones ad abbatiam illam pertinentes sicut res meas dominicas. Ne aliquam injuriam vel contumeliam aut aliquid gravamen eis faciatis vel fieri permittatis. Et si quis eis vel rebus suis in aliquo forisfecerit, plenam justiciam eis fieri faciatis. Et prohibeo ne ipsi ponantur in placitum de aliquo tenemento suo quod teneant in dominico suo nisi coram me vel capitali justicia mea. Et quieti [sint] ipsi canonici et fratres et homines eorum et naves et batelli eorum in Anglia et Wallia et Hibernia, in Brist', et per totam terram meam in portubus maris et alibi de tolneo et passagio de omnibus querelis et tailagiis[3] et de omnibus aliis consuetudinibus et exactionibus que ad me et meos pertinent et de omnibus rebus suis propriis quas vendiderint et de hiis que emerint vel eis data fuerint vel apportaverint vel per terram vel per aquam ad proprios usus suos vel suorum. Te*stibus*, etc.

Printed: *EGC*, p. 106, no. 108.

[1]   John was made count of Mortain as part of Richard I's arrangements for the good order of his territories after his coronation on 3 September 1189.

[2]   The cartulary scribe omitted any sign of abbreviation for this word.

[3]   An unusual but possible spelling of this word.

22. *Charter issued by John, as count of Mortain, to John la Warre, confirming Rowberrow, which he holds of Robert son of Robert de St Denis. (1189 × 99.)*

Rubric: Carta ejusdem J*ohannis* [Moriton']*[1]* facta J*ohanni* la Warre de terra de Run*bere*.

Joh*anne*s comes Moret*onie* baronibus justic*iis* vicecomitibus forestariis et omnibus ballivis suis, salutem. Sciatis me concessisse et presenti carta mea confirmasse Johanni [f. 22] Werre de Bristoll' totam illam terram de Rudebergia cum omnibus pertinenciis suis in ecclesie advocatione in hominibus in redditibus in boscis et planis in pratis in pascuis in aquis in vivariis in molendinis in viis in semitis in placidis in querelis in omnibus libertatibus et liberis consuetudinibus ad eandem terram pertinentibus quam videlicet tenet de Roberto filio Roberti de Sancto Dionisio. Habendam et tenendam prefato Johanni et heredibus suis de prenominato Roberto et heredibus suis bene et in pace libere quiete integre finabiliter reddendo inde annuatim et cetera sicut in carta continetur.

Printed: *EGC*, p. 106, no. 108.

[1]   The reading is very faded.

23. *Charter issued by John, as count of Mortain, to St Augustine's; a general confirmation. (1189 × 1 November 1191.)[1]*

Rubric: Generalis carta ejusdem J*ohannis* comitis [Moriton'].[2]

Joh*anne*s comes Moret[3] justic*iis* vicecomitibus constabulariis forestariis et omnibus ministris et baillivis[4] et fidelibus suis de Anglia[5] et de Wallia,[6] salutem. Sciatis me divini amoris intuitu et pro salute anime mee et pro anima H*enrici* bone memorie patris mei concessisse et presenti carta mea confirmasse deo et ecclesie Sancti Augustini de Brist'[7] et canonicis regularibus ibidem deo servientibus omnes donationes que eis rationabiliter facte sunt vel postmodo fient sicut carte donatorum suorum testantur et nominatim hec omnia subscripta. Scilicet ex dono domini regis patris mei totam terram de Eisselesworde[8] cum omnibus pertinenciis et libertatibus suis sicut carta ejusdem domini regis testatur.

Et quietam eam clamo de visu forestariorum meorum et de reguardo foreste. Et preterea concedo eis ex dono meo xliiii acras terre in Eissemore ad essartandum et ad habendum quietas de visu forestariorum et de omni reguardo foreste et de omnibus serviciis et exactionibus que ad me et meos pertineant. Concedo etiam et confirmo eis Legam que fuit menbrum[9] de Bedministr' juxta Brist'.[10] Ex dono comitis Rann*ulfi* de Cestr' terram de Fifhide in Dorset' et intra villam[11] de Brist'[12] ecclesiam Sancti Leonardi et ecclesiam Sancti Nicholai et ecclesiam Omnium Sanctorum sicut carta confirmationis domini regis patris mei quam inde habent testatur. Concedo etiam eis et confirmo lx acras terre in marisco de Romio[13] quas comitissa Mabil'[14] mater Willelmi comitis Gloec'[15] eis dedit inter monasterium Sancti Petri de Mora et nemus versus aquilonem sicut carta ejusdem comitisse testatur. Concedo etiam eis et confirmo c acras terre in Kiburg' inter Duveleis et Kevelechi [f. 22v.] et Rumiam et Dodenestoct'[16] ex transverso in transversum quas habent de[17] dono comitis Willelmi Glouc' sicut carta sua testatur; et ex dono Osberti de Pennard[18] terram de Pennard[18] cum pertinenciis et libertatibus suis, et nominatim cum pastura inter Teach[19] et Elay sicut comes Willelmus eam eis confirmavit; et ex dono Johannis de Cogan xx acras terre et duas [acras][20] prati juxta Pennard.[21] Et ex dono Willelmi filii Gregorii xl solidatas terre in Alberton' sicut comes Willelmus eas confirmavit; et ex dono Gregorii de Turre viii solidatas redditus in Novo Burgo sicut comes Willelmus eas confirmavit; et ex dono Willelmi de London' terram de Blakenesword' sicut carta ipsius testatur; et ex dono Eudonis de Morevell'[22] dimidiam virgatam terre apud Wrokeshal' et molendinum de Radeford[23] sicut carta ipsius testatur; et ex dono Ricardi de Wrokeshal' filii Tovi terram suam de Radeford'; et ex dono[24] Willelmi filii Roberti filii Martini unum masagium in Blakerdon'[25] cum omnibus croftis et x acris terre et communam[26] pasture in eadem villa sicut carta sua testatur; et ex dono Willelmi filii Ascii et confirmatione Galfridi fratris sui i virgatam terre apud Weston[27] sicut carta ipsius Galfridi testatur. Concedo etiam et confirmo eis omnia burgagia que habent intra villam [de][28] Bristoll' et extra tam in [feria][29] quam alibi sicut comes Willelmus ea eis confirmavit et que post obitum comitis eis data sunt. Concedo etiam eis molendina que habent super Trivelam et terram similiter quam habent apud Blakenesword';[30] et de dono Gilleberti de Aldelande[31] dimidiam hidam terre in Ferenberge;[32] et ex dono[33] Willelmi de Clifdon'[34] ecclesiam de Clifdon'; et ex dono[35] Roberti filii Hardingi ecclesias de Porburi[36] et de Were et de Powelet; et ex dono[37] Nicholai filii Roberti ecclesiam de Tikeham; et ex dono[37] comitis Willelmi ecclesiam de Grantenden' et ecclesiam de Halberton' et ecclesiam de Romie et de Plata Holma cum omnibus pertinenciis eorum; et ex dono Willelmi filii Gregorii ecclesiam de Finemere. Hec autem omnia eis concedo et confirmo cum omnibus libertatibus et liberis consuetudinibus et quietantiis suis adeo libera et quieta et soluta sicut carte donatorum suorum testantur. Concedo etiam eis quod ipsi canonici et fratres et homines eorum et naves et batelli ipsorum sint quieti de tolneo et passagio et de geldagio[38] et de taillagio et de omnibus consuetudinibus et exactionibus omnibus[39] [f. 23] que ad me et meos pertinent per totam terram meam in portubus maris et alibi de omnibus [rebus][40] suis propriis quas vendiderint et de hiis qui emerint vel que eis data fuerint vel alio modo adquisita apportaverint vel per terram vel per aquam ad proprios usus suos vel suorum. T[estibus, Stephano Ridel[41] cancellario meo, Willelmo de Vennev',[42] Rogero de Plane, Hamone de Valon',[43] Rogero de Novo Burgo, Theobaldo Walteri,[44] Alardo filio Willelmi, Simone de Marisco, Willelmo de Milieris, Ricardo[45] Flandrensi, Willelmo de la Faleyse,[46] Engelram de Pratell', Roberto de Mortem',[47] Willelmo de Buktot,[48] Reginaldo de Wasonvill',[49] Roberto filio Roberti filii Hardingi,[50] Ricardo Aaron qui scripsit hec, et multis aliis apud Bristold'.]

MSS. (A) PRO, C 66/149, m. 19; (B) PRO, C 66/530, m. 16.

Printed: *EGC*, pp. 49-51, no. 31.

[1]   Roger de Planes, John's justiciar, died 1 November 1191 (*EGC*, p. 38, no. 10).

[2]   MS. very faded.

[3]   *Moroton'*, A. In *EGC*, A was collated with B and with the cartulary text, with variant forms of abbreviation noted in detail. Here, place-name variants and minor differences in the text have been noted, but not variations in scribal practice. Except where one MS. is cited, variants are common to both Chancery texts.

[4] *ballivis.*

[5] *Angl'.*

[6] *Wall'.*

[7] *Bristoll'.*

[8] *Aisselesword'.*

[9] *membrum.*

[10] *Bristoll'.*

[11] MS. *intra in villam.*

[12] *Bristoll'.*

[13] *Romie.*

[14] *Mabill'.*

[15] *Glouc'.*

[16] *Donestoct'*, A.

[17] *ex.*

[18] *Pennard'.*

[19] *Teach'.*

[20] *acras*, A.

[21] *Pennard'.*

[22] *Morevill'.*

[23] *Radeford'.*

[24] *Ex*, A.

[25] *Blakedon'.*

[26] MS. *communiam.*

[27] *Weston'.*

[28] *de.*

[29] *in feric.* MS. has *infra.*

[30] *Blakenesworod'*, B.

[31] *Aldelane*, A.

[32] *Fenenberg'*, B.

[33] *Ex dono.*

[34] *Clifdon*, B.

[35] *Ex dono*, A.

[36] *Portb'*, B.

[37] *Ex dono*, A.

[38] *geldegio*, A.

[39] MS. adds the second *omnibus.*

[40] *rebus.*

[41] *Rod'*, B.

[42] *Wennev'*, B.

[43] *Valoin'*, B.

[44] His name occurs frequently in this form.

[45] A adds *de.*

[46] *Faliel'*, B.

[47] *Mortem*, B.

[48] *Buketot*, B.

[49] *Wassomwill'*, B.

[50] *Harding'*, B.

24. *Charter of William, earl of Gloucester, to St Augustine's granting a number of burgage tenures in Bristol. (1148 × 83; probably before 1171.)*[1]

Rubric: Carta Willelmi comitis Glouc' de burgagiis intra villam Bristoll'.

Willelmus comes Gloec' dapifero suo et omnibus baronibus et hominibus suis Francis et Angl*is*, salutem. Sciatis me concessisse et presenti carta confirmasse ecclesie Sancti Augustini de Brist' et canonicis regularibus ibidem deo servientibus burgagia que habent intra villam de Bristou scilicet terras quas habuerunt de Nicholao filio Roberti filii Harding*i* versus ecclesiam Sancte Werburge, scilicet terram que fuerat Arfari senis et terram que fuit Wlfredi et terram que fuerat Roberti Sprud in Winchestret et terras quas Johannes filius Agathe dedit eisdem canonicis juxta murum versus ecclesiam Sancti Leonardi, salvo servicio quod michi vel antecessoribus meis de predictis terris fieri solebat. Preterea concessi et confirmavi predictis canonicis illas terras quas eis dedit in suburbio Jordanus Warra que sunt ultra Fromam in superiori parte illius vie que iter [vadit] ad Sanctum Augustinum et terram que fuit Bondi super Fromam et terram juxta rogum super Fromam quam eis dedit Eva uxor Waremanni et gardinum quod eis dedit Herebertus Warra juxta viam² subtus Bilewich ad aquilonem et ortum quem habuerunt de Jordano Caneva' in superiori parte vie versus Wedewelle, ut canonici ea omnia habeant et teneant bene et in pace libere et honorifice cum ea libertate et libera consuetudine quam predicte terre de suburbio habuerunt meo tempore vel temporibus successorum meorum. T*estibus*, etc.

Marginal note: Bristoll'.

Printed: *EGC*, p. 41, no. 17.

¹ The firm limits are provided by the foundation of St Augustine's in 1148 and the death of Earl William; the charter probably belongs to the early years of the abbey's existence.
² MS. *via*.

25. *Charter of William, earl of Gloucester, to St Augustine's confirming the grant of tenements, many of them gardens, in Bristol. He retains services due to him in the borough, and especially the stallage of 2s due in time of market from Roger Ogier. (1171 × 83.)*¹

Rubric: Carta ejusdem W*illelmi* de burgagiis in suburbio Bristoll'.

Willelmus comes Gloec' dapifero suo et omnibus baronibus et hominibus suis Francis et Angl*is*, salutem. Sciatis me concessisse et presenti carta confirmasse ecclesie Sancti Augustini de Brist' et canonicis ibidem deo servientibus terras quas eis dedit Rogerus Ogier in Brist', salvo servicio meo de eisdem terris, et donum quod² habent in feiria de Brist' similiter salvo servicio meo, scilicet duobus solidis tantum pro seldegio tempore feirie ad festum Sancti Michaelis. Preterea concessi et [f. 23v.] confirmavi eisdem canonicis ortos terras et gardina que in suburbio de Brist' de meo feodo habent, scilicet ortum unum in angulo vie versus Avenam et in eundam³ ortum quam habuerunt de uxore Boniti et ortum qui fuit Walteri⁴ Finepd et ortum que fuit Rocelini parmentarii et ortum qui fuit Cecilie sororis Roberti filii Harding*i* et gardinum quod fuit Petri Anglici et ortum quem eis dedit Mauricius filius Roberti et terras quas tenent de eisdem canonicis super Fromam Sebernus,⁵ Gaufridus capellanus, Rogerus potarius, et quam tenet Petrus parmentarius, et terram quam tenet Ricardus cementarius et terras quas eis dedit Adela et supra montem versus ecclesiam Sancti Michaelis ortum quem eis dedit Robertus filius Harding*i*; ut canonici ea habeant et teneant bene et in pace libere et honorifice cum ea libertate et libera consuetudine quam predicte terre de suburbio habuerunt meo tempore vel temporibus antecessorum meorum. Testibus, etc.

Printed: EGC, p. 47, no. 28.

[1] The earlier limit of date is suggested by the presence of Robert fitz Harding's son, Maurice, as a donor; he had succeeded by 1171.
[2] MS. *quam*.   [3] MS. *eadem*.   [4] MS. *Wallt'*.
[5] *EGC* prefers *Sebastianus*.

26. *Charter of William, earl of Gloucester, to St Augustine's confirming William of London's gift of land in Blackswarth in Bristol. (1148 × 54.)*[1]

Rubric: Carta ejusdem Willelmi de terra Willelmi de London' de Blakeneswrda.

Willelmus comes Glouc' dapifero suo et omnibus hominibus suis Francis et Anglis, salutem. Sciatis me petitione Willelmi de Lond' concessisse et presenti carta mea confirmasse illam donationem quam idem Willelmus de Lond' fecit canonicis regularibus Sancti Augustini de Brist' de terra sua de Blakeneswrda sicut ipsius Willelmi carta distinguit et testatur. Testibus, etc.

Printed: EGC, p. 39, no. 13.

[1] This grant was confirmed before 1154 by Henry, then duke of Normandy.

27. *Charter of William, earl of Gloucester, confirming the agreement made between William son of Gregory and Aelric the kinsman (? son-in-law) of Arfar the younger about the land formerly held by Einulf the goldsmith in Bristol. (1166 × 83.)*[1]

Rubric: Carta ejusdem Willelmi de terra Einulfi aurifabri.

Willelmus comes Gloec' dapifero suo et omnibus ministris suis et omnibus hominibus suis Francis et Anglis, salutem. Sciatis quod ego concedo et sigillum attestatione confirmo conventionem que facta est inter Willelmum filium Gregorii et Eilricum generum Arfari juvenis de terra que fuit Einulfi aurifabri apud Bristou juxta molendinum. Et volo et precipio quod firmiter teneatur sicut cyrographum inter illos scriptum testificatur. Testibus, etc.

Printed: EGC, p. 164, no. 184.

[1] Gregory de Turri was still alive in 1166, and died before 1172 (no. 6).

28. *Charter of William, earl of Gloucester, recording that, in his presence and with his consent, William son of Gregory de Turri has given his brother Robert the houses and land between Bristol castle and the river formerly held by Einulf the goldsmith, and other properties in the borough. (1166 × 83.)*[1]

Rubric: Carta ejusdem Willelmi de eadem.

Willelmus comes Gloec' dapifero suo et omnibus hominibus suis Francis et Angl*is*, salutem. Sciatis quod Willelmus filius Gregorii de Turre coram me et meo consensu dedit Roberto filio Gregorii fratri suo domos et terram que fuit Einulphi aurifabri inter castellum de Bristou et aquam, et domum monete [f. 24] juxta ecclesiam Sancti Audoeni et domum Edwini fabri in prato juxta molendinum meum, et terram Roberti parmentarii et Alfini ubi bracinum meum fuit, et terram Rad*ul*fi de Costentin juxta furnillum meum et dimidiam burgagium in feria quod Gilebertus filius Theodrici de Rugweia tenet, tenendas sibi et heredibus suis de Willelmo et heredibus suis libere et quiete singulis annis pro una libra piperis pro omni servicio. T*esti*bus, etc.

Printed: *EGC*, p. 164, no. 185.

¹ This arrangement was, presumably, a later transaction than that recorded in no. 27.

29. *Charter of William, earl of Gloucester, notifying his officials that he has confirmed the grant which Gregory de Turri has made to Reginald Safrei; the land in Blackswarth, which the earl had given Gregory, was formerly held by Luvesi and Lewen Lira. (1147 × 83.)*¹

Rubric: Carta ejusdem W*ille*lmi de terra Reginaldi Safrei.

Willelmus comes Gloec' dapifero suo et omnibus baronibus suis et hominibus Francis et Angl*is*, salutem. Sciatis me concessisse illam donationem quam Gregorius de Turri fecit Reginaldo Safrei de terra quam Luvesi et Lewinus Lira tenuerunt apud Blakeneswrdam et quam terram ego dedi ipsi Gregorio. Et volo et precipio quod supranominatus Reginaldus Safrei illam teneat libere et quiete et honorifice per quatuor corcellas singulis annis m*ich*i inde reddendas pro omni servicio. T*esti*bus, etc.

Printed: *EGC*, p. 162, no. 181.

¹ Limits of date from William's tenure of the earldom. The render for this land was four cockerels.

30. *Charter of William, earl of Gloucester, recording a transaction carried out in his court at Bristol. Peter son of Matthew has granted to Elias of Marlborough a tenement and house in the market of Bristol, to be held of Peter and his heirs for an annual payment of half a mark. Elias has paid Peter 40 marks and, when the time comes to pay relief on the tenement, he will pay the earl one gold bezant. (1147 × 83.)*

Rubric: Carta ejusdem W*ille*lmi de terra quam Petrus filius Mathei concessit Helia de Marleb'.

Willelmus comes Gloec' dapifero suo et omnibus baronibus suis et omnibus probis hominibus suis de Brist', salutem. Sciatis quod Petrus filius Mathei coram me in curia mea apud Brist' concessit Helie de Merleb' terram suam et domum que est in foro de Brist', tenendam de ipso Petro et heredibus suis Helye de

Merleb' et heredibus suis in feodo et hereditate singulis annis reddendo dimidiam marcam argenti pro omni servicio ad Pascha xl denarios et ad festum Sancti Michaelis xl denarios. Et pro hac concessione Helyas de Merleb' dedit Petro xl marcas argenti. Et ego per petitionem ipsius Petri hanc concessionem ipsi Helye et heredibus suis carta mea confirmavi et concessi. Et cum tempus relevaminis m*ich*i inde evenerit, Elyas vel heredes sui dabunt m*ich*i vel heredibus meis de relevamine unum bisantium auri. T*estibus*, etc.

Printed: EGC, p. 143, no. 151.

31. *Charter of William, earl of Gloucester, addressed to Simon, bishop of Worcester, and all the religious men of the diocese, and to his own steward, Hubert, and his officials and faithful men, French, English and Welsh. He confirms to St Augustine's the grant of Abbots Leigh made by Robert fitz Harding. (1148 × 50.)*[1]

Rubric: Carta ejusdem W*illelmi* de Lega.

Willelmus comes Gloec' Symoni dei gratia Wigornensi episcopo et omnibus religiosis viris ejusdem episcopatus, Huberto dapifero, et omnibus suis baronibus et vicecomitibus et justic*iis* et amicis et fidelibus et probis hominibus Francis et Angl*is* et Walensibus, salutem. Notum vobis omnibus presentibus et futuris facio me concessisse et presentis carte munimine corroborasse donationem illam quam Robertus Hardingi filius fecit de Lega et de omnibus [f. 24v.] ejusdem terre pertinentibus cenobio de canonicis regularibus quod idem Robertus constituit in ecclesia Beati Augustini apud Brist'. Et ego concedo et ex parte mea eidem cenobio prefatam terram de me et de heredibus meis liberam et quietam ab omni servicio et exactione in perpetuum tenere. T*estibus*, etc.

Printed: EGC, p. 39, no. 12.

[1]   Charter issued between the foundation of the church in 1148 and the death of Simon, bishop of Worcester, in 1150 (probably in March).

32. *Charter of William, earl of Gloucester, to St Augustine's confirming the grant of Almondsbury made by Robert fitz Harding. The earl had enfeoffed Robert with the manor. The grant was part of Robert's original endowment of the abbey, and the earl's charter may have been issued when the abbey was founded. (c. 1148; perhaps 11 April 1148.)*[1]

Rubric: Carta ejusdem W*illelmi* de Almodesburia.

Willelmus comes Gloec' omnibus baronibus suis et probis hominibus atque amicis suis et fidelibus, salutem. Sciatis me concessisse abbatie canonicorum regularium de Sancto Augustino de Brist' donationem illam de Aumodesbiria cum suis pertinenciis in bosco et plano in pratis et pasturis et aquis cum soccha et saccha et thol et them et infangenethief et cum omnibus libertatibus suis quam

Robertus filius Hardingi illi dedit. Et ideo firmiter precipio quod predicti canonici terram predictam cum omnibus suis pertinenciis et supradictis libertatibus bene et honorifice pacifice libere et quiete teneant. Ego enim Roberto filio Hardingi Aumodesbiriam[2] cum suis pertinenciis in feodo et hereditate pro suo servicio donaveram. T*estibus*, etc.

Printed: EGC, p. 38, no. 11.

[1]   See note to *EGC*, no. 11.
[2]   MS. *Aumodesbiria.*

33. *Charter of William, earl of Gloucester, to St Augustine's granting in free alms the advowson of the church of All Saints, Bristol. (Before 1166.)*[1]

Rubric: Carta ejusdem W*illelmi* de advocatione ecclesie Omnium Sanctorum.

Willelmus comes Gloec' omnibus sancte matris ecclesie fidelibus, salutem. Notum sit omnibus presentibus et futuris [me] in perpetuam elemosinam dedisse ecclesie Sancti Augustini de Brist' et canonicis regularibus ejusdem ecclesie jus advocationis ecclesie Omnium Sanctorum, que est in medio burgo, cum omnibus pertinenciis suis pro mea salute et Hadewise comitisse et puerorum nostrorum et pro animabus patris [mei] et matris mee. Qua propter volo et firmiter precipio quod prefati canonici predictam ecclesiam cum omnibus pertinenciis suis in perpetua*m* elemosina*m*[2] habeant et firmiter et pacifice sine vexatione possideant. T*estibus*, etc.

Printed: EGC, p. 43, no. 21.

[1]   The *pro salute* clause indicates that all the earl's children were still alive; had the charter been issued after the death of his son, Robert, in 1166, his name should properly have been included in the second part of the clause. The charter must be later than Robert fitz Harding's gift; *EGC* has *c.* 1150.
[2]   The scribe occasionally uses the ablative for this clause (cf. no. 12); here, where the accusative has been used earlier in the charter, it may be that he has failed to add the marks of abbreviation.

34. *Charter of William, earl of Gloucester, to St Augustine's confirming the advowson of the church of Clevedon given by his knight, William of Clevedon. The grant had also been confirmed by William of Clevedon's son and heir, John. (1148 × 83; perhaps before 1172.)*[1]

Rubric: Carta ejusdem W*illelmi* de advocatione ecclesie de Clivedon'.

Willelmus comes Gloec' dapifero suo et omnibus baronibus et hominibus suis Francis et Angl*is*, salutem. Sciatis me concessisse et presenti carta confirmasse ecclesie Sancti Augustini de Brist' et canonicis ibidem deo servientibus donationem quam Willelmus de Clivedona miles meus fecit eisdem canonicis de advocatione ecclesie de Clivedona et carta sua confirmavit, et quam donationem

Johannes filius et heres ipsius Willelmi concessit, sicut carta ejusdem Johannis quam canonici inde habent testatur. Te*stibus*, etc.

Printed: *EGC*, p. 43, no. 20.

[1] William of Clevedon was named among the earl's knights in 1166 (*RBE*, i, p. 240), and last appears in 1172. His son's charter could be an example of an heir confirming his father's grant; if it was issued after William's death, it should be dated *c.* 1175 × 83, since John first occurs in 1175 (*EGC*, p. 43, note to no. 20).

35. *Charter of William, earl of Gloucester, to St Augustine's granting in free alms the advowson of the church of Halberton (Devon). (1161 × 66.)*[1]

Rubric: Carta ejusdem W*ille*lmi de ecclesia de Hauberton'.

[f. 25] Willelmus comes Gloec' omnibus suis baronibus et fidelibus amicis et probis hominibus Francis et Angl*is*, et omnibus sancte matris ecclesie fidelibus, salutem in Christo. Notum facio vobis et omnibus presentibus et futuris me dedisse et in perpetuam elemosinam concessisse ecclesie beati Augustini de Brist' et canonicis regularibus ibidem deo servientibus jus advocationis et quicquid ad me pertinet in ecclesia de Halbertonia pro mea salute et pro salute Ha*þ*ewise comitisse mee et puerorum nostrorum et pro animabus patris mei at matris mee et ideo volo et firmiter precipio ut prefati canonici in bono et in pace prefatam ecclesiam Halbertonie sicut liberam et perpetuam elemosinam habeant et in perpetuum possideant. Et ne predicti canonici in futurum ullam vexationem vel querelam aut calumpniam de predicta ecclesia habeant vel sustineant hanc donationem sigilli mei impressione munitam roboravi. Te*stibus*, etc.

Marginal notes: (1) Alberton. (2) Halbertonia.

Printed: *EGC*, p. 45, no. 25.

[1] See no. 355.

36. *Charter of William, earl of Gloucester, to St Augustine's granting in free alms the advowson of the church of Great Gransden (Hunts.). He reserves the rights which Gerin the chaplain has in the church for his lifetime. (Before 1166.)*[1]

Rubric: Carta ejusdem W*ille*lmi de ecclesia de Grantesdena.

Willelmus comes Gloec' omnibus suis baronibus et fidelibus amicis et probis hominibus Francis et Angl*is* et omnibus sancte matris ecclesie fidelibus, salutem in Christo. Notum facio vobis tam presentibus quam futuris me dedisse et in perpetuam elemosinam concessisse ecclesie Sancti Augustini de Brist' et canonicis regularibus ibidem deo servientibus jus advocationis et quicquid ad me pertinet in ecclesia de Grantedene pro mea salute et pro salute Ha*þ*ewise comitisse mee et puerorum nostrorum et pro anima patris mei Roberti comitis. Et ideo mando et firmiter precipio ut prefati canonici bene et in pace prefatam ecclesiam sicut liberam et perpetuam elemosinam habeant et in perpetuum possideant, salvo jure Gerini capellani dum ipse vixerit. Et ne predicti canonici in futurum ullam vexationem vel laborem ut querelam de predicta ecclesia habeant vel sustineant, presentem hanc donationem sigilli mei inpressione roboravi. T*estibus*, etc.

Printed: *EGC*, p. 44, no. 22.

¹ See no. 33.

37. *Charter of William, earl of Gloucester, to St Augustine's granting in free alms Bilswick, in Bristol, the place where the abbey had been founded, with the marshland which lies to the south between that site and the river Avon. (Before 1166.)*¹

Rubric: Carta ejusdem W*illelmi* de Bileswike et marisco nostro.

Willelmus comes Gloec' dapifero suo et omnibus hominibus suis Francis et Angl*is* et Walensibus, salutem. Sciatis me dedisse ecclesie Sancti Augustini de Brist' et canonicis regularibus ejusdem ecclesie locum qui dicitur Bileswike in quo ecclesia eorum [f. 25v.] fundata est cum marisco qui jacet inter predictum locum et Afnam a parte australi et cum omnibus pertinenciis suis pro mea salute et Ha*þ*ewise comitisse et puerorum nostrorum et pro animabus patris [mei] et matris mee. Quapropter volo et firmiter precipio quod prefati canonici predictum locum cum marisco in perpetuam elemosinam habeant et teneant et firmiter et pacifice sine vexatione possideant. T*estibus*, etc.

Printed: *EGC*, p. 44, no. 23.

¹ See no. 33. Since this is phrased as a grant and not a confirmation, it may have been issued soon after the dedication of the abbey.

38. *Charter of William, earl of Gloucester, to St Augustine's confirming the tenement which Osbert of Penarth held in Penarth (Glam.), to hold in free alms. In the earl's honorial court, Osbert has given it to the canons, reserving the service of one knight due to the earl. For this grant, the canons have given 1 gold mark to the earl, and an* aureus *to Osbert, and to each of his brothers, one of whom, Robert, is named. They have also given an* aureus *to William son of Robert who has joined in making this grant, and another to Osbert's son, Reginald, who restored and quitclaimed to the canons another tenement in Penarth. (c. 1173.)*¹

Rubric: Carta ejusdem W*illelmi* de Pennard salvo servicio unius militis.

Willelmus comes Gloec' dapifero suo et omnibus baronibus suis Francis et Angl*is* ac² Walensibus, salutem. Sciatis me petitione et assensu Osberti de Pennard et heredum suorum, scilicet Roberti et fratrum ejus, concessisse et presenti carte confirmasse canonicis Sancti Augustini pro salute mea et antecessorum meorum totum tenementum quod idem Osbertus de me tenebat apud Pennard, tenendum in perpetuam elemosinam, quod Osbertus coram me et coram baronibus meis eis dedit, salvo servicio meo, scilicet unius militis. Et pro hac mea concessione dederunt m*ich*i canonici in recognitionem unam marcam auri et predictis illis fratribus singulis unum aureum. Concessit autem hanc donationem Willelmus filius predicti Roberti junioris fratris Osberti de Pennard et inde unum aureum coram me recepit. Preterea Reginaldus filius Osberti vii acras terre arabilis et unam acram et dimidiam quas ex dono patris sui habebat in manu abbatis coram me reddidit et quietas clamavit et de hoc unum aureum coram me recepit. Ea propter volo et firmiter precipio quatinus predicti canonici hoc tenementum habeant et teneant imperpetuum cum terris et hominibus tam villanis quam liberis in bosco et plano in pratis et aquis et pascuis libere et quiete et honorifice et integre cum omnibus libertatibus et consuetudinibus suis. T*estibus*, etc.

Printed: EGC, p. 47, no. 29.

¹   See no. 39. Since the tenement lay in the lordship of Glamorgan, the address to all the earl's men, French English and Welsh is especially appropriate.

²   MS. has *ac*; *EGC* prefers *atque*; by the standards of classical Latin, the scribe has used *ac* correctly before a consonant.

39. *Charter of William, earl of Gloucester, to St Augustine's confirming the grants specified in no. 38 and adding more detailed information: Osbert's brothers are said to have been present and to have concurred with his gift, and the military services from which the canons are released are stated in detail. (14 June 1172 × 13 June 1173.)*¹

Rubric: Carta ejusdem W*illelmi* de Pennard et de acquietatione omnis servicii.

Willelmus comes Gloec' dapifero suo et omnibus baronibus et hominibus suis Francis et Angl*is* et Walensibus, salutem. Sciatis me petitione et assensu Osberti de Pennard et heredum suorum, scilicet Roberti et Roberti² fratrum ejus, concessisse et presenti carta confirmasse canonicis Sancti Augustini de Brist' pro salute anime mee et antecessorum meorum totum tenementum quod idem Osbertus de me tenebat apud Pennard in perpetuam elemosinam quod Osbertus coram me et coram baronibus meis eis dedit, presentibus fratribus suis et hanc donationem concedentibus, quibus etiam canonici recognitionem coram me de hac concessione dederunt, [f. 26] scilicet singulis aureum unum. Concessit etiam hanc donationem Willelmus filius Roberti junioris fratris Osberti de Pennard et inde unum aureum coram me recepit. Preterea Reginaldus filius Osberti vii acras terre arabilis et unam acram prati et dimidiam quas ex donatione patris sui habebat in manu abbatis de Sancto Augustino coram me reddidit et quietas clamavit, et de hoc unum aureum coram me recepit. Et ego pro salute anime mee et uxoris mee et Roberti filii mei et antecessorum meorum p*ar*donavi et ex toto remisi predictis canonicis Sancti Augustini imperpetuum omne servicium quod pertinet³ ad predictam terram de Pennard': ut canonici cum hominibus suis de eodem tenemento liberi sint et quieti imperpetuum de exercitu, de equitatione, de custodia omnium castellorum meorum, de operatione, de scutagio, de dono, de taillagio, de geldo, de summonitione, de auxilio, de omni exactione et seculari servicio. Ea propter volo et firmiter precipio quod predicti canonici habeant et teneant predictum tenementum de Pennard' in liberam et perpetuam elemosinam cum terris et hominibus in bosco et plano in viis et semitis in pratis et aquis et pascuis et in omnibus rebus ad idem tenementum pertinentibus, bene et in pace libere et quiete et honorifice et integre cum predictis libertatibus quas ego eis concessi. Hanc vero libertatem et concessionem feci predictis canonicis anno tercio post coronationem regis H*enrici* filii regis H*enrici*. T*estibus*, etc.

Marginal note: Hanc cartam ratificat et confirmat Hugo filius et heres Hugonis le Despens' in verbum prout in principio hujus libri habetur.[4]

Printed: *EGC*, p. 48, no. 30.

[1] The dating of this charter provides the probable date for nos. 12 and 38. These three charters clarify the problems posed by the personal names and conflicting claims of the members of Osbert's family. Osbert's heirs are his brothers and his nephew, William; they have to give their assent before the abbey's title to this tenement is secure. To clear the land of its obligations, the canons have to pay a high price to the earl, a mark of gold, and to the family, a smaller amount of at least 4 *aurei*. Osbert's son, Reginald, is not involved, and his assent is not required. He has a small stake in Penarth, given to him by his father, and this he restores to the canons. It looks as if he is a bastard son for whom his father has made provision.

[2] The repetition of the Christian name is a common feature of the charters relating to this family.

[3] MS. *pertinat*.

[4] Hugh Despenser's charter is copied, in the same hand as this marginal note, on f. 12 (Add. Doc. 11).

40. *Charter of William, earl of Gloucester, to St Augustine's granting the annual render of 2 sparrow hawks which Roger de Winton' owed to Hubert the steward for the land which he holds near Penarth (Glam.). Roger was present and concurred with this grant. (1148 × 83; probably before 1166.)*[1]

Rubric: Carta ejusdem Willelmi de remissione servicii Rogeri de Wintonia.

Willelmus comes Gloec' dapifero suo et omnibus baronibus suis atque fidelibus suis, salutem. Sciatis me concessisse et dedisse canonicis de Sancto Augustino de Bristoll' servicium quod Rogerus de Winton' debebat facere Huberto dapifero pro terra quam tenet juxta Pennard, nominatim duos nisos per annum, presente et concedente ipso Rogero. T*estibus*, etc.

Printed: *EGC*, p. 41, no. 16.

[1] Hubert served Earl Robert and Earl William as steward. He occurs in charters which can be dated as early as 1141 × 43 (*EGC*, p. 95, no. 95) and as late as 1150 × 59 and 1150 × 65 (ibid. p. 78, no. 71; p. 117, no. 124). Roger de Winton' held a fee in chief of the earl in 1166 (ibid. p. 41, note to no. 16). A date before 1166 is probable.

41. *Charter of William, earl of Gloucester, to St Augustine's confirming the grants made in the lordship of Glamorgan by Osbert of Penarth. (1148 × 73.)*[1]

Rubric: Carta ejusdem Willelmi de donatione terre ab Osberto de Pennard nobis data.

Willelmus comes Gloec' dapifero suo et vicecomiti suo de Glamorgan et omnibus baronibus[2] suis et hominibus Francis et Angl*is* atque Walensibus, salutem. Sciatis me concessisse et confirmasse, salvo servicio meo, donationem quam Osbertus de Pennard' fecit ecclesie Sancti Augustini de Brist' coram me in perpetuam elemosinam de cxxiiii acris terre apud Pennard, tenendis[3] de ipso et de heredibus suis per quintam partem servicii unius militis, et de xxx acris de dominio suo de Portinu'[4] per tantum custodie in castello meo quantum ad xxx acras pertinet. Hanc autem confirmationem [f. 26v.] facta [est][5] per petitionem ipsius Osberti et per concessionem Roberti et Roberti[6] fratrum suorum. T*estibus*, etc.

Printed: *EGC*, p. 42, no. 19.

[1]   The confirmation does not cover the grants made by Osbert and confirmed by Earl William in 1172–3 (no. 39), which suggests 1173 as the later limiting date.

[2] *baronibus* omitted, *EGC*.

[3] *tenendas, EGC*.

[4] Noted as a doubtful reading in *EGC*.

[5] *feci, EGC*.

[6] The repetition of the Christian name continues.

42. *Charter of William, earl of Gloucester, to St Augustine's confirming the gift of 20 acres of land and 2 acres of meadow near Penarth, part of the fee of Miles of Cogan. (1148 × 83.)*

Rubric: Carta ejusdem W*illelmi* de terra Johannis filii Alberti.

Willelmus comes Gloec' dapifero suo et vicecomiti Glamorga*n* et omnibus baronibus suis et hominibus Francis et Angl*is* atque Walensibus, salutem. Sciatis me concessu et petitione Milonis de Cogan et Johannis filii Alberti hominis sui concessisse et presenti carta mea confirmasse, salvo servicio meo, donationem quam idem Johannes filius Alberti fecit ecclesie Sancti Augustini de Brist' de xx acris terre et de ii acris prati juxta Pennard de feodo Milonis. T*estibus*, etc.

Printed: *EGC*, p. 40, no. 14.

43. *Charter of William, earl of Gloucester, granting in free alms to the canons of St Augustine's serving in the cell on the island of Steep Holme the advowson of the church of Rhymney (Mon.). He excludes the tenement which John the cleric has there, either for life, or until he grants it to the canons or to another religious community. (1147 × 83.)*[1]

Rubric: Carta ejusdem W*illelmi* de ecclesia de Rummineo.

Willelmus comes Gloec' omnibus baronibus suis amicis et fidelibus suis Francis et Angl*is* atque Walensibus et omnibus sancte matris ecclesie filiis, salutem. Notum vobis facio quod ego pro salute corporis et anime mee et Hathewise comitisse et puerorum nostrorum [et] patris [mei] et matris mee necnon et antecessorum nostrorum omnium concessi et dedi in perpetuam elemosinam jus advocationis ecclesie de Remmeio in Walliis cum omnibus pertinenciis suis ad honorem dei et Sancti Cadoci confessoris in usus et sustentationem canonicorum Sancti Augustini qui in insula morati fuerunt que Plata Holma nominatur, quo in loco eisdem in elemosinam dedi et confirmavi quicquid ego aut antecessores mei umquam habuerunt. Ea propter volo et firmiter precipio quatinus hanc ecclesiam predicti fratres habeant et imperpetuum possideant cum omni libertate et consuetudine sua sicut liberam et quietam elemosinam meam salvo tenemento Johannis clerici qui eam nunc tenet et possidet in omni vita sua nisi illis aut aliis dederit religioni. Et ne in posterum calumpnia aut vexatione aliqua fatigentur, hanc meam donationem scripto confirmavi et sigilli mei impressione roboravi. T*estibus*, etc.

Marginal note: (*A modern pencilled note, on the first and last lines of the charter*) va. . .cat.

Printed: *EGC*, p. 45, no. 24.

[1]   For this dependency, which has traditionally been identified on Steep Holme, see D. Knowles and R. N. Hadcock, *Medieval Religious Houses England and Wales*, 1953, p. 154; Dickinson, *Austin Canons*, pp. 141, 238; S. and J. Rendell, *Steep Holm: The Story of a Small Island*, 1993, surveys the early evidence and provides plans and photographs of excavations on the site of the priory's church.

44. *Charter of William, earl of Gloucester, to St Augustine's granting in free alms the advowson of the church of St Mellons (Mon.). (Before 1166.)*[1]

Rubric: Carta ejusdem W*illelmi* de ecclesia Sancti Melani.

Willelmus comes Gloec' omnibus suis baronibus et fidelibus amicis et probis hominibus Francis et Angl*is* et omnibus sancte matris ecclesie fidelibus, salutem in Christo. Notum facio vobis et omnibus presentibus et futuris me dedisse et in perpetuam elemosinam concessisse ecclesie Beati Augustini de Brist' et canonicis regularibus ibidem deo servientibus jus advocationis quicquid ad me et heredes meos pertinet [f. 27] in ecclesia Sancti Melani pro mei salute et Ha*þ*ewise comitisse mee et puerorum nostrorum. Et ideo volo et firmiter precipio ut prefati canonici in bono et in pace prefatam ecclesiam Sancti Melani sicut liberam et perpetuam elemosinam habeant et imperpetuum possideant. Et ne predicti canonici in futurum ullam vexationem vel querelam aut calumpniam de predicta ecclesia habeant vel sustineant, hanc donationem sigilli mei impressione munitam roboravi. T*estibus*, etc.

Printed: *EGC*, p. 46, no. 26.

[1]   See no. 33.

45. *Charter of William, earl of Gloucester, to St Augustine's granting in free alms the island of Steep Holme with its chapels and whatever he or his predecessors had held there. (1147 × 83.)*

Rubric: Carta ejusdem W*illelmi* de insula Plataholma.

Willelmus comes Gloec' suo dapifero omnibus suis hominibus et amicis Francis et Angl*is* et Walensibus, salutem. Notum vobis sit me pro salute anime mee et antecessorum meorum dedisse et concessisse deo et Sancto Augustino de Brist' Platam Holmam in liberam et quietam et perpetuam[1] elemosinam jure perpetuo possidendam cum capellis et omnibus que ego vel antecessores mei umquam in eadem insula habuerunt. Quare volo et firmiter precipio quatinus canonici Sancti Augustini de Brist' predictum locum integre et pacifice habeant et possideant. T*estibus*, etc.

Marginal notes: (1) Platam Holmam. (2) (*Early modern*) Hulma.

Printed: *EGC*, p. 40, no. 15.

[1] MS. *imperpetuam.*

46. *Charter of William, earl of Gloucester, addressed to Robert Norreys, sheriff of Glamorgan, granting to St Michael and St Cadog, and to Dolfin and his brethren who serve God and those saints in the island in the sea off Penarth, 3 acres in* Londohhan. *(1147 × 66.)*[1]

Rubric: Carta ejusdem W*illelmi* facta Dolfino.

Willelmus comes Gloec' Roberto Nor*reys* vicecomiti et omnibus baronibus suis et probis hominibus Angl*ie* et Wallie, salutem. Sciatis me dedisse in elemosinam deo et Sancto Michaeli et Sancto Cadoco, et Dolfino et ejus fratribus, et aliis eorum subsequentibus qui deo et sanctis predictis in insula maris juxta Penarth serviunt et servient, tres acras de Londohhan, habendas et tenendas liberas et quietas sicut ego meam terram melius et liberius teneo. T*estibus*, etc.

Printed: *EGC*, p. 154, no. 170.

[1] Robert Norreys died in or before 1166. St Cadog's links with Steep Holme identify the island mentioned in this charter (see no. 43). Dolfin appears to be the leader of this group, not, as *EGC* surmises, a third saint. *Londohhan* is not likely to be Tewkesbury's vill of Llandough; it may be the Winton family's fee of Llandow.

47. *Charter of William, earl of Gloucester, to St Augustine's granting 100 acres of land, in woodland and plain, in Cibwyr (Glam.). The grant is made for the soul of one of the earl's knights, Simon. (1147 × 83.)*[1]

Rubric: Carta ejusdem W*illelmi* de centum acris in Kibur.

Willelmus comes Gloec' dapifero suo et vicecomiti suo de Glamorgan et omnibus baronibus suis et hominibus Francis et Angl*is* atque Walensibus, salutem. Sciatis me dedisse canonicis Sancti Augustini Brist' pro anima Symone de Merula militis mei centum acras terre tam in bosco quam in plano in Kibur, scilicet inter Duueleis et Kevelechhi et Rumiam et Doddestoce' ex transverso in transversum. Et volo et precipio quod prenominati canonici habeant et teneant has c acras imperpetua elemosina libere et quiete et honorifice ab omni servicio et exactione cum omni emendatione [f. 27v.] quam ipsi super ipsas c acras facere potuerunt. T*estibus*, etc.

Marginal notes: (1) acra. (2) c acras.

Printed: EGC, p. 42, no. 18.

[1]   A more precise date for this charter depends upon identifying Simon de Merula. In the earl's *carta* of 1166 Simon de Neutone occurs (*RBE*, i, p. 290), and Pons son of Simon holds a large fief with 8 knights' fees (ibid. p. 289). Simon de St Lo attested comital charters rarely, perhaps as early as 1148 and as late as 1179 (*EGC*, p. 97, no. 96; p. 111, no. 115). In a Welsh setting, the most likely figure is Simon of Cardiff, who attested charters throughout Earl William's life, certainly as late as 1173 × 76, and, more loosely, 1173 × 83 (ibid. p. 100, no. 101; p. 157, no. 174).

48. *Charter of William, earl of Gloucester, to St Augustine's confirming in free alms the gift of 8 solidates of land in Newport (Mon.) by Gregory de Turri. The land had formerly belonged to Roger son of Mauger. (After 1166.)*[1]

Rubric: Carta ejusdem Willelmi de octo solidatis terre apud Novum Burgum.

Willelmus comes Gloec' omnibus hominibus et fidelibus suis Francis Anglis et Walensibus, salutem. Notum vobis facio me concessisse et hac carta mea confirmasse donationem quam fecit Gregorius de Turre canonicis Sancti Augustini de Brist', scilicet viii solidatas terre que fuit Rogeri filii Maugeri apud Novum Burgum in Walliis ut ipsi eandem terram teneant et possideant liberam et quietam ab omni exactione et ab omni servicio et ab omni consuetudine imperpetuam elemosinam. T*estibus*, etc.

Printed: EGC, p. 46, no. 27.

[1]   Roger son of Mauger held his fee in Newport in 1166; Gregory acquired it after that date; 1183 is the upper limit of dating for this charter (*EGC*, p. 46, no. 27, note).

49. *Charter of Morgan and Iorwerth, the sons of Owain of Gwynllwg, addressed to their lord, William, earl of Gloucester, and his mother, Countess Mabel. They have given to the church of St John the Baptist at Rhymney (Glam.) 40 acres of land in the marsh of Rhymney, out of the 300 acres which their lord, Robert earl of Gloucester, had given them for their service. (1147 × 57.)*[1]

Rubric: Carta Morgani et Jereuert de xl acris in marisco de Rum[ma].

Domino suo Willelmo consuli Gloec' et Mabilie matri ejus et omnibus amicis suis et hominibus Morganus et Jereuert filii Oni, salutem. Notum vobis facimus nos dedisse et concessisse in feudo et elemosina quiete et libere et absque omni exactione et servicio ecclesie Sancti Johannis Baptiste de Rumma xl acras terre in maresco Rumni de illis tricentis acris quas dominus noster Robertus consul Gloec' nobis pro nostro servicio in predicto maresco dedit, pro salute anime nostre et predicti consulis et aliorum antecessorum nostrorum. Hec ita ut diffinitum est, predictus Robertus consul apud Brist' concessit. T*estibus*, etc.

Printed in translation: David Crouch, 'The slow death of kingship in Glamorgan, 1067–1158', *Morgannwg*, xxix, 1985, p. 41.

¹   The death of the countess Mabel in 1157 provides the later limit for this charter. Owain was dead before 1136, and his sons became the earl's men early in Stephen's reign. Morgan was the leading figure in the dynasty until he was killed in 1158. He and his brother understood and used the techniques of their Norman counterparts. The element of confusion in the phrase *in feudo et elemosina* and the placing of the *pro salute* clause at the end of the charter point to a local cleric as the scribe, rather than to the experienced clerks of the earl's household. The last sentence is a statement of what has happened, rather than a formal endorsement added in the earl's presence.

50. *Charter of Mabel, countess of Gloucester, addressed to William son of Stephen the constable and his officials in Gwynllŵg. She has granted to the church of St John the Baptist in Rhymney (Glam.) 60 acres in Rhymney marsh. Earl Robert had given this land to her, and Gilbert, the priest of Rhymney, held it of her. Now she gives the 60 acres to the church in free alms. (1147 × 56.)*¹

Rubric: Carta Mabilie comitisse de lx acris in eodem marisco.

Mabilia comitissa Gloec' W*illel*mo filio Stephani constabulario et ministris suis de Gunlieu² et omnibus baronibus et hominibus et amicis suis Wallie Francis et Angl*is* atque Walensibus, salutem. Sciatis quia dominus meus Robertus comes Gloec' dedit m*ich*i lx acras terre quietas in marisco Romie inter monasterium Sancti Petri de Mora et nemus versus aquilonem quas Gilbertus presbiter de Romia de me tenebat tempore predicti comitis domini mei, et ego pro salute anime domini mei Roberti comitis et Roberti filii Hamonis patris mei et meorum antecessorum et pro mea salute et meorum filiorum illas lx predictas acras terre dedi et concessi ecclesie Sancti Johannis Bapt*iste* de Romia in elemosinam, Willelmo comite Gloec' meo filio concedente, liberas solas et quietas ab omnibus exactionibus. Et volo et precipio quod predictus Sanctus Johannes illas lx acras habeat et teneat bene et in pace libere et quiete et honorifice in elemosinam sicut predictum est. T*estibus*, etc.

Printed: EGC, p. 152, no. 167.

¹   With this gift, and the grants recorded in nos. 43 and 49, the canons acquired substantial resources in Rhymney.
²   *Gunlion, EGC.*

51. *Charter of Isabella, countess of Gloucester, to St Augustine's confirming in general terms grants made by her father William, earl of Gloucester, and her husband John, count of Mortain. She confirms in detail many earlier grants to the canons. (1189 × 99.)*¹

Rubric [f. 27v.]: Generalis carta Ysabelle comitisse Glouc'.

[f. 28] Isabella comitissa Gloec' omnibus hominibus et amicis domini sui Johannis comitis Moret' et suis Francis et Angl*is* atque Walensibus, salutem. Sciatis me pro salute domini mei Johannis comitis Moret' et mea et pro anima patris mei W*illelmi* comitis Gloec' et antecessorum meorum concessisse et hac carta mea confirmasse deo et ecclesie Sancti Augustini de Brist' et canonicis regularibus ibidem deo servientibus omnes illas donationes quantum ad me pertinet in ecclesiis terris et aquis et in omnibus aliis rebus quas pater meus Willelmus comes Gloec' et dominus meus Johannes comes Moret' sive alii donatores eis fecerunt et suis cartis confirmaverunt. Et nominatim hec omnia scripta: scilicet intra villam de Brist' ecclesiam Sancti Leonardi, ecclesiam Sancti Nicholai, ecclesiam Omnium Sanctorum; ecclesiam de Clivedon', ecclesiam de Halberton', ecclesiam de Grantenden', ecclesiam de Finem', ecclesiam de Rummia et de Plata Holma, ecclesiam de Sancto Melano, ecclesiam de Pennard; et ex dono domini mei Johannis comitis Moret' xliiii acras terre apud Esseleswrd' in Essemora ad essartandas, et vetera essarta, et totam terram de Esseleswrd' cum ipsis essartis quietam de visu forestariorum et de regardo foreste et de omnibus serviciis et exactionibus; et Legam que fuit menbrum de Bedminis*tra* et molendina super Trivelam; et lx acras terre in marisco de Rum*mi*a et c acras terre in Kibur et terram de Pennard' cum pertinenciis et libertatibus suis, et nominatim cum pastura inter Taf et Elei; et de Johanne[2] de Cogan xx acras terre et ii acras prati juxta Pennard'; et viii solidatas redditus apud Novum Burgum; et xl solidatas terre in Halbert';[3] [et] terram de Blakeneswrd'; et dimidiam hidam terre in Ferneberga. Concedo etiam eis et confirmo omnia burgagia que [sunt] intra villam de Brist' et extra, tam in feiria quam alibi. Hec autem omnia eis concedo et confirmo cum omnibus libertatibus et liberis consuetudinibus et quietantiis suis adeo libera et quieta et soluta sicut carta donatorum testantur. Concedo etiam quod ipsi canonici et fratres et homines eorum et naves[4] et batelli ipsorum sint quieti de tolneo et passagio et de geldagio et de tailagio et de omnibus consuetudinibus et exactionibus que ad me et ad meos pertinent in terris et in portubus maris et alibi de omnibus rebus suis propriis quas vendiderint et de hiis que emerint vel que data fuerint vel alio modo adquisita apportaverint vel per terram vel per aquam[5] ad proprios usus suos vel suorum sicut dominus meus Johannes comes Moret' eis concessit [f. 28v.] et carta sua confirmavit. T*estibus*, etc.[6]

Printed: *EGC*, p. 52, no. 33.

1   John married Isabella 29 August 1189; they were divorced in the second half of 1199, or perhaps early in 1200.
2   MS. *Johannis*.
3   The scribe has compressed the name at the end of the line.
4   MS. *navi*.
5   *aquam* has been compressed at the end of the line, and is heavily abbreviated.
6   *Testibus, etc* added in a later hand.

52. *Charter of Gilbert, earl of Gloucester and Hertford. General confirmation, covering grants made to St Augustine's up to the thirteenth year of the reign of Henry III. (Issued between 28 October 1229 and 25 October 1230.)*[1]

Rubric: Generalis carta Gileberti comitis Gloucestrie.

Gilebertus comes Gloec' et Hertfordie[2] omnibus hominibus et amicis suis Francis et Angl*is* atque Walensibus, salutem. Sciatis me pro salute anime mee, avi mei domini Willelmi comitis Gloec', uxoris mee, liberorum meorum, antecessorum et successorum meorum, concessisse et hac presenti carta mea confirmasse deo et ecclesie Sancti Augustini de Brist' et canonicis regularibus ibidem deo servientibus omnes illas donationes, in ecclesiis redditibus terris et aquis et omnibus aliis rebus, [quas] avus meus Willelmus comes Gloec' jure [hereditario et] alii donatores de feudo meo eis dederunt et suis cartis confirmaverunt usque ad tercium decimum annum regni regis Henrici tercii. Inter quod hec omnia duxi exprimenda sub scripta, scilicet ex dono dicti *Willelmi* comitis Bileswike ubi abbatia Sancti Augustini fundata est et mariscum versus austrum qui jacet inter Avanam et abbatiam Sancti Augustini cum omnibus pertinenciis et libertatibus suis. Concedo etiam eis et confirmo intra villam de Brist' ecclesiam Sancti Leonardi, ecclesiam Sancti Nicholai, ecclesiam Omnium Sanctorum, cum omnibus pertinenciis et libertatibus suis, necnon et omnia burgagia et omnia alia que habent intra villam Brist' et extra, tam in feiria quam in suburbio, sicut comes *Willelmus* ea eis confirmavit et quam post obitum *Willelmi* comitis eis data sunt sicut carte donatorum testantur. Concedo etiam eis et confirmo Legam que fuit menbrum de Bedministra juxta Brist' cum omnibus pertinenciis et libertatibus suis, et totam terram quam habent in Blakeneswrd' juxta Brist', sicut carte donatorum testantur; et ex dono Willelmi filii Johannis pasturam de Munedope sicut in carta ipsius *Willelmi* continetur; et ex dono Roberti de Berkel' terram de Bageruge pro ut carta ipsius Roberti testatur. Concedo etiam eis et confirmo ecclesiam de Finemere cum pertinenciis suis[3] et libertatibus suis, et terras quas habent in eadem villa sicut carte donatorum testantur; et ex dono *Willelmi* comitis ecclesiam de Grantedene, ecclesiam de Rumeia, et insulam que vocatur Plateholm, cum omnibus pertinenciis earum et libertatibus. Concedo etiam eis et confirmo ecclesiam de Hauberton, et ecclesiam de Clivedon', sicut carte donatorum testantur; et ex dono Nicholai de Poinz et confirmatione Hugonis filii et heredis sui terram de Kadebroc et terram de Cumbton' cum omnibus pertinenciis et libertatibus suis sicut carte donatorum testantur; [f. 29] et dimidiam hidam terre in Fernberg' sicut carte donatorum testantur; et ex dono Ricardi Venatoris et Ydonie uxoris sue terram quam habent in marisco de Oure que vocatur Clelfam cum[4] omnibus pertinenciis et libertatibus suis sicut carte eorum testantur; et ex dono Osberti de Pennard' villam de Pennard' cum pertinenciis et libertatibus suis, et ecclesiam ejusdem loci cum omnibus pertinenciis et libertatibus suis sicut carta *Willelmi* comitis testatur; et ex dono W. de Lawerne totam terram quam habuit de feodo Ricardi de Cogan sicut carte illorum testantur; et ex dono Roberti de Costentin et confirmatione Gileberti filii et heredis sui decem acras terre que jacent juxta dominicum abbatis Sancti

Augustini quod dicitur Blakelonde sicut carte illorum testantur; et ex dono *Willelmi* comitis c acras in Kibur que jacent inter Duieleis et Kivelechchi et Rummeiam et Dodonesto ex transverso in transversum sicut carta sua testatur; et ex dono Gregorii de Turri terram quam habent in Novo Burgo sicut comes *Willelmus* eam eis confirmavit; et ex dono Gileberti de Costentin pasturam inter Thaf et Elay sicut carta dicti *Gileberti* testatur; ex dono *Mabilie* comitisse sexaginta acras in marisco de Rummeia que jacent inter ecclesiam Beati Petri et nemus versus aquilonem sicut carta comitisse dicte testatur, quas eis adeo liberas et solutas. Concedo quod nec mihi nec alicui heredum meorum de servicio seculari in aliquo respondeant nisi soli deo in orationibus. Hec omnia supradicta et universa que in feudo meo habent et possident tam in ecclesiis quam in terris possessionibus et redditibus libertatibus et liberis consuetudinibus et omnibus aliis eis concedo et confirmo, sicut carte donatorum melius et plenius testantur. Et ne hec supradicta in posterum devocantur in dubium presens scriptum sigilli mei inpressione duxi roborandum. *Testibus*, etc.

[1] Henry III's regnal year ran from 28 October 1229; Gilbert died 25 October 1230.
[2] MS. *Herefordie.*
[3] *suis* expuncted for deletion.
[4] MS. *de.*

53. *Charter of Richard de Clare to St Augustine's granting and confirming the assart which the canons had made in his forest of Corse while he was in the king's custody (as a minor). They may not make any permanent hedge or ditch which might be harmful to Richard's cattle, nor may they make any further assart without his permission. (20 October, 1245.)*[1]

Rubric: Carta Ricardi de Clara de assarto de Haschelworþe.

Omnibus ad quos presens scriptum pervenerit Ricardus de Clara, salutem. Notum universitas vestra me concessisse et confirmasse pro me et heredibus meis abbati et canonicis regularibus Sancti Augustini de Brist' totum assartum suum quod fecerunt in foresta mea de Cors tempore quo eram in custodia domini regis. Ita quod ipsum libere habeant et possideant sine haycio barsato[2] faciendo et fossato ad nocumentum bestiarum[3] levando. Et de cetero vastum assartum vel propresturum in dicta foresta non faciant sine assensu et voluntate mei vel heredum [f. 29v.] meorum. In cujus rei testimonium presenti scripto sigillum meum apposui. Datum apud Theokesbyr' xx die Octob' anno regni regis Henrici vicesimo octavo.

[1] Richard de Clare came of age in August 1243, but he was not knighted until August 1245, and he began to use the style of earl in the summer of that year. The lack of comital style in this charter is an indication of the uncertainty and confusion which prevailed after he had been released from wardship.
[2] A *haicia* can be a fence or an enclosure for hunting; *bersa* has a very similar meaning, a fence or an enclosure for game.
[3] *bestiarum* is followed by *ru* with the *u* expuncted for deletion.

54. *Charter of Richard, count of Poitou and earl of Cornwall, to St Augustine's confirming the assarts made in Ashleworth in the time of Earl Gilbert. (After 1227; probably c. 1245.)*[1]

Rubric: Carta Ricardi comitis Cornubie de assartis de Hasselwrd'.

Omnibus hoc scriptum visuris vel audituris Ricardus comes Pict' et Cornub', salutem. Noveritis nos concessisse abbati et canonicis Sancti Augustini de Brist' omnia assarta sua pertinencia ad manerium suum de Esseleswrd' que habuerunt tempore domini Gileberti bone memorie quondam comitis Gloec', tenenda et habenda eisdem bene et in pace quamdiu eis dicta assarta poterimus warentizare. Concessum[2] etiam eisdem triginta acras assartandas in Foxcumb' per particam domini regis, tenendas et habendas similiter quamdiu eis illas warentizare poterimus. Et ad majorem securitatem adhibendam eis has literas nostras sigillo nostro consignatas dedimus in testimonium.

[1]   Richard was made count of Poitou and earl of Cornwall in 1227; the charter is probably connected with no. 53; it cannot have been issued later than 1257 when Richard was elected king of the Romans.
[2]   ? for *concedo*.

55. *Charter of Ranulf de Gernon, earl of Chester, to Robert fitz Harding and Maurice his son, granting them Fifehead Magdalen (Dorset), in fee and heredity, for an annual render of 1 goshawk. They have given the earl 23 marks; as warranty he promises that, if their tenure of Fifehead is challenged, he will provide them with a suitable exchange before they are disseised of Fifehead. (Before September 1151.)*[1]

Rubric: Carta Randulfi comitis Cestrie facta Roberto filio Hardingi de Fifhida.

Rann*ulfus* comes Cestr' constabulario dapifero baronibus justic*iis* vicecomitibus ministris ballivis[2] et omnibus hominibus suis Francis et Angl*is*, salutem. Sciatis me dedisse Roberto filio Hard*ingi* et Mauricio ejus filio Fifhidam in feodo et hereditate cum omnibus pertinenciis suis. Quare volo et firmiter precipio quod ipse Robertus et Mauricius ejus filius et heredes illorum predictam Fifhidam de me et de heredibus meis bene et honorifice teneant, in villa et extra in foro et mercato in bosco et plano in pratis et pascuis in viis et semitis in molendinis et in aquis et in omnibus aliis locis, cum soca et sacca et tol et them et infangeth' et cum omnibus aliis consuetudinibus et libertatibus. Scitote etiam quod quando eis hanc donationem feci propter hoc dederunt m*ich*i de recognitione xxiii marcas, et ita quod pro omni servicio m*ich*i singulis annis reddituri sunt i osturium. Et nisi eis istam tenuram de Fifhida warrentizare[3] posse*m* escambium ad valens et ad ejus warand*um* donarem priusquam de predicta Fifhida dissaisirentur. T*estibus*, etc.

[1]   Ranulf de Gernon succeeded in 1129 and died 16 December 1153. The grant of this estate was made to St Augustine's before September 1151 (no.56). Maurice need not have been of full age, but he must have been mature to be associated with his father in the grant.
[2]   MS. *ballidis*.
[3]   MS. *wanrentizare*.

56. *Charter of Ranulf de Gernon, earl of Chester, addressed to his lord, Henry, son of the duke of Normandy and count of Anjou; he confirms the grant of Fifehead Magdalen (Dorset) to St Augustine's by Robert fitz Harding. (Before September 1151.)*[1]

Rubric: Carta ejusdem de eadem villa nobis concedenda.

Rann*ulfus* comes Cestrie Henrico filio ducis Norm*annorum* et comitis And*egavorum* domino suo et archiepiscopis episcopis et omnibus baronibus suis hominibus et amicis et universis sancte dei ecclesie filiis, salutem. Notum vobis facio me pro salute anime mee et animarum predecessorum meorum concessisse Roberto Hardingi filio, homini meo, de Brist', terram meam de Fifhida donandam in elemosina [f. 30] ecclesie Sancti Augustini de Brist' et canonicis regularibus ibidem degentibus, quam ego prius eidem Roberto in feodo dederam. Et sciatis quia ego ipse predictam terram cum Roberto super altare Sancti Augustini optuli. Et ideo volo atque precipio quatinus predicti canonici eandem terram bene et pacifice et liberam et quietam ab omni servicio et exactione de me et de meis heredibus imperpetuum teneant. T*estibus*, etc.

[1] Henry is described as son of the duke of Normandy and count of Anjou, a combined title which his father, Geoffrey, used from 1144 until his death on 1 September 1151.

57. *Charter of Ranulf de Blundeville, duke of Brittany and earl of Chester and Richmond, confirming the grant of Fifehead Magdalen which Robert fitz Harding made to St Augustine's with the assent of the earl's grandfather. (1188 × 99.)*[1]

Rubric: Carta ejusdem[2] de donatione R*oberti* filii Hardingi nobis facta de Fifhida.

Rann*ulfus* dux Britann' et comes Cestr' et Richemund', omnibus tam presentibus quam futuris qui hanc cartam viderint et audierint, salutem. Sciatis me concessisse et hac mea carta confirmasse donationem illam de terra de Fifhida quam Robertus filius Hardingi dedit ecclesie Sancti Augustini de Brist' et canonicis regularibus ibidem deo servientibus concessu domini Rann*ulfi* comitis avi mei. Et ideo volo et precipio quod predicti canonici eandem terram bene et pacifice liberam et quietam ab omni servicio et exactione de me et de meis heredibus imperpetuum teneant sicut carta domini comitis Rann*ulfi* avi mei testatur. T*estibus*, etc.

Marginal notes: (1) Fifhida. (2) Fifhida.

[1] Ranulf de Blundeville was a minor when his father died in 1181 and had livery of Chester *c.* 1188. He used the style duke of Brittany after his marriage to the duchess, Constance, in 1187; the marriage broke up in 1199.

[2] A slip by the rubricator.

58. *Charter of Roger, earl of Hereford, to St Augustine's granting a rent of 20s in Gloucester paid to him by the weavers of Gloucester. (11 April 1148 × c. January 1154.)*[1]

Rubric: Carta Rogeri comitis Herefordie de viginti solidorum redditus in Glouc'.

Rogerus comes Herefordie omnibus hominibus et amicis suis Francis et Angl*is*, salutem. Sciatis me concessisse canonicis Sancti Augustini de Brist' xx solidatas de redditu in Gloec' pro anima comitis Milonis patris mei et pro animabus antecessorum meorum. Et volo quod sciatis quod predictis dedi canonicis illos xx solidos quod solebant m*ich*i reddere telores Gloec' ad sumptionem Sancte Marie. T*estibus*, etc.

Marginal note: xx sol' in Glouc'.

[1] The later limit of date is provided by no. 1.

59. *Charter of Roger, earl of Hereford, recording that he and his brother, Walter, confirm the gift of Ashleworth made by their lord, Henry, duke of Normandy and count of Anjou, to St Augustine's. They have been received into fraternity by the canons. With the assent of his wife Cecily, Earl Roger has also given the canons 50 solidates of land in Painswick which he had given to [?Richard] de Vehim in exchange for his land at Redland, near Bristol. (7 September 1151 × April 1154.)*[1]

Rubric: Carta ejusdem R*ogeri* de Haschellewor*þe*.

Rogerus comes Hereford' omnibus baronibus et amicis et hominibus [et] fidelibus suis Francis et Angl*is*, salutem. Notum facio tam presentibus quam futuris quod ego et Walterus frater meus concessimus illam donationem quam dominus noster dux Norm*annorum* et comes And*egavorum* fecit ecclesie Sancti Augustini de Brist' de terra de Eisseleswrd cum omnibus pertinenciis suis in bosco et plano et essartis et piscariis et aquis et pratis et pasturis et libertatibus et consuetudinibus suis in perpetuam elemosinam prefate ecclesie Sancti Augustini, habendam et tenendam sine omni exactione et molestia et querela. Et etiam ego et Walterus frater meus hanc donationem domini nostri Henrici super altare Sancti Augustini de Brist' optulimus et in fraternitatem et beneficia loci illius ante altare suscepti sumus. Preterea [f. 30v.] ego Rogerus comes Herefordie assensu Cecilie uxoris mee donavi prefate ecclesie Sancti Augustini de Brist' l solidatas terre in manerio de Wicha quas ego dederam [. . .][2] de Vehim pro escambio terre sue de Tridelande que est juxta Brist', in perpetuam elemosinam libere et quiete et integre, habendam de me et heredibus meis. Que omnia ut firmiter et immutabiliter libere et quiete prefata ecclesia possideat, sigilli mei inpressione roboravi. T*estibus*, etc.

Marginal notes: [f. 30] (1) Eisselwrd. (2) E[ssell]eswurde.

¹ Henry succeeded his father as duke and count in September 1151; he left England before Easter (4 April) 1154.

² The Christian name has been omitted. Richard de Vehim and his brother Ralph attested charters of Earl Roger and his brother, and since Richard's name normally precedes Ralph's he is the likely donor.

60. *Charter of Roger, earl of Hereford, to St Augustine's granting in free alms 100 solidates of land and a mill in South Cerney, and 4 furlongs of land. The canons have paid him 95 marks. (1148 × January 1154.)*¹

Rubric: Carta ejusdem R*oger*i de centum solidatas terre apud Cernei.

Rogerus comes Her' omnibus baronibus baillivis amicis et probis hominibus suis Francis et Anglis et omnibus sancte ecclesie fidelibus, salutem. Notum facio presentibus et futuris me imperpetuam elemosinam dedisse ecclesie sancti Augustini et canonicis regularibus apud Brist' pro mea salute et pro animabus antecessorum meorum centum solidatas terre cum uno molendino de mea propria hereditate apud Cernai, [et] preterea dedisse eis quatuor culturas de dominio meo juxta Babelingewei, videlicet Dichfurlung', et le Wochelond', et Empetru*m*hes furlung, et Fulfordes furlung', ita libere et quiete omnibus modis sicut ego vel pater meus terram predictam liberius et quietius habuimus et tenuimus. Et propter hanc eandem terram, predicti canonici ded*ere* m*ic*hi centum marcas quinque minus. Et ideo volo et firmiter precipio ut ipsi prefati canonici secure et quiete teneant de me et de heredibus meis ita quod nemo eis in aliquo molest*us* sit. T*estibus*, etc.

Marginal notes: (1) c' s' ar' terre. (2) (*modern*) Cerney.

¹ The grant was confirmed by King Stephen (no. 1).

61. *Charter of Walter of Hereford, brother of Earl Roger, restoring and confirming the grant made by Roger of 100 solidates of land and a mill in South Cerney, with 4 furlongs of land. (1155 × c. 1160.)*¹

Rubric: Carta Walteri de Hereford' fratris dicti Rogeri comitis de eisdem.

Walterus de Her' constabularius omnibus baronibus baillivis amicis et probis hominibus suis Francis et Anglis et omnibus sancte ecclesie fidelibus, salutem. Notum facio presentibus et futuris me reddidisse et concessisse et confirmasse canonicis regularibus et ecclesie Sancti Augustini in perpetuam elemosinam donationem illam quam Rogerus comes Her' frater meus fecit illis apud Cernei, scilicet c solidatas terre cum uno molendino de nostra propria hereditate; et preterea iiii culturas de dominio meo juxta Babelingewei videlicet Dichfurlong' et Wogeland et Empetrumbes furlong' et Fulefordes furlong', ita libere et quiete omnibus modis sicut ego vel predictus frater meus vel pater meus vel alii antecessores mei terram predictam liberius et quietius habuimus et tenuimus. Et ideo volo et firmiter precipio ut prefati canonici secure et quiete [f. 31] sicut liberam et perpetuam elemosinam habeant et teneant de me et de heredibus meis, ita quod nemo eis de aliquo molestus sit. Testibus, etc.

[1] 'Charters of the Earldom of Hereford, 1095-1201', ed. David Walker, Camden Miscellany XXII, R. Hist. Soc., Camden 4th Ser., 1, 1964, p. 9.

62. *Charter of Henry of Hereford confirming grants made by his brothers in South Cerney. (c. 1160 × 65.)*[1]

Rubric: Carta Henrici de Hereford fratris eorundem de eisdem.

Henricus de Hereford' constabularius omnibus baronibus baillivis amicis et probis hominibus suis Francis et Anglis et omnibus sancte matris fidelibus, salutem. Notum facio presentibus et futuris me concessisse et confirmasse canonicis et ecclesie Sancti Augustini de Brist' in perpetuam elemosinam donationem illam quam Rogerus comes Hereford' frater meus illis fecit apud Cernai, et quam ab ipso factam confirmavit et concessit Walterus frater meus, scilicet c solidatas terre cum uno molendino de nostra propria hereditate. Et preterea iiii culturas de dominio nostro juxta Babelingewei videlicet Dicfurlang et Wogeland et Empetrumbes furlang et Fulefordes furlang', ita libere et quiete omnibus modis sicut predicti fratres mei vel pater meus vel alii antecessores mei terram predictam liberius et quietius habuerunt et tenuerunt. Et ideo volo et firmiter precipio ut prefati canonici secure et quiete sicut liberam et perpetuam elemosinam habeant et teneant de me et de heredibus meis, ita quod nemo eis in aliquo molestus sit. Testibus, etc.

Marginal note: c. s'.

[1] Henry succeeded his brother Walter c. 1160 and died in 1165.

63. *Charter of Margaret de Bohun, sister of Earl Roger, confirming the grants made by Roger and his brothers. (1165 × c. 1197.)*[1]

Rubric: Carta Margare (*sic*) de Boun sororis eorundem de eisdem.

Margareta de Buhun omnibus ballivis amicis et probis hominibus suis Francis et Anglis et omnibus sancte ecclesie fidelibus, salutem. Notum facio presentibus et futuris me concessisse et confirmasse canonicis et ecclesie Sancti Augustini de Brist' in perpetuam elemosinam donationem illam quam Rogerus comes Hereford' frater meus illis fecit apud Cernei, et quam ab ipso factam concesserunt et confirmaverunt Walterus et Henricus fratres mei, scilicet c solidatas terre cum uno molendino de nostra propria hereditate. Et preterea iiii culturas de dominio nostro juxta Babelingewei scilicet Dicfurlang' et Wogeland et Empetrumbes furlang et Fulfordes furlang', ita libere et quiete omnibus modis sicut predicti fratres mei vel pater meus vel alii antecessores mei terram predictam liberius et quietius habuerunt vel tenuerunt. Et ideo volo et firmiter precipio ut prefati canonici secure et quiete sicut liberam et perpetuam elemosinam habeant et teneant de me et de heredibus meis, ita quod nemo eis in aliquo molestus sit. T*estibus*, etc.

Marginal notes: (1) molendino. (2) c.s'. (3) (*Modern*) Cerney.

[1] *Camden Miscellany XXII*, p. 10.

64. *Charter of Margaret de Bohun. When her brothers gave the canons land in South Cerney, they did not give them any meadow land; now she adds to their grant the gift of 14 acres of meadow and 1 gore in that manor. (1165 × c. 1197.)*

Rubric [f. 31v.]: Carte ejusdem M*argare* de xiiii acris prati apud Cernei.

Omnibus hominibus et amicis suis et universis sancte matris ecclesie fidelibus tam presentibus quam futuris ad quos hanc cartam pervenerint Margareta de Buhun, salutem. Sciatis quod cum comes Rogerus frater meus dedisset canonicis Sancti Augustini de Brist' in elemosinam terram quam habent apud Cernai et alii fratres mei eandem donationem canonicis concessissent et cartis suis confirmavissent, quia ipsi canonicis[1] ad dominium quod de eis habuerunt apud Cernei pratum non dederant, ego in incrementum et emendationem elemosine fratrum meorum pro amore dei et pro salute anime mee et comitis Milonis patris mei et matris mee et comitis Rogeri fratris mei et Umfredi de Buhun domini mei et Umfridi filii mei et omnium fratrum et liberorum et antecessorum meorum, dedi predictis canonicis Sancti Augustini in liberam et puram et perpetuam elemosinam xiiii acras prati cum una gara apud Cernai, scilicet totum pratum quod dicitur Cranesmed' integre sicut jacet[2] inter pratum Willelmi Torel et Fulewei. Quod pratum manu mea optuli super altare Sancti Augustini de Brist', ita libere et quiete habendum et tenendum sicut fuit in meo dominio et antecessorum meorum, ut canonici nulli hominu*m* de aliqua consuetudine exactione aut servicio seculari inde debeant respondere. Que mea donatio ita firma et libera sicut a me facta est canonicis perpetuo permaneat, eam presenti carta confirmavi. T*estibus*, etc.

Marginal note: xiiii ac' terre.

[1] MS. *canonici*.
[2] *sicut jacet* repeated.

65. *Charter of William, earl of Salisbury, to St Augustine's granting an annual rent of 1 mark which the canons are to receive from his chamber (*camera*), either from the earl or from his seneschal. (1190 × 96.)*[1]

Rubric: Carta Willelmi comitis Sar' de una marca argenti de camera sua percipienda.

Sciant presentes et futuri quod ego comes Willelmus Sar' dedi et concessi pro animabus patris et matris mee et antecessorum meorum et Mauricii de Berkele et pro salute mea et[2] meorum ecclesie Sancti Augustini de Brist' in perpetuam elemosinam unam marcam argenti redendam annuatim ad ii terminos, scilicet medietatem ad festum Sancti Michaelis et medietatem ad Pascha. Et debent illam marcam percipere de camera mea per me vel per senescallum meum quousque eis assignem certum locum ubi debeant percipere vel de ecclesiastico beneficio vel de laicali feodo. Et ut hec donatio rata sit et inconcussa sigilli mei inpressione confirmavi. Te*stibus*, etc.[3]

[1] The indication that the earl's mother and father are both dead identifies the grantee as William, son of Earl Patrick. Maurice de Berkeley died in 1190.

[2] A word, perhaps *parentum*, seems to be missing here; the earl is indicating living relatives as beneficiaries.

[3] This charter is the last to be written on f. 31v. Ff. 32 and 32v. were left blank and have been used by a later scribe.

66. *Charter of Robert fitz Harding to St Augustine's granting the church of Berkeley and other churches of Berkeley Harness. (c. 1154.)*[1]

Rubric [f. 33.]: Carta Roberti filii Hardingi de ecclesia de Berkel' et aliis de Berkele Hernesse.

Robertus filius Hardingi omnibus sancte matris ecclesie fidelibus, salutem. Sciatis quod ego ad honorem dei et sancte religionis dedi et confirmavi canonicis Sancti Augustini quantum pertinet ad jus dominii et advocationis ecclesiam de Berchelai et omnes alias etiam de Berechelaihernes ubicumque fuerint, cum capellis et omnibus omnium pertinenciis, pro salute anime mee, regis necnon, et uxoris mee et filiorum et omnium parentum meorum tam viventium quam defunctorum. Eapropter volo et precipio super benedictionem meam ut hec donatio et confirmatio mea firma et perpetua predictis canonicis teneatur et ab omnibus meis conservetur sicut id quod datum est in liberam et perpetuam elemosinam. Te*stibus*, etc.

Marginal notes: (1) Ecclesias Berkel'. (2) B'heness. (3) (*Modern*) ecclesias Berk'. (4) (*Modern, in hand of foliation*) fol. 64.

[1] Smyth noted this charter (*Lives*, i, p. 36). Until 1151–2, Duke Henry was confirming the claim of Reading abbey to hold Berkeley Harness (*Regesta*, iii, p. 260, nos. 706–709); Robert fitz Harding was confirmed in his possession of Berkeley in 1152 (*VCH Glos.* ii, p. 75). The reference to the king in the *pro salute* clause must be to Henry II, and points to a date after the king's accession. The rival claims to these churches were not resolved until 1175–6 (no. 11).

67. *Charter of Robert fitz Harding to St Augustine's granting the churches of Berkeley Harness. The text is taken from the original charter. (c. 1152 × 4.)*[1]

Rubric: Carta ejusdem R*oberti* de ecclesiis de Berkel' Hernesse in qua dictas exprimit ecclesias.

Robertus filius Hardingi omnibus hominibus et amicis suis . et universis sancte ecclesie fidelibus ad quos hec carta pervenerit . salutem. Sciatis quod cum dominus[2] rex H*enricus* . manerium de Berchal' et totam Berchaleihernesse m*ic*hi in feudum et hereditatem dedisset et carta sua confirmavit cum omnibus libertatibus et rebus ad Berchaleihernesse pertinentibus in ecclesiis . in nemoribus . in pratis et pasturis et in omnibus aliis rebus[3] sicut fuerunt tempore . H*enrici* . regis avi sui ego concessu et assensu ipsius domini mei regis ecclesias de Berchaleihernesse scilicet ecclesiam de Berchal' et ecclesiam de Wtton' et ecclesiam de Beverstan . et ecclesiam de Esseslwrd'[4] et ecclesiam de Almodesbur' . singulis cum capellis et terris . et libertatibus ad ipsas ecclesias pertinentibus pro salute anime mee et domini mei regis . et antecessorum meorum . et uxoris mee et liberorum meorum dedi et concessi ecclesie Sancti Augustini[5] de Brist' et canonicis regularibus ibidem deo servientibus in perpetuam et liberam elemosinam nullo jure retento m*ichi* vel heredibus meis in predictis ecclesiis . cum eas vacare contigerit similiter et omnes ecclesias de Berchalihernesse ubicumque fuerint cum capellis et omnibus omnium pertinentiis . dedi et concessi predictis canonicis in perpetuam elemosinam . et hac mea carta confirmavi . His testibus[6] Henr*ico* decano Moreton' . et Maur*icio* fratre ejus . Gerino persona ecclesie de Wtton . Gaufr*ido* capellano . Nigello filio Art*uri* . Regin*aldo* persona ecclesie de Cam*m*a . W*illelmo* de Saltemar' . et Adam fratre ejus . Helia filio H*ardingi* . Ric*ardo* scriptore et Alano de Bedmenistra.

Original charter BCM, SC no. 14. Single fold, parchment tag, remains of seal. Endorsed: (1) [. . .] R'us Marny'. (2) To St Augustine's. (3) S.14.

Printed: Smyth, *Lives*, iii, p. 87; *Monasticon*, vi, p. 363; Jeayes, *Select Charters*, pp. 9–10, no. 14.

[1] Issued after the accession of Henry II.
[2] MS. omits *dominus*.
[3] MS. *rebus aliis*.
[4] MS. *Esseleswrd*.
[5] MS. omits *Sancti Augustini*.
[6] MS. *T*[*estibus*].

68. *Charter of Robert fitz Harding to his son Henry granting him the churches of Berkeley, Wotton under Edge, Beverston, Almondsbury, Ashleworth, Cromhall, and all the churches of the honor of Berkeley, to hold them of St Augustine's in accordance with Abbot Richard's charter. (c. 1152 × 4.)*[1]

Rubric: Carta ejusdem R*oberti* facta Henrico filio ejus de ecclesiis[2] de Berkel'.

Sciant tam presentes quam futuri quod ego Robertus filius Hardingi concedo et confirmo Henrico filio meo ecclesiam de Berchelaio integre cum prebendis et omnibus [f. 33v.] pertinenciis et rectitudinibus suis et ecclesiis de Wottona, de Beverstana, de Almodebur', de Esseleswrd', de Chromhale, et omnes ecclesias de honore de Berchel' ubicumque fuerint cum capellis et terris et omnibus pertinenciis suis, tenendas de ecclesia Beati Augustini de Brist', ita libere et quiete et honorifice sicut carta Ricardi abbatis et totius conventus testatur. T*estibus*, etc.

[1] The date rests on the assumption that this transfer of the Berkeley churches to Henry occurred soon after his father had given them to the abbey.
[2] MS. *ecclesia*.

69. *Charter of Robert fitz Harding to St Augustine's granting the churches of Tickenham, Pawlett, and Weare. (c. 1148.)*[1]

Robertus filius Hardingi omnibus filiis sancte matris ecclesie, salutem. Sciatis me dedisse et confirmasse canonicis Sancti Augustini ecclesiam de Ticheham quantum pertinet ad jus dominii et advocationis, et similiter ecclesiam de Were et ecclesiam de Poulet, singulas[2] cum omnibus pertinenciis suis in liberam et perpetuam elemosinam pro salute anime mee et uxoris [mee] et filiorum meorum et omnium parentum meorum tam viventium quam defunctorum. Eapropter volo et precipio quatinus predicti canonici hanc donationem meam habeant et teneant inperpetuum cum libertate pace et honore. *Testibus*, etc.

[1]   These churches were part of the original endowment of the abbey. Robert fitz Harding had land in Tickenham, and the family holding there was enhanced with the estates which Robert's son, Nicholas, acquired through marriage with Ala, daughter and co-heiress of Guy son of Tecius.
[2]   The scribe's grammatical construction is clear; to read *ecclesias singulas* might clarify the sense.

70. *Charter of Robert fitz Harding to St Augustine's granting the church of Portbury. (c. 1148.)*[1]

Rubric: Carta ejusdem Roberti de ecclesia de Portburia.

Robertus filius Hardingi omnibus sancte matris ecclesie filiis, salutem. Sciatis me concessisse et dedisse canonicis Sancti Augustini quantum pertinet ad jus dominii et advocationis ecclesiam de Portburi in liberam et perpetuam elemosinam, pro salute anime mee et filiorum meorum et omnium antecessorum meorum tam viventium quam defunctorum. Eapropter volo et precipio quatinus predicti canonici hanc donationem habeant et teneant bene et in pace cum omni libertate et honore. *Testibus*, etc.

[1]   Portbury was part of the original endowment of the abbey.

71. *Charter of Robert fitz Harding to St Augustine's granting 10s in* haiha[1] *for maintaining a light in the abbey. (1148 × 71.)*

Rubric: Carta ejusdem Roberti de x *solidis* in Haya.

Sciant tam presentes quam futuri quod ego Robertus filius Hardingi pro honore dei et sancte religionis concessi et dedi in liberam et perpetuam elemosinam ecclesie Sancti Augustini de Brist' x solidos in Haiha ad emendum luminare predicte ecclesie. Quod luminare pro salute anime mee et omnium antecessorum et successorum meorum in jam dicta ecclesia ardeat coram deo et Sancta Maria et Beato Augustino Anglorum Apostolo et in presentia omnium sanctorum et electorum dei. *Testibus*, etc.

[1]   In this context *haiha* probably means an enclosure in the borough.

72. *Charter of Robert fitz Harding granting to his son Maurice lands which he holds in Bristol: land which he holds of the barony of Richard Foliot, which Boso held; land which he holds of the barony of Richard de St Quintin in High Street; land which he holds of the barony of Gilbert de Umfraville; land which he holds in Broad Street with the large stone-built house which he built near the river Frome. Eva his wife is to hold these lands for life, and after her death they are to pass to Maurice and his heirs. (Before 1171.)*

Rubric: Carta ejusdem Roberti de terra Mauricio filio suo apud Brist' concessa.

Robertus filius Hardingi omnibus hominibus et fidelibus et amicis suis, salutem. Sciatis quod ego dedi et concessi [f. 34] Mauricio filio meo terram quam habui in Brist' de baronia Ricardi Foliot quam Boso tenuit, terram quam habui de baronia Ricardi de Sancto Quintino in magno vico, et terram quam habui de baronia Gileberti de Umframville, ipsi et heredibus suis habendas et tenendas hereditabiliter sicut michi concesse fuerunt a dominis terrarum illarum, salvo servicio dominorum ipsarum terrarum. Preterea terram quam habui in Bradestreta[1] in qua primo mansi et totum managium quod ibi habui, preter magnam domum lapideam quam feci super Fromam, dedi eidem Mauricio filio meo; ita quod Eva uxor mea terram illam teneat in vita sua et post mortem ejus ad Mauricium filium meum et heredes ejus libere et quiete revertatur, sicut illa de qua eum hereditatem,[2] et ea dedi simul cum terra in qua furnum habui versus murum sicut itur ad Sanctum Jacobum et cum aliis redditibus quos ipsi dedi tam in villa de Brist' quam extra. Testibus, etc.

Marginal note: Brist'.

[1]   Roger Leech identifies this as probably no. 53 on his map of Broad Street, perhaps incorporating nos. 51 and 52 (Leech, *Topography*, p. xxi, Map 3, and p. 46). Robert's property in High Street (*in magno vico*) cannot be identified.
[2]   This phrase seems incomplete without a verb: perhaps it should be *sicut illa de qua eum hereditatem feci*.

73. *General confirmation by Robert fitz Harding of the gifts he had made to St Augustine's. (c. 1159.)*[1]

Rubric: Generalis carta ejusdem Roberti.

Robertus filius Hardingi filiis suis et amicis et omnibus hominibus suis atque universis sancte matris ecclesie fidelibus, salutem. Sciatis quod ego ad honorem dei et sancte religionis concessi dedi et confirmavi canonicis Sancti Augustini quorum per gratiam dei et per auxilium domini mei regis ecclesiam fundavi, Almodesburiam Horefeldam et Esselswortham quam etiam ipse rex manu sua super altare Sancti Augustini posuit singulas cum omnibus pertinenciis suis, et dimidiam piscariarum[2] de Erlingeham et alterius medietatis decimam totam in liberam et perpetuam elemosinam, pro salute anime mee et domini mei regis necnon, et uxoris mee et omnium parentum meorum tam viventium quam defunctorum. Eapropter volo et mando et precipio quatinus canonici predicti predicta omnia habeant et teneant in perpetuum libere et plene honorabiliter et quiete ab omni servicio terreno excepto murdro nisi placuit domino meo regi illud ab eis accipere, et nisi hidagium aut scutagium aut relevium aut tallagium aut aliqua alia exactio de tenemento de Berchelai requiratur. Ita res distribuatur inter heredes meos et tenentes eorum ut terre iste que sunt libera elemosina semper sint libere et quiete de omnibus rebus sicut semper libere fuerunt in vita mea, quatinus [f. 34v.] canonici[3] nulli heredum eorum neque aliqui oporteat respondere nisi de solis orationibus. Dedi etiam ecclesie Sancti Augustini Fifhidam in Dorseta, et Legam apud Bedministru*m*, et vi libratas terre apud Cernai et terra apud Katerinam de feodo Portburi quam emi de Ricardo de Morevilla, et terram apud Blakcheneswrdam que fuit Ricardi de Hanun, omnes cum omnibus pertinenciis suis in liberam elemosinam et perpetuam. Et eidem ecclesie dedi et confirmavi terram quam tenet Rogerus portarius sebe*rnus*,[4] et quam tenet Johannes marescallus, et quam tenet Sewaldus, et quam tenet Robertus Francigena, et eam que est juxta ecclesiam Sancti Michaelis, et gardinum quod fuit Petri Anglici, et magnum gardinum juxta domum Cecilie, et ortum que fuit Almeri. Et hoc omnia sicut predicta imperpetuum et liberam elemosinam. Que quicumque servaverit et multiplicaverit, conservet eum in secula qui est retributor omnium bonorum deus. T*estibus*, etc.

Marginal notes (Modern): (1) [f. 34] founder. (2) [f. 34v.] Cernai. (3) Cerney.

[1]   Horfield was given to St Augustine's when the canons entered their new abbey, *c*. 1159. Smyth (*Lives*, i, p. 38) noted this charter for the phrase *quam etiam ipse rex manu sua super altare Sancti Augustini posuit*.
[2]   MS. *piscarias*.
[3]   MS. *canonicos*.
[4]   *Rogerus portarius sebernus*: the likely explanation of this phrase is that it should read *Rogerus portarius et quam tenet Sebernus*.

74. *Charter of Maurice son of Robert fitz Harding to St Augustine's granting as an endowment* (in dotem) *half a hide of land in Hinton, to be held free of all services and obligations. He has placed his gift on the altar at the dedication of the abbey church. (c. 1170.)*

Rubric: Carta Mauricii filii Robertis de dimidia hyda apud Hyneton'.

Mauricius filius Roberti omnibus hominibus et amicis suis et universis sancte ecclesie fidelibus, salutem. Universitati vestre notum esse volo quod in dedicatione ecclesie Sancti Augustini de Brist' in dote dedi et imperpetuam et liberam et puram elemosinam concessi dimidiam hidam terre apud Hineton, scilicet unam virgatam quam tenuit Eilw' monachus cum quatuor nummatis terre quas idem Eilw' tenuit, et dimidiam virgatam quam tenuit Radulfus Surd' cum hiis duobus predictis hominibus, et dimidiam virgatam quam tenuit Aluredus homo meus. Hanc vero dimidiam hidam ita liberam canonicis Sancti Augustini concessi ut nec michi nec heredibus meis nec alicui alii de aliquo servicio respondeant, quia ego et heredes mei versus omnes homines illam dimidiam hidam adquietabimus, ut canonici Sancti Augustini eam habeant imperpetuum liberam et quietam de omni geldo et servicio et consuetudine et exactione, sicut puram elemosinam, pro salute anime domini patris mei et anime mee et uxoris mee et liberorum et antecessorum nostrorum. Hec vero terra ex mei parte oblata fuit super altare Sancti Augustini in dedicatione ipsius ecclesie coram domino R. Wigorn' episcopo et B. Exon' episcopo et N. Land' episcopo et G. episcopo Sancti Asaph qui predictam ecclesiam dedicaverunt.[1] Testibus, etc.[2]

Marginal note (*Modern*): ye dedication.

[1] For the date of the dedication, *see* Introduction, pp. xiv, xxii.
[2] This charter is followed by the rubric for no. 75, the text of which begins on f. 35.

75. *Charter of Maurice de Berkeley granting to Walter son of Albert a virgate of land at Alkington, saving to the king the service due from a twentieth part of a knight's fee. When Maurice received Walter's homage, Walter gave a gold ring to him and a gilt spur to his heir, Robert, who has confirmed this charter. (1171 × 90.)*

Rubric [f. 34v.]: Carta ejusdem Mauricii facta Waltero filio Alberti de una virgata terre apud Alchintone.

[f. 35] Mauricius de Berchel' omnibus hominibus et amicis suis, salutem. Sciatis quod ego dedi et concessi Waltero filio Alberti pro homagio et servicio suo unam virgatam terre apud Aleminton', scilicet illam virgatam quam Ernisius de Riham[1] tenuit, cum pratis et pasturis et bosco et plano et cum omnibus rebus ad eandem virgatam pertinentibus, ipsi et heredibus suis habendam et tenendam in feodo et hereditate de me et de heredibus meis, libere et quiete et honorifice, salvo servicio domini regis cum evenerit, scilicet vicesima parte unius militis pro omni servicio quod ad me et heredes meos pertinet. Et quando hanc donationem feci predicto Waltero et homagium ejus inde recepi, ipse dedit michi in recognitionem unum anulum aureum et Roberto filio et heredi meo quadam calcaria de aurata. Et ut hec mea donatio firma sit et stabilis, eam concessu Roberti filii mei presenti carta mea confirmavi. Testibus, etc.

[1] The name survived in Ryeham Fields, in Alkington, until early in the nineteenth century (*P-NG*, ii, p. 208).

76. *Charter of Maurice de Berkeley to St Augustine's confirming the virgate which he had given to Walter son of Albert in Alkington, and which Walter had given to the abbey. (1171 × 90.)*

Rubric: Carta ejusdem Mauricii de eadem virgata terre nobis facta.

Mauricius de Berchel' omnibus hominibus et amicis suis et omnibus sancte matris ecclesie fidelibus ad quos presens carta pervenerit, salutem. Sciatis me concessisse et presenti carta mea confirmasse canonicis Sancti Augustini de Brist' ad incrementum sancte religionis pro animabus patris et matris mee et pro salute anime mee et Aelise uxoris mee et puerorum nostrorum in liberam et perpetuam elemosinam illam virgatam terre quam dedi et concessi Waltero filio Alberti pro homagio et servicio suo apud Alcrinton', scilicet illam virgatam quam

Ernisius de Riham tenuit quam ipse Walterus dedit predictis canonicis in perpetuam elemosinam. Ut ipsi canonici predicti terram habeant et teneant cum pratis et pasturis in bosco et plano et in omnibus libertatibus et liberis consuetudinibus ad eandem terram pertinentibus sicut decet puram et perpetuam elemosinam sine omni seculari servicio salvo tamen servicio domini regis cum evenerit, scilicet xx parte unius militis pro omni servicio quod ad me pertinet et meos heredes. Ut autem hec mea concessio firma sit et stabilis ne predicti canonici in futuris ullam vexationem aut calumpniam de predicta terra sustineant, eam presenti carta confirmavi et sigilli mei inpressione munitam roboravi. Testibus, etc.

Marginal notes: (1) confirmac' terre. (2) (*Modern*) Mauric' Berkel Alicia uxor.

77. *Charter of John of Cogan to St Augustine's confirming the grant of a virgate in Alkington which his brother Walter son of Albert gave to the abbey when he joined the community there. (c. 1171 × 90.)*

Rubric: Confirmatio Johannis de Cogan de eadem virgata terre.

Universis Christi fidelibus ad quos presens scriptum pervenerit Johannes de Cogan, salutem. Notum sit omnibus vobis quod ego Johannes de Cogan, frater et heres [f. 35v.] Walteri filii Alberti[1] concessi et presenti carta mea confirmavi canonicis Sancti Augustini de Brist' pro animabus patris mei et matris mee et Walteri fratris mei et pro salute anime mee et uxoris mee et heredum et antecessorum in liberam et puram et perpetuam elemosinam illam virgatam terre quam Mauricius de Berchel' dedit et carta sua confirmavit predicto Waltero fratri meo pro homagio et servicio suo apud Alcrinton', scilicet illam virgatam quam Ernisius de Riham tenuit quam ipse Walterus dedit predictis canonicis in liberam et puram et perpetuam elemosinam quando se in religione transtulit. Ut predicti canonici habeant et teneant predictam terram ex donatione ipsius Walteri et confirmatione et concessione mea imperpetuum cum pratis et pascuis et omnibus libertatibus et aliis rebus ad eandem terram pertinentibus libere et quiete sine omni seculari servicio quod ad me vel heredes meos pertinet. Ut autem hec mea concessio et confirmatio predictis canonicis rata et inconcussa imperpetuum permaneat, et ne predicti canonici in futurum ullam vexationem vel calumpniam de heredibus meis de predicta terra sustineant, eam presenti carta confirmavi et sigilli mei inpressione munitam roboravi. Testibus, etc.

[1] John of Cogan appears as John son of Albert in no. 42.

78. *Charter of Maurice de Berkeley to the church at Berkeley. He has infringed the rights of the church by cutting a ditch in the cemetery as part of the moat around his castle. In reparation he gives the church an annual rent of 5s from his mill below the castle. He also grants to the canons of St Augustine's the tithes of pannage in Michael Wood, Appleridge, Oakleaze, and Wotton under*

Edge, and common of pasture for one plough-team with his own oxen at Berkeley. (1171 × 90.)

Rubric: Carta Mauricii de Berchel' de v solidis de molendino subtus castellum de Berkel'.

Mauricius de Berchel' omnibus hominibus et fidelibus suis et amicis et universis Christi fidelibus ad quos presens carta pervenerit, salutem. Sciatis quod ego pro salute anime mee et patris mei et matris mee et uxoris mee et liberorum meorum et pro emendatione culpe mee de fossato quod feci de cimiterio de Berchel' circa castellum meum dedi et concessi ecclesie de Berchel' quinque solidos de molendino subtus castellum imperpetuum habendos[1] quicumque illud molendinum tenuerit. Preterea dedi et concessi canonicis Sancti Augustini qui prenominatam habent ecclesiam decimam de toto pannagio de Muclewd' et de Appelrige et de Aclea et de Wttun' imperpetuam et liberam elemosinam et bobus unius carruce apud Berchel' concessi pasturam cum dominicis bobus meis. Et ut hec omnia firmiter teneantur, presenti carta et sigillo meo confirmavi. T*estibus*, etc.

Marginal note: pro emendatione pur le Castle Ditch.

[1] MS. *habendas*.

79. *Charter of Maurice de Berkeley to St Augustine's confirming Oldminster, in Hinton, which Mahel of Skenfrith has granted to the canons. They owe him 1 lamprey on Ash Wednesday. (1171 × 90.)*

Rubric: Carta ejusdem M*auricii* de terra de Aldeministre.

Omnibus Christi fidelibus ad quos presens scriptum pervenerit Mauricius de Berchelai, salutem. Noverit universitas vestra me pro [f. 36] salute anime mee et omnium antecessorum meorum concessisse et hac presenti carta mea confirmavi deo et ecclesie Sancti Augustini de Brist' et canonicis regularibus ibidem deo servientibus totam terram de Aldeministre quam Mahelus de Schenefrith dictis canonicis dedit et carta sua confirmavit, reddendo inde singulis annis m*ic*hi et heredibus meis unam lampredam in capite jejunii pro omni servicio ad dictam terram pertinente. Et ut hec mea concessio et confirmatio rata et inconcussa imperpetuum perseveret eam presenti scripto sigilli mei appositione roborato duxi confirmandam. T*estibus*, etc.

Marginal notes: (1) Ademinstre. (2) Aldeminst'.

80. *Charter of Mahel of Skenfrith to St Augustine's granting with the assent of his lord, Maurice de Berkeley, the land which Robert fitz Harding gave him in exchange for his land in Cumba. The canons owe Maurice de Berkeley 1 lamprey on Ash Wednesday. (1171 × 90.)*

Rubric: Carta Mahel de Schenefrich de eadem terra.

Sciant presentes et futuri quod ego Mahelus de Schenefrich voluntate et assensu domini mei Mauricii de Berchel' pro salute anime mee et omnium antecessorum meorum dedi et concessi et hac presenti carta mea confirmavi deo et ecclesie Sancti Augustini de Brist' et canonicis regularibus ibidem deo servientibus totam terram illam apud Berkel' quam michi Robertus filius Hardingi in escambium dederat pro terra mea de Cumba, scilicet totam terram de Aldeministre cum duabus acris in Wodemed[1] de eodem escambio, in puram liberam et perpetuam elemosinam; tenendam et habendam sibi imperpetuum pro una lampredam dicto Mauricio de Berchel' et heredibus suis singulis annis in capite jejunii reddendam pro omni servicio seculari tam domini regis quam omnium aliorum dominorum. Testibus, etc.

Marginal note: Aldeminst'.

[1] The name survived as a field-name in Hinton (*P-NG*, ii, p. 237).

81. *Charter of Maurice de Berkeley to St Augustine's confirming grants made to the abbey. (1171 × 90; probably 1189–90.)*[1]

Rubric: Generalis carta Mauricii de Berkelei.

Mauricius filius Roberti omnibus hominibus et amicis suis et universis sancte ecclesie fidelibus ad quos hec carta pervenerit. Sciatis me pro salute anime mee et antecessorum meorum et uxoris mee et liberorum meorum concessisse et presenti carta confirmasse ecclesie Sancti Augustini de Brist', quam dominus pater meus ad honorem dei fundavit, omnia illa que idem pater meus dedit et concessit canonicis ejusdem ecclesie Sancti Augustini in Berchelei Hernesse, Almodesbur', Horefeld', Esseleswrd' et Cromhalam, quam eis dedit quando devenit canonicum, singulas cum omnibus pertinenciis suis, et dimidiam piscariarum[2] de Erlingaham et alterius medietatis decimam totam in liberam puram et perpetuam elemosinam. Et hec omnia concessi et confirmavi [f. 36v.] canonicis de Sancto Augustino cum omnibus libertatibus quas dominus pater meus eisdem canonicis carta sua confirmavit, ut ipsi habeant et teneant imperpetuum libere et plene et honorabiliter et quiete ab omni seculari servicio excepto solo murdro, sicut carta domini patris mei distinguit et testatur. Concessi etiam ut ecclesie in terris meis de Berchele Hernesse que ad canonicos pertinent omnes habeant libertates et liberas consuetudines in communis pasturarum et in omnibus aliis rebus quas habuerunt tempore regis Henrici et domini patris mei. Ceteras etiam terras omnes quas dominus pater meus dedit canonicis et carta sua confirmavit ego concessi et carta ista confirmavi, habendas libere plene et honorifice cum omnibus libertatibus quas dominus pater meus eis concessit et sua carta confirmavit. Testibus, etc.

Marginal note: (*Modern*) founder.

[1] The reference to the time of King Henry suggests that this charter was issued after 6 July 1189.
[2] MS. *piscarias*.

82. *Charter of Nicholas son of Robert fitz Harding to St Augustine's confirming the grant of the church of Tickenham to the canons. (13 April 1158 × 31 July 1160.)*[1]

Rubric: Carta Nicholai filii Roberti de ecclesia de Tikeham.

Nicholaus filius Roberti omnibus filiis sancte ecclesie, salutem. Sciatis me recognovisse concessisse et omnimode ratam habere donationem ecclesie de Tikeham quam fecit pater meus canonicis Sancti Augustini, quam volo illis omni fide et omni stabilitate imperpetuum conservari. Ego enim sicut filius ejus et sicut dominus fundi illius concessionem meam de eadem re confirmavi eis in liberam et perpetuam elemosinam pro salute anime mee et Ale uxoris me et antecessorum nostrorum. Insuper etiam ego meam concessionem et donationem manu mea posui super altare Sancti Augustini coram Aluredus Wig' episcopo presente toto conventu et populo qui ea die convenerat qua novam suam ecclesiam canonici ingressi sunt. Eapropter volo et precipio quod ipsi hanc ecclesiam habeant et teneant cum omnibus pertinenciis suis libere et quiete honorifice et plenarie in liberam et perpetuam elemosinam. T*estibus*, etc.

[1]   Bishop Alfred held the see of Worcester for only a limited period.

83. *Charter of Nicholas son of Robert fitz Harding to St Augustine's confirming the churches of Little Chishall (Essex), Portishead, Langstone (Devon), and Rowberrow* (Rualach) . *(Before 1195.)*[1]

Rubric: Carta ejusdem Nicholai de ecclesiis de Cheshull' de Portasset de Longeston' et de Rualach.

Nicholaus filius Roberti omnibus filiis sancte ecclesie, salutem. Notum vobis facio quod ego ad honorem dei et ad incrementum sancte religionis concessi et confirmavi canonicis Sancti Augustini de Brist' ecclesiam de Cheshulla et ecclesiam de Porthasheth et ecclesiam de Langestan' et ecclesiam de Rualach sicut fundorum[2] illorum dominus pro salute anime mee et Ale uxoris mee et nominatim patris mei et illius atque omnium antecessorum nostrorum. Eapropter volo quod prenominati canonici has ecclesias habeant et [f. 37] teneant cum omnibus pertinenciis suis libere et quiete honorifice et plenarie imperpetuam elemosinam. T*estibus*, etc.

Marginal note: Alae uxoris Nicholai.

[1]   Nicholas had been given lands in Gloucestershire and Somerset before 1160 (no. 82); his son and heir, Roger, owed 500 marks for entering his inheritance in 1195 (*PR 6 Richard I*, PRS, NS, 5, p. 177). The identification of Little Chishall, and the connection of Nicholas and his heirs with that church are clear. Roger son of Nicholas held one fee there of the honour of Boulogne in 1210–12 (*RBE*, ii, p. 500). At the end of John's reign, the right to present to the church was in dispute between the abbot of St Augustine's and Wimar of Bassingbourne. In the Michaelmas term, 1214, the abbot produced a charter of Nicholas son of Robert as evidence of his claim. Wimar (Gaimar) and his wife Alice also claimed that Nicholas had granted Little Chishall by charter to them, but they could not produce the evidence to sustain their claim (*Curia Regis Rolls*, vii, pp. 231, 280). They are clearly the G. and Ala named in Roger's letter to King John (no. 89).

[2]   *fundorum* repeated.

84. *Charter of Nicholas son of Robert fitz Harding to St Augustine's confirming 2 tenements in Bristol, near St Werburgh's church: Nicholas held them both. One had previously belonged to Arfar senior, and the other to Wulfred. The text is taken from the original charter. (c. 1148 × 83.)*[1]

Rubric: Carta ejusdem Nicholai de burgagiis in Bristoll'.

Nicholaus filius Roberti . omnibus hominibus et amicis suis et universis sancte ecclesie fidelibus ad quos hec carta pervenerit . salutem . Sciatis me pro salute anime mee et domini patris mei et matris mee et uxoris mee et liberorum meorum concessisse et presenti carta confirmasse ecclesie Sancti Augustini de Bristou'[2] . quam dominus pater meus ad honorem dei fundavit . terras quas habui in Bristou'[2] versus ecclesiam Sancte Werburge[3] . scilicet terram que fuit Arfari senis . et terram que fuit Wlvredi . in liberam puram et perpetuam elemosinam absque omni servicio vel consuetudine que michi vel heredibus meis inde fiat . Et hanc concessionem feci voluntate et concessu Henrici filii et heredis mei . Que ut in perpetuum[4] firma permaneat . eam scripto presenti et sigillo meo confirmavi . Et Henricus filius et heres meus habuit pro recognitione unum tercellum . His Testibus[5] Ricardo capellano Wido de Troi . Ala uxore mea . Henrico filio meo . et Jordano fratre ejus . Reginaldo de Sancto Leodegario . Hugone Martra Hugone Capreole . Clemente . Reginaldo Coco . et aliis pluribus.

Marginal notes: (1) burg' in Brist'. (2) Bristoll'. (3) (*Modern*) founder. (4) (*Modern*) Hac carta est sub sigillo in castro de Berkley.

Original charter BCM, SC no. 61. Single fold, parchment tag, remains of seal. Endorsed (1) Carta Nicolai de tenuris et terra in Brystowe datis ecclesie Sancti Augustini. (2) Nichol' fil' Roberti de terris juxta ecclesie Sancte Werburge.[6] (3) Arfari Senis et Wluredi. (4) a.iij. (5) .g.ii. (6) 44. (7) S.61.

Calendared: Jeayes, *Select Charters*, p. 27, no. 61.

[1]   William, earl of Gloucester, confirmed these grants (no. 24).
[2]   *Brist'*, Cartulary.
[3]   *Warburga*, Cartulary.
[4]   *imperpetuum*, Cartulary.
[5]   *T[estibus]*, Cartulary.
[6]   The last four words have been written (or overwritten) in a different hand, Cartulary.

85. *Charter of Nicholas son of Robert fitz Harding, and his wife Ala recording the sale of a burgage in St Nicholas Street, Bristol, to Richard, chaplain of St Werburgh's, and Matthew the priest, his brother. They have paid 15 marks; they will pay 7½d a year for landgavel, and 1 pound of wax annually for recognition; at any succession their heirs will pay 1 pound of cumin for relief. They have given 1 gold bezant to Nicholas's wife and 12d to his heir, for their consent to this sale. The vendors retain the right of first purchase, should Richard and Matthew decide to sell the burgage. (1171 × 95; perhaps before 1183.)*[1]

Rubric: Carta ejusdem Nicholai facta Ricardo et Matheo capellanis de tenementis[2] in Bristoll'.

Sciant omnes et presentes et futuri quod ego Nicholaus filius Roberti Hardingi et Ala uxor mea concessu et assensu heredis nostri vendidimus domum et terram meam que est in vico Sancti Nicholai ante domum Affredi filii Ledbricti que extendit usque ad petrinam domum que fuit Ulfredi Ricardo capellano de Sancta Warburga[3] et Matheo sacerdoti fratri suo, pro xv marcis argenti; tenendas in feudo et hereditate sibi et heredibus suis de nobis et heredibus nostris, libere et quiete et honorifice, per reddendo inde nobis singulis annis vii *denarios* et obolum de landgablo, et unam libram cere de recognitione annuatim. Et cum mutatio heredum advenerit dabunt unam libram cumini de relevamine. Et pro concessu hujus venditionis dederunt ipsi mee uxori unum bizantium auri et heredi nostro xii *denarios*. Et si contingeret quod ipsi predictam terram vendere vellent ipsi eandem terram m*ich*i vel meis heredibus offerent vendendam pro tali precio quale aliquis alius pro eadem terra[4] legitime offeret. Et si ego vel heredes nostri predictam terram emere noluerimus vendant eam ubi eis placuit. T*estibus*, etc.[5]

Marginal note: (*Modern*) Ala Uxor.

[1]   Earl William of Gloucester confirmed grants made by Nicholas, but this tenement was not included (no. 24). The broad limits of date are set by the deaths of Robert fitz Harding and Nicholas son of Robert. The narrower later limit, from the death of Earl William, is conjectural.
[2]   MS. has *tenementis*, though only one burgage is conveyed.
[3]   MS. *Warbunga*.
[4]   MS. *terram*.
[5]   The rubric for no. 86 continues at the foot of the folio, and no. 86 begins on f. 37v.

86. *Charter of Nicholas son of Robert fitz Harding to St Augustine's confirming land in Cokerford near Yeovil. (Before 1195.)*[1]

Rubric [f. 37]: Carta ejusdem N*icholai* de terra de Cokerfort.

[f. 37v.] Nicholaus filius Roberti omnibus amicis suis et hominibus ceterisque Christi fidelibus qui hanc cartam viderint et audierint, salutem. Sciatis quod ego assensu Rogeri filii et heredis mei et Ale uxoris mee dedi et hac presenti carta mea confirmavi canonicis ecclesie Sancti Augustini de Brist' pro salute anime mee et uxoris mee et liberorum et omnium parentum nostrorum totam terram meam de Cokerford' apud Givelam in perpetuam et liberam elemosinam ut eam habeant et teneant in bosco et plano in aquis in molendinis in pratis et pasturis in viis et semitis et in omnibus aliis locis et aliis rebus ad eandem terram pertinentibus, ita libere et quiete integre et honorifice quod de nullo servicio nec m*ich*i nec heredibus meis inde respondeant nisi soli deo in orationibus suis, excepto tamen servicio domini regis quando evenerit. T*estibus*, etc.

Marginal note: Rogerus fil'.

[1]   See no. 83. Cokerford lies in one of the Cokers near Yeovil. It was associated with Fifehead Magdalen, a link which lasted for many centuries (cf. Sabin, *Manorial Accounts*, p. 170).

87. *Charter of John Mautravers son of John Mautravers to St Augustine's confirming the gift of land in Cokerford, near Yeovil, made by Nicholas son of Robert and his wife Ala. (Before 1191; perhaps before 1185.)*[1]

Rubric: Confirmatio Johannis Mautravers de eadem terra de Cokafort.

Universis sancte matris ecclesie filiis ad quos presens carta pervenerit Johannes Mautravers filius Johannis Mautravers, salutem. Noverit unversitas vestra me pro salute anime mee et patris mei et matris mee et uxoris mee et liberorum meorum concessisse et hac presenti carta mea confirmasse deo et ecclesie Sancti Augustini de Brist' et canonicis regularibus ibidem deo servientibus terram illam de Cokerford' apud Giflam quam Nicholaus filius Roberti et Ala uxor ejus deo et ecclesie Sancti Augustini de Brist' et eisdem canonicis in perpetuam elemosinam dederunt et carta sua confirmaverunt, tenendam sibi et habendam in perpetuum adeo libere et quiete adeo integre et honorifice sicut carta ipsius Nicholai et uxoris sue Ale melius plenius et liberius testatur, salvo tamen regali servicio quando evenerit. Et ut hec mea concessio et confirmatio rata sit et stabilis in perpetuum, eam presenti scripto sigilli mei appositione roborato confirmavi. T*estibus*, etc.

[1]   The Mautravers (Maltravers) kinship at this time is complicated by the succession of two men called John. One John Maltravers cleared a debt by paying £12 13s 4d into the Exchequer at Michaelmas, 1188 (*PR 34 Henry II*, PRS, 38, p. 158). With Walter Maltravers, he attested a charter of Richard de Redvers, brother of Earl Baldwin de Redvers, probably issued in June 1189 (*Charters of the Redvers Family and the Earldom of Devon 1090–1217*, ed. R. Bearman, Devon and Cornwall Record Society, New Series, 37, 1994, p. 107, no. 63). Late in Henry II's reign, the Pipe Rolls begin to record payments for Walter Maltravers, who was concerned for some years to secure his lands (*PR 30 Henry II*, PRS, 33, pp. 84, 94; *PR 31 Henry II*, PRS, 34, pp. 191, 195, 211; *PR 32 Henry II*, PRS, 36, p. 198). Before Michaelmas 1191, a Walter, presumably the same man, was given seisin of land in Breamore (Hants.) *sicut carta Ricardi de Redvers testatur* (*PR 3 & 4 Richard I*, PRS, NS, 2, pp. 88, 297). By 1209 he was dead, and the earl of Devon took action against John Maltravers to recover this land (*PR 11 John*, PRS, NS, 24, p. 91; *PR 12 John*, PRS, NS, 26, p. 38). The litigation is noted in *Curia Regis Rolls, 1207–9*, pp. 225–6, 243, 254–5, 306; the process and references are cited in Bearman, *Charters*, p. 166, App. I, no. 22 *n*.

88. *Charter of Ralph Bloet to St Augustine's. Nicholas son of Robert fitz Harding gave Langstone (Devon) to him when he married Nicholas's daughter, and Nicholas has now made clear to him that he had previously given the church to the canons. Ralph confirms that grant in accordance with Nicholas's charter, which he has read. (Before 1195.)*

Rubric: Carta Radulfi Bloet de ecclesia de Langestan.

Radulfus Bloet omnibus sancte ecclesie fidelibus ad quos presens carta pervenerit, salutem. Notum sit universitati vestre quod Nicholaus filius Roberti filii Hardingi qui terram de Langestan m*ichi* cum filia sua in maritagium dedit monstravit michi se ecclesiam ejusdem ville canonicis Sancti Augustini de Brist' in liberam et perpetuam elemosinam dedisse et carta sua confirmasse. Et ego pro salute anime mee et Ale uxoris mee et liberorum [f. 38] meorum donationem quam dominus Nicholaus predictis canonicis fecit de prenominata ecclesia concessi et firmam habeo et quantum ad me sicut ad dominum fundi pertinet ipsam ecclesiam eis presenti carta confirmavi; habendam et tenendam libere quiete et honorifice cum omnibus ad eam pertinentibus sicut dominus Nicholaus eam dedit et sicut carta ipsius quam inspexi testatur. *Testibus*, etc.

89. *Letter of Roger son of Nicholas to King John, notifying him that the church of Little Chishall (Essex) was given to St Augustine's by Nicholas. This was done long before Roger's sister Ala was given in marriage to Gaimar (or Wimar) of Bassingbourn, with Little Chishall as her marriage portion. (Autumn 1214.)*[1]

Rubric: Carta Rogeri filii Nicholai de ecclesia de Cheshulla.

Reverendo domino Johanni dei gratia regi Angl*ie* domino Yberni*e* duci Norm*annie* et Aquit*anie* [et] comiti And*egavie* et ejusdem justiciario R*ogerus* filius Nicholai, salutem. Quoniam in curia vestra veritatem subtietur nec volo nec debeo litteris meis patentibus vobis significo quod meus etiam pater Nicholaus longe antequam ei in hereditate successi advocationem ecclesie de Cheshell' deo et canonicis Sancti Augustini de Brist' dedit et concessit. Post mortem autem ejus eidem succedens predictam donationem et concessionem sicut carta mea memoratis canonicis facta testatur ut dicti N*icholai* heres confirmavi longe antequam sororem meam *Alam* G. de Bassigebur' duceret in uxorem et terram de Cheshell' cum ea acceperet in maritagium. Et quoniam volo ut hoc omnibus notum fiat hoc presenti scripto sigilli mei appositione roborato vobis significo. Valete.

Marginal note: Cheshull'.

[1] This letter is linked with the early stages of the litigation over the church resolved in Michaelmas term, 1214 (no. 83).

90. *Letter of Roger son of Nicholas to William de Ste-Mère-Église, bishop of London, recording that he has confirmed his father's gift of the church of Little Chishall (Essex) to St Augustine's. He presents a clerk to the canons, under the bishop's protection, for institution to the church. (Late 1214 × early 1215.)*[1]

Rubric: Presentatio ejusdem Rogeri de eadem ecclesia.

Willelmo dei gratia episcopo Lond' devotissimus filius suus Rogerus filius Nicholai, salutem et debitam in omnibus reverentiam. Noverit paternitas vestra N*icholaum* patrem meum divine pietatis intuitu ecclesiam de Cheshulle canonicis regularibus Sancti Augustini de Brist' contulisse. Ego vero ratam et gratam habens patris mei concessionem prefatam donationem memoratis canonicis pro salute anime mee et antecessorum meorum carta mea confirmavi. Quocirca paternitati vestre devotissime supplico quatinus memoratos canonicos ad prenominatam ecclesiam admittatis et eos in ea canonice instituatis, ut patronus et[2] eos securitati vestre ad prefatam ecclesiam presento. Valde in domino securitas vestra.

[1]   William de Ste-Mère-Eglise was one of the bishops appointed by Innocent III to proclaim the interdict in March 1208; he left the country immediately afterwards and did not return until May 1213. This presentation is closely linked with the litigation in the autumn of 1214 (no. 83). The bishop was associated with the family; at Michaelmas 1194 he owed 500 marks for the wardship of Roger's cousin, the heir of Robert son of Robert fitz Harding (*PR 6 Richard I*, PRS, NS, 5, pp. 239–40).
[2]   MS. has what appears to be an initial *H*.

91. *William, bishop of London, confirms to St Augustine's the church of Little Chishall with the rights granted by Nicholas son of Robert and by Roger, his heir. (Late 1214 × early 1215.)*[1]

Rubric: Institutio Willelmi London' episcopi de eadem ecclesia.

Omnibus Christi fidelibus ad quos presens scriptum pervenerit Willelmus dei gratia London' episcopus, eternam in domino salutem. Ad universitatis vestre notificiam volumus devenire nos gratam habere et ratam concessionem factam canonicis Sancti Augustini de Brist' a Nicholo[2] filio Roberti et Rogeri filio et herede [f. 38v.] suo super ecclesiam de Cheshull cujus patronatus ad eosdem Nicholum et Rogerum dinoscitur pertinere. Quam quidem concessionem ne in posterum per quamquam valeat infirmari episcopali qua fungimur auctoritate secundum quod in auctenticis predictorum Nicholi et Rogeri rescriptis que et ipsi inspeximus continetur sub presentium testimonio duximus confirmandi.

[1]   Closely linked with no. 90.
[2]   MS. *Nichicolo; Nicholus*, the form used by the bishop's clerk, has been retained later in the document.

92. *General charter of confirmation to St Augustine's by Roger son of Nicholas. (1195 × 1230.)*

Rubric: Generalis carta Rogeri filii Nicholai de hiis que pater suus nobis dedit.

Rogerus filius Nicholai omnibus amicis suis et hominibus ceterisque sancte ecclesie filiis, salutem. Sciatis me pro salute anime mee et patris mei et matris mee et omnium parentum meorum vivorum et defunctorum concessisse et hac presenti carta confirmasse ecclesie Sancti Augustini de Brist' et canonicis regularibus ibidem deo servientibus omnia illa que pater meus Nicholaus eis in ecclesiis et ecclesiasticis beneficiis et terris concessit et dedit, videlicet ecclesiam de Tikeham, ecclesiam de Cheshull', ecclesiam de Porchashet, ecclesiam de Langest', ecclesiam de Rualach, et terras apud Brist', scilicet terram que fuit Arfari senis versus ecclesiam Sancte Werburge, et terram que fuit Wlfredi, et Cokerford', cum pertinenciis suis. Quare volo ut predicti canonici omnia ista habeant et teneant in perpetuam et liberam elemosinam quietam ab omni seculari servicio et exactione quantum ad me aut ad heredes meos pertinet. Quod ut stabile et firmum semper permaneat, presenti scripto et sigillo meo confirmavi. Testibus, etc.

93. *Charter of Roger son of Nicholas granting to the church of St Quiricus and St Julietta at Tickenham, from the tithe of his mill in that vill 2s for a light in the church. (1195 × 1230.)*

Rubric: Carta ejusdem Rogeri de duobus solidis ad luminare ecclesie de Tykenham.

Omnibus Christi fidelibus ad quos presens scriptum pervenerit Rogerus filius Nicholai filii Roberti, salutem. Noverit universitas vestra[1] me pro salute anime mee et uxoris mee Nicholai patris mei et Ale matris mee et omnium antecessorum meorum et successorum assensu Nicholai filii et heredis mei dedisse et hac mea carta confirmasse deo et ecclesie sanctorum Cirici et Julite de Tikeham de decima molendini ejusdem ville duos solidos ad luminarium predicte ecclesie in perpetuam elemosinam singulis annis ad Hockedai percipiendos. Et ut hec mea donatio et confirmatio firma et stabilis in perpetuum permaneat eam presenti scripto sigilli mei appositione munito confirmavi. Testibus etc.

Marginal note: ij sol'.

[1] MS. *vestras*.

94. *Charter of Ala, daughter of Guy son of Tecius, wife of Nicholas son of Robert confirming to St Augustine's the gift of churches which belonged to her fee and inheritance, Little Chishall, Langstone, Portishead and Rowberrow (Rualac). (Before 1195.)*[1]

Rubric: Confirmatio Ale uxoris ejus de donationibus viri sui.

Sciant tam presentes quam futuri quod ego Ala filia Widonis [f. 39] filii Tecii donationem quam dominus vir meus Nicholaus filius Roberti fecit ecclesie Sancti Augustini de Brist' de ecclesiis que sunt de feodo et hereditate mea, scilicet de ecclesia de Cheshulle, de Langestan, de Porkasset, de Rualac, concessi pro salute anime mee antecessorum et liberorum meorum; et predictas ecclesias omnes sicut mea libera voluntate et pleno assensu a domino viro meo date sunt et confirmate. Ego sicut filia et heres patris mei ecclesie Sancti Augustini de Brist' et canonicis ibidem deo servientibus in perpetuum libere et quiete et sine omni reclamatione heredum nostrorum habendas et possidendas presenti carta confirmavi. Testibus, etc.

[1] This grant and confirmation was made with her husband's consent and approval.

95. *Charter of Ala, daughter of Guy son of Tecius, confirming (as a widow) to the church of St Quiricus and St Julietta at Tickenham an annual payment of 2s* *from the tithes of the mill in that vill for the lights of the church. Her charter is authenticated by her own seal. (After 1195.)*[1]

Rubric: Confirmatio ejusdem Ale de ii solidis ad luminare ecclesie de Tikeham.

Omnibus Christi fidelibus ad quos presens scriptum pervenerit Ala filia Gwidonis filii Tecii, salutem. Noverit universitas vestrum quod dominus meus Nicholaus in vita sua pro salute sua et mea et omnium antecessorum et successorum nostrorum assensu Rogeri filii et heredis nostri dedit ecclesie Sanctorum Cirici et Julite de Tiheham de decima molendini ejusdem ville duos solidos ad luminarium predicte ecclesie in perpetuam elemosinam. Ut igitur donatio domini mei firma et stabilis imperpetuum permaneat, ego eam presenti scripto confirmavi et sigilli mei munimine coroboravi. T*estibus*, etc.

[1]   The charters of Nicholas, Ala and Roger have a special significance in the light of a dispute with Reginald de Argentan over estates held by Guy son of Tecius. Guy had been an administrator in the early years of Henry II's reign, and Reginald was prominent in the later decades of the twelfth century; both served in Hertfordshire. Smyth (*Lives*, i, p. 46) identified Ala as a co-heiress of Guy son of Tecius. At Michaelmas 1190 Reginald paid £100 for justice over lands held by Guy (*PR 2 Richard I*, PRS, NS, 1, p. 110), and in the following year Nicholas owed 200 marks to have peace from Reginald's claims until the king returned from Jerusalem (*PR 3 Richard I*, PRS, NS, 2, p. 116). His debt continued until his death.

96. *Charter of Robert son of Robert to St Augustine's confirming the churches of Pawlett and Weare, St Nicholas in Bristol, and Beverston. (Before 29 September 1194.)*[1]

Rubric: Carta Roberti filii Roberti de ecclesiis de Poelet, de Werra, Sancti Nicholai Brist', de Beverston.

Omnibus sancte matris ecclesie filiis ad quos presens scriptum pervenerit Robertus filius Roberti, salutem. Sciatis quod ego pro salute anime mee et patris mei et matris mee et amicorum meorum concessi et hac presenti carta confirmavi canonicis Sancti Augustini de Brist' in perpetuam elemosinam ecclesiam de Poelet, ecclesiam de Wera, ecclesiam Sancti Nicholai apud Brist', ecclesiam de Beverstan, cum omnibus pertinenciis suis. Quare volo quod dicti canonici prenominatas ecclesias habeant et possideant cum omnibus libertatibus et liberis consuetudinibus suis bene et pacifice integre et honorifice in decimis et elemosinis et in omnibus beneficiis ad eos spectantibus. T*estibus*, etc.

[1]   His heir had been given in wardship before Michaelmas 1194. A. S. Ellis accepted 1195 (Smyth, *Lives*, i, p. 15).

97. *Charter of Robert son of Robert granting to the church of Beverston those things which belong to it in law, the tithe of the vill in corn, hay, wool, flax, cheese, orchard fruits, lambs and piglets, and in everything which grows again in successive years. (Before 29 September 1194.)*

Rubric: Carta ejusdem Roberti de decimis concessis ecclesie de Beverstone.

Omnibus sancte ecclesie fidelibus ad quos presens carta pervenerit Robertus filius Roberti, salutem. Sciant quod ego pro salute anime mee et omnium parentum et amicorum meorum concessi dedi et hac carta confirmavi ecclesie de Beverstan omnia [f. 39v.] que ad eam de jure pertinet, videlicet totam decimam ejusdem ville in blado in feno in lano in lino in caseo in fructibus arborum in agnis et porcellis et in omnibus que in anno renovantur et in omnibus que decimari solent et debent. Quod ut stabile et in perpetuum firmiter perseveret presenti scripto et sigilli mei appositione roboravi. T*estibus*, etc.

98. *Charter of Robert son of Robert acknowledging the right of the church of Beverston and confirming his tithes of wool and cheese of the vill. (Before 29 September 1194.)*

Rubric: Secunda carta ejusdem R*oberti* de decimis ecclesie de Beverstan.

Universis Christi fidelibus ad quos presens scriptum pervenerit Robertus filius Roberti, salutem. Sciatis quod ego recognovi rectum ecclesie de Beverstan unde eidem ecclesie concessi et hac mea carta confirmavi decimam meam totam ejusdem ville de lana et caseo. Quod ut stabile et firmum in perpetuum permaneat presenti scripto dignum duxi roborare. T*estibus*, etc.

99. *Charter of Robert son of Robert fitz Harding to St Augustine's confirming the gift made by Gilbert of Oldland, his knight, of 1 hide in Farmborough. Bencelino, sister and heiress of Gilbert, has acknowledged and granted this gift. The canons are to hold the land for the service of a quarter of a knight's fee rendered in money. (Before 29 September 1194.)*

Rubric: Carta ejusdem R*oberti* de Fernberge.

Robertus filius Roberti filii Hardingi omnibus hominibus et amicis suis et universis tam presentibus quam futuris ad quos hec carta pervenerit, salutem. Sciatis me concessisse donationem quam Gillebertus de Aldeland' miles meus fecit canonicis Sancti Augustini de Brist' de una hida terre quam idem Gillebertus pro salute anime sue predictis canonicis in perpetuam dedit elemosinam de feodo quod de me tenebat apud Fernbergam, quam donationem predicti Gileberti Bencelino soror et heres ipsius coram me recognovit et concessit; cujus petitione et concessu ego predictam hidam canonicis Sancti Augustini concessi et eam presenti scripto et sigillo meo confirmavi, habendam et tenendam plene et integre cum omnibus rebus et liberis consuetudinibus ad eam pertinentibus per servicium quarte partis unius militis michi et heredibus meis in denariis faciendis. T*estibus*, etc.

100. *Charter of Robert son of Robert fitz Harding to St Augustine's. When he gave the canons a rent of 20s as an endowment at the dedication of their church,* *he gave them half a virgate of land and 2 crofts in Pawlett in quittance of 5s of this rent. He confirms this land and the 2 crofts free of all service except the service due to the king, and promises them warranty for their tenure. (Before 29 September 1194.)*

Rubric: Carta ejusdem R*oberti* de dimidia virgata apud Poulet.

Robertus filius Roberti filii Hardingi omnibus hominibus et amicis suis et universis sancte ecclesie fidelibus tam presentibus quam futuris, salutem. Sciatis quod cum ego canonicis Sancti Augustini de Brist' xx solidatas redditus in dedicatione ecclesie ipsorum in dotem concessissem, in adquietantiam quinque solidorum hujus redditus dedi ipsis canonicis dimidiam virgatam terre apud Poelet cum duabus croftis, scilicet illam dimidiam virgatam que ecclesia ipsorum de Poelet tam meo quam antecessorum meorum temporibus ad gabulum tenere consueverit, et illas duas croftas que subtus [f. 40] cimiterium ecclesie de Poelet jacent. Et ego omne servicium quod ad me et heredes meos de predicta terra pertinebat remisi canonicis imperpetuum, ut illam dimidiam virgatam cum duabus croftis habeant et teneant sicut liberam dotem ecclesie sue, quietum de gabulo de dono et de omni seculari servicio et consuetudine que michi vel heredibus meis fieri debet, salvo tantum servicio regis de predicta dimidia virgata. Quod si ego aut heredes mei predictam terram canonicis garentizare non poterimus escambium eis dabimus ad valentiam cum omni illa libertate quam in predicta habuerunt. T*estibus*, etc.

Marginal note [f. 40]: j marc'.

101. *Charter of Robert son of Robert assigning 1 mark to the canons to observe the anniversary of his death; they will receive it from Richard the cordwainer and his heirs from land which Robert holds in Peisa in Bristol. (Before 29 September 1194.)*

Rubric: Carta ejusdem R*oberti* de anniversario suo.

Sciant qui sunt et qui futuri sunt quod ego Robertus filius Roberti assignavi unam marcam argenti canonicis ecclesie Sancti Augustini de Brist' ad faciendum anniversarium meum in perpetuum percipiendam singulis annis in die obitus mei per manum Ricardi corduanarii et heredum suorum de terra quam tenet de me apud Peisam in Brist'. T*estibus*, etc.

Marginal note: .j. marc' Nota.

102. *Charter of Robert son of Robert granting the land which he bought from Jordan son of Wiz, and the house which Benedict the chaplain built there, to Benedict for an annual payment of 12d. (Before 29 September 1194.)*

Rubric: Carta ejusdem R*oberti* facta Benedicto capellano de tenemento in Brist'.

Robertus filius Roberti omnibus amicis suis et hominibus suis, salutem. Sciatis quod ego terram illam quam emi de Jordano filio Wiz cum domo super edificata quam Benedictus capellanus edificavit,[1] quantum illa domus continet in longitudine et latitudine usque ad murum tuum[2] predicto Benedicto concessi ipsi et[3] heredibus ejus, habendam et tenendam de me et de heredibus meis, reddendo annuatim ad festum Sancti Michaelis michi et heredibus meis duodecim denarios pro omni servicio quod ad me aut ad heredes meos pertinent. Ut autem hec concessio rata sit sigillo meo illam roboravi. Testibus, etc.

[1] The abbey gave William Devenish land in Frogmore Street with the house of Benedict the chaplain (1234 × c. 1245; St Mark's Cartulary, p. 43, no. 40). This may be the tenement conveyed in this deed.
[2] The reading is clear, but the sense is obscure. It may be a misreading for suum or for turris.
[3] et repeated.

103. *Charter of Maurice de Gaunt to St Augustine's granting in free alms a rent of 2 marks to maintain the anniversaries of his father and mother. One mark was due from the land of Richard the cordwainer and the other from the land which Maredudd (*Maredus) *la Warre held of Maurice. (1207 × 30.)*[1]

Rubric: Carta Mauricii de Gant de anniversariis.

Omnibus Christi fidelibus ad quos presens scriptum pervenerit Mauricius de Gaunt, salutem in domino. Noveritis me pro salute anime mee patris mei matris mee et omnium antecessorum nostrorum dedisse et concessisse et hac presenti carta mea confirmasse deo et ecclesie Sancti Augustini de Brist' et canonicis regularibus ibidem deo servientibus duas marcatas redditus in Brist' ad faciendum anniversarium patris mei et matris mee singulis annis cum dies obitus illorum evenerit, videlicet unam marcam percipiendum de terra quam Ricardus [f. 40v.][2] cordewanarius de me tenuit, et aliam marcam de terra quam Muredus Warra de me tenuit. Habendas et tenendas sibi de me et heredibus meis libere et quiete sicut liberam puram et perpetuam elemosinam. Ita quod michi nec heredibus meis nec alicui alii in aliquo seculari servicio respondeant nisi soli in orationibus. Et ut hec mea donatio et concessio firma et stabilis perpetuo persolveret eam presenti scripto sigilli mei appositione roborato confirmavi. Testibus, etc.

[1] Maurice came of age in 1207, and died in 1230.
[2] At the foot of folio 40 is a note: Carta ejusdem R. de ecclesia Beverstan'.

104. *Charter of Maurice de Gaunt to St Augustine's granting in free alms 1 acre in Weston for a render of 1 pound of wax to his chapel at Weston. (1207 × 30.)*

Rubric: Carta ejusdem Mauricii de una acra in Weston'.

Sciant tam presentes quam futuri quod ego Mauricius de Gaunt dedi et concessi et hac mea presenti carta confirmavi deo et canonicis Sancti Augustini de Brist' unam acram terre in Westona,[1] illam videlicet que jacet inter terram Rogeri de Westona et domum Walter le nistor.[2] Tenendam et habendam de me et de heredibus meis libere et quiete integre et pacifice sicut puram et perpetuam elemosinam. Reddendo inde annuatim capelle mee de Westona unam libram cere in vigilia Sancti Thome apostoli pro omni servicio seculari. Et ut hec mea donatio rata et in perpetuum firma perseveret eam presenti scripto sigilli mei appositione roborato communivi. T*estibus*, etc.

Marginal notes: (1) Bristoll'. (2) duas marcas.

[1] It may be Weston in Gordano, or Weston super Mare.
[2] Perhaps for *le instur*, the stockman.

105. *Charter of Hugh de Gurney and his wife Lucy to St Augustine's quitclaiming any rights they have in three tenements. They have seen, heard, and understood the charter of Robert fitz Harding and the confirmation of William, earl of Gloucester, (no. 31), recording the grant of Leigh to the abbey. If the men of Leigh incur any penalty when they attend their hundred, they must do satisfaction, not to Hugh and his wife, but to the abbot. So that the canons' liberties are safeguarded, Hugh and Lucy undertake not to make any claims against the men of Leigh in the future. They have also inspected the charters which the canons have concerning a half-virgate in Wotton under Edge and a cotset in Cumba which Reginald of Cam gave them. They have acknowledged these quitclaims publicly in their hundred. (c. 1179 × 1222; probably late twelfth century.)*[1]

Rubric: Carta Hugonis de Gurnei et Lucie uxoris ejus de Lega.

Omnibus Christi fidelibus ad quos presens scriptum pervenerit Hugo de Gornay et Lucia uxor ejus, salutem in domino. Noverit nos aspexisse audisse et intellexisse cartam domini Roberti filii Hardingi et confirmationem domini Willelmi comitis Gloec' in quibus continetur terram de Lega cum omnibus pertinenciis canonicis Sancti Augustini de Brist' a memorato Roberto in liberam puram et perpetuam elemosinam fuisse concessam et a predicto W*illelmo* comite confirmatam. Ita ut n*u*lli respondeant nisi soli deo in orationibus excepto murdro si placuerit domino regi ab eis accipere. Pro pace autem regni salvanda venient homines de Lega ad duo legalia hundreda, ita ut si in misericordiam inciderint non nobis set canonicis satisfaciant. Et ut plena dictis canonicis libertas conservetur nolumus ut eorum homines de Lega in aliquo a nostris vexentur de cetero. Item inspectis cartis dictorum canonicorum quos habent de una dimidia virgata terre in Wotton' et una cotselda in Cumba quas Reginaldus de Camme [f. 41] eis in liberam puram et perpetuam contulit elemosinam dictorum canonicorum libertates et jus tam de Lega quam de predictis terris in hundredo nostro publice recognoscentes omnia memorata libera eisdem quieta clamavimus.

Quod ne in posterum devocetur in dubium presenti scripto sigilla nostra duximus appendenda. *Testibus*, etc.

[1] Probably issued by Hugh de Gurney, *c.* 1179 × 1222. He began to pay relief for his father's lands at Michaelmas 1179 (*PR 25 Hy II*, PRS, 28, p. 7) and finished paying off his debt at Michaelmas 1188 (*PR 34 Hy II*, PRS, 38, p. 55). His father, an earlier Hugh de Gurney, was married to a Melisant (F. M. Stenton, *First Century of English Feudalism*, pp. 107, 273). His son, Hugh, whose wife's name was Matilda (*Excerpta e Rot Fin.*, i, p. 328), was given seisin of his inheritance on 2 May 1222 (ibid. pp. 86, 185).

106. *Charter of Hugh Trivet to St Augustine's granting in free alms his messuage with 2 acres which Osmund Magnus held and 6 acres which Thomas de Scilegat held in Pawlett. (Late twelfth or early thirteenth century.)*[1]

Rubric: Carta Hugonis Trevet de octo acris apud Poulet.

Omnibus Christi fidelibus ad quos presens scriptum pervenerit Hugo Trivet, salutem in domino. Noverit universitas vestra me pro salute anime mee patris mei matris mee et omnium antecessorum et successorum meorum dedisse concessisse et hac presenti carta mea confirmasse deo et ecclesie Sancti Augustini de Brist' et canonicis regularibus ibidem deo servientibus illud mesuagium meum apud Poulet cum duabus acras terre et ceteris pertinenciis suis quod Osmundus Magnus de me tenuit. Dedi etiam et concessi et presenti carta confirmavi dictis canonicis illas sex acras terre que jacent in parte occidentali juxta spinam Thome de Scilegat cum omnibus pertinenciis libertatibus et liberis consuetudinibus suis; ita quod dicti canonici omnia predicta habeant et teneant de me et de heredibus meis in liberam puram et perpetuam elemosinam. Et si forte contigerit quod aliqua secularis exactio ratione dicti mesuagii et dictarum terrarum emerserit ego et heredes mei adquietare debebimus, ita quod dicti canonici nec michi nec aliqui hominum in aliquo inde respondeant nisi soli deo in orationibus. Ego etiam et heredes mei predicta omnia cum omnibus pertinenciis suis predictis canonicis contra omnes homines et feminas warantizare debebimus imperpetuum. Quod ut ratum et stabile perpetuo perseveret, presenti scripto sigillum meum duxi appendendum. *Testibus*, etc.

[1] Hugh Trivet occurs as a witness to Bristol charters *c.* 1171 × 86 and early in the thirteenth century (*St Mark's Cartulary*, p. 124, no. 183; p. 160, no. 237).

107. *Charter of Eva daughter of Robert son of Robert fitz Harding to St Augustine's confirming in free alms half a hide of land in Farmborough which William Beket gave them. He had claimed this land in the court of Henry II, and a final concord was drawn up between them. (Before 1230.)*[1]

Rubric: Carta Eve filia Roberti juvenis de dimidia hida terre in Fernberne.

Omnibus sancte matris ecclesie filiis ad quos presens scriptum pervenerit Eva filia Roberti filii Roberti filii Hardingi, salutem. Sciatis quod ego pro salute anime mee et patris mei et matris mee et omnium antecessorum meorum concessi et presenti carta confirmavi ecclesie Sancti Augustini de Brist' et canonicis regularibus ibidem deo servientibus dimidiam hidam terre in Fernberg' que [f. 41v.] est de feodo meo quam Willelmus Beket predictis canonicis dedit, unde inter ipsos et ipsum Willelmum Beket qui se heredem illius terre clamabat in curia domini regis Henrici secundi placitum fuit et finalis concordia facta, sicut cyrographum inter [eos]² factum distinguit et testatur, in perpetuam et liberam et puram elemosinam habendam quietam ab omni seculari servicio. Ita quod si aliqua exactio facta fuit super illam hidam terre que fuit Willelmi Beket in Fernberg' unde predicti canonici medietatem habent, nec ego nec heredes mei nec aliquis per nos aliquam districtionem faciemus, neque namium capiemus pro aliquo defectu servicii vel relevaminis vel pro aliqua alia re que evenire poterit super predictam dimidiam hidam terre que est predictorum canonicorum, set semper libera et quieta permaneat. Et ut hec mea concessio firma et stabilis in perpetuum perseveret, ego pro me et pro heredibus meis eam presenti carta et sigilli mei appositione confirmavi. T*estibus*, etc.

Marginal notes: (1) di' hida in Fern'. (2) Eva filia Rob'.

¹   Eva de Gurney is said to have died during the lifetime of her half-brother, Maurice; he died 30 April 1230 (Smyth, *Lives*, i, p. 20).
²   Supplied from no. 108.

108. *Charter of Thomas son of William son of John of Harptree to St Augustine's confirming in the same terms as no. 107 half a hide in Farmborough. (Before 1230.)*¹

Rubric: Carta Thomas de Harpetre de terra de Fernberne.

Omnibus sancte matris ecclesie filiis ad quos presens scriptum pervenerit Thomas filius Willelmi filii Johannis de Harpet*r*a, salutem. Sciatis quod ego pro salute anime mee et uxoris mee et liberorum nostrorum concessi et presenti carta confirmavi ecclesie Sancti Augustini de Brist' et canonicis regularibus ibidem deo servientibus dimidiam hidam terre in Fernberg' que est de feodo meo quam Willelmus Beket predictis canonicis dedit, unde inter ipsos canonicos et ipsum Willelmum Beket qui se heredem illius terre clamabat in curia domini regis Henrici secundi placitum fuit et finalis concordia facta, sicut cyrographum inter eos factum distinguit et testatur, in perpetuam et liberam et puram elemosinam habendam quietam ab omni seculari servicio. Ita quod si aliqua exactio facta fuit super illam hidam terre que fuit Willelmi Beket in Fernberg' unde predicti canonici medietatem habent, nec ego nec heredes mei nec aliquis per meos aliquam districtionem faciemus neque namium capiemus pro aliquo defectu servicii vel relevaminis vel pro aliqua alia re que evenire² poterit super predictam dimidiam hidam terre que est dictorum canonicorum, set semper libera et quieta permaneat. Et ut hec mea concessio firma et stabilis in perpetuum perseveret, ego pro me et heredibus meis eam presenti carta [f. 42]³ et sigilli mei appositione confirmavi. T*estibus*, etc.

Marginal note: hid' Ferneb'.

[1] Issued in association with no. 107.
[2] *que evenire* repeated.
[3] Rubric: *Brist'*.

109. *Charter of Hawise de Gurney granting to Herbert la Warre the land in Bristol which had belonged to Sevar Niger. He pays 3s a year, and has given her half a mark for recognition. (Before 29 September 1201.)*[1]

Rubric: Carta Hawis de Gornei facta Hereberto la Warr de terra Sevari in Brist'.

Hawis de Gurnei omnibus hominibus suis vicinis et amicis tam presentibus quam futuris, salutem. Sciatis me concessisse Hereberto le Werre totam terram que fuit Sevari Nigri in Brist' infra murum et extra murum in feudum et hereditatem libere et quiete illi et heredibus suis, tenendam de me et heredibus meis annuatim; reddendo iii solidos pro omni servicio ad festum Sancti Michaelis. Et hoc feci coram Roberto filio Roberti et Roeis sponsa sua et filia mea concessu et assensu illorum, et inde ipse Herebertus dedit m*ich*i dimidiam marcam argenti in recognitionem. T*estibus*, etc.

Marginal note: Bristoll'.

[1] At Michaelmas, 1201, Thomas son of William, her son-in-law, paid a fine to have his land in Englishcombe which had belonged to Hawise (*PR 3 John*, PRS, NS, 14, pp. 37, 54). An earlier date of 1168 (*St Mark's Cartulary*, p. 91, no. 127n., based on Ellis, in Smyth, *Lives*, i, p. 20) is not defensible.

110. *Charter of Hawise de Gurney releasing Adam and John his brother from homage and bondage and giving them to St Augustine's. (Before 29 September 1201.)*

Rubric: Carta ejusdem Hawis de manumissione duorum nativorum.

Haawis de Gorneio omnibus hominibus suis et amicis et fidelibus, salutem. Sciatis quod ego clamavi quietos et liberos Adam et Johannem fratrem ejus ab homagio et nativitate et[1] ab omni causatione et querela, et eos liberos et quietos dedi deo et Sancto Augustino de Brist' pro salute anime mee et omnium meorum cum rebus suis et catellis et cum omni successione sua in perpetuum. T*estibus*, etc.

Marginal note: Bristoll'.

[1] *et* interlined.

111. *Charter of Hawise de Gurney granting Herbert la Warre land inside the walls of Bristol, and half a tenement below the wall which Sevar Niger held of her father, and of Hawise herself, and which Herbert bought from Sevar's son with her consent. She grants to Ediva, wife of Sevar, the other half of that tenement. They are to pay 3s a year. (Before 29 September 1201.)*

Rubric: Carta ejusdem H*awis* facta Herberto la Warre de tenemento in Bristollo.

Hathavis de Gornai omnibus burgensibus Brist' et omnibus liberis hominibus, salutem. Sciatis me concessisse Hereberto Werre terram infra murum Bristolli et medietatem sub muro quam Sevarus Niger tenuit de patre meo et de me quam Herebertus emit de filio Sevari concessu meo, et Edive uxori Sevari predicti aliam medietatem predicte terre sub murum, ad tenendum de me et de heredibus meis illis et heredibus eorum donantibus singulis annis iii solidos libere et quiete pro omni servicio. T*estibus*, etc.

Marginal note: Bristoll'.

112. *Charter of Hawise de Gurney to St Augustine's granting to the church of St Nicholas land and a house adjoining the west wall of that church. (Before 29 September 1201.)*[1]

Rubric: Carta ejusdem H*awis* de quodam burgagio in Bristoll' nobis facta.

Haawisa de Gurnaio omnibus amicis et hominibus suis Francis et Angl*is*, salutem. Notum sit vobis quod ego ad honorem dei et sancte religionis dedi canonicis Sancti Augustini pro salute anime mee et antecessorum meorum terram cum domo juxta parietem ecclesie Sancti Nicholai versus occidentalem plagam in perpetuam elemosinam. Et eam hac carta confirmo ad ecclesiam Sancti Nicholai, que est elemosina mea. T*estibus*, etc.[2]

Marginal note: Bristoll'.

[1]   This could be either one of two properties lying against the west wall of St Nicholas's church, or perhaps both of them. One consists of the tenements identified by Roger Leech as A, B, and 1, St Nicholas Street (Leech, *Topography*, p. xxviii, Map 10, and pp. 150–1), which were linked with the church in the seventeenth century. The other is the tenement identified as 61 Baldwin Street which was linked with the church from 1650 and again in the nineteenth century (ibid. Map 10 and pp. 150–1).

[2]   The rubric for the next charter follows, and no. 113 begins on f. 42v.

113. *Charter of Hawise de Gurney to St Augustine's granting in free alms the church of St Nicholas, Bristol. (Before 29 September 1201.)*

Rubric: Carta ejusdem Hawis de ecclesia Sancti Nicholai in Bristoll'.

[f. 42v.] Haawis de Gorniaco omnibus fidelibus in Christo, salutem. Noverit tam presentes quam futuri posteritas me concessisse ecclesie Sancti Augustini de Brist' et canonicis regularibus ibidem deo servientibus in perpetuam elemosinam ecclesiam Sancti Nicholai de Brist' liberam et ab omni exactione quietam sicut convenit elemosinam pro salute anime mee et antecessorum meorum. T*estibus*, etc.

114. *Letter of Robert Joie of Oldland to St Augustine's recording that he and his heirs will not raise any question or dispute about the meadow called Scodham, and that the abbey shall hold it without challenge. If Robert or his heirs should raise any dispute about 11 acres of arable land and 1 acre of meadow, the abbot shall be free to enter his land and Robert and his heirs will not defend any rights there. Dated at St Augustine's, in Bristol, Saturday next after the feast of St Benedict (23 March) 1241.*[1]

Rubric: Carta Roberti Joie de prato Scodi.

Omnibus Christi fidelibus ad quos litere presentes pervenerint Robertus Joie de Aldelant, salutem in domino. Noverit unversitas vestra me et heredes meos obligatos abbati et conventui Sancti Augustini de Brist' quod de prato quod vocatur Scodham nunquam contra eos occasione aliqua movebimus questionem, set illud sicut jus ecclesie sue in pace et sine molestia perpetuo possideant. Si vero contigerit, quod absit, quod ego Robertus vel heredes mei predictis abbati et conventui aliquam moverimus questionem, instrumentum michi et heredibus meis ab eisdem super undecim acras terre arabilis et unam acram prati confectum irritum habeatur et mane et juribus omnibus careat in perpetuum. Et liceat predictis abbati et conventui in terram suam intrare absque omni contradictione vel reclamatione, et de ea de cetero pro voluntate sua disponere. Nec ego Robertus nec heredes mei unquam ulterius aliquid juris in predictam terram vendicare poterimus. In cujus rei testimonium literis presentibus et patentibus sigillum mei est appensum. Datum apud Sanctum Augustinum de Brist' die sabbati proxima post festum Sancti Benedicti, anno gratie millesimo cc quadragesimo primo.

Marginal note: (*Modern*) Joye.

[1] The feast of St Benedict used in the *datum* clause is likely to be that of St Benedict of Nursia, celebrated on 21 March. His translation was celebrated on 11 July, and if that is the feast intended by the writer, the date for the document would be 13 July. A third possibility can be ruled out; the feast of Benedict Biscop, on 12 January, would make Saturday 13 January the date for this charter, but that day could have been defined precisely as the feast of St Hilary. Adekyn Joye witnessed a Bristol charter between 1248 and 1255 (*St Mark's Cartulary*, p. 201, no. 316).

115. *Charter of Robert de Berkeley to his brother Maurice granting him lands and rents: a virgate in Acton held by Gorwi; 18d, that is half the rent due from Julia of Slimbridge for Golingrove; Walteres Leie, held by Walter Snite, and the meadow called Spertmede; land called Estrilde's ham, marked out by the ditch of Fulmore and the fence around it. Maurice and his heirs will render 1 sore sparrow-hawk or 2s, as he wishes, and will be responsible for the royal service due from one twelfth of a virgate. Maurice has given his brother 10 marks. (1190 × 1220.)*[1]

Rubric: Carta Roberti de Berkelei facta Mauricio filio suo de terra de Hyntun.

Robertus de Berkelaia omnibus ad quos presens carta pervenerit, salutem. Sciatis me dedisse et concessisse et hac mea carta confirmasse Mauricio fratri meo pro servicio suo totam illam virgatam terre in Acton quam Gorwi quondam tenuit, que vocatur virgata Gorwi, que pertinet ad villam de Hinetone cum omnibus pertinenciis suis in bosco et plano in pratis et pasturis et in omnibus locis et rebus ad eandem virgatam terre pertinentibus. Preterea dedi et concessi prefato Mauricio medietatem [f. 43][2] redditus quam Julia de Slimbrugge michi solebat reddere de Golingrove, scilicet decem et octo denarios singulis annis; et totam terram illam similiter ei dedi et concessi que vocatur Walteres Leie quam ipse Walterus cognomine Snite tenuit de me, que est inter terram sepedicti Mauricii que vocatur Leie et pratum quod vocatur Spertmede; et illam hommam prati similiter eidem Mauricii dedi et concessi que vocatur Estrilde hom quam Estrilda vidua tenuit de me, sicut fossatum de Fulimore et haicium que eam circueunt distingunt; sibi et heredibus suis tenenda et habenda de me et heredibus meis libere et quiete integre et honorifice cum omnibus libertatibus et liberis consuetudinibus. Reddendo inde michi et heredibus meis singulis annis ad festum Sancti Petri quod dicitur ad vincula unum sperverium sorum vel duos solidos, ad voluntate Mauricii et heredem suorum, pro omni servicio et pro omni exactione excepto regali servicio quod inde faciet, videlicet quantum pertinebit ad duodecimam partem unius virgate terre. Et quando hanc donationem sibi feci, ipse Mauricius dedit michi de recognitione decem marcas argenti. Igitur quia volo quod ista donatio rata et inconcussa permaneat, hac mea carta sigilii mei appositione roborata sibi confirmavi. Testibus, etc.

[1]   Robert succeeded his father Maurice, who died 26 June 1190; he died 13 May 1220 (Smyth, *Lives*, i, p. 20).
[2]   Rubric: *Berkley.*

116. *Charter of Robert de Berkeley to St Augustine's granting all the lands acquired by his brother Maurice: they are the holdings described in no. 115, and they lay between the court of Acton, which belonged to Adam of Saltmarsh, and Billow Brook where it falls into Willow Pill, in Hamfallow. He also confirms to the abbey: a grove called Twenewode, which Maurice received from Isolde daughter of Alexander of Acton; a furlong and a headland in Horewellewoda; and Lorridge wood, which Maurice held from Robert's uncle, Roger de Berkeley, and which Robert quitclaims to the abbey. (1190 × before 1199.)[1]*

Rubric: Carta ejusdem Roberti de purchatio dicti Mauricii nobis facta.

Sciant presentes et futuri quod ego Robertus de Berkeleya concessi et hac presenti carta mea confirmavi deo et ecclesie de Sancto Augustino de Brist' et canonicis regularibus ibidem deo servientibus omnes illas terras que fuerunt de purchatio[2] Mauricii fratris mei, quas de me tenuit, que sunt inter curiam de Eggetuna que fuit Ade de Saltamarisco et aquam de Boeleya Broc sicut aqua de Boely Broc descendit versus Widipullam; videlicet totam illam virgatam terre de Eggetuna quam Gorwi quondam tenuit que vocatur virgata Gorwi, que pertinet ad villam de Hynetuna, cum omnibus pertinenciis suis in bosco et plano in pratis et pasturis in viis et semitis et in omnibus locis et rebus ad eandem virgatam terre pertinentibus. Preterea concessi deo et prefatis canonicis [f. 43v.] duas acras prati in Brademed que pertinere solebant ad terram Walteri Coloman. Et illam hammam prati que vocatur Estrildeham sicut fossatum de Fulemora et haicium que eam circuiunt[3] distingunt. Et remisi eis intuitu pietatis omne illud servicium quod michi Mauricius frater meus de predicta virgata terre facere consuevit, scilicet singulis annis unum spreverum[3] sorum vel duos solidos argenti pro omnibus serviciis et demandis ad me vel ad heredes meos pertinentibus, salvo tantum regali servicio quantum scilicet ad duodecimam partem unius virgate terre pertinebit. Preterea confirmavi dictis canonicis unam gravam que vocatur Twenewoda quam Isillþa filia Alexandri de Eggetuna predicto Mauricio pro servicio suo dedit et concessit sibi et heredibus suis, reddendo inde annuatim dicte Isillþe et heredibus suis unam libram cymini ad festum Sancti Michaelis pro omnibus serviciis, que grava est inter culturam que vocatur Horewellewoda et pratum quod vocatur Fulemora; et totam pasturam illam que eidem grave adjacet que est inter eandem gravam et predictum pratum de Fulemora, scilicet sicut illud fossatum quod predictam gravam cum prenominata pastura circuit; et unam forerdam in predicta cultura de Horewellewoda in inferiori parte illius culture juxta haicium[4] quoddam, quod eidem forerde adjacet a chemino sicut itur de Eggetuna versus Hurstam usque ad prefatam gravam de Twenewoda, habentem in latitudine tres perticas ad faciendum unum cheminum versus predictam gravam. Preterea quietum clamavi sepedictis[5] canonicis totum boscum de Lorilinges cum omnibus pertinenciis suis quod prefatus Mauricius frater meus de Rogero de Berkeleia avunculo meo tenuit. Omnia autem hec predicta que de feodo meo sunt eis concessi et confirmavi. Illa autem predicta que de feodo meo non sunt in perpetuum quieta clamavi. Et ut hec concessio et confirmatio et quieta clamatio perpetuum robur optineat, hac presenti carta sigilli mei impressione roborata confirmavi. T*estibus*, etc.[6]

Marginal notes: (1) Twenewode. (2) Twenewoda. (3) (*Modern*) Lorew'.

[1] Adam of Saltmarsh was dead before 29 September 1199 (*PR 1 John*, PRS, NS, 10, p. 29).

[2] *Purchatio* can be a purchase or acquisition.

[3] As these words show, the cartulary scribe did not seek to standardise minor differences in his texts.

[4] MS. *haicius*.

[5] MS. *sepedictum*.

[6] The rubric for no. 117 follows at the foot of the folio; no. 117 begins on f. 44.

117. *Charter of Robert de Berkeley to the church of the Blessed Mary, Berkeley, and to all saints, giving the church 3 lamps and specifying when they shall be used. He gives to William Coby and his heirs the land which Elnet de Modebroc held outside Berkeley near the stream called* Modebroc, *and the land adjoining it which Semon son of Aldwin of Parham held, and 1 acre of meadow. The revenues from this holding shall be used to maintain these lights. (1190 ×1220.)*[1]

Rubric [f. 43v.]: Carta ejusdem R*oberti* de tribus lampadibus concessis ecclesie de Berkelei.

[f. 44][2] Robertus de Berkeleia omnibus hominibus ad quos presens carta pervenerit, salutem. Sciatis me pro salute anime mee et pro salute anime Juliane uxoris mee et pro salute animarum antecessorum et successorum et amicorum meorum dedisse et concessisse et hac mea carta confirmasse deo et ecclesie Beate Marie de Berkel' et omnibus sanctis in liberam et perpetuam elemosinam tres lampades ardentes in prefata ecclesia cum convenienti et congruo oleo, quarum una earum ardebit singulis profestis diebus ad omnes horas et ad omnem servicium diei, et tres simul ardebunt singulis diebus cum ix *laici*[3] intervenerint, et ad omnem servicium quod fiet de Sancta Maria. Propter dictis vero tribus lampadibus inveniendis in prefata ecclesia cum omnibus quod eisdem lampadibus necessaria sunt, dedi ego et concessi et carta mea confirmavi Willelmo Cobi et heredibus suis totam terram quam Elnet de Modebroc tenuit extra villam de Berkeleia juxta Modibroc,[4] et totam terram similiter quam Semon filius Aldwini de Parham tenuit, que est juxta predictam terram quam Elnet tenuit, et unam acram prati similiter que est juxta pratum quod fuit Elur*edi* janitoris, sibi et heredibus suis tenendas et habendas libere et quiete integre et honorifice. Ita quod nec Willelmus nec heredes sui nec michi nec heredibus meis nec personis ecclesie nec alicui de predictis terris respondebunt, nisi tantum pretaxate ecclesie de predicto lumine inveniendo, sicut prefatus est. Si quis vero hanc elemosinam impedire vel aliquo modo diminuere presumserit, noverit se assensu totius capituli de Cam anathematis sententiam incurrisse. Igitur ut hujus elemosine largitio rata sit et inconcussa sigilli mei appositione hanc cartam roboravi. T*estibus*, etc.

Marginal notes: (1) (*Modern*) terra Willelmi [Coby?]. (2) (*Modern*) Robertus de Berkellia et Juliana uxor ejus.

[1]   The *pro salute* clause does not establish whether or not Juliana is still alive. The date of her death in Ellis's genealogy is 15 November 1217 (Smyth, *Lives*, i, p. 20).
[2]   Rubric: *Berkley*.
[3]   MS. *l'c'*; conjectural reading.
[4]   *Modibroc* left its name in *Madebrokestrete* which, in modern form, became Marybrook Street (*P-NG*, ii, p. 222).

118. *Charter of Robert de Berkeley to the church of the Blessed Mary at Berkeley, and to all saints. It is similar to no. 117, but the occasions on which the lamps are to be used are not defined in detail, and additional parcels of land are included in the grant. (1190 × 1220.)*

Rubric: Carta ejusdem R*oberti* de eisdem lampadibus.

Robertus de Berkel' omnibus ad quos presens carta pervenerit, salutem. Sciatis me pro salute anime mee et pro salute anime Juliane uxoris mee et pro salute animarum antecessorum et successorum et amicorum meorum dedisse et concessisse et hac mea carta confirmasse deo et ecclesie Beate Marie de Berkelia et omnibus sanctis in liberam et perpetuam elemosinam [f. 44v.] tres lampades simul ardentes in predicta ecclesia singulis diebus ad omnem servicium cum convenienti et congruo oleo et cum omnibus que illis tribus lampadibus necessaria sunt. Pro omnibus tribus lampadibus inveniendis dedi ego et concessi et carta mea que in prefata ecclesia est confirmavi Willelmo Cobi et heredibus suis totam terram quam Elnet de Modibroc tenuit extra villam de Berkel' juxta Modibroc, et totam terram similiter quam Semon filius Aldwini de Parham tenuit que est juxta terram predictam quam Elnet tenuit, et unam acram prati similiter que est juxta pratum quod fuit Elwredi janitoris, et totam terram quam Isabel vidua Walteri sacriste tenuit extra villam de Berkel' et totam terram que est inter moram et terram Walteri Phale, scilicet intra fossatum quod jacet predicte more. Quare volo quod predictus Willelmus et heredes ejus habeant et teneant omnes predictas terras libere et quiete integre et honorifice et plenarie. Ita quod nec idem Willelmus nec heredes ejus, nec michi nec heredibus meis nec personis ecclesie nec alicui de predictis terris respondeant nisi tantum pretaxate ecclesie de predicto lumine inveniendo, sicut predictum est. Si quis vero hanc elemosinam impedire vel aliquo modo diminuere presumpserit, noverit se assensu totum capituli de Camma anathematis sententiam incurrisse. Igitur ut hujus elemosine largitio rata sit et inconcussa sigilli mei appositione hanc cartam roboravi. Testibus, etc.

Marginal note: (*Modern*) Julian uxor.

119. *Charter of Robert de Berkeley to St Augustine's confirming grants made by his grandfather Robert fitz Harding, and his father Maurice. He confirms specifically grants in Berkeley Harness, Almondsbury, Horfield, Ashleworth, and Cromhall, half the fisheries of Arlingham with the tithes of the other half, land in Hinton and Alkington, and a rent of 5s from the mill below Berkeley castle, and tithes of pannage (as defined in no. 78). (1190 × 1220.)*

Rubric: Generalis carta Roberti de Berkelei.

Robertus de Berkelai filius Mauricii de Berkelai omnibus hominibus et amicis suis et universis sancte ecclesie fidelibus ad quos hec carta pervenerit, salutem. Sciatis me pro salute anime mee et uxoris mee et patris mei et omnium parentum meorum concessisse et presenti carta confirmasse ecclesie Sancti Augustini de Brist', quam avus meus Robertus filius Hard*ingi* ad honorem dei fundavit, omnia illa in ecclesiasticis beneficiis et in terris et in aliis rebus quod idem avus meus Robertus et pater meus Mauricius dedit et concessit canonicis ejusdem ecclesie Sancti Augustini; scilicet in Berkeleihernesse, Almodesb', Horefeld', Esseleswrd' et Cromhal' et dimidiam piscariarum[1] de Erlingeham, et alterius medietatis decimam totam, et dimidiam hidam terre [f. 45][2] apud Hineton', et unam virgatam terre apud Alcrit*on*', et quinque solidos de molendino subtus castellum, pro fossato de cimiterio facto, et decimam de toto pannagio de Mucleword' de Appelrige et de Aclea et de Wutton', et pasturam apud Berkel' bobus unius carruce cum dominicis bobus meis, in liberam et puram et perpetuam elemosinam. Et hec omnia concessi et confirmavi canonicis[3] de Sancto Augustino de Brist' cum omnibus libertatibus quas Robertus avus meus et Mauricius pater meus eisdem canonicis cartis suis confirmaverunt, ut ipsi ea habeant et teneant in perpetuum libere et plene et honorabiliter et quiete ab omni seculari servicio excepto solo murdro. Concessi etiam ut ecclesie in terris meis que ad canonicos pertinent omnes habeant libertates et liberas consuetudines in communis pasturarum et in omnibus aliis rebus quas habuerunt tempore regis Henrici et avi mei et patris mei. Preterea omnia que in tenementis meis predictis canonicis juste date sunt vel dabuntur rationabiliter in posterum eis concessi et carta ista confirmavi. Testibus, etc.

Marginal note: decima de toto pannagio.

¹ MS. *piscarias.*
² Rubric: *Berkley.*
³ MS. *canonici.*

120. *Charter of Robert de Berkeley to St Augustine's. At the request of Isolde daughter of Alexander of Acton, he confirms in free alms her gift of the land held by Richard and Walter Waldinch, and common of pasture for 8 oxen, 12 cows and a bull, and 5 sows and a boar. (1190 × 1220.)*

Rubric: Carta ejusdem Roberti de terra de Egenton.

Robertus de Berkel' omnibus hominibus suis et amicis et universis sancte ecclesie fidelibus, salutem. Sciatis me per petitionem et voluntatem Isille filie Alexandri[1] de Eggetuna concessi et hac presenti carta mea confirmasse deo et ecclesie Sancti Augustini de Brist' et canonicis ibidem deo servientibus totas terras illas et donationes quas ipsa Isillia eis dedit et concessit et carta sua confirmavit eis de terra sua de Eggetuna, scilicet totam illam virgatam terre quam Ricardus Waldinch tenuit et illam dimidiam virgatam terre quam Walterus Waldinch tenuit cum omnibus pertinenciis suis, et octo boves habere in omnibus pasturis suis de Eggetuna et duodecim vaccas cum uno tauro et quinque sues cum uno verre, et cum exitibus illarum, et husbote et haibote ad predictas terras, et boscum ad focum suum de nemore suo de Haiwoda; tenendas sibi et habendas in liberam et puram et perpetuam elemosinam sicut carta ipsius Isillie melius plenius et liberius testatur. Et quia volo hanc meam concessionem et confirmationem ratam et stabilem in perpetuum permanere, hac presenti carta sigilli mei impressione roborata confirmavi. Testibus, etc.

Marginal notes: (1) Egetun'. (2) De pastura octo bovum et xij vaccarum cum uno tauro.

¹ MS. *Alexandria.*

121. *Charter of Robert de Berkeley. He has read the charter of Mahel of Skenfrith to St Augustine's (no. 80); he knows that it was confirmed by his father Maurice, and he now confirms it. (1190 × 1220.)*

Rubric [f. 45v.]: Carta ejusdem R*oberti* de terra de Aldeministre.

Omnibus Christi fidelibus ad quos presens scriptum pervenerit Robertus de Berkelai, salutem. Noverit universitas vestra nos cartam Maheli de Schenefrid' canonicis Sancti Augustini de Brist' super terram de Aldeminist' confectam sub hac forma inspexisse: Sciant presentes et futuri quod ego Mahelus de Schenefrid' etc. ut supra.[1] Nos igitur donationem et confirmationem dicti Maheli quam scimus carta domini et patris mei Mauricii de Berkel' fuisse confirmatam ratam et gratam habentes ipsi presenti scripto sigilli nostri munimine roborato duximus confirmandam. Te*stibus*, etc.

Marginal note: [Alde]minst'.

[1] The cartulary scribe does not reproduce Mahel's charter in full.

122. *Charter of Robert de Berkeley confirming to Thomas de Berkeley his brother the burgages which Juelus and Matillis the corvisor held, which lie between the ditch of Robert's garden and the house of Hugh of Longbridge. (1190 × 1220.)*

Rubric: Carta ejusdem R*oberti* facta Thome fratri suo de burgagio in Berkel'.

Sciant omnes tam futuri quam presentes quod ego Robertus de Berkel' dedi et concessi et hac mea carta confirmavi Thome de Berkel' fratri meo burgagium quod Juelus tenuit et burgagium quod Matill' corversera tenuit, que jacent inter fossatum gardini mei et domum Hugonis de Langebrige, illi et heredibus suis, tenendam et habendam de me et heredibus meis quiete honorifice et libere. Reddendo inde annuatim pro omnibus serviciis unam libram cymini ad festum Sancti Michaelis. Et ut hec mea donatio et concessio rata et stabilis permaneat imperpetuum presenti carta sigilli mei munimine roborata confirmavi. Te*stibus*, etc.

123. *Charter of Robert de Berkeley to St Augustine's confirming all the land which he has inside the walls of Bristol, namely the tenements of Richard Coterel, Elias son of Alfred, Laurence the butcher, William Curthelune, William of Penrice, Thomas son of Alfred, Elias Clut', Gilda, Robert of Oxford, Walter of Paris, Thomas Rufus, Richard burgensis, Robert Bernard, Robert la Warre, Everard Francigenus, William the cordwainer, and Hawise Langbord'. The text is taken from the original charter. (c. 1219 × 13 May 1220.)*[1]

Rubric: Carta ejusdem R*oberti* de anniversariis ejus et uxorum suarum.

Omnibus ad quos presens scriptum pervenerit Rob*ertus* de Berkel' filius Mauricii de Berkelai[2] salutem in domino . Universitatem vestram scire volo me pro salute anime mee et Juliane prime et Lucie uxoris mee secunde et antecessorum meorum dedisse et confirmasse deo et monasterio Sancti Augustini de Brist' . totam terram meam infra muros Bristoll'[3] . videlicet quam Ricard*us* Coterel .

Elyas filius Aluredi[4] . Laurencius macellari . Will*elmu*s Curthelune . Will*elmu*s
de Penris . Thomas filius Aluredi[4] . Elyas Clut' . Gilda . Rob*ertus* de Oxonia .
Walt*eru*s de Paris' . Thomas Rufus . Ri*cardus* Burg*ensis* . Rob*ertus* Bernard' .
Rob*ertus* la Warra . Everard*us* Francig*enu*s . Will*elmu*s cordewin'[5] . Hawisia[6]
Langbord' . de me tenuerunt . ad anniversarium meum et dictarum uxorum
mearum singulis annis in die obitus nostri perficiendum . Ita videlicet ut [f. 46][7]
dicti canonici dictam terram libere et quiete et pacifice sicut puram elemosinam
habeant . et possideant in perpetuum in ullo m*ich*i vel alicui alii nisi solo in
orationibus respondentes . Et ut hec mea donatio et confirmatio rata perpetuo
perseveret eam presenti scripto sigilli mei appositione roborato confirmavi
firmiter precipiens ne abbati[8] loci vel conventus predicte terre redditus in alios
usus convertat quo minus anniversaria predicta suis terminis celebrentur quod ut
strictius teneatur abbas loci in pleno capitulo sub interminatione anathematis
idem fieri publice prohibuit me presente . Hiis testibus . domino . R*icardo* .
abbate de Kainesh' . H. priore ejusdem loci . Jord*ano* la Warra . Rog*er*o Cord' .
Petro la Warra . Rog*er*o Ailard' . Will*elm*o Blakeman . Philippo Longe . Roberto
Sevari . et multis aliis.

Marginal notes: (1) Bristoll'. (2) (*Modern*) Juliane et Lucie [? ij uxor'].

Original charter BCM, SC no. 163. Single fold, single slit, parchment tag, remains of
seal. Endorsed: (1) Carta Roberti de Berkel' de terra de Bristoll'. (2) .g.vij. The dorse is
badly discoloured and more endorsements may be hidden.

Calendared: Jeayes, *Select Charters*, p. 57, no. 163.

[1] This document was issued after Robert had married his second wife, Lucy; Smyth placed this
some two years before Robert's death (Smyth, *Lives*, i, p. 98).
[2] *Berkel'*, Cartulary.   [3] *Brist'*, Cartulary.
[4] *Alwredi*, Cartulary.   [5] *Cordewan'*, Cartulary.
[6] *Hawisa*, Cartulary.   [7] Rubric: *Berkley*.
[8] The sense requires *abbas*.

124. *Charter of Robert de Berkeley confirming to Robert Knivet 2 virgates in
Arlingham, one formerly held by Richard son of Gilbert, and the other by Robert
Albus; both men held these tenements until they died. Robert Knivet owes an
annual rent of 24s and has paid 5 marks. (1190 × 1220.)*

Rubric: Carta ejusdem R*oberti* facta Roberto Knivet de duobus virgatis terre in
Erlingeham.

Notum sit omnibus futuris et presentibus quod ego Robertus de Berkel' dedi et
concessi et hac mea carta confirmavi Roberto Knivet pro homagio et servicio suo
duas virgatas terre cum omnibus pertinenciis suis in Erlingeham, videlicet illam
virgatam terre cum mesuagio et prato et omnibus aliis pertinenciis suis quam
Ricardus filius Gilberti tenuit die qua fuit mortuus et vivus, et illam virgatam
terre cum masagio et prato et omnibus aliis pertinenciis suis quam Robertus
Albus tenuit die qua fuit vivus et mortuus; tenendas et habendas illi et heredibus
suis de me et heredibus meis quiete honorifice et libere cum omnibus liberis

consuetudinibus. Reddendo inde annuatim pro omni servicio et consuetudine et exactione ad me vel ad heredes meos pertinente xxiiii^{or} solidos ad quatuor terminos, ad festum Sancti Michaelis vi solidos, ad Natale vi solidos, ad festum Sancte Marie in Marcio vi solidos, ad festum Sancti Johannis Baptiste vi solidos, salvo regali servicio quantum pertinet ad duas virgatas terre in eadem villa. Et ut hec donatio et concessio rata et inconcussa permaneat sigilli mei attestatione corroboravi. Pro hac autem donatione et concessione dedit michi predictus Robertus Knivet v marcas argenti. T*estibus*, etc.

125. *Charter of Robert de Berkeley granting to William Coby land in Berkeley: a messuage outside Berkeley on the road to Hinton, between Modibroc and the house of Warin Palmer, which Alfred the janitor held; land in Berkeley Wood next to Longbridge, which Richard Phele held; 3 acres in Berkeley Wood, which Richard Meiser held. William owes a yearly render of 1 pound of pepper, and has paid 1 mark in recognition. (1190 × 1220.)*

Rubric: Carta ejusdem R*oberti* facta Willelmi Cobi de tenementis suis in Berkelei.

Robertus de Berkel' omnibus hominibus et amicis suis, salutem. Sciatis me dedisse et concessisse et hac mea carta confirmasse Willelmo Cobi pro servicio suo illud mesuagium quod est extra villam de Berkeleia juxta cheminum sicut itur Hineton' inter Modibroc [f. 46v.] et domum Warini Palmerii quod Alwredus janitor tenuit cum omnibus pertinenciis suis in terris et in pratis et in omnibus aliis rebus, et totam terram in Berclewde que est juxta locum qui dicitur Brugge quam Ricardus Phele tenuit de me, et tres acras terre in Berclewde quas Ricardus Meiser tenuit de me que sunt proxime predicte terre quam Ricardus Phale tenuit; sibi et heredibus suis tenendas et habendas de me et heredibus meis libere et quiete integre et honorifice cum omnibus libertatibus et liberis consuetudinibus. Reddendo inde m*ich*i et heredibus meis singulis annis unam libram piperis ad festum Sancti Michaelis pro omni servicio excepto regali servicio quod inde faciet, scilicet quantum pertinebit ad tantam terram. Et quando homagium prenominati Willelmi de predictis terris recepi, ipse Willelmus de[dit m*ich*i in] recognitione unam marcam argenti. Ut autem hec donatio firma et inconcussa permaneat sigilli mei attestatione cartam munivi. T*estibus*, etc.

126. *Charter of William Coby to St Augustine's giving his land in Berkeley, with his body. His tenements are the holdings listed in no. 125, described in slightly different terms; one is described as the meadow called Lockesham. The canons must render 1 pound of pepper annually to his lord, Robert de Berkeley. (1190 × 1220.)*

Rubric: Carta Willelmi Cobi de terra quam nobis dedit in Berkelei.

Sciant tam presentes quam futuri quod ego Willelmus Cobi dedi et concessi et hac mea presenti carta confirmavi deo et ecclesie Sancti Augustini de Brist' et

canonicis regularibus ibidem deo servientibus totam terram meam de Berkel'
cum corpore meo, quam Alfredus quondam tenuit, scilicet unum curtilagium et
unam croftam juxta domum dicti Alfredi apud Berkel' et culturam illam que jacet
exopposito predicti curtilagii in eodem vico, terram etiam illam quam Ricardus le
Fele tenuit que jacet inter iter et vivar*ium* de Fine*þ*emor. Preterea totam terram
illam quam Ricardus le Messer tenuit quam quidam jacet juxta predictam terram
que fuit Ricardi le Fele, scilicet tres acras. Dedi etiam et concessi dictis canonicis
pratum illud quod dicitur Lockesham. Hec omnia deo et dictis canonicis dedi et
concessi habenda et tenenda sibi in perpetuum, reddendo annuatim domino meo
Roberto de Berkel' unam libram piperis pro omni servicio quod ad ipsum et
heredes suos pertineat excepto regali servicio ad tantum tenementum pertinente.
Et ut hec mea donatio et concessio rata permaneat in perpetuum eam presenti
scripto sigilli mei appositione roborato confirmavi. T*estibus*, etc.[1]

[1]   The rubric for no. 127 follows at the foot of the folio, and the charter begins on f. 47.

127. *Charter of Robert de Berkeley; he has read the charter of William de Coby
granting lands to the canons, and he confirms the grant. (1190 × 1220.)*

Rubric: Confirmatio Roberti de Berkelei de eadem terra.

[f. 47][1] Omnibus ad quos presens scriptum pervenerit Robertus de Berkel' filius
Mauricii de Berkel', salutem in domino. Noverit universitas vestra nos cartam
Willelmi de Cobi domui Sancti Augustini de Brist' confectam inspexisse sub hac
forma: Sciant tam presentes quam futuri quod ego Willelmus de Cobi etc ut
supra. Nos itaque predictam Willelmi Cobi concessionem et donationem ratam
habentes predictam terram predictis canonicis libere et quiete pacifice et integre
perpetuo possidendam concedimus et presenti scripto sigilli nostri appositione
roborato confirmavimus. T*estibus*, etc.

[1]   Rubric: *Berkley*.

128. *Charter of Robert de Berkeley confirming to Philip son of Gilbert, the
chaplain, the land in Ham which his father held until his death, to be held for a
payment of 12d a year. (1190 × 1220.)*

Rubric: Carta ejusdem *Roberti* facta Philippo capellano de terra in Hamme.

Robertus de Berkel' omnibus hominibus et amicis suis, salutem. Sciatis me
dedisse et concessisse et hac mea carta confirmasse Philippo capellano filio
Gileberti pro servicio suo totam illam terram quam pater ejus tenuit de patre meo
in manerio de Hamme die qua fuit vivus et mortuus, sibi et heredibus suis vel
quibus illam assignaverit, hereditarie tenendam de me et de heredibus meis libere
et quiete et integre et honorifice cum omnibus libertatibus et liberis
consuetudinibus. Reddendo inde michi et heredibus meis singulis annis ad festum
Sancti Michaelis duodecim denarios pro omni servicio excepto regali servicio
quod inde faciet, videlicet quantum pertinebit ad tantam terram. Igitur ut ista

donatio rata et inconcussa perseveret sigilli mei attestatione hanc cartam munivi. *Testibus*, etc.

Marginal note: de terra in Hamm.

129. *Charter of Cecily daughter of Gilbert Bacun quitclaiming to St Augustine's the rights which she and her heirs have in Ham, which Philip the chaplain her brother bought from Robert de Berkeley. (Early thirteenth century; probably before 1220.)*[1]

Rubric: Quieta clamatio Cecilie Bacun de eadem terra.

Omnibus Christi fidelibus ad quos presens scriptum pervenerit Cecilia filia Gileberti Bacun, salutem in domino. Noverit universitas vestra me quietum clamasse et abjurasse pro me et heredibus meis canonicis Sancti Augustini de Brist' totum jus quod michi et heredibus meis competere dicebam in terra de Hamma quam Philippus capellanus frater meus emit de domino Roberto de Berkel'; ita quod dicti canonici ullam de me vel heredibus meis inde sustineant in quietationem set dictam terram libere integre et quiete habeant et possideant imperpetuum in ullo michi vel heredibus meis respondentes. Quod ut ratum perpetuo perseveret presens scriptum sigillo meo duxi roborandum. *Testibus*, etc.

[1] Philip's grant was executed before 1220; this quitclaim was presumably issued at the same time, or soon afterwards.

130. *Charter of Robert de Berkeley granting to Reginald Luffinc 1 virgate in Saniger (in Hinton) to hold for his life-time as freely as Daniel Luffinc his brother had held it. After Reginald's death, the land is to revert to Robert and his heirs. Reginald holds it for a yearly rent of 20s and has paid 3 marks in recognition. (Before 1220.)*[1]

Rubric [f. 47v.]: Carta Roberti de Berkelei facta Reginaldo Laffing' de Swonhongere.

Robertus de Berkel' omnibus hominibus et amicis suis, salutem. Sciatis me dedisse et concessisse Reginaldo Luffinc pro suo servicio et homagio unam virgatam terre cum suis pertinenciis in Swonungere que pertinet ad Hommam tam plenarie sicut Daniel Luffinc frater ejus unquam tenuit plenius in vita sua; tenendam et habendam de me et heredibus meis sibi in vita sua libere et quiete et honorifice in bosco in plano in aquis in pascuis et in omnibus libertatibus per tale servicium, scilicet quod ipse reddat michi et heredibus meis annuatim xx solidos ad duos terminos anni, scilicet ad festum Sancti Michaelis x solidos, ad Pascha x solidos pro omni servicio excepto regali servicio, videlicet quantum pertinet ad unam virgatam terre. Et post decessum ejus redeat predicta virgata terre ad me vel ad heredes meos. Et quando homagium predicti Reginaldi recepi dedit michi tres marcas argenti de recognitione. Et quare volo quod ista donatio rata et inconcussa perseveret sigilli mei impressione hanc cartam confirmavi. *Testibus*, etc.

Marginal note: (*Modern*) Saniger olim Swanhungre.

[1] *Swonungere*, now represented by Saniger Farm (*P-NG*, ii, p. 235). *Luffinc* is probably Luffingham, later the name of a family in Fretherne.

131. *Charter of Robert de Berkeley to St Augustine's confirming in free alms the virgate in Saniger given by Reginald Luffinc, together with Reginald himself and his family. (c. 1219 × 13 May 1220.)*

Rubric: Carta ejusdem R*oberti* de Reginaldo et dicta terra.

Omnibus Christi fidelibus ad quos presens scriptum pervenerit Robertus de Berkel', salutem in domino. Noverit universitas vestra me pro salute anime mee patris mei matris mee uxorum mearum et omnium antecessorum et successorum nostrorum dedisse et concessisse et hac presenti carta mea confirmasse deo et ecclesie Sancti Augustini de Brist' et canonicis regularibus ibidem deo servientibus unam virgatam terre in Swanhungre, illam videlicet quam Reginaldus Luffinc de me tenuit, cum ipso Reginaldo et tota sequela sua, et cum omnibus libertatibus et liberis consuetudinibus ad predictam terram pertinentibus, et cum omnibus pertinenciis suis. Tenendam et habendam sibi in perpetuum de me et heredibus meis libere et quiete integre et pacifice sicut liberam puram et perpetuam elemosinam. Ita quod nec michi nec heredibus meis in aliquo seculari servicio vel exactione respondeant nisi tamen de regali servicio ad tantum tenementum pertinenti. Et ut hec mea donatio et concessio perpetue stabilitatis robur optineat, eam presenti scripto [f. 48][1] sigilli mei appositione roborato confirmavi. T*estibus*, etc.

[1] Rubric: *Berkley.*

132. *Charter of Robert de Berkeley to St Augustine's confirming in free alms the woodland called Iwecumba; it lies below the Ridgeway, towards Nibley, and is bordered by the woodland of Henry de Berkeley and the woodland of Odo son of Odo, and the roads called* Tideweia *and* Hullestig, *towards Stancombe. (c. 1219 × 13 May 1220.)*

Rubric: Carta ejusdem R*oberti* de bosco de Iwecumbe.

Omnibus Christi fidelibus ad quos presens scriptum pervenerit Robertus de Berkel', salutem in domino. Noverit universitas vestra me pro salute anime mee et patris mei matris mee uxorum mearum et omnium antecessorum et successorum nostrorum dedisse et concessisse et hac presenti carta mea confirmasse deo et ecclesie Sancti Augustini de Brist' et canonicis regularibus ibidem deo servientibus totum dominicum boscum meum quod vocatur Iwecumba que est subtus viam que vocatur Rugweia versus Nubleg' que est inter predictum boscum et boscum Henrici de Berkel', et inter viam que dicitur Tideweia que extendit[1] a nominata Rugweia versus Nubel' inter predictum boscum et boscum Othonis filii Othonis et inter viam que dicitur Hullestig, que extendit[1] de predicta Rugweia versus Stanecumbam. Tenendum et habendum sibi imperpetuum libere et quiete integre et pacifice cum omnibus libertatibus et liberis consuetudinibus suis. Ita quod nec *michi* nec heredibus meis nec alicui hominum in aliquo servicio seculari respondeant nisi soli deo in orationibus. Et quia volo quod dicti canonici dictum boscum sicut liberam puram et perpetuam elemosinam perpetuo possideant presens scriptum sigilli mei appositione duxi roborandum. T*estibus*, etc.

Marginal notes: (1) bos' Ywicumb. (2) (*Modern*) Vcomb wood.

[1] MS. *extenditur*.

133. *Charter of Robert de Berkeley to St Augustine's confirming in free alms the land in Baggridge which he bought from William de le Fremonte. The canons are to hold it as a virgate, and to pay William and his heirs half a mark a year.[1] (c. 1219 × 13 May 1220.)*

Rubric: Carta ejusdem R*oberti* de Bageruge.

Omnibus Christi fidelibus ad quos presens scriptum pervenerit Robertus de Berkel' filius et heres Mauricii de Berkel', salutem in dominio. Noverit universitas vestra me pro salute anime mee patris mei et matris mee uxorum mearum et antecessorum nostrorum dedisse et concessisse et hac mea presenti carta confirmasse deo et monasterio Sancti Augustini de Brist'[2] et canonicis regularibus ibidem deo servientibus totam terram meam de Bageruge quam emi de Willelmo de le Fromonte.[3] Habendam et tenendam predictis canonicis sicut liberam puram et perpetuam elemosinam ad dictorum canonicorum sustentationem et hospitium susceptionem libere et quiete et integre cum omnibus suis pertinenciis et libertatibus et liberis consuetudinibus ad predictam terram [f. 48v.] pertinentibus in boscis et planis in pratis et pasturis in viis et in semitis in aquis et aquarum cursibus in molendinis in homagiis et releviis et serviciis in placitis et querelis et omnibus rebus ad predictam terram pertinentibus. Ita quod dicti canonici nec michi nec heredibus meis in aliquo servicio seculari vel exactione respondeant nisi soli deo in orationibus, salvo regali servicio ad unam liberam virgatam terre pertinenti cum evenerit, salva etiam dimidia marca argenti Willelmo de le Fromonte[3] et heredibus suis in eodem feodo annuatim persolvenda. Ego siquid et heredes mei dictis canonicis dictam terram cum libertatibus suis contra omnes homines et feminas warentizare debebimus imperpetuum. Ut autem hec mea donatio et concessio rata et stabilis perpetuo perseveret eam presenti scripto et sigilli me impressione communivi. T*estibus*, etc.

Marginal note: (*Modern*) Rugbag (*sic*).

[1] No. 327 is a duplicate of this charter with some variants.
[2] *Bristou.*
[3] *de Lefremonte.*

134. *Charter of Robert de Berkeley to the priory of St Mary's, Southwick (Hants.). At the request of Juliana his wife he grants to St Mary's, for the maintenance of a light, the burgage in Berkeley which William Crassus sold to Juliana in full hundred court, and the little messuage which belonged to Geoffrey the priest, near the north-west corner of the cemetery. It is to be free of all service except the royal service due from such a burgage, as that is determined when the burgesses are called before the king's justices. The canons of St Augustine's (extra Brist') drew an annual payment of 2s from this burgage; Robert grants the canons of Southwick an annual rent of 2s from the land which William Wille held in Berkeley. For additional security, Juliana authenticates the deed with her seal. (1190 × 17 September 1216.)*[1]

Rubric: Carta ejusdem *R*oberti de tenemento de Berkelei concesso ecclesie de Sudwich.

Omnibus Christi fidelibus tam presentibus quam futuris Robertus de Berkel', salutem. Sciatis quod ego pro amore dei et Beate Marie et pro salute mea et Juliane uxoris mee et omnium antecessorum et successorum nostrorum, per assensum et petitionem ejusdem uxoris mee, ad emendationem luminaris ecclesie Sudwic', dedi et concessi deo et eidem ecclesie Sancte Marie de Sudwic' et canonicis ejusdem loci totum tenementum illud in Berkel' quod Willelmus Crassus vendidit memorate Juliane uxori mee sicut liberum burgagium suum in pleno hundredo, cum omnibus domibus suis, et cum parvo mesuagio quod fuit Galfridi presbiteri juxta cimiterium ecclesie Sancte Marie de Berkeley versus angulum de[2] Norwest. Et ut predicti canonici imperpetuum habeant et teneant idem tenementum liberum et quietum ab omni consuetudine et exactione et servicio seculari hanc donationem et concessionem meam presenti carta et sigillo meo confirmavi, salvo solummodo regali servicio quod spectat ad tantum tenementum in predicto burgagio, quando scilicet burgenses oportet ire ante justicias regis, vel siquid aliud supervenerit quod spectat ad regem. Quia autem canonici Sancti Augustini extra Brist' de tenemento prefato percipere solent ii solidos annuos, dedi et concessi et presenti carta et sigillo meo confirmavi memoratis canonicis Sudwic' in liberam et perpetuam elemosinam redditum duorum solidorum percipiendu*m* singulis annis de masuagio [f. 49][3] et terra quam Willelmus Wille de me tenuit in Berkel' ad adquietandum singulis annis supra nominatum tenementum erga predictos canonicos Sancti Augustini. Et etiam ad majorem hujus elemosine mee firmitatem et securitatem predicta Juliana uxor mea huic carte sigillum suum apposuit. *Testibus*, etc.

[1]   Limits of date from the deaths of Maurice de Berkeley, 26 June 1190, and Joseph, abbot of St Augustine's (see no. 136).

[2]   MS. *del.*   [3]   Rubric: *Berkley.*

135. *Charter of Guy, prior of Southwick, confirming to Gilbert the seneschal the tenement which Robert de Berkeley had given to the priory, including the rent of 2s due from the tenement of William Wille. Gilbert is to pay 4s a year, to be paid in the church of St Giles in Winchester. In addition, he shall pay the 2s a year* *due to St Augustine's (extra Brist'), and he will be responsible for any service due to the king from this burgage. (Before 17 September 1216.)*[1]

Rubric: Carta Guidonis et conventus de Swawic facta Gilberti senescallo de tenemento de Berkele.

Sciant presentes et futuri quod ego Guido prior ecclesie Sancte Marie de Swic' et ejusdem loci conventus communi assensu concessimus et hac carta et sigillo nostro confirmavimus Gilleberto senescallo totum tenementum illud quod dominus Robertus de Berkel' per assensum et petitionem Juliane uxoris sue dedit et confirmavit nobis in liberam et perpetuam elemosinam in Berkel', quod scilicet Willelmus Crassus vendiderit predicte Juliane sicut liberum burgagium in pleno hundredo cum omnibus domibus suis et cum parvo mesuagio quod fuit Galfridi presbiteri juxta cimiterium ecclesie Sancte Marie de Berkel' versus angulum de[2] Norwest. Et preterea cum redditu duorum solidorum percipiendo singulis annis de mesuagio et terra quam Willelmus Wille de predicto domino *Roberto* tenuit in Berkel'; tenendum eidem Gilleberti et heredibus suis de nobis ad feudofirmam libere et quiete. Reddendo inde nobis singulis annis per ipsum vel aliquem suorum in crastino Nativitatis Sancte Marie in ecclesia Sancti Egi[d]ii extra Wint' ad nundinas ejusdem quatuor solidos sterlingorum, et preter hos quatuor solidos insuper adquietabit nos versus ecclesiam Sancti Augustini extra Brist' singulis annis de duobus solidis qui eidem ecclesie debentur annuatim de terragio predicti tenementi. Idem vero Gillebertus et heredes ejus totum predictum tenementum adquietare debent de omni servicio forinseco quod pertinet ad regem quantum spectat ad tantum terre in burgagio de Berkel'. Et tam de prescripto tenemento quam de memorato redditu iiii[or] solidorum nobis die et loco statuto fideliter solvendorum, et de predicto redditu duorum solidorum ecclesie Sancti Augustini ut dictum est reddendorum fidelitatem nobis juravit, et quod nec ipse nec alius per eum nobis inde dampnum vel impedimentum perquireret. Et pro hac confirmatione nostra id est Gillebertus dedit nobis bisantium. T*estibus*, etc.

[1] See no. 136.   [2] MS. *del.*

136. *Charter of Guy, prior of Southwick. He and the canons of Southwick grant to J. abbot of St Augustine's their tenement in Berkeley which Gilbert de Hegge held of them. St Augustine's is to hold the tenement in free alms, as the canons of Southwick have done, and the prior has surrendered the charters relating to this land issued by Robert de Berkeley and Juliana his wife. The text is taken from the original charter. (Before 17 September 1216.)*[1]

Rubric [f. 49v.]: Carta Guidonis prioris et conventus de Swawich' [? de tenementis in Berkel'].[2]

CYROGRAPHUM[3]

Omnibus Christi fidelibus ad quos presens scriptum pervenerit frater Guido sola dignatione divina Suwicensis[4] ecclesie servus indignus et eidem loci conventus .

eternam in domino salutem . Universitatis vestre volumus pervenire noticiam nos communi assensu[5] et unanimi voluntate concessisse domino .J. venerabili abbati Sancti Augustini de Bristoll'[6] . et dilectis fratribus ejusdem loci conventu . totum tenementum illud in Berkeleio[7] et dominicis meis illis quas habuimus de dono domini Roberti de Berkeleio[7] et domine Juliane uxoris ejus ibidem . quas scilicet Gillebertus de Hegge per cartam nostram tenuit aliquando[8] de nobis . Ita quod predicti canonici Sancti Augustini de Bristoll'[9] decetero nec nobis nec prescripto *Roberto* de Berkelaio nec heredibus suis inde respondeant . Set easdem integre libere pacifice et quiete habeant et teneant in perpetuum . sicut nobis in liberam[10] puram et perpetuam elemosinam collate fuerint . Et ad majorem hujus rei securitatem cartam memorati domini Roberti de Berkeleia[11] et domine Juliane uxoris ejus quam inde habuimus eis benigne reddidimus . Et ut hec nostra concessio stabilis et firma ineternum permaneat eam presenti scripto et sigilli nostri conventual'[12] testimonio confirmavimus . Testibus Domino *Roberto* de Berkelaio . et Juliana uxore ejus .R. tunc priore Sancti Augustini . de Bristoll' . fratre .J. tunc cimentario . fratre W. tunc sacrista . ex una parte . Et ex altera parte . Audoeno tunc suppriore . Luca . Roberto . et Walkelino canonicis nostris . Et multis aliis.

Marginal note: de Egge.

Original charter BCM, SC no. 92. Single fold, single slit, parchment tag, remains of seal. Endorsed: (1) Carta conventus de Sudwike . de tenement' et terris in Berkel' nobis datis. (2) .a.v. (3) To St Augustine's. (4) 112.

Calendared: Jeayes, *Select Charters*, p. 37, no. 92.

[1] The Abbot J. of this charter could be one of two abbots who followed each other in succession: John 1186/7 × 12 February 1216, and Joseph 6 April × 17 September 1216. His death provides the latest limit of date for this charter and for those which precede it.
[2] The rubric is badly faded, and the reading conjectural.
[3] Indented.
[4] *Swicensis*, Cartulary.
[5] *ascensua*, Cartulary.
[6] *Brist'*, Cartulary.
[7] *Berkel'*, Cartulary.
[8] *aliquando tenuit*, Cartulary.
[9] *Brist'*, Cartulary.
[10] *et*, Cartulary.
[11] *Berkel'*, Cartulary.
[12] *conventualis*, Cartulary.

137. *Charter of William son of Richard of Stinchcombe to St Augustine's confirming the messuage near the cemetery of Berkeley which he held of Maurice son of Nigel for an annual render of 1 pound of pepper and 3d. He has paid 6s. (Late twelfth or early thirteenth century.)*[1]

Rubric: Carta Willelmi filii Ricardi de Stintescomb' de mesuagio juxta cimiterium de Berkeleie.

Sciant presentes et futuri quo ego Willelmus filius Ricardi de Stintescumbe dedi et concessi et hac mea presenti carta confirmavi deo et Sancto Augustino de Brist' et canonicis ibidem deo servientibus totum illud mesuagium juxta cimiterium de Berkel' quod ego Willelmus tenui de Mauricio filio Nigelli. Tenendam et habendam de me et heredibus meis predictis canonicis imperpetuum, reddendo inde annuatim michi et heredibus meis unam libram piperis et tres denarios, scilicet ad festum Sancti Michaelis, pro omni servicio et demanda. Pro hac vero donatione et concessione dederunt michi predicti canonici vi solidos sterlingorum de recognitione. Et ego Willelmus et heredes mei hanc donationem et concessionem predictis canonicis contra omnes homines et feminas warantizabimus. Et quia volo quod hac mea donatio et concessio rata et stabilis permaneat imperpetuum hanc cartam sigilli mei impressione [f. 50][2] confirmavi. T*estibus*, etc.

[1]   Maurice son of Nigel occurs between 1174 and 1181 (Jeayes, *Select Charters*, p. 11, no. 18), and again between 1220 and 1230 (ibid. p. 59, no. 168). He could quite easily have been active between 1175 and 1225.
[2]   Rubric: *Berkley.*

138. *Charter of Robert de Berkeley confirming to the monks of Abbey Dore (Herefs.) the land which Margery daughter of Peter of Wick gave to Robert Knivet (in Arlingham) with the consent of her heir, Hugh of Wick. Her grant included the land of Ralph Urri, augmented by 16 sellions in Westmarsh. Robert Knivet gave himself and his land to the monks. (c. 1211 × 20.)*[1]

Rubric: Carta Roberti de Berkeleie facta monasterio Vallis Dore de terra de Herelingham.

Sciant omnes sancte matris ecclesie filiis presentes et futuri quod ego Robertus de Berkel' concessi et hac mea carta confirmavi deo et Beate Marie et monachis Vallis Dore totam terram quam Margeria filia Petri de Wike concessit et assensu Hugonis de Wike heredis ejus dedit Roberto Knivet et unde cartas eorum predictus Robertus habuit, scilicet totam terram quam Radulfus Urri tenuit, et de augmento sexdecim selliones in Westmers. Habendam et tenendam libere et quiete et integre, sicut carte testatur quas de predictis Margeria et Hugone predictus Robertus Knivet habuit, quam eandem terram et se ipsum predictis monachis donavit. Et ut hec mea concessio et confirmatio rata et inconcussa maneat imperpetuum presentis scripti attestatione et sigilli mei impressione munire curavi. T*estibus*, etc.

Marginal note: (*Modern*) Arlingham.

[1]   Arlingham is not named in the charter, but at the head of the folio, and in the rubric. The outside limits of date are 1190 × 1220; Peter of Wick occurs in 1211 (*PR 13 John*, PRS, NS, 28, p. 62).

139. *Charter of Robert de Berkeley to St Augustine's confirming the land which Margaret daughter of Peter of Wick gave with the consent of her heir, Hugh, to Robert Knivet. Her grant included the land of Robert Urri, augmented by 16 sellions in Westmarsh. Robert gave himself and his lands to the canons. (c. 1211 × 20.)*[1]

Rubric: Carta ejusdem R*oberti* nobis facta de eadem terra.

Robertus de Berkel' filius Mauricii de Berkel' omnibus hominibus et amicis [suis et] universis sancte matris ecclesie fidelibus ad quos presens carta pervenerit, salutem. Sciatis me concessisse et hac presenti carta mea confirmasse deo et Beato Augustino de Brist' et canonicis regularibus ibidem deo servientibus totam illam terram quam Margareta[2] filia Petri de Wika concessu et assensu Hugonis heredis ejus dedit Roberto Knivet unde cartas eorum predictus Robertus habuit, scilicet totam terram illam quam Radulfus Urri tenuit, et de augmento sexdecim selliones in Westmarais. Habendam et tenendam in perpetuum bene et integre et in pace et honorifice libere et quiete sicut carte testantur quas de predictis Margareta et Hugone predictus Robertus Knivet habuit, qui se ipsum et eandem terram predictis canonicis donavit. Et ut hec mea concessio et confirmatio rata et inconcussa permaneat imperpetuum presenti scripti attestatione et sigilli me impressione munire curavi. T*estibus*, etc.

Marginal note: Petr' Wike.[3]

[1] See no. 138.
[2] *Margeria*, no. 138.
[3] It is possible that *R. Knivet* was added to this note.

140. *Charter of Adam, abbot of Abbey Dore, to St Augustine's granting 2 virgates in Arlingham which Robert Knivet held of the monastery, and which Robert de Berkeley gave the monks. He also grants the virgate and messuage which Richard son of Gilbert held, and the virgate held by Robert Albus, and 10½ putchers in the Severn and a palum (stake or fish-trap) at Ruddle. The canons owe the monks of Abbey Dore a rent of 2s a year, to be paid at Flaxley. They have paid 50 marks in recognition. (Early thirteenth century.)*[1]

Rubric: Carta abbatis et conventus Vallis Dore nobis facta de eadem terra.

Omnibus sancte matris ecclesie filiis tam presentibus quam futuris ad quos presens carta pervenerit [f. 50v.] ego Adam abbas Vallis Dore et totus ejusdem loci conventus, salutem. Sciatis nos unanimi assensu et consensu domus nostre dedisse et concessisse et hac presenti carta confirmasse domui Beati Augustini de Brist' et canonicis regularibus ibidem deo servientibus totas illas duas virgatas terre in Erlingeham cum omnibus pertinenciis suis in aquis et aquarum cursibus et in piscariis quas Robertus Knivet de nobis tenuit, quas dominus Robertus de Berkel' filius Mauricii de Berkel' nobis in puram et perpetuam elemosinam dedit et concessit et carta sua confirmavit: scilicet totam illam virgatam terre cum masuagio et prato et omnibus aliis pertinenciis suis quam Ricardus filius Gilleberti die qua fuit vivus et mortuus tenuit; et illam virgatam terre cum mesuagio et prato et omnibus aliis pertinenciis quam Robertus Albus tenuit; et octo puchias et dimidiam in Sabrina ad predictas terras pertinentes, tres scilicet contra spinam de Glascliva, et inter puchias Arnoldi filii Andree et Bertram filii Swein duas puchias; et inter puchias predicti Arnoldi et Rogeri de Linch tres puchias et dimidiam cujus alteram medietatem predictus Rogerus de Linch et heredes sui habent. Preterea dedimus et concessimus predictis canonicis duas puchias quas predictus dominus Robertus de augmento nobis dedit et concessit juxta puchiam predictam cujus medietatem predictus Rogerus et heredes sui habent. Et unum liberum palum de ejusdem domini Roberti donatione in gurgite de Redleia,[2] scilicet illum quem Willelmus filius Gilleberti tenuit. Tenendas et habendas sibi et domui sue imperpetuum de nobis et de domo nostra cum omnibus libertatibus et liberis consuetudinibus in omnibus rebus et locis ad predictas terras et piscarias pertinentibus bene et in pace libere et quiete integre et honorifice. Reddendo inde singulis annis nobis et domui nostre duos solidos sterlingorum ad festum Sancti Michaelis apud Flaxleg', ita quod famulo nostro vel nuntio tradantur si presens fuerit; sinon autem priori ipsius domus pro omnibus serviciis et secularibus demandis que ad nos vel ad dominum Robertum de Berkel' vel ad dominum regem pertinent vel pertinere possunt. Pro hac autem donatione et concessione nostra predicti canonici nobis et domui nostre dederunt quinquagesima marcas argenti de recognitione. Et nos predictis canonicis omnia predicta tenementa contra omnes homines et feminas secundum legale posse nostrum [f. 51][3] warantizare debemus. Et quia volumus quod hec donatio et concessio nostra rata sit et stabilis[4] imperpetuum hac presenti carta sigilli nostri impressione roborata in capitulo nostro confirmavimus.

Marginal note: In Erlingham.

[1]   This transaction appears to be linked with the transfer of property between the two religious houses *c*. 1211 × 20. Two abbots named Adam held office in succession at Abbey Dore; they can be identified from *c*. 1186 × 89 to 1217 (*The Heads of Religious Houses England and Wales 940–1216*, ed. D. Knowles, C. N. L. Brooke, and V. C. M. London, Cambridge, 1972, p. 126). The probability is that the abbot who issued this charter is Adam II.

[2]   For St Augustine's fishery at Ruddle, see *VCH Glos.* x, p. 44.

[3]   Rubric: *Berkley.*   [4]   MS. *stabulis.*

141. *Charter of Robert de Berkeley to Elias son of Durand, canon of Hereford, granting him 1 virgate in Arlingham, consisting of the tenements of John son of Abraham and John the hayward* (messarius), *with access to the land. Elias pays a rent of 32s and has given Robert 2 palfreys in recognition. The text is taken from the original charter. (1216 × 20.)*[1]

Rubric: Carta Roberti de Berkel' facta Elie Durant de una virgata terre in Erlingham.

Sciant presentes et futuri quod ego Robertus de Berkelay[2] dedi et concessi et hac presenti carta mea confirmavi Helye[3] filio Durandi canonico Herefordie . unam virgatam terre in manerio meo de Erlingeham . cum omnibus pertinenciis suis . Scilicet dimidiam virgatam terre quam Joh*anne*s filius Abraham tenuit de me . et dimidiam virgatam terre quam Joh*anne*s Messarius de me tenuit . Et cheminum subter villam de Erlingham . ita tamen quod hescium ibi sit . Tenendas et habendas sibi et heredibus suis vel cuicu*m*que et ubicumque eas dare vel assignare voluerit de me et heredibus meis . cum omnibus libertatibus et liberis consuetudinibus in pratis et pasturis in viis et semitis in aquis et aquarum cursibus et in omnibus locis bene et pacifice libere et quiete integre et honorifice Reddendo[4] inde annuatim m*ich*i et heredibus meis idem servicium quod m*ich*i debuit de aliis terris suis quas antea de me tenuit in eadem villa . Scilicet duos solidos esterlingorum ad festum Sancti Michaelis pro omnibus servitiis et secularibus demandis ad me vel ad heredes meos pertinentibus . Salvo tamen regali servicio quantum scilicet ad unam virgatam terre in eadem villa pertinebit. Pro hac autem donatione et concessione mea dedit michi[5] predictus Helyas duos palefridos de recognitione . Et quia volo quod hec mea donatio et concessio rata sit et stabilis imperpetuum . presentem cartam sigilli mei impressione sibi confirmavi. Hiis T*estibus*[6] Domino David abbate Sancti Augustini Bristoll' . Henric*o* de Berk' . Oliver*o* de Berk' . Simone de Olepen' . Ric*ardo* de Coveleg' . Adam filio Nigell*i* . Bernardo de Stanes . Joh*ann*e de Eggentun' . Mauric*io* filio Nigell*i* . Helya de Slimbruge . et multis aliis.

Marginal note: Elie Durand.

Original charter BCM, SC no. 161b. Single fold, single slit, tag and seal missing. Endorsed: (1) Carta Roberti de Berk' facta Elie filio Durand'. (2) .a.iiij. (3) To a canon of Hereford. (4) S. 119.

Calendared: Jeayes, *Select Charters*, p. 57, no. 161b.

[1] This must be close in date to no. 142. The earlier limit is supplied by the attestation of Abbot David. Elias occurs between 1190 and *c.* 1230 (nos. 283-5). Richard I issued letters of protection to him, as Elias of Bristol, from La Roche d'Andely, probably in 1198 when he was frequently there (*Acta of Henry II and Richard I*, ed. J. C. Holt and R. Mortimer, List and Index Society, Special Series, 21, 1986, no. 390; *Charters and Records of Hereford Cathedral*, ed. W. W. Capes, Hereford, 1908, pp. 35–6; L. Landon, *Itinerary of King Richard I*, PRS, NS, 13, p. 171). Elias used part of his land in Arlingham to endow his new hospital of St Ethelbert in Hereford, which he established before August 1226 (*Charters and Records of Hereford Cathedral*, pp. 57, 61; D. Knowles and R. N. Hancock, *Medieval Religious Houses, England and Wales*, London, 1953, p. 276).

[2] *Berkel'*, Cartulary.   [3] *Helie*, Cartulary.   [4] *redendo*, Cartulary.
[5] *michi* omitted, Cartulary.   [6] MS. *T*[*estibus, etc*].

142. *Charter of Robert de Berkeley to Elias son of Durand, canon of Hereford, conveying to him 1 virgate in Arlingham called Wodegerd which Roger de Bosco held; a quarter of a virgate which Beorhtric (Brichthredus) held; a pasture called In Hitchin lying between Fulmore and the road leading to the court at Arlingham; a croft called Winchcroft; and a meadow in Powsham. The whole is the equivalent of marginally less than 1½ virgates (1.45 virgates). Elias pays 2s rent, and has paid 32 marks in recognition. The text is taken from the original charter. (1216 × 20.)*[1]

Rubric: Carta ejusdem Roberti de alia virgata terre eidem Elie facta.

Sciant presentes et futuri quod ego Robertus de Berkelay[2] dedi et concessi et hac presenti carta mea confirmavi Helie[3] filio Durandi canonico Herefordie . totam illam virgatam terre cum omnibus pertinenciis suis in manerio meo de Erlingeha*m*[4] scilicet illam que vocatur Wodegerd[5] quam Rogerus de Bosco tenuit . Et totam illam quartam partem unius virgate terre quam Brichthredus tenuit . Et unam pasturam que vocatur In Hechinge que jacet inter Fulemore [f. 51v.] et cheminum quod vadit versus curiam de Erlingeham[6] . Et unam croftam que vocatur Winescroft cum fossato et haycio[7] suo que jacet inter boscum meum de Erlingham[8] et terram Willelmi de Freþorne . Et totum illud pratum cum toto fossato suo in Pulsham quod jacet inter[9] pratum Margarete de Linch[10] et villam de Erlingh' tenendas et habendas in feudo et hereditate de me et heredibus meis sibi et heredibus suis vel cuicumque et ubicumque eas assignare voluerit cum omnibus libertatibus et liberis consuetudinibus suis in pratis et paschuis[11] in viis et semitis et in omnibus rebus et locis ad predictas terras pertinentibus . bene et in pace libere et quiete integre et honorifice . Reddendo inde michi et heredibus meis annuatim duos solidos esterlingorum[12] ad duos terminos anni . scilicet duodecim denarios ad festum Sancti Michaelis et .xii. ad Pascha pro omnibus serviciis et demandis ad me vel ad heredes meos pertinentibus . salvo regali servicio quantum ad unam virgatam terre et quantum ad quarterum unius virgate terre pertinebit . Has vero predictas terras cum omnibus pertinenciis suis sibi vel cuicumque et ubicumque eas assignare voluerit, ego et heredes mei contra omnes homines et feminas varantizabimus . Et pro hac donatione et concessione mea dedit michi predictus Helias[13] triginta duas[14] marcas argenti . Et quia volo quod hec mea donatio et concessio rata et stabilis imperpetuum permaneat . presentem cartam sigilli mei impressione roboratam sibi confirmavi . Hiis Testibus[15] Domino Adam filio Nigelli . Olivero de Berkelay . Simone de Olepenn' . Ricardo de Coveleg' . Petro de Stintescumbe . Roberto de Albaniac' . Reginaldo de Gosintun' . Johanne de Eggentun'. Helia de Buvill' Hugone . Roberto Bertram . Roberto filio Gwidonis . Et multis aliis.

Marginal note: Elie Durand.

Original Charter BCM, SC no. 161a. Single fold, parchment tag, remains of seal. Endorsed: (1) Robertus de Berkel' de terra de Herlingham Helie Durandi data. (2) .a.iiij. (3) supra parte. (4) To a canon of Hereford.

Calendared: Jeayes, *Select Charters*, p. 57, no. 161a.

[1]   Limits of date from succession of David as abbot of St Augustine's, 1216, and death of Robert de Berkeley, 1220. It is curious that this confirmation should have remained in the Berkeley archives. The documents relating to Elias of Bristol's endowment of his hospital at Hereford passed into the keeping of the dean and chapter at Hereford cathedral. They include a charter from Robert de Berkeley granting Elias the virgate called Wodegerd which Roger de Bosco held, the quarter-virgate which Brithredus held, and the pasture called In Hechinge. The rent due was 10s a year, and Elias paid 10½ marks in recognition. The list of witnesses reads: *Thoma de Berkel', Johanne de Crauleg', Radulpho de Suneword', Petro de Stintesc', Ricardo de Couleg', Henrico capellano, Radulpho capellano, Galfrido capellano, M. (sic) filio Nigelli, Helya de Buuill', Hugone de Wike, Roberto Berchram, et multis aliis.* (Hereford Cathedral archives, Hereford Cathedral Charter no. 993).

[2]   *Berkel'*, Cartulary.
[3]   *Helye*, Cartulary.
[4]   *Erlingeh'*, Cartulary.
[5]   *Wodegerd'*, Cartulary.
[6]   *Erlingeh'*, Cartulary.
[7]   *haicio*, Cartulary.
[8]   *Erlingeh'*, Cartulary.
[9]   *inter* repeated, Cartulary.
[10]   Linch survived as Linch Ridges (*P-NG*, ii, p. 177).
[11]   *pascuis*, Cartulary.
[12]   *sterlingorum*, Cartulary.
[13]   *Elyas*, Cartulary.
[14]   *xxxii*, Cartulary.
[15]   *T[estibus etc]*, Cartulary.

143. *Charter of Robert de Berkeley to St Augustine's confirming 2 virgates in Arlingham which Robert Cnivet held (as they are defined in no. 140), to be held in free alms, free of all service except an annual payment of 2s to Abbey Dore. Robert desires that these tenements shall be assigned to maintain lights in St Augustine's, and for no other purpose. (27 May 1199 × 1217.)*[1]

Rubric: Carta ejusdem Roberti de redditibus sacriste nostri.

Robertus de Berkel' filius Mauricii de Berkel' omnibus hominibus suis et amicis et universis sancte matris ecclesie fidelibus ad quos presens carta pervenerit, salutem. Sciatis me dedisse et concessisse et hac presenti carta mea confirmasse deo et ecclesie Beati Augustini de Brist' et canonicis ibidem deo servientibus pro salute anime domini mei regis Henrici qui me nutrivit, et pro salute anime domini regis Ricardi, et pro salute anime regis Johannis, et pro salute anime mee et sponse mee et omnium antecessorum meorum, in liberam et puram et perpetuam elemosinam totas illas duas virgatas terre in Erlingh' cum omnibus pertinenciis suis in aquis et aquariis cursibus et in piscariis quas Robertus Cnivet [f. 52][2] de me tenuit, scilicet totam illam virgatam terre cum masuagio et prato et omnibus aliis pertinenciis suis quam Ricardus filius Gilleberti tenuit die qua fuit vivus et mortuus, et totam illam virgatam terre cum masuagio et prato et omnibus aliis pertinenciis suis quam Robertus Albus tenuit, et octo puchias et dimidiam in Sabrina ad predictas terras pertinentes, tres scilicet contra spinam de Glascliva, et inter puchias Arnoldi filii Andree et Bertram filii Swein duas puchias, et inter puchias predicti Arnoldi et Rogeri de Linch tres puchias et dimidiam, cujus alteram medietatem predictus Rogerus de Linch et heredes sui habent. Preterea dedi et concessi eisdem canonicis duas puchias juxta puchiam predictam cujus alteram medietatem Rogerus de Linch et heredes sui habent, et unum liberum pallum in gurgite de Bedleia[3] scilicet illum quem Willelmus filius Gilleberti tenuit. Dedi etiam et concessi deo et ecclesie Beati Augustini de Brist' et predictis canonicis in liberam et puram et perpetuam elemosinam totam illam dimidiam virgatam terre cum omnibus pertinenciis suis quam Radulfus Nactor tenuit de me apud Riam de manerio meo de Alemintuna die qua eam prefatis canonicis dedi cum ipso Radulfo et omni sequela sua et omnibus catallis suis.[4] Hec omnia predicta dedi et concessi deo et ecclesie Beati Augustini de Brist' et predictis canonicis, tenenda et habenda imperpetuum cum omnibus libertatibus et liberis consuetudinibus in omnibus rebus et locis ad predictas terras pertinentibus, bene et in pace et integre et honorifice libere et quiete ab omnibus serviciis et secularibus demandis que ad me vel ad heredes meos vel ad dominum regem pertinent vel pertinere possint. Ita quod predicti canonici michi nec heredibus meis nec alicui homini de predictis terris in aliquo respondebunt nisi de solis orationibus et de duobus solidis sterlingorum quos ipsi canonici pro salute anime mee deo et ecclesie Beate Marie Vallis Dore singulis annis ad festum Sancti Michaelis persolvent. Preterea notum esse volo quod ego ad honorem dei et Beati Augustini totas has predictas terras nominatim[5] ad luminare ecclesie Sancti Augustini in perpetuum assignavi et non in usus alios. Et quia volo quod hec donatio et concessio rata sit et stabilis imperpetuum, hac presenti carta mea sigilli mei impressione roborata confirmavi. Testibus, etc.[6]

Marginal notes: (1) ij virg' terre in Erlingham. (2) (*Modern*) The manor of the food de Cam.[7]

1   This charter was issued after the accession of King John.
2   Rubric: *Berkley*.
3   *Redleia*, no. 140.
4   The clause relating to Ralph Nactor does not occur in no. 140.
5   MS. *nominatis*.
6   Rubric for no. 144 follows at the foot of the folio; the charter begins on f.52v.
7   The writer first wrote 'food' and, as an afterthought, added very faintly what might be 'the' or possible 'Ha'. 'The food' or 'Hafood' (for Hafod) are possible readings, but neither is recorded here in *P-NG*.

144. *Charter of Robert de Berkeley to St Augustine's giving the canons Hugh the baker, whom he has first made free, and his family, with a virgate at Elmcote, in Coaley. Hugh held this land for a payment of 20s a year. He and his heirs should produce 2 bushels of pure wheat for making bread, and 10s for buying wine, for consecration as the body and blood of our lord, Jesus Christ. Robert will be responsible for service due to the king for this tenement. Anyone who presumes to challenge this grant shall publicly be declared excommunicate in the full body of canons at St Augustine's and in the full chapter at Berkeley. An original charter recording this grant has survived. It agrees in substance with the text, but differs from it in common form and in some details. Since it does not contain the detailed timetable for the provision of wheat, it is probably an earlier statement of Robert's grant. The variant is printed immediately after the cartulary text. (15 November 1217 × 13 May 1220.)*[1]

Rubric: Carta ejusdem Roberti de Hugone pistore concesso eidem sacriste.

[f. 52v.] Omnibus Christi fidelibus ad quos presens scriptum pervenerit Robertus de Berkel' salutem in domino. Noverit universitas vestra me pro salute anime mee patris mei matris mee uxorum mearum et omnium antecessorum nostrorum dedisse et concessisse et hac presenti carta mea confirmasse deo et ecclesie Sancti Augustini de Brist' et canonicis regularibus ibidem deo servientibus in liberam puram et perpetuam elemosinam Hugonem pistorem servientem meum quem prius liberum feci et heredes suos cum illa virgata terre apud Hulemannecote quam idem Hugo de me tenuit pro viginti solidis sterlingorum annuatim persolutis ut ipse et heredes sui singulis annis reddant predictis canonicis duas summas frumenti puri ad oblatas faciendas et decem solidos ad vinum emendum ad consecrationem corporis et sanguinis domini nostri Jesu Christi; ad iiii[or] terminos anni, videlicet ad festum Sancti Michaelis ii solidos et sex denarios et unum crannocum frumenti, ad Natale Domini ii solidos et vi denarios et unum crannocum frumenti, ad mediam Quadragesimam sequentem ii solidos et vi denarios et unum crannocum frumenti, ad Nativitatem Sancti Johannis Baptiste subsequentem ii solidos et vi denarios et unum crannocum frumenti, pro omnibus serviciis et exactionibus. Ego vero et heredes mei predictam terram de regali servicio acquietabimus imperpetuum. Ita quod dicti canonici nec michi nec heredibus meis nec alicui hominum in aliquo seculari servicio respondeant nisi soli deo in orationibus. Omnes vero successores meos qui huic caritative donationi et concessione mee contradicere vel contraire presumpserunt in pleno conventu dictorum canonicorum et in pleno capitulo de Berkel' publice excommunicari feci. Et ut predicta omnia perpetue stabilitatis robur optineant ea presenti scripto sigilli mei appositione roborato confirmavi. *Testibus,* etc.

Marginal notes (*Modern*): (1) Cowly. (2) Hulmanecote.

Original charter (BCM, SC no. 79).

Universis sancte matris ecclesie filiis ad quos presens scriptum pervenerit Robertus de Berkel' salutem . Sciatis me pro salute anime mee patris mei matris mee et omnium antecessorum et successorum meorum et uxorum mearum quas duxi dedisse et concessisse et hac presenti carta mea confirmasse deo et ecclesie Sancte Trinitatis et Beate Marie et Sancti Augustini de Bristollo et canonicis regularibus ibidem deo servientibus in liberam et puram et perpetuam elemosinam Hugonem pistorem servientem meum quem antea liberum feci et heredes suos cum illa virgata terre apud Hulemanecote quam idem Hugo de me tenuit pro qua michi viginti solidos esterlingorum annuatim reddere consuevit . Ut ipse et heredes sui predictis canonicis reddant duas summas frumenti ad oblatas faciendas et decem solidos ad vinum emendum singulis annis ad festum Sancti Michaelis ad consecrationem corporis et sanguinis domini nostri Jesu Christi . pro omnibus servitiis . et secularibus demandis . Ego vero et heredes mei predictam terram de regali servicio acquietabimus . in perpetuum . Volo etiam quod predicti canonici prefatam elemosinam adeo libere et quiete possideant ut inde nichil michi vel heredibus meis nec alicui hominum in aliquo servicio respondeant nisi soli deo in orationibus . Omnes vero successores meos qui huic caritative donationi et concessioni mee obviare vel contradicere presumpserunt . in pleno conventu predictorum canonicorum et in pleno capitulo de Berkelay publice excommunicari feci Et quia volo quod hec mea caratitava donatio et concessio perpetuo guadeat stabilitate . eam presenti carta sigilli mei impressione roborato confirmavi . Hiis testibus . Rogero filio Nicholai . Henrico de Berkel' . Ada filio Nigelli . Simone de Clepetune . Ricardo de Coueleg' . Johanne de Crauleg' . Elya de Bristoll' canonico Hereford' . Henrico et Ada capellanis de Berkel' . Johanne et Willelmo capellanis . Mauricio filio Nigelli . Ricardo de Cromhale . Elya de Slimbrugge . Johanne de Egginton' . et multis aliis.

Single fold, single slit, parchment tag, seal, with good impression of mounted knight, and counterseal with inscription.

Endorsed: (1) Carta domini Roberti de Berk' de Hugone pistore de Hulemanecote et de ij. quar' frumenti et de x . solidis. (2) .a.v. (3) William Myllard thereby Fulmaur'. (4) Grant to the Church. (5) No 13. (6) 92. (7) S.79. (8) S.116.

[1] Charter issued after the death of Robert's first wife, Juliana.

145. *Charter of Robert de Berkeley to St Augustine's confirming in free alms his mill at Berkeley, called the new mill, close to the bridge called* Locsastebrige. *The revenues are to be used for lights for the mass of the Virgin Mary. Robert adds a virgate in Ham, near the mill, made up of the half-virgates held by Reginald the ploughman and Alfred of Cinderford, with these men and their families. All these tenements are to be held to provide 2 lamps for the high altar and the altar at which the mass of the Blessed Virgin is celebrated. Robert and his heirs will be responsible for all service due to the king. The text is taken from the original charter. (15 November 1217 × 13 May 1220.)*

Rubric: Carta ejusdem Roberti de molendino sacriste apud Berkelei.

Sciant presentes et futuri quod ego Robertus de Berkeley[1] filius Mauricii de Berkel' dedi et concessi et hac presenti carta mea confirmavi pro salute anime mee . patris mei . et matris mee . uxorum [f. 53][2] mearum . et omnium parentum nostrorum deo et ecclesie Sancti Augustini de Bristollo[3] et canonicis regularibus ibidem deo servientibus molendinum meum apud Berkel' proximum ponti qui Locsastebrige dicitur . quod etiam novum molendinum solet appellari . cum omnibus pertinenciis suis et libertatibus[4] et liberis consuetudinibus suis . cum consuetudine et multure castelli mei de Berkel' . et totius sequele prout umquam melius solebat fieri tempore meo . vel tempore domini mei et patris . Mauricii de Berkel'. Habendum et tenendum sibi in perpetuum[5] libere . et quiete . integre . et pacifice . sicut liberam . puram . et perpetuam elemosinam . Ita quod dicti canonici nec *michi* nec heredibus meis in aliquo respondeant . nisi soli . deo in orationibus . set dictum molendinum cum tota et omnia sequela sua sine aliqua vexatione habeant et possideant in perpetuum[5] ad luminare misse gloriose virginis singulis diebus deputatum . perpetuo ministrandum . Dedi eciam et concessi et presenti carta confirmavi dictis canonicis[6] unam virgatam terre de tenemento meo[7] de Ham*m*a proximam predicto molendino . illam videlicet dimidiam virgatam quam Reginald*us* carrucari*us* tenuit . Et illam dimidiam virgatam terre quam Aluredus[8] de Sindelford' tenere consuevit . cum eisdem hominibus et eorum sequelis in puram et perpetuam elemosinam . libere . et quiete . integre et pacifice cum omni libertate tam in boscis . pratis . et pascuis . quam omnibus aliis libertatibus perpetuo possidendas . Ita quod dicti canonici nec *michi* . nec alicui alii pro regali vel militari . seu aliquo alio servicio seculari in aliquo respondeant nisi soli deo in orationibus et in duabus[9] lampadibus coram majori altari dicti monasterii . et altari in quo missa Beate Marie celebratur perpetuo subministrandis . Unde siquidem servicium regale . militare . seu seculare predicte virgate terre acciderit . ego et heredes mei dictos canonicos adquietabimus . Ut autem hee mee donationes et concessiones rate et stabiles perpetuo perseverent . eas presenti scripto . sigilli mei appositione roborato . duxi confirmandas . Hiis Testibus[10] Domino Nicholao Poinz . Domino Hug*one* filio ejus . Domino Ada filii Nigelli . Domino Thom*a* de Berkel' . Domino Simone de Clepetuna . Henrico capellano . Mauricio filio Nigelli . Ric*ardo* et Philippo de Hauberton' . Et multis aliis.

Marginal notes: (1) De multura castelli. (2) Nota de duabus lampadibus.

Original charter BCM, SC no. 160. Single fold, single slit, parchment tag, remains of seal. Endorsed: (1) Carta Roberti domini de Barkley et virgata terre nobis data. (2) .a.v.

Calendared: Jeayes, *Select Charters*, p. 56, no. 160.

1   *Berkel'*, Cartulary.
2   Rubric: *Berkley.*
3   *Brist'*, Cartulary.
4   *suis* expuncted for deletion, Cartulary.
5   *imperpetuum*, Cartulary.
6   *et*, Cartulary.
7   *de tenemento suo* repeated, Cartulary.
8   *Alredus*, Cartulary.
9   *ii*, Cartulary.
10   MS. *T[estibus etc]*.

146. *Charter of Robert de Berkeley son of Maurice de Berkeley to St Augustine's confirming the gifts recorded in no. 145. (15 November 1217 × 13 May 1220.)*

Rubric: Carta ejusdem *R*oberti de una virgata terre in Hamme.

Sciant tam presentes quam futuri quod ego Robertus de Berkel' filius Mauricii[1] de Berkel' dedi et concessi et hac mea presenti carta confirmavi pro salute [f. 53v.] mee patris mei et matris mee uxorum mearum et omnium parentum meorum deo et monasterio Sancti Augustini de Brist' et canonicis regularibus ibidem deo servientibus unam virgatam terre de tenemento de Hamma proximam novo molendino, quod quidem molendinum dictis canonicis in puram et perpetuam elemosinam concessi ad luminare Beate Marie, illam videlicet dimidam virgatam terre quam Reginaldus carruarius tenuit, et illam dimidiam virgatam terre quam Aluredus de Sindesford' tenere consuevit cum[2] eisdem hominibus et eorum sequelis in puram et perpetuam elemosinam libere et quiete integre et pacifice cum omnibus libertate tam in boscis pratis et pascuis quam omnibus aliis libertatibus perpetuo possidendas. Ita quod dicti canonici nec m*ichi* nec alicui alii pro regali vel militari seu aliquo alio servicio seculari in aliquo respondeant nisi soli deo in orationibus et in ii lampadibus coram majori altari dicti monasterii et altari in quo missa Beate Marie celebratur perpetuo subministrandis. Unde siquidem servicium regale militare seu seculare predicte virgate terre acciderit ego et heredes mei dictos canonicos adquietabimus. Ut autem hec mea donatio et concessio rata et stabilis perpetuo perseveret tam presenti scripto sigilli mei appositione roborato duxi confirmandam. Te*stibus*, etc.

1   MS. *Roberti;* the rubric and the *pro salute* clause establish the error.
2   MS. *ut.*

147. *Charter of Roger de Berkeley to Maurice son of Maurice de Berkeley granting and confirming his wood of Lorridge (in Stinchcombe) with pasture and meadow, the land held by Robert Godwi and Alfred Smalchaf, and the* *meadow called Little Mead near Little Smithmarsh. The whole is the equivalent of 4 solidates of land. Maurice pays 12d a year. (1191 × 1220.)*[1]

Rubric: Carta Rogeri de Berkelei facta Mauricio de Berkelei de bosco de Lorewing.

Sciant presentes et futuri quod ego Rogerus de Berkeley dedi et concessi et hac presenti carta mea confirmavi Mauricio filio Mauricii de Berkel' pro homagio suo et servicio totum boscum meum de Lorwinge cum omnibus pertinenciis suis sine aliquo retinemento et totam pasturam et pratum que ad idem boscum pertinent; et totas illas terras quas Robertus Godwi et Aluredus Smalchaf tenuerunt de me extra predictum boscum de Lorwinge; et totum pratum meum quod vocatur Littlemed quod jacet juxta Parvam Smethemers. Tenend' et habend' sibi et heredibus suis de me et de heredibus meis, sicuti ego vel antecessores mei umquam melius vel liberius tenuerunt. Reddendo inde michi et heredibus meis singulis annis xii denarios, scilicet ad Vincula Sancti Petri, pro omnibus serviciis ad me vel ad heredes meos pertinentibus, salvo tamen regali [f. 54][2] servicio quantum scilicet ad quatuor solidatos[3] terre pertinent. Quare volo quod dictus Mauricius et heredes sui post ipsum habeant et teneant totum predictum boscum cum predictis terris pratis et pasturis et cum omnibus pertinenciis suis libertatibus et liberis consuetudinibus ad predictum boscum et ad predictas terras spectantibus in bosco et plano et pasturis in viis et semitis in aquis at aquarum cursibus et in omnibus rebus et locis, bene et in pace integre et honorifice libere et quiete ab omnibus placitis querelis et secularibus demandis ad me vel ad heredes meos pertinentibus, salvo predicto servicio. Hoc equidem boscum et terras[4] prenominatas cum omnibus prefatis libertatibus debeo ego et heredes mei warantizare illi et heredibus suis contra omnes homines. Et pro hac donatione et concessione dedit m*ich*i predictus Mauricius quinquaginta marcas argenti. Et ut hec donatio mea et concessio rata sit et stabilis imperpetuum hac mea presenti carta et sigillii mei inpressione eam roboravi et sibi confirmavi. *Testibus,* etc.

Marginal note: (*Modern*) Lorange wood.

[1]   The donor is Roger de Berkeley, of Dursley, grandson of the dispossessed Roger, lord of Berkeley; he had succeeded his father by 1191, and his wife Letuaria was a widow before 18 November 1220, when she secured a final concord to ensure her dower against her son Henry (PRO, CP25(i)/73/4/7). *Parva Smethemers* (Little Smithmarsh) may be connected with Smith croft in Stinchcombe (*P-NG*, ii, p. 253).

[2]   Rubric: *Berkley.*

[3]   The masculine form is not usual, but it is recorded.

[4]   MS. *et boscum prenominatas.*

148. *Charter of Maurice de Berkeley son of Maurice de Berkeley confirming lands to Thomas his son: a virgate in Hinton which Maurice holds of his brother Robert de Berkeley; 3 acres in Cam which Walter Snite held, meadowland in Hinton which Estrilde the widow held, a rent of 18d in Gossington, and the meadow called Littlemead in Gossington, all of which he holds from Maurice de*

Berkeley. He also conveys to Thomas lands which he holds of Isolde of Acton, and an acre of meadow in Wick which he holds of Baldwin of Wick. These tenements are to be held by Thomas and his heirs born to him and his wife. If no such heirs are born, Maurice gives these lands to the brothers of the hospital of Lorridge. (1190 × 1224.)[1]

Rubric: Carta Mauricii filii Mauricii de Berkelei de terra de Hynetone et de Egetone.

Mauricius de Berkel' filius Mauricii de Berkel' omnibus ad quos presens carta pervenerit, salutem. Sciatis me dedisse et concessisse et hac presenti mea carta confirmasse Thome filio meo pro servicio suo totam illam virgatam terre cum omnibus pertinenciis suis apud Hinetune quam tenui de domino fratre meo Roberto de Berkel', et tres acras terre de territorio de Chamme quas Walterus Snite tenuit, et quoddam pratum apud Hinetune quod Estrild vidua tenuit, et decem et octo denariorum redditus de Gosintune quos, cum omnibus prenominatis terris, tenui de prenominato domino fratre meo Roberto de Berkel'; et quoddam pratum apud Gosintune quod vocatur Lutlemed quod teneo de Rogero de Berkele'. Similiter dedi predicto Thome totam terram quam teneo de domina Isilla de Eggetune tam in nemoribus quam in pratis et in pasturis, et unam acram prati in Sumersete apud Thewike quam teneo de Baldwin de Ekewike. Tenend' et habend' de me et heredibus meis sibi et heredibus suis tam libere et quiete et tam integre et honorifice quam ego ea tenui, et per idem servicium quod ego inde facere consuevi, sicut carte mee quas habeo melius et liberius testantur. Ita dico si predictus Thomas [f. 54v.] heredem habuerit de uxore sibi desponsata; si non autem omnes predictas terras et redditus post obitum ejusdem Thome si heredem non habuerit de uxore sibi desponsata concessi et dedi domui et fratribus hospitalis de Lorwinge quam pater meus ibidem fecit pro anime mea[2] et pro anima Thome filii mei et omnium parentum et amicorum meorum in puram et perpetuam elemosinam et tam libere et quiete et integre et honorifice quam omnia prenominata dedi predicto Thome et per idem servicium. Et quia volo quod ista mea donatio rata et inconcussa permaneat presenti carta et sigilli mei attestatione sibi confirmavi. *Testibus*, etc.

[1]   The hospital at Lorridge was founded between 1171 and 1190. In 1224 a dispute between Thomas de Berkeley and the abbot of St Peter's, Gloucester, over Slimbridge church was settled, and Thomas gave the hospital to the abbey's daughter house at Leonard Stanley (itself a Berkeley foundation). This sets the later limit of date for this charter (*VCH Glos.* ii, p. 73). Thomas and the abbot of St Peter's, Gloucester, settled their dispute by a fine issued on 20 January 1225, in which the abbot quitclaimed his rights in Slimbridge church, and Thomas de Berkeley gave the wood of Lorridge to the monks serving at Leonard Stanley (PRO, CP25(i)/73/7/85).

[2]   It may be significant that Maurice does not include his wife in this clause; does it mean that Thomas may have been illegitimate?

149. *Charter of Roger de Berkeley son of Roger de Berkeley to St Augustine's confirming in free alms the tenements described in no. 147. He also remits a rent of 12d from this land. (1191 × 1220.)*

Rubric: Carta Rogeri de Berkelei de bosco de Lorewenge.

Rogerus de Berkel' filius Rogeri de Berkel' omnibus hominibus et amicis suis et universis sancte matris ecclesie fidelibus ad quos presens carta pervenerit, salutem. Sciatis me pro salute anime mee et uxoris mee et patris et matris mee et omnium parentum nostrorum concessisse et hac mea carta confirmasse ecclesie Sancti Augustini de Brist' et canonicis regularibus ibidem deo servientibus assensu meorum heredum in liberam et puram et perpetuam elemosinam totum boscum meum de Loruenga cum omnibus pertinenciis suis sine aliquo retinemento michi vel heredibus meis quod Mauricius filius Mauricii de Berkel' pro homagio et servicio suo de me tenuit et eisdem canonicis me presente et assente donavit. Confirmo etiam in liberam et puram et perpetuam elemosinam predictis canonicis totam pasturam et pratum que ad predictum boscum pertinent et totas terras illas quas Robertus Godwi et Aluredus Smalchaf tenuerunt de me extra predictum boscum. Ita quod prefati canonici nec michi nec heredibus meis nec ulli homini respondebunt de aliqua re nisi deo soli orationibus. Set ego Rogerus xii denarios quos prefatus Mauricius michi inde annuatim reddebat predictis canonicis pro salute anime mee imperpetuum remisi. Et omnem regale servicium et seculares demandas que super predictum tenementum evenerint ego et heredes mei caritatis intuitu adquietabimus. Quare volo quod predicti canonici habeant et teneant totum predictum boscum cum terris pratis et pasturis predictis et omnibus pertinenciis suis libertatibus et liberis consuetudinibus ad predictum boscum et terras spectantibus in bosco et plano in pratis et pasturis in viis et semitis in aquis [f. 55][1] et aquarum cursibus et in omnibus rebus et locis bene et in pace et integre et honorifice libere et quiete ab omnibus placitis et querelis et secularibus demandis. Hoc equidem boscum cum prefatis terris pratis et pasturis et eorum libertatibus ego Rogerus et heredes mei warantizabimus predictis canonicis contra omnes homines imperpetuum. Testibus, etc.

[1] Rubric: *Berkley.*

150. *Charter of Roger de Berkeley recording that he accepts the ruling of papal judges-delegate in a dispute between St Peter's, Gloucester, and Walter, deacon of Cam, on the one part, and St Augustine's on the other part, over the third prebend of Berkeley which Walter held. (1191 × 1220.)*[1]

Rubric: Carta ejusdem Rogeri de tercia prebenda de Berkelei.

Omnibus Christi fidelibus ad quod presens scriptum pervenerit Rogerus de Berkel', salutem in domino. Noverit universitas vestra quod ratam habeo et gratam compositionem illam que facta est auctoritate judicum a sede apostolorum delegatorum inter abbatem et conventum de Gloecest' et Walterum decanum de Camma ex una parte et abbatem et conventum Sancti Augustini de Brist' ex altera parte super tercia prebenda de Berkel' quam idem Walterus decanus tenuit. Et quoniam volo ut dicta compositio rata perpetuo perfecieret eam in omnibus quantum ad me pertinet presenti scripto sigilli mei appositione roborato confirmatum. Testibus, etc.

[1] Roger's acceptance of this ruling was not, for some reason, entered into the main cartulary of St Peter's, Gloucester.

151. *Charter of Roger de Berkeley son of Roger de Berkeley to St Augustine's granting whatever right he has in the chapel of Lorridge. (1191 × 1220.)*

Rubric: Carta ejusdem Rogeri de capella de Lorewinge.

Noverint universi sancte ecclesie filii et fideles ad quos presens scriptum pervenerit quod ego Rogerus de Berkel' filius Rogeri de Berkel' pro salute anime mee et patris mei et matris mee et liberorum meorum concessi deo et ecclesie Sancti Augustini de Brist' et canonicis regularibus ibidem deo servientibus quicquid juris habui in capella de Lorhingis tam in bosco quam in omnibus aliis rebus ad ipsam capellam pertinentibus. Ut scilicet canonici de suscipiendis et ponendis ibidem fratribus plenariam habeant potestatem sicut ego habere solebam et tota ordinatio ipsius loci ad ipsos amodo pertineat in omnibus rebus tam intus quam extra. Et ut hec mea concessio predictis canonicis imperpetuum firma permaneat et stabilis eam presenti carta mea confirmavi nullo michi vel heredibus meis jure retento in predicto loco de Lorhingis vel in rebus ad eum pertinentibus. T*estibus*, etc.

Marginal note: (*Modern*) Lorange chapel.

152. *Charter of Thomas son of William of Windrush to St Augustine's. He hands over in fee-farm his land next to the canons' wood at Lorridge, both the land which he holds of the fee of Berkeley and that which he holds of the fee of Dursley. The canons will render 1 pound of pepper a year, and 2s at Easter, and they will do service due to the king from the Dursley fee. The royal service due from the Berkeley fee will be rendered by Thomas and his heirs. The canons have paid Thomas 6 marks for the fee-farm. (Early thirteenth century.)*[1]

Rubric: Carta Thome Wenri de terra de Lorewinge.

Omnibus Christi fidelibus ad [quos] presens scriptum pervenerit Thomas filius Willelmi de Wenriz, salutem in domino. Noverit universitas vestra me concessisse et tradidisse abbati et conventui [f. 55v.]² Sancti Augustini de Brist' ad perpetuam feodi firmam totam terram meam que jacet juxta³ boscum dictorum canonicorum apud Lorueng', videlicet tam illam terram quam tenui de feodo de Berkel' quam illam quam tenui de feodo de Durselega. Ita ut predicti canonici prefatas terras teneant bene et in pace libere plene et integre cum omnibus earum pertinenciis libertatibus et liberis consuetudinibus in bosco et plano in pratis et pascuis in viis et semitis in agris et aquis et aquarum cursibus et in omnibus rebus et locis ad predictas terras pertinentibus. Reddendo inde michi et heredibus meis singulis annis ad Natale Domini unam libram piperis et ad Pascha duos solidos esterlingorum pro omnibus serviciis exactionibus et demandis secularibus ad me vel ad heredes meos pertinentibus, salvo regali servicio ad partem illam que est de feodo de Durseleg' pertinente; partem vero illam que est de feodo de Berkel' ego et heredes mei de regali servicio acquietabimus. Pro hac autem feodi firma et hac mea concessione dederunt michi predicti canonici sex marcas argenti. Quare ego et heredes mei dictas terras cum pertinenciis suis supradictis canonicis warantizare debemus imperpetuum. Et ut premissa perpetue firmitatis robur optineant ea presenti scripto sigilli mei appositione roborato confirmavi. T*estibus*, etc.

1 A William Wenri, who may be the donor's father, attests a charter of Roger de Berkeley before 1190 (Jeayes, *Select Charters*, p. 13, no. 21).

2 Exceptionally, this verso has been given a rubric: *Berkley.*

3 For *juxta* MS. repeats *jacet.*

153. *Charter of Nicholas of Crawley to St Augustine's confirming in free alms the haycia in Lorridge Wood, and his croft called* Leynteworth'. *(Mid-thirteenth century.)*[1]

Rubric: Carta Nicholai de Crauleia de terra de Lorewinge.

Omnibus hominibus presens scriptum visuris vel audituris Nicholaus de Crauleya, eternam in domino salutem. Noverit universitas vestra me pro salute anime mee et Hawys' uxoris mee et liberorum meorum patris mei et matris mee et omnium antecessorum et successorum meorum dedisse et concessisse et presenti carta mea confirmasse deo et ecclesie Sancti Augustini de Brist' et canonicis regularibus ibidem deo servientibus totam illam hayciam inter boscum de Loruing' et croftam meam que vocatur Leynteworth' in longitudine et etiam ejus latitudo sicut mete inde confecte premonstrant, in liberam puram et perpetuam elemosinam. Ita quod nec m*ich*i nec heredibus meis nec alicui hominum inde respondeant nisi soli deo in orationibius. Et ut hec mea donatio rata et stabilis perpetuo perseveret presentem cartam meam sigilli [f. 56][2] mei munimine roboravi. T*estibus*, etc.

1 Nicholas of Crawley issued a lease in 1243–4 (Jeayes, *Select Charters*, p. 94, no. 282).

2 Rubric: *Berkley.*

154. *Charter of Gregory de Turri to St Augustine's. With the assent of William, earl of Gloucester (no. 26), he grants in free alms 8 solidates of land in Newport, in Wales. The land had been held by Roger son of Mauger. (1166 × c. 1172.)*

Rubric: Carta Gregorii de Turri de octo solidatis apud Novum Burgum.

Gregorius de Turre omnibus fidelibus sancte matris ecclesie, salutem. Notum sit omnibus presentibus et futuris me dedisse per assensum Willelmi comitis Gloec' viii solidatas terre apud Novum Burgum in Wallia, terram scilicet que fuit Rogeri filii Malg', canonicis Sancti Augustini de Brist' in perpetuam elemosinam liberam et quietam ab omni servicio et ab omni exactione sicut enim illam m*ich*i comes dedit, et sicut illam tenui et illam eodem modo dedi. T*estibus*, etc.

Marginal note: Newporte.

155. *Charter of Gregory son of Robert. With the advice of Richard, abbot of St Augustine's, he has given half of the tithes of his demsene at Upton to the church of St Michael at Finmere (Oxon), and half to the church of St Peter at Dunigtonia. (1148 × c. 1172.)*[1]

Rubric: Carta ejusdem Gregorii de decimis ecclesie de Finemere.

Gregorius filius Roberti omnibus sancte ecclesie filiis, salutem. Universitati vestre notum sit me consilio domini Ricardi abbatis Sancti Augustini aliorumque sancte ecclesie filiorum dedisse et confirmasse ecclesie Sancti Michaelis de Finemere medietatem decime omnium rerum mearum exeuntium de dominio meo de Uppetonia, et alteram medietatem ecclesie Sancti Petri de Dunigtonia[2] pro salute anime mee et antecessorum meorum. Quare volo et in domino commoneo quatinus prescripta donatio rata sit et firma. Prohibeo etiam ne quis heredum meorum futurorum hanc donationem proposse suo frustrari paciatur. *Testibus*, etc.

Marginal note: Fynemore.

[1]   The earlier limit of date is provided by Abbot Richard's tenure. The donor is Gregory de Turri, who was still alive in 1166 and had died before 1172 (see no. 6).

[2]   *Dunigtonia* cannot easily be identified. The dedication of the church to St Peter seems to rule out Donnington in Gloucestershire and Donnington in Berkshire. If this church lies in Oxfordshire, Deddington might be a possibility, with the church dedicated to St Peter and St Paul, but the tenurial record there is very full, and it is not easy to see any link between Gregory son of Robert and this parish.

156 *Charter of Gregory son of Robert granting to Reinald Safred and his heirs the land in Blackswarth which William, earl of Gloucester, had given him. (1147 × c. 1172.)*[1]

Rubric: Carta ejusdem Gregorii de terra Reinaldi Safrei apud Blakeriswarde.

Gregorius filius Roberti omnibus amicis et hominibus suis, salutem. Sciatis me dedisse et concessisse Reinaldo Safredo et heredibus suis terram de Blacheleswrda quam Willelmus comes Gloec'[2] dedit michi, tenendam de me et de heredibus meis, ita libere et quiete sicut ego ipse illam teneo de comite, reddendo per annum unam libram cumini pro omni consuetudine et pro omni servicio. *Testibus*, etc.

Marginal note: Blakesword'.

[1]   The donor is Gregory de Turri. The earl's confirmation is no. 29.
[2]   MS. *Glocec'*.

157. *Charter of William son of Gregory. In the presence of his lord, William, earl of Gloucester, and with his assent, William has given to his brother Robert all his tenements in Bristol: the house and lands of Einulf the goldsmith, between the castle of Bristol and the mint near the church of St Ewen; the house of Edwin*

the smith next to the earl's mill; the land of Robert parmentarius and Alfin,
where the earl's malthouse was; the land of Ralph Constantin near the earl's
furnace; and the half-burgage which Gilbert son of Theoderic of Ridgeway
holds. William has received his brother's homage in the presence of the earl.
(c.1172 × 83.)[1]

Rubric: Carta Willelmi filii Gregorii de redditibus in Bristoll'.

Notum sit omnibus tam presentibus quam futuris quod ego Willelmus filius
Gregorii coram Willelmo comite Gloec' domino meo et ipsius concessu dedi et
concessi Roberto fratri meo totam terram quam habui apud Brist' scilicet domos
et terras que fuit Einulfi aurofabri inter castellum de Brist' et aquam et domum
monete juxta ecclesiam Sancti Audoeni et domum Edwini fabri in prato juxta
molendinum comitis et terram Roberti [f. 56v.] parmentarii et Alfini ubi
bracinum comitis fuit et terram Radulfi Constantin juxta furnillum comitis et
dimidiam burgagium quod Gilebertus filius Thodrici de Rugweia in feria tenet.
Tenendas sibi et heredibus suis de me et heredibus meis libere et quiete singulis
annis pro una libra piperis pro omni servicio. Et ego homagium suum recepi
coram Willelmo comite Gloec' domino meo de prenominato tenemento.
Testibus, etc.

Marginal note: Bristoll'.

[1] For the date see no. 6.

158. *Charter of Thomas de Berkeley son of Maurice de Berkeley to St*
Augustine's confirming in detail the gifts made by Robert fitz Harding, Maurice
de Berkeley, and Robert de Berkeley. In addition to their grants he confirms gifts
recorded in nos. 123, 125, 130, 133, 140, and 145. (1220 × 43.)[1]

Rubric: Carta Thome de Berkele generalis.

[f. 57][2] Omnibus sancte matris ecclesie filiis ad quos presens scriptum pervenerit
Thomas de Berkele filius Mauricii de Berkele, salutem in domino. Noverit
universitas vestra me pro salute anime mee, avi mei Roberti filii Harding, patris
mei Mauricii de Berkele, et fratris mei Roberti de Berkele, necnon etiam Johanne
uxoris mee, set etiam omnium antecessorum et successorum nostrorum, dedisse
et concessisse et hac presenti carta mea confirmasse deo et ecclesie Sancti
Augustini de Bristoll' et canonicis regularibus ibidem deo servientibus omnia illa
avus meus[3] Robertus filius Harding, Mauricius de Berkel' pater meus et Robertus
de Berkel' frater meus eisdem dederunt et cartis suis confirmaverunt. Videlicet
ex dono avi mei Almodesbur' Horefeld' Asselesword' Cromhal' cum eorum
pertinenciis, dimidias etiam piscarias de Herlingeham et alterius medietatis
decimam totam. Item Fifhidam in Dorset', Legam que fuit membrum de
Bedmenistria, et terram apud Sanctam Katerinam de feudo Portbir'. Item etiam
sex libratas terre apud Cernay, et terram quam habent apud Blakeneword' ex
dono autem et concessu Mauricii de Berkel' patris mei; dimidiam hidam terre

apud Hineton' et unam virgatam terre apud Alcrintone; decimam etiam de toto pannagio meo de Muclewode, de Appelrugg', de Acle, et de Wtton', et pasturam apud Berkel' bobus unius carruce cum dominicis bobus. Ex dono etiam Roberti de Berkel' quatuor virgatas terre apud Herlingeham, et decem puchias et dimidiam et unum liberum pallum in gurgite de Rodleg', cum mesuagiis et pratis et omnibus aliis ad dictas terras pertinentibus; et dimidiam virgatam terre apud Riham quam Radulfus Nattoch tenuit; molendinum etiam de Berkel' quod novum molendinum appellatur cum consuetudine molture castelli mei et tocius sequele sicut unquam melius solebat fieri. Et unam virgatam terre juxta idem molendinum quam Reginaldus Carucarius et Alluredus de Sindelford tenere consueverunt, necnon etiam Hugonem pistorem cum illa virgata terre quam tenet apud Hulemanetone, et unam virgatam terre apud Swanhangre quam Reginaldus Luffing' tenuit. Item etiam terras et pratum et omnia que Willelmus Cobi dictis canonicis dedit et dictus Robertus de Berkele frater meus eisdem confirmavit. Et boscum qui vocatur Swecumbe. Item etiam insuper totam terram quam dictus frater meus [f. 57v.] Robertus de Berkele habuit infra muros Bristoll' et omnia burgagia que Robertus avus meus vel Mauricius pater meus vel Aelcasia mater mea infra murum Bristoll' vel extra eisdem contulerunt. Item terras illas que fuerunt de purchatio Mauricii fratris mei et terram de Baggeruge quam idem frater meus Robertus de Berkele emit de Willelmo de Lefromtone et eisdem canonicis dedit et carta sua confirmavit. Hec et cetera omnia que in ecclesiasticis beneficiis seu terris et rebus aliis dictis canonicis a memorato avo meo patre vel fratre meo caritative sunt collata cum eorum libertatibus et liberis consuetudinibus eisdem dedi concessi et hac presenti carta mea confirmavi sicut in eorum cartis et confirmationibus plenius et melius continetur. Ita ut dicti canonici immunes sint et quieti ab omni demanda servicio seculari excepto solo murdro et excepto regali servicio quantum pertinet ad unam virgatam terre in Swanhangre et ad unam virgatam terre pro terra de Baggerugg'. Insuper concessi ut ecclesie in terris meis que ad canonicos[4] pertinent omnes habeant libertates et liberas consuetudines in communis pasturum et omnibus aliis rebus quas habuerunt tempore regis Henrici et supradicti *Roberti* avi mei et *Mauricii* patris mei. Preterea omnia que in tenementis meis dictis canonicis recte data sunt vel dabuntur in posterum eis hac presenti carta mea perpetua donatione et concessione confirmavi. T*estibus*, etc.

Marginal notes: (1) Notum de decima pannagii. (2) (*Modern*) Thomas de Berkelai et Johanna uxor ejus.

[1] Robert de Berkeley died 13 May 1220; Thomas died 29 November 1243; his wife survived into the reign of Edward I (Smyth, *Lives*, i, pp. 20, 98, 117, 122). For Thomas's charters, see Smyth, *Lives*, i, pp. 109-10. This document is the first of a new section of the cartulary, written in a different hand.

[2] Rubric: *Berkley.*

[3] MS. *avis meis.*

[4] MS. *ad canonicis.*

159. *Record of a dispute between Thomas de Berkeley and William of Breadstone, abbot of St Augustine's. The case has been adjudged by papal judges-delegate and by the king's itinerant justices. Thomas quitclaims and remits rights and claims in various estates. The settlement covers tithes of pannage, fisheries, and mills; land in Arlingham and Bray, and in Lorridge; rights of way, including access to Wanswell and Walgaston, in Hamfallow; rents in Berkeley; the render of 1 lamprey for land called Oldminster; the render of 1 pound of pepper for land in Berkeley given to the canons by William Coby, and royal service due from that land and from the land of Luffing'; suit of the hundred court at Berkeley. The parties put themselves under penalty for default, and accept the jurisdiction of the bishop of Worcester for adjudication. The agreement was issued at St Peter's, Gloucester, on the octave (4 September) of St Augustine, archbishop and apostle of the English, 1237. The text is taken from the original chirograph.*

Rubric: Cirographum ejusdem.

CYROGRAPHUM[1]

Noverint universi presens scriptum inspecturi vel audituri quod cum contentio mota est inter dominum Thoma*m* de Berk'[2] ex una parte . et dominum Will*elmum* abbatem Sancti Augustini de Bristoll' et ejusdem loci conventum ex altera coram judicibus a domino . papa . delegatis super decimis pannagii boscorum dicti Thom*e* super decimis piscariarum suarum et decimis molendinorum suorum item cum placitum motum esset coram justic*iis* domini regis itinerantibus apud Glouc' inter partes predictas super manerio de Erlingham . super terra de Bray . super quadam terra de Loreweng'[3] . item super duobus chiminis dictis canonicis inveniendis et aperiendis . item super viginti quinque solidatis redditus et quibusdam aliis dampnis datis . lis mota in utroque foro in huic modum[4] conquievit . Videlicet quod dictus Thomas et heredes sui omnes predictas decimas absque omni reclamatione vel contradictione dictis canonicis solvent inperpetuum . Idem autem Thomas [f. 58][5] quinque solidatas redditus quas pecierunt dicti canonici a dicto Thoma*a* apud Berk'[6] eisdem restituet et carta sua confirmabit . viginti autem solidatas redditus quas similiter dicti canonici pecierunt dictis canonicis restituet . et in loco competenti prout inter partes convenerit assignabit . et carta sua confirmabit . Item unam lampredam quam dicti canonici dicto Thom*e* et heredibus suis annuatim solvere tenebantur . pro terra que dicitur Aldeministr' . idem Thom*as* pro se et heredibus suis dictis canonicis omnino remisit et quietam clamavit inperpetuum . Preterea idem Thom*as* pro se et heredibus suis eisdem canonicis remisit unam libram piperis quam annuatim ei solvere consueverunt pro quadam terra quam Will*elmus* Coby eisdem canonicis in puram et perpetuam elemosinam contulit in Berk'[6] . Item regale servicium quod dicti canonici solvere consueverunt pro terra Luffing' . et pro dicta terra que fuit Will*elmi* Coby[7] dictus Thom*as* pro se et heredibus suis dictis canonicis plene remisit . Preterea idem Thom*as* pro se et heredibus suis omnem sectam hundredi de Berk'[8] . omnem vexationem et secularem exactionem ad ipsum et heredes suos pertinentem dictis canonicis remisit inperpetuum . Ipse vero et heredes sui omnes cartas a se vel a predecessoribus suis dictis canonicis confectas sic warentizabunt[9] quod eosdem canonicos pro viribus suis in omnibus conservabunt indempnes inperpetuum . Preterea dictus Thom*as* chiminum inveniet et warentizabit[10] dictis canonicis ad terram suam de Weneswell'[11] que vocatur Cuthecroft'[12] . et chiminum quod dicti canonici liberum consueverunt habere ultra campum quod dicitur Walmegarston'[13]. eisdem aperiet et apertum tenebit infuturum . Super quibus omnibus dictus Thom*as* dictis canonicis cartam suam conficiet . et eosdem in plenam seisinam ponet . Dicti autem canonici omni juri quod sibi competere dicebant in dicto manerio de Erlingham . in terra de Bray . et terra de Loreweng'[14] ante presentis instrumenti confectionem dicti vero canonici omnes injurias . arreragia . dampna data eisdem ante presentem compositionem eidem Thom*e* plene remiserunt . Ad hanc autem compositionem fideliu*m*[15] in omnibus observandam juramento corporaliter prestito . sese obligavit pars utraque . renuncians appellationibus . cavillationibus . exceptionibus . et omni juris [f. 58v.] remedio . canonici et civilis et maxime prohibitioni regie . Hoc adjecto quod si altera partium dictorum contra aliquem predictorum articulorum in posterum venire presumpserit . pars delinquens alteri parti decem marcas argenti pro quolibet articulo non observato nomine pene persolvet . Totali conventione prescripta nichilominus perdurata . quod ut in posterum fideliter observetur pars utraque se subjecit jurisdictioni[16] domini Wigorn' qui pro tempore fuerit ut pars contra dictam conventionem veniens in aliquo articulo . predictam penam parti alteri per omnimodam censuram ecclesiasticam refundere compellatur . Ut autem hec compositio rata et stabilis perpetuo perseveret . eam presenti scripto in modum cirographi inter partes diviso . et signis partium consignato . pars utraque confirmavit . Facta est siquidem hec compositio . anno gratie .m°· cc°· tricesimo sexto . mense Maii . in octabas Beati[17] Augustini Anglorum apostoli in ecclesiam Beati Petri Glouc' . Hiis testibus[18] . magistro Hub*er*to tunc officiali domini Wigorn' . domino Will*elm*o Putot' . et Radulfo de Wileton' Rogero de Andeure rectore ecclesie de Camma . domino . Henrico de Berkel' . domino Will*elm*o de Berk' . Mauricio filio Mauricii de Berk'. Mauricio de Sautemareis . Rog*er*o de Sokerwik' . Reginaldo de Camma . et aliis.

Marginal note: Nota lite p[. . .]terre uact' per[. . .]sseventur [? eosdem] de certer[. . .]teter tenes.

Original chirograph BCM, SC 240. Single fold, two slits, parchment tag, seal. Endorsed: (much faded) (1) .a. ii. (2) No 15. (3) 327. (4) S 250.[19]

Calendared: Jeayes, *Select Charters*, p. 82, no. 240.

[1] Chirograph indented.	[2] *Berkel'*, Cartulary.
[3] *Lorewenge*, Cartulary.	[4] *modo*, Cartulary.
[5] Rubric: *Berkley*.	[6] *Berekel'*, Cartulary.
[7] *Cobi*, Cartulary.	[8] *Berkel'*, Cartulary.
[9] *warantizabunt*, Cartulary.	[10] *warantizabit*, Cartulary.
[11] *Weneswelle*, Cartulary.	[12] *Cuthescrot*, Cartulary.
[13] *Wallegarston'*, Cartulary.	
[14] *in terra de Bray et terra de Loreweng'* omitted, Cartulary.	

[15] *fideliter*, Cartulary.
[16] *juridictione*, Cartulary.
[17] *Sancti*, Cartulary.
[18] MS. *T[estibus]*.
[19] If Jeayes followed his usual practice and added the correct number, it is no longer readable.

160. *Charter of Thomas de Berkeley to St Augustine's confirming gifts and remitting dues and payments. He confirms the grant of 20s from Hugh the baker for land in Coaley. He grants 5s of rent for burgages in Berkeley. He remits the render of 1 lamprey for land in Oldminster, and the pound of pepper due for land in Berkeley given by William Coby. He quits of royal service the land given by Reginald Luffing' in Saniger and William Coby in Berkeley and burgage tenements in Berkeley. He remits the service of suit of the hundred court at Berkeley. The text is taken from the original charter. (1220 × 43.)*

Rubric: Secunda carta Thome de Berkele generalis.

Sciant presentes et futuri quod ego Thomas de Berkel' dedi et concessi et hac presenti carta[1] mea confirmavi deo et ecclesie Sancti Augustini de Bristoll' et canonicis regularibus ibidem deo servientibus redditum viginti solidorum quem Hugo pistor michi reddere consuevit pro una virgata terre in Coueleg' cum pertinenciis suis quam Willelmus de la Forde de me tenuit . quam dicto Hugoni et heredibus suis de Dionisia uxore sua exeuntibus dedi pro ut carta mea sibi inde confecta testatur . Dedi etiam et concessi dictis canonicis[2] quinque solidatos redditus in villa de Berkel' quos Hugo filius Joel et Adam Chanterel michi pro burgagiis suis in Berkel' reddere consueverunt . Remisi et quietum clamavi pro me et heredibus meis dictis canonicis in perpetuum quicquid[3] juris michi vel heredibus meis competere potuit in dictis terris . burgagiis et redditibus . Ita quod dicte terre . burgagia . et redditus predicti . cum omnibus pertinenciis suis eisdem canonicis in liberam puram et perpetuam elemosinam remaneant inperpetuum . Unam etiam lampredam quam dicti canonici michi et heredibus meis singulis annis solvere tenebantur pro terra de Aldeministre . et unam libram piperis quam annuatim michi solvere consueverunt pro quadam terra quam Willelmus Coby[4] eisdem canonicis in puram et perpetuam elemosinam contulit in Berkele eisdem canonicis inperpetuum remisi . Ego vero et heredes mei terram quam quondam tenuit Reginaldus Luffing' in Suonhangre[5] et terram [f. 59][6] quam Willelmus Coby[7] eisdem canonicis dedit in Berkele et supradictam terram in Coueleg[8] . et supradicta[9] burgagia in Berkele de regale servitio pro predictis canonicis plene acquietabimus inperpetuum . Preterea ego Thomas pro me et heredibus meis omnimodam sectam hundredi et omnes consuetudines et servitia que michi de aliquibus terris debebantur[10] . omnem vexationem et omnem exactionem secularem ad me vel heredes meos pertinentem dictis canonicis plene remisi in perpetuum . Ego autem Thomas et heredes mei omnes predictas terras cum omnibus pertinenciis suis et omnes terras et convenciones et concessiones contentas in cartis quas ipsi canonici habent de me et antecessoribus meis contra omnes homines et feminas warantizare tenemur in perpetuum . Ita quod nec michi nec heredibus meis nec alicui hominum de rebus per cartas meas vel antecessorum meorum eisdem confirmatis in aliquo respondeant in perpetuum .

nisi soli deo in orationibus . Preterea ego et heredes mei chiminum quod dictis canonicis ultra terram Juliane vidue de Weneswell'[11] inveni usque ad terram dictorum canonicorum que vocatur Catecroft[12] et chiminum quod eisdem inveni apud Walmegarston' contra omnes homines et feminas eisdem warantizabimus in perpetuum . Et ut omnia premissa perpetue stabilitatis robur optineant[13] in futurum . ea presenti scripto sigilli mei impressione[14] roborato confirmavi . Hiis testibus . dominis Willelmo de Putot . Radulfo de Wileton' . Henrico de Berkel' . Willelmo de Berkel' . Petro de Stintescumb' . magistro Huberto tunc officiali domini Wigorn' . Rogero de Andeure rectore ecclesie de Camma . Willelmo tunc decano de Erlingham . Arnulfo de Berkel' clerico . Johanne de Eginton' . Waltero de Sancto Jacobo . Ada Russell' et aliis.

Original charter BCM, SC no. 339. *Single fold, single slit, parchment tag, seal missing.*[15]

Calendared: Jeayes, *Select Charters*, p. 110, no. 339.

[1]	*karta*, Cartulary.
[2]	At this point the cartulary scribe moved to the *dictis canonicis* in the next clause. The section *quinque solidatos redditus . . . pro me et heredibus meis* is omitted.
[3]	The *d* is very ill-formed. The scribe wrote *quus* and linked the final *us* to make *quicquid*.
[4]	*Cobi*, Cartulary.
[5]	*Swanhangre*, Cartulary.
[6]	Rubric: *Berkley*.
[7]	*Cobi*, Cartulary.	[8]	*Covelege*, Cartulary.
[9]	*supradictam*, Cartulary.	[10]	*debeantur*, Cartulary.
[11]	*Weneswelle*, Cartulary.	[12]	*Cutecroft*, Cartulary.
[13]	*obtineant*, Cartulary.
[14]	*inpressione*, Cartulary.
[15]	The dorse is badly stained, and any endorsements are unreadable.

161. *Charter of Thomas de Berkeley to St Augustine's granting in free alms common of pasture for 24 oxen or draft animals on his pasture between Longbridge at Berkeley and the new ditch between his lands and the land at Acton. (1220 × 43.)*

Rubric: Carta ejusdem de pastura xxiiii[or] bovum.

Omnibus Christi fidelibus ad quos presens scriptum pervenerit Thomas de Berkele, salutem in domino. Noveritis me pro salute anime mee et Johanne uxoris mee et liberorum nostrorum necnon et patris mei et matris mee et omnium antecessorum et successorum meorum dedisse et concessisse[1] et hac presenti karta mea confirmasse deo et ecclesie Sancti Augustini de Brist' et canonicis regularibus ibidem deo servientibus ut habeant viginti quatuor boves vel averia quandocumque voluerint in pastura mea que jacet inter pontem qui dicitur Langebrugg' apud Berkele et novum fossatum quod jacet inter terram meam et terram de Eggeton', ubicumque voluerint in tota predicta pastura inperpetuum, in liberam et puram elemosinam. Ita quod nec michi nec heredibus meis nec alicui hominum inde in aliquo respondeant nisi soli deo in orationibus. Et ut hec mea donatio [f. 59v.] et concessio rata et stabilis permaneat inperpetuum eam presenti carta sigilli mei inpressione roborata confirmavi. *Testibus*, etc.

Marginal note: De pastura viginti quatuor bouu*m*.

¹ MS. *concesse.*

162. *Charter of Thomas de Berkeley to Elias son of Durand, canon of Hereford, confirming the grant of the rent of a tenement in Arlingham made by his brother Robert for an annual payment of 2s. For this confirmation Elias has paid him 5 marks. (1221–c. August 1226.)*¹

Rubric: Carta ejusdem Thome facta Elye Durant de terra de Erlingham.

Sciant presentes et futuri quod ego Thomas de Berkel' concessi² et hac presenti carta mea confirmavi Helye filii Durandi canonico Hereford' totum tenementum illud cum omnibus pertinenciis suis quod frater meus Robertus illi dedit in villa de Herlingeham. Tenendum et habendum sibi et heredibus suis vel cuicumque et ubicumque illud assignare voluerit de me et heredibus meis adeo libere et quiete sicut ipse melius vel liberius unquam tenuit tempore fratris³ mei Roberti. Et carte ipsius *R*oberti fratris mei quas predictus Helyas inde habet testantur faciendo inde annuatim michi et heredibus meis ibidem servicium quod in cartis predicti *R*oberti fratris mei exprimitur et notatur, scilicet duos solidos sterlingorum, videlicet duodecim denarios ad festum Sancti Michaelis et duodecim ad Pascha pro omni servicio et demanda ad me vel heredes meos pertinentibus, salvo regali servicio quantum scilicet pertinet ad duas virgatas terre et ad unam quartem partem unius virgate terre. Pro hac autem concessione et confirmatione dedit michi predictus Helyas quinque marcas argenti. Ego vero et heredes mei predictum tenementum prenominato Helye et heredibus suis vel cuicumque et ubicumque illud assignaverit contra omnes homines et feminas warantizabimus. Et ut hec mea concessio et confirmatio firme et stabiles permaneant ego eas hac presenti carta mea confirmavi et [inpressione]⁴ sigilli mei roboravi. *Testibus*.

¹ The earlier limit of date is from the succession of Thomas de Berkeley. Elias granted this land to St Ethelbert's hospital, Hereford, which he founded *c.* 1225; his grants were confirmed by Archbishop Stephen Langton in August 1226 (see no. 141).
² MS. *presenti.*
³ *patris* altered to *fratris.*
⁴ The sense requires *inpressione* or *appositione.*

163 *Charter of Thomas de Berkeley to Elias of Bristol, canon of Hereford, granting him common of pasture in his demesne in Arlingham for 6 oxen and 1 cow. The text is taken from the original charter. (1221 × c. 1230.)*¹

Rubric: Carta ejusdem facta eidem Elie de pastura sex bovum et unius vacce in eadem villa.

Sciant presentes et futuri quod ego Thomas de Berkel' dedi et concessi Helie[2] de Bristoll' canonico Herefordie quandam libertatem in villa de Erlingham . tenendam et habendam de me et de heredibus meis . sibi et cuicumque vel quibuscumque asignare[3] voluerit in perpetuum libere et quiete ab omni servicio et exactione scilicet ut habeat sex bovos et unam vaccam in dominicis[4] pasturis meis cum dominicis bobus meis in quibuscumque pasturis meis de Erlingham ierint . Et quia volo quod hec mea donacio et concessio rata et stabilis permaneat hanc cartam sigilli mei in pressione confirmavi[5] · Hiis testibus Roberto filio Ricardi . Mauricio filio Nigelli . Henrico de Berk' . Ernulfo clerico . Radulfo de Stanes . Elia de Buvill' . Hugone de Wike et multis aliis.

Original charter BCM, SC no. 167. Single fold, single slit, parchment tag, seal missing. Endorsed: (1) .a. .iiij. (2) In sinistra parte.

Calendared: Jeayes, *Select Charters*, p. 59, no. 167.

[1]   Elias has not been traced later than *c.* 1225 and may have died *c.* 1230. There is nothing to indicate whether this grant was made before or after he founded St Ethelbert's hospital.
[2]   MS. *Helye*.
[3]   MS. *assignare*.
[4]   MS. *dorynicis*, crudely amended.
[5]   MS. transcript ends here.

164. *Charter of Maurice de Berkeley to St Augustine's confirming in free alms the messuage which Elias son of Maurice formerly held in Bevington, in Ham. (1243 × 81.)*[1]

Rubric: Carta Mauricii de Berkel' de mesuagio Elie de Bevintone.

[f. 60][2] Universis Christi fidelibus presens scriptum visuris vel audituris Mauricius de Berkel, salutem. Noveritis me pro salute anime mee et omnium parentum meorum dedisse concessisse et hac presenti carta mea confirmasse deo et ecclesie Sancti Augustini de Bristoll' et canonicis regularibus ibidem deo servientibus in liberam puram et perpetuam elemosinam totum illud mesuagium cum curtillagio quod aliquando Elyas filius Mauricii tenuit in Bevintone. Tenendum et habendum sibi et heredibus suis de me et de heredibus meis inperpetuum[3] nisi soli deo in orationibus. Ego vero et heredes mei totum predictum mesuagium cum curtillagio memoratis canonicis contra omnes gentes warantizabimus acquietabimus et defendemus inperpetuum. Et ut hec mea donatio et confirmatio perpetue stabilitatis robur obtineat presenti scripto sigillum meum duxi apponendum. *Testibus.*

Marginal note: (Modern) Bevington.

[1]   Nos. 166 and 168 establish that the donor is Maurice, son of Thomas de Berkeley.
[2]   Rubric: *Berkley*.
[3]   MS. *inpperpetuum*; the scribe then omitted the release from services due for this messuage.

165. *Quitclaim by Maurice de Berkeley to St Augustine's surrendering his rights in the abbey's land in Synderlands, and especially his rights of common. The abbey is to have full control over this property. (1243 × 81.)*

Rubric: Carta ejusdem Mauricii de terra que vocatur Sunderlond.

Omnibus Christi fidelibus presens scriptum visuris vel audituris Mauricius de Berkleg',[1] salutem in domino. Noverit universitas vestra me pro me et heredibus meis remisisse et quietum clamasse inperpetuum abbati et conventui Sancti Augustini de Bristoll' omne jus et clamium quod in tota terra abbatis et conventus que vocatur Sunderlond ratione commune quocumque titulo habui vel habere ponam. Ita quod de cetero nec ego nec heredes mei aliquid in juris in tota supradicta terra ratione commune vendicare possimus vel alio modo. Concessi etiam pro me et heredibus meis dictis abbati et conventui ut memoratam terram censare fossare claudere tenere clausam et pro voluntate sua sicut sibi viderit melius expedire ordinent et disponant. In cujus rei testimonium presenti scripto sigillum meum feci apponere. In cujus rei te*stibus*.

[1] MS. *Berkng* '; the *n* has been altered to *le*.

166. *Charter of Maurice de Berkeley to St Augustine's confirming in free alms 2 acres of land in Berkeley, formerly called Alresmore. He also grants common of pasture for 24 oxen or draught animals in* Briwera, *extending from the broad stream* (Bradeflot) *as far as Acton, and from the land of Nicholas of Crawley to the land which Master Philip of Leicester purchased from Maurice.[1] He confirms common of pasture for 7 sows and a boar, but will no longer honour any earlier charters granting pasture for more swine. The canons may turn their land in Walgaston, in Hamfallow, and the land held by Peter of Wick, into pasture, with full right of access. Philip of Leicester's land is excluded, unless this land is turned into pasture. The canons may protect 4 enclosures with hedge and ditch. (1243 × 81; probably before 1274.)[2]*

Rubric: Carta ejusdem de terra in Alresmore et commune de Walmesgarston'.

Sciant presentes et futuri quod [ego] Mauricius de Berkel' dedi et concessi et hac presenti carta mea confirmavi deo et ecclesie Sancti Augustini de Bristoll' et canonicis regularibus ibidem deo servientibus in liberam puram et perpetuam elemosinam duas acras terre mee apud Berkele in mora que quondam dicebatur Alresmore,[3] que quidem acre se extendit in longitudine [f. 60v.] fossati abbatis Sancti Augustini a terra Sampsonis versus aquilonem. Tenendas et habendas sibi et successoribus suis de me et de heredibus meis inperpetuum libere et quiete integre et pacifice sicut liberam puram et perpetuam elemosinam. Preterea dedi concessi et hac presenti carta mea confirmavi dictis canonicis et eorum successoribus plenam et sufficientem pasturam viginti quatuor bobus vel averiis[4] in tota Briwera[5] a Bradeflot usque Eginton'[6] et a terra Nicholai de Crauleg'[7] usque ad terram magistri Philippi de Legacestria quam de me emit, et in omnibus locis debitis consuetis et usitatis pro ut in carta domini Thome patris mei melius continentur; una cum sufficienti pastura septem suum et unius verris cum earum exitibus unius anni locis supradictis usitatis et consuetis. Ita scilicet quod si qua alia carta inveniatur penes dictos abbatem et conventum de majori numero porcorum decetero pro nullo habeant. Concessi eisdem[8] etiam canonicis quod in terram meam de Walmesgarston',[9] in terram arabilem conversam, et in terram quam Petrus de Wike de me tenet, ad terminum postquam fructus tempore rationabili debito et accepto inde fuerit ammoti vel quandocumque dicte terra inculte fuerit relicte vel in pasturam in parte vel in toto redacte, averiis suis liberum habeant ingressum et egressum, pro ut prius habere consueverunt, ab illa virgata terre in Brueria quam magister Philippus de Legacest' de me emit penitus exclusi, nisi per alios dicta terra fuerit evicta et in pasturam redacta, et tunc liceat dictis canonicis supradictis averiis suis liberum in eandem ingressum habere et egressum. Et tunc tam due acre dictis canonicis a me concesse quam due acre eisdem a magistro Philippo concesse ad nos plene revertantur. Dicti autem canonici iter suum debitum et consuetum ultra Walmegarston' et ultra prenominatas terras predictorum magistri Philippi et Petri de Wike habeant inperpetuum, pro ut in carta domini Thome patris mei plenius continetur. Preterea concessi et confirmavi dictis canonicis duas acras quas magister Philippus supradictus[10] eisdem dedit et carta sua confirmavit, tenendas et habendas ab eo libere et quiete pro ut in carta ipsius Philippi melius continetur. Et licebit dictis canonicis rememoratas quatuor [f. 61][11] acras fossata et haya includere et clausas bene et in pace tenere absque omni contradictione mei vel heredum meorum. Omnia autem et singula supradicta eisdem canonicis habenda et tenenda concedimus et confirmamus ita libere et quiete quod nec michi nec heredibus meis nec alicui omnino hominum in aliquo inde respondeant nisi soli deo in orationibus. Et ut hec mea concessio et confirmatio rata et stabilis permaneat inperpetuum presens scriptum sigilli mei inpressione duxi roborandum. *Testibus.*

Marginal note: De pastura xxiiij[or] bovum cum sufficienti pastura vij[tem] suium et unius verr'.

[1]   These are the lands described in different terms in Thomas de Berkeley's charter (no. 161).
[2]   The limit of date depends upon whether the charter was issued before or after the death of Philip of Leicester, who died before 1274.
[3]   Oldmoor, in Hinton.
[4]   MS. *avereis.*
[5]   *Briwera* is usually identified as Bruern or Brawn, in Standish. If, like the other places named in this charter, *Briwera* also lies in or near Hamfallow, it may perhaps be linked with the field-name 'the Barrow' in Hinton (*P-NG*, ii, p. 235).
[6]   *Bradeflot*, the broad stream, and Acton are identified in Hamfallow.
[7]   Now Crawless Farm.
[8]   MS. *eidem.*
[9]   Walgaston, in Hamfallow.
[10]   MS. *supradictis*; the nominative, pointing to Philip, makes better sense.
[11]   Rubric: *Berkley.*

167. *Charter of Maurice de Berkeley to St Augustine's confirming in free alms an acre of arable land in Synderlands. (1243 × 81.)*

Rubric: Carta ejusdem Mauricii de terra que vocatur Sunderlond.

Sciant presentes et futuri quod ego Mauricius [de Berkel'] dedi et concessi et hac presenti karta mea confirmavi deo et ecclesie Sancti Augustini de Bristoll' et canonicis regularibus ibidem deo servientibus in liberam puram et perpetuam elemosinam unam acram terre arrabilis in Suderlond que jacet inter terram meam et terram dictorum canonicorum. Tenendam et habendam sibi et successoribus suis inperpetuum libere et quiete integre et pacifice cum omnibus pertinenciis suis libertatibus et liberis consuetudinibus sicut liberam puram et perpetuam elemosinam. Ita quod nec michi nec heredibus meis in aliquo inde respondeant nisi soli deo in orationibus. Ego vero et heredes mei predictam acram terre cum omnibus pertinenciis suis dictis canonicis et eorum successoribus contra omnes homines et feminas warantizabimus inperpetuum et de omnibus serviciis exactionibus sectis et secularibus demandis quantum ad me et heredes meos pertinet defendemus et acquietabimus. Et ut hec mea donatio et concessio rata et stabilis perpetuo perseveret presens scriptum sigilli mei inpressione duxi roborandum. T*estibus*.

168. *Charter of Maurice de Berkeley to St Augustine's confirming in free alms the lands given by Adam Flambard: 15 acres with 2 headlands in the Hale, near the house of Gunnild Purlewent; 4 acres at* Grenhulle; *2 crofts called* Pikedeshall *and* Floxhalle; *and all his meadow in Synderlands; confirming also in free alms 19 acres given by Agnes la Poer, for which the canons are to render 1d a year to Maurice de Berkeley and 1d a year to Elias le Kirmissur, and the lands given by Maurice son of Maurice of Bevington, for which the canons are to render annually to Maurice de Berkeley 2d and 1 bushel of grain. Maurice remits all suit of court. He also confirms grants made by Maurice of Bevington, who died c. 1250, and his son. (1256 × 81.)*

Rubric: Carta ejusdem Mauricii de terra Ade Flamberd.

Omnibus Christi fidelibus ad quos presens scriptum pervenerit Mauricius de Berkel', salutem in domino. Noverit universitas vestra me pro salute anime patris mei matris mee et Isabelle uxoris mee necnon etiam omnium antecessorum et successorum nostrorum concessisse et hac mea presenti carta confirmasse deo et ecclesie Beati Augustini de Bristoll' et canonicis regularibus ibidem deo servientibus in liberam puram et perpetuam elemosinam omnes terras quas Adam[1] Flamberd eis dedit et cartis suis confirmavit, videlicet quindecim [acras] scilicet terre cum duabus forerdis in cultura que vocatur la Hull'[2] versus domum Gunnild Purlewent, [f. 61v.] et quatuor [acras] scilicet terre apud Grenhulle, et unam croftam que vocatur Pikedeshall',[3] et aliam croftam que vocatur Floxhalle, et totum pratum quod habuit in Sunderlond. Concessi etiam et confirmavi eisdem canonicis in liberam et perpetuam elemosinam decem acras terre quas Agnes la

Poer habuit de dono Mauricii de Bevintone, et novem acras terre quas eadem Agnes habuit de dono Elie le Kermisur quas eadem Agnes eis contulit. Reddendo michi et heredibus meis singulis annis unum denarium [ad] Pasch' et Elie Leskermisur et heredibus suis unum denarium [in festo] Sancti Michaelis pro omnibus serviciis consuetudinibus sectis et demandis ad me vel ad heredes meos pertinentibus aliquo tempore possint evenire salvo regali servicio quantum pertinet ad decem et novem acras terre de tenemento de Bevinton' cum evenerit. Confirmavi etiam memoratis canonicis in liberam et perpetuam elemosinam omnes terras quas habuerunt de dono Mauricii filii Mauricii de Bevinton' tam illas quas habuit idem Mauricius de dono patris sui quam illas que ei evenerit nomine Rogeri filii sui. Reddendo inde annuatim michi et heredibus meis duos denarios et unum boissellum frumenti [in festo] Sancti Michaelis pro omnibus serviciis et secularis demandis ad me vel ad heredes meos pertinentibus salvo regali servicio. Ita quod si aliqua consuetudo curie vel secta de predictis terris aliquando alicui debeatur vel fieri solebat sive ad curiam supradicti Mauricii de Bevinton' senioris, sive ad hundredum de Berkel', eandem supramemoratis canonicis omnino remisi inperpetuum. Et ut hec mea concessio et confirmatio robur obtineat inperpetuum presenti scripto sigillum meum duxi apponendum. T*estibus*.

Marginal note: Mauricius de Berkelay et Ysabelle uxor ejus.

¹ MS. *illam*.
² The identification of *la Hull'* as Hale is tentative; it may perhaps be 'the hill'.
³ *Pikedeshall* may be linked with the field-name *Pikedorde* in Ham (*P-NG*, ii, p. 228).

169. *Charter of Maurice de Berkeley. He has read the charter issued to St Augustine's by Maurice of Bevington concerning his court at Bevington, with its gardens and buildings, 2 crofts called la Burlonde, 26 acres of arable land, 7¾ acres of meadow, and 3 acres of pasture in Bevington, a bushel of corn due from Elias le Eskirmissur and a rent of 1½d payable to Elias son of Maurice of Bevington. All this he confirms to the canons. (1243 × c. 1250.)*

Rubric: Carta Mauricii de Berkel' de terra de Bevint'.

Omnibus Christi fidelibus ad quos presens scriptum pervenerit Mauricius de Berkel' filius et heres domini Thome de Berkel', salutem in domino. Noverit universitas vestra me inspexisse cartam abbati Sancti Augustini de Bristoll' et ejusdem loci conventui confectam a Mauricio de Bevintone de curia ipsius Mauricii de Bevinton' cum gardinis et edificiis et cum duabus croftis que vocantur la Burlonde et de viginti sex acris terre arabilis et septem acris et dimidia et quarta parte unius acre prati et tribus [f. 62]¹ acris pasture in eadem villa, sicut in eadem carta plenius distinguntur; et de uno bussello frumenti de redditu assiso de Elya le Eskermissur et heredibus suis percipiendo una cum homagio et servicio ipsius Elye et heredum suorum; et de tribus oblatis redditus assisi percipiendis de assisa Elye² filii predicti Mauricii de Bevintone et heredibus suis; que omnia de feudo meo esse denoscuntur. Ego vero Mauricius, ratum et gratum factum dicti Mauricii de Bevint' habiturus, volensque et affectuose desiderans comodum et promotionem predictorum canonicorum et eorum successorum, eis totam predictam concessionem et donationem pro deo et salute anime mee et Isabelle uxoris mee patris mei matris mee et omnium antecessorum et successorum nostrorum presenti carta mea confirmavi; et concedo pro me et heredibus meis quod dicti canonici et eorum successores omnia prenominata cum eorum pertinenciis habeant et teneant et pacifice possideant de predicto Mauricio et heredibus suis in liberam puram et perpetuam elemosinam. Ita quod nulli inde in aliquo teneantur respondere nisi soli deo in orationibus, secundum tenorem carte eis inde a predicto Mauricio confecte. In cujus rei testimonium hoc presens scriptum sigilli mei appositione roboravi. Testibus.

Marginal notes: (1) Mauricius de Berkley filius et heres Thome de Berk'. (2) (Modern) Bevington. (3) [f. 62] Isabel ux'.

¹ Rubric: Berkley.
² MS. Elya.

170. *Agreement between William Long, abbot of St Augustine's, and Maurice de Berkeley. Maurice grants the abbey a rent of 5s for the land held by Isabella widow of Hugh de la Wade in Ham, near Crockerspull. He also gives the abbey 1 acre and 24 perches of meadow in Westmarsh, in Arlingham, and 1 selion in Elbesboruwe in exchange for 1 acre and 24 perches of meadow called Inhitchin and 1 selion in Godscroft. The abbot has the right to distrain on this land or on other land belonging to Maurice if any rents and dues are not paid. The parties offer a mutual warranty, and provide for the possibility of cancelling the exchange. (1243 × 64.)*¹

Rubric: Carta ejusdem Mauricii de quinque solidatis redditus de terra de Hamme juxta Crockerespulle.

Hec est conventio facta inter Willelmum abbatem Sancti Augustini de Bristoll' et ejusdem loci conventum ex parte una et dominum Mauricium de Berkel' ex parte altera, videlicet quod dictus dominus Mauricius dedit et inperpetuum concessit memoratus abbati² et conventui quinque solidatos redditus de terra quam Ysabella relicta Hugonis de la Wade in Hamm' juxta Crockerespull' de dicto Mauricio tenuit, tribus anni terminis, per manus servientis de Lega percipiendos, videlicet in festo Sancti Michaelis tres solidos, in Nativitate Domini decem et octo denarios, et in festo Pentecostes sex denarios; salvis dicto domino Mauricio toto residuo redditus³ dicte terre et omnibus serviciis consuetudinibus et eschaetis que de dicta terra aliquo modo provenire poterunt. Preterea dedit et inperpetuum concessit dictus dominus Mauricius memoratis abbati et conventui unam acram et viginti quatuor perticas prati apud Erlingham in Westmarisco, et unum scilonem⁴ in [f. 62v.] Elbesboruwe qui se extendit super pasturam Petri de Wike de Heddesdone, in escambium cujusdam mesuagii quod Rogerus de Bulveriton' de dictis abbate et conventu tenuit apud Erlingham, et unius acre et viginti quatuor particarum prati quod vocatur in Heching', et unius scilonis in Godescroft' qui continet triginta quinque particas. Et si forte contingat quod solutio predicti redditus quinque solidorum aliquo casu fuerit retardatus et terminis prescriptis non solutus, liceat predictis abbati et conventui tenentes dictum tenementum per illud idem tenementum ad predicti redditus solutionem plene compellere; namia eorum quotiens necesse fuerit capiendo et in curia sua de Lega demando quousque de predicto redditu eis plene fuerit satisfactum. Si vero contingat quod dictum tenementum possessore in eo manente aliquo tempore sit vacuum, aut aliquid mobile sufficiens in eo invenire non possit, quod dicti abbas et conventus plenam cohabitionem facere possint ad dictum redditum quinque solidos terminis supradictis perquirendum, licebit ex tunc eisdem abbati et conventui ad proximum tenementum vilenager*iorum* dicti domini Mauricii apud Porkir' quod ad chohercionem predictam sufficiat plenum habere recursum, namia tenementum dictum tenementum capiendo et modo supradicto detinendo quousque de predicto redditu eis plene pro baillivium dicti domini Mauricii fuerit satisfactum. Dicti vero abbas et conventus partem suam in predicto escambio sibi assignatam a deo libere et quiete tenebunt et habebunt inperpetuum quod nec dicto domino Mauricio nec heredibus suis nec alicui hominum de aliquo servicio exactione aut demanda seculari respondebunt, set dictus dominus Mauricius et heredes sui illos de omnibus predictis serviciis exactionibus et demandis defendent et acquietabunt. Liceat autem dicto domino Mauricio et heredibus suis partem suam in predicto escambio sibi assignatam censare fossare claudere et modis omnibus quibus poterunt et expedire viderint ordinare disponere et meliorare sine aliqua dicti domini Mauricii vel heredum suorum contradictione. Partes vero supradicte escambium supradictum contra omnes gentes ad invicem warantizabunt inperpetuum. Quod si forte utraque pars vel earum altera aliquo casu contingente efficere [f. 63]⁵ nequiverit, utraque pars partem suam pristinam quam ante escambium factum obtinuerat simul resumat et teneat sicut eam prius tenuit. In cujus rei testimonium presenti scripto in modum cyrographi confecto et inter partes diviso signa partium alternatim sunt appensa. Etc.

¹ Abbot William Long had been succeeded by Richard of Malmesbury by 1164.
² MS. *abbatis*, the -*s*- erased.
³ MS. *redditur.*
⁴ This form is used consistently for selion in this agreement.
⁵ Rubric: *Berkley.*

171. *Agreement between William Long, abbot of St Augustine's, and Maurice de Berkeley which made possible greater consolidation of the abbey's holding in Ham. The abbey received 12 pieces of land in Littlecroft, Shortbengrot, Longbengrot, Oxenhay, Inhitching, Synderlands, and Lea furlong. Of these, 9 were adjacent to land already held by the canons. The agreement does not indicate whether Maurice was concerned to consolidate his holding; only 1 acre of meadow in Parham, was said to border land which he already held. However, in return for 5¼ acres and 20 perches of arable and 2 acres of meadow Maurice* *received 8½ acres and 6 perches of arable and 2½ acres of meadow. Abbot William was apparently prepared to pay a substantial price for reorganising his holding in Ham. The text is taken from the original chirograph. (1243–54.)*

Rubric: Cirographum ejusdem Mauricii de quodam excambio terre.

CIROGRAPHUM

Hec est conventio facta inter dominum Willelmum abbatem Sancti Augustini de Bristoll' et ejusdem loci conventum ex parte una et dominum Mauricium de Berk'[1] ex altera . videlicet quod dictus Mauricius dedit et imperpetuum[2] concessit memoratis abbati et conventui quinque acras et quartem partem unius acre et viginti perticas[3] terre arrabilis et duas acras prati cum omnibus suis pertinenciis . Quarum unus seillio[4] jacet in Lutelcroft'[5] inter terram dictorum abbatis et conventus et terram Willelmi filii Osberti Item in Scortebengrote[6] duo seillones[7] jacent inter terram dictorum canonicorum et terram Ade Flamberd . Item in Longebengrote[8] jacent duo seillones[9] inter terram dictorum canonicorum . et pratum quod dicitur Formede . Item in Oxenehay jacent tres seillones[9] inter terram dictorum canonicorum et terram Alexandri[10] Purlewent[11] · Item in Oxenhay una forerda jacet inter terram dictorum canonicorum et terram Radulfi Gikerel . Item in Inhechinge jacet unus seillo inter terram dictorum canonicorum ex utraque parte . Item in Inhechinge unus seillo jacet inter terram Petri Belothom et terram Alexandri Purlewent[12]. Item in Inhechinge[13] jacent tres seillones inter terram dictorum canonicorum et terram domini Rogeri de Lukinton' . Item in Inhechinge[14] una forerda jacet juxta terram Radulfi Belothom . Item in Sunderlond una acra et quarta pars unius acre et sex pertice et jacent inter terram dictorum canonicorum ex parte una et illam acram quam dictus dominus Mauricius memoratis canonicis in liberam elemosinam contulit . Item in Sunderlond' dicte due acre prati jacent inter terram dictorum canonicorum et terram Roberti le Bastard que vocatur Aldredesmor'[15] . Et duas acras terre arabilis[16] in Leforlong'[17] . que jacent inter terram dicti domini Mauricii et terram Johannis Rasie ex parte aquilonali in excambium . duarum acrarum terre in eadem cultura . quas Alexander Turneham de dictis canonicis aliquando tenuit . et sex acrarum terre . et dimidie et sex perticarum et duarum acrarum terre[18] prati et dimidie quarum acrarum due acre terre jacent juxta terram Ade Coby . et extendunt versus Cronhamesich' in longitudine in campo qui vocatur la Wrthi . Item quatuor acre et dimidia et sex pertice jacent juxta terram Ricardi de la Halgete et [f. 63v.] extendunt in longitudine versus terram Ade Coby[19] et versus culturam proximam castello de Berk'[20] . Dicti vero prati una acra jacet in Parham inter pratum dicti domini Mauricii de Berkel' et pratum Henrici de Athewell'[21] . Item alia acra jacet in Parham quam Walterus le Grut aliquando tenuit . et dimidia acra prati jacet in marisco de Bevinton' que vocatur Medlond et extendit se ad terram Ade Flamberd versus austrum . Dicti vero canonici et eorum successores totas predictas terras cum pertinenciis suis eis in escambium concessas tenebunt et habebunt imperpetuum[22] libere et quiete integre et pacifice . sicut liberam puram et perpetuam elemosinam . Ita quod nec dicto Mauricio nec heredibus suis de aliquo servicio exactione vel demanda seculari respondeant[23] .

set dictus Mauricius et heredes sui dictas terras cum earum pertinenciis dictis canonicis contra omnes gentes warentizabunt[24] . acquietabunt et defendent . Et ut hec predicta conventio perpetue stabilitatis robur optineat[25] presenti scripto in modo[26] cyrographi confecto et inter partes diviso signa parcium alternatim sunt appensa . Hiis Testibus[27] . dominis Mauricio de Salso Marisco Rogero de Lokinton' . Waltero de Burgo militibus . Petro de Wike . Ricardo de Wike . Mauricio de Stanes. Thoma Mathias . Ade Coby . Radulfo Dangervile . Roberto Bastard et multis aliis.

Original chirograph BCM, SC 212. Single fold, single slit, tag and seal missing. Endorsed: (1) Scriptum abbatis Sancti Augustini. (2) In exchange of lands in Berk. (3) S 312 (written twice).

Calendared: Jeayes, *Select Charters*, p. 103, no. 312.

[1] *Berkel'*, Cartulary.
[2] *inperpetuum*, Cartulary.
[3] *perticatas*, Cartulary.
[4] *scillio*, Cartulary. In this document, the cartulary scribe used a variety of forms for selion.
[5] *Luthlecroft'*, Cartulary.
[6] *Scorthebengrote*, Cartulary.
[7] *seilones*, Cartulary.
[8] *Longebencrote*, Cartulary.
[9] *seylones*, Cartulary.
[10] *Alexander*, Cartulary.
[11] *Perurlewent*, Cartulary.
[12] *Item in Oxenhay una forerda . . . terram Alexandri Purlewent* omitted, Cartulary.
[13] *in Hechinge*, Cartulary.
[14] *in Hechynge*, Cartulary.
[15] *Aldredesmore*, Cartulary.
[16] *arrabilis*, Cartulary.
[17] *Leforlonge*, Cartulary.
[18] *terre in eadem cultura* deleted, Cartulary.
[19] *Cobi*, Cartulary.
[20] *Berkel'*, Cartulary.
[21] *Haleswelle*, Cartulary.
[22] *inperpetuum*, Cartulary.
[23] *respondebunt*, Cartulary.
[24] *warantizabunt*, Cartulary.
[25] *obtineat*, Cartulary.
[26] *modum*, Cartulary.
[27] MS. *T*[*estibus*].

172. *Charter of Maurice de Berkeley to St Augustine's confirming common of pasture and free access in* Lafridgorst, *common of pasture for 24 oxen or draft animals, and 7 sows and a boar, as he gave the canons in his charter dealing with common of pasture in Walgaston (no. 166); common of pasture after harvest and when the land is fallow. He quitclaims the rent of 20s due from Richard of Bevington. In return, the abbot and canons quitclaim to him the burgage in Berkeley held by Jordan the forester and the land which Maurice had given to Richard Pinel before the king's justices itinerant arrived in Gloucestershire, on Sunday after Easter, 32 Henry III, 26 April 1248.*

Rubric: Carta ejusdem Mauricii de manerio de Wal[. . .].

Sciant presentes et futuri quod ego Mauricius de Berkel' pro deo et salute anime mee concessi abbati et conventui Sancti Augustini de Bristoll' et eorum successoribus in liberam puram et perpetuam elemosinam pro me et heredibus meis inperpetuum quod habeant liberam communam et liberum ingressum et egressum cum averiis suis, scilicet viginti quatuor bobus vel averiis et septem suibus et uno verre cum earum exitibus unius anni, pro ut in alia carta quam de commune pastura sue in Walmegerston' habent melius continetur, per totam illam terram meam que vocatur Lafridgorst, quandocumque exculta non fuerit, et cum in terram arrabilem fructus tempore rationabili debito et accepto inde fuerint ammoti, vel quandocumque dicta terra inculta fuerit relicta, averiis suis liberum habeant ingressum et egressum ut superius est expressum. Dicti etiam canonici pro se et successoribus suis dicto Mauricio et heredibus suis concesserunt ad dictam terram de Lafrigorst in [f. 64] agriculturam quandocumque voluerint redigere valeant modo supradicto sine omni contradictione et reclamatione dictorum canonicorum vel aliquorum successorum suorum. Preterea ego Mauricius et heredes mei dictos abbatem et conventum et eorum successores de viginti solidis annui redditus versus dominum Ricardum pro terra sua de Bevinton' solvere consuevit acquietabimus inperpetuum et indempnes conservabimus. Et pro hac concessione dicti abbas et conventus unanimi assensu et voluntate remiserunt et quiete clamaverunt inperpetuum pro se et successoribus suis michi et heredibus meis totum illud burgagium cum pertinenciis suis in villa de Berkel' quod tenuit Jordanus forestarius et totam illam terram quam dedi Ricardi Pinel ante adventum justiciariorum domini regis itinerantium in comitatu Glouc' post clausum Pasche anno regni regis Henrici filii regis Johannis tricesimo secundo, que jacet ex opposito curie sue in Hamme. Et totum jus et clamium quod in dicto burgagio et dicta terra habuerunt vel habere poterunt inperpetuum relaxarunt. Et ut presens scriptum in modum cyrographi confectum et inter partes divisum perpetue stabilitatis robur obtineat pars utraque eidem scripto huic inde sigilla sua apposuit. Hiis testibus.

Marginal note: (*Modern*) Scriptum Mauricii de Berkley filii Thome de Berk' post clausum Pasche anno regni H. 3d 32o.

173. *Agreement between William Long, abbot of St Augustine's, and Maurice de Berkeley. Maurice gives the abbey power to distrain the lands of Peter of Wick if he or his successors default on a rent of 1 mark a year for their wood of Eucumb'. The abbot concedes in return that Maurice and his heirs shall be recognised as capital lords of the land held by Peter. Dated 1250.*

Rubric: Concessio dicti Mauricii de districtione facienda super Petrum de Wike pro bosco de Ywecymbe.

Notum sit universis tam presentibus quam futuris quod hec est conventio facta inter dominum Willelmum abbatem Sancti Augustini de Bristoll' et ejusdem loci conventum ex parte una, anno gratie milesimo ducentesimo quinquagesimo, et dominum Mauricium de Berkel' ex altera: videlicet quod dictus Mauricius pro se et heredibus suis libera et mera voluntate sua inperpetuum concessit quod dicti abbas et conventus pro una marca annui redditus in quam Petrus de Wike et heredes et assignati sui singulis annis memoratis abbati et conventui tenentur pro bosco de Eucumb', per omnes terras catella et possessiones ipsius Petri et heredum vel assignatorum suorum ubicumque locorum in dominio dicti Mauricii fuerint inventa, absque omni contradictione reclamatione et inpedimento dicti Mauricii aut heredum suorum, libere valeat distringere animalia et averia [f. 64v.] sua capiendo et in curia sua apud Berkel' custodiendo donec eisdem predicto redditu plene et integre fuerit satisfactum. Si forte aliquo termino idem Petrus aut heredes vel assignati sui in solutione redditus supradicti abbatis[1] et conventus pro ut in carta ejusdem Petri prefatis canonicis confecta continetur cessare voluerint [. . .][2]. Pro hac autem concessione dicto Mauricio supradicti abbas et conventus unanimi voluntate et assensu concesserunt memorato Mauricio et heredibus suis inperpetuum quod sint capitales domini dicti Petri et heredum aut assignatorum suorum quo ad prefatum boscum, et habeant in gardis escaetis et omnibus aliis rebus sicut capitales domini dicti Petri et heredum aut assignatorum suorum secundum consuetudinem regni Anglie habere debent de jure vel habere consueverunt. Ad majorem autem hujus [rei] securitatem presenti scripto in modum cyrographi confecto et utraque pars diviso signa partium huic inde sunt appensa. *Testibus.*

1 MS. *abbas.*
2 There is an obvious lacuna at this point.

174. *Charter of Roger son of Nicholas, lord of Hill, granting to Walter of Cam, his chaplain, for Walter's lifetime, and to Robert son of Alfred, Walter's kinsman and assign, the virgate in Hill which Alfred son of Selwyn held. Robert has married Walter's daughter, and the land is to pass to their children and successors. If Robert and his wife do not have children, the land is to revert to Roger and his heirs. Walter has paid 10 marks as entry fine* (de gersuma), *and has given Roger's wife half a mark. (c. 1195 × 1230.)*[1]

[f. 65][2] Sciant omnes ad quos presens scriptum pervenerit quod ego Rogerus filius Nicholai dominus de Hull' dedi et concessi et hac mea carta confirmavi Waltero de Camme capellano meo pro homagio et servicio suo totam illam virgatam terre in manerio meo de Hulla quam Aluredus filius Selewini tenuit cum omnibus pertinenciis suis in rebus et locis. Habendam et tenendam ipsi Waltero tota vita sua et Roberto filio Aluredi genero et assignato suo et heredibus suis ex filia dicti Walteri progressis, in feudo et hereditate de me et heredibus meis libere et quiete plene et integre cum omnibus libertatibus et liberis consuetudinibus inperpetuum. Reddendo inde annuatim michi et heredibus meis viginti solidos sterelinguorum ad quatuor terminos anni, scilicet ad Nathale Domini quinque solidos, ad Pascha quinque solidos, ad Nativitatem Sancti Johannis [Baptiste] quinque solidos, ad festum Sancti Michaelis quinque solidos, pro omnibus serviciis sectis querelis et demandis ad nos pertinentibus, salvo tamen servicio regali quantum scilicet ad tantam liberam terram pertinet in eadem villa. Si vero predictus Robertus sine herede ex predicta muliere pro creato obierit debet tota predicta terra post dies predicti Walteri et filie sue dicto *Roberto* maritate ad me et ad heredes meos sine contradictione reverti. Pro hac autem donatione et concessione mea dedit michi predictus Walterus decem marcas argenti de gersuma in recognitione et Hung' uxori mee dimidiam marcam. Quare nos et heredes nostri debemus warantizare totam predictam terram predicto Willelmo capellano tota vita sua et predicto Roberto genero suo et heredibus suis prenotatis contra omnes homines et feminas. In hujus rei securitate et testimonio ego Rogerus sigilli mei munimini huic carta mee apposui. *Testibus.*

Marginal notes: (1) Rog' fil' Nicholai dominus de Hull. (2) ffee bale.

¹ Limits of date from Roger son of Nicholas. 1258 as the limiting date for the following series of charters is established by no. 189. The series covers three generations. Walter, deacon of Cam, occurs between December 1193 and October 1195 (Jeayes, *Select Charters*, p. 19, no. 39); a different cleric, Roger, appears as rector of Cam in 1236 (ibid. p. 82, no. 240). This series of charters begins on f. 65. There are no rubrics for individual charters.

² Rubric: *Hulle.*

175. *Charter of Roger son of Nicholas, lord of Hill. He has released Robert son of Alfred, his serf, with his family, and has quitclaimed him to Walter of Cam, his chaplain. Walter has paid him half a mark in his court at Hill, and 1d for custom. (c. 1195 × 1230.)*

Omnibus ad quos presens scriptum pervenerit Rogerus filius Nicholai dominus de Hull', salutem. Sciatis me concessisse et quietum clamasse pro me et heredibus meis Waltero de Camme capellano meo Robertum filium¹ Aluredi nativum meum cum omni sequela sua a nativitate servili et ab omni specie servitutis inperpetuum, maxime pro dimidia marcha argenti quam predictus Walterus michi pacavit premanibus pro eodem *Roberto* in curia mea de Hull', et i denario de consuetudine. Quare volo et firmiter concedo [f. 65v.] quod idem Robertus et omnis ejus sequela liberi permaneant eundo redeundo sive conversando cum omnibus catallis eorum bene et in pace ubicumque voluerint inperpetuum. Hanc vero libertatem² predicto *Roberto* et omni sequele sue possidendam, ego Rogerus hoc scripto meo cum sigilli mei inpressione pro predicta solutione corroboravi. *Testibus.*

¹ MS. *Robertus filius.*

² MS. *libertato.*

176. *Charter of Nicholas son of Roger granting to Robert son of Alfred son of Selwyn the virgate in Hill which Walter the chaplain held. He retains 1 acre which lies below his park, and which Robert has quitclaimed to him. Robert owes an annual rent of 20s. Nicholas gives warranty to Robert and the heirs born to his wife, but if Robert dies without a child from this marriage the land shall revert to Nicholas and his heirs. (1230 × before 1258.)*

Sciant presentes et futuri quod ego Nicholaus filius Rogeri dedi et concessi et presenti carta confirmavi Roberto filio Aluredi filii Selewini et heredibus suis pro homagio et servicio suo totam illam virgatam terre in Hulle quam Walterus capellanus tenuit cum omnibus pertinenciis preter unam acram terre que jacet sub parco meo quam idem Robertus michi quietam clamavit. Tenendam et habendam totam dictam virgatam terre preter dictam acram terre dicto Roberto et heredibus suis quos habuerit de filia dicti Walteri capellani[1] perpetuum libere integre honorifice pacifice et quiete cum omnibus libertatibus et liberis consuetudinibus sicut carta Rogeri patris mei protestatur. Reddendo inde michi et heredibus meis ipse et heredes sui annuatim viginti solidos sterelinguorum ad quatuor terminos, scilicet ad Nathale Domini quinque solidos, ad Pascha quinque solidos, ad Nativitatem Sancti Johannis Baptiste quinque solidos, ad festum Sancti Michaelis quinque solidos, pro omnibus serviciis querelis et demandis ad me vel ad heredes meos pertinentibus, salvo tamen regali servicio quantum pertinet ad tantam liberam terram in eadem villa.   Et ego et heredes mei warantizabimus dicto Roberto et heredibus suis de dicta filia Walteri capellani progressis vel progressuris dictam virgatam terre cum omnibus pertinentibus contra omnes mortales. Sic autem dictus Robertus sine herede de dicta muliere progresso obierit dicta terra post mortem dicti Roberti et dicte uxoris sue ad me vel heredes meos libere revertetur. Pro[2] hac autem donatione concessione confirmatione et warantizatione mea sit firma et stabilis inperpetuum huic carte sigillum meum aposui. *Testibus.*

[1]   MS. *capellanum.*
[2]   The scribe of the charter or of the cartulary, has produced a confused final clause. He may have conflated a sentence recording a payment for the grant with a simple sealing clause.

177. *Charter of Robert Selwyn to St Augustine's granting in free alms half an acre of meadow in Southmead, in Hill. (1230 × before 1258.)*

Sciant presentes et futuri quod ego Robertus Selewine pro salute [f. 66][1] anime mee patris mei et matris mee et omnium parentum meorum dedi concessi et hac presenti carta mea confirmavi deo et ecclesie Sancti Augustini de Bristoll' et canonicis regularibus ibidem deo servientibus dimidiam acram prati in Suthemmede que jacet inter pratum Nicholai de Mora ex parte orientali et pratum dictorum canonicorum ex parte occidentali[2] cujus unum capud versus aquilonem extendit se super pratum Osberti Bulcard et aliud capud versus austrum super pratum meum. Tenendam et habendam de me et heredibus meis sibi et successoribus suis inperpetuum libere et quiete integre et pacifice sicut liberam puram et perpetuam elemosinam meam, nulli omnino hominum in aliquo inde respondeant nisi soli deo in orationibus. Ego vero et heredes mei totam predictam dimidiam acram prati cum omnibus suis pertinenciis contra omnes mortales dictis canonicis warantizabimus et eosdem de omnibus sectis cur*iarum* et hundredorum serviciis et omnibus aliis secularibus exactionibus et demandis defendemus et acquietabimus inperpetuum. Quod ne inposterum devocetur indubium presens scriptum sigilli mei inpressione roboravi. *Testibus.*

Marginal note: Selwyn.

[1]   Rubric: *Hulle.*
[2]   *et pratum dictorum canonicorum ex parte occidentali* repeated.

178. *Charter of Robert Selwyn to St Augustine's granting in free alms 1 acre of land, made up of 8 selions, at Wheeland, in Hill, and 1 gore and foreland on the road which leads from Stuckmoor to the Severn. (1230 × before 1258.)*

Sciant presentes et futuri quod ego Robertus Selewine pro salute anime mee patris mei et matris mee et omnium parentum meorum dedi et concessi et hac presenti carta mea confirmavi deo et ecclesie Sancti Augustini de Bristoll' et canonicis regularibus ibidem deo servientibus unam acram terre apud Huwelond' cum suis pertinenciis, videlicet octo seilones[1] qui jacent inter terram Pagani Seisil,[2] quorum unum capud se extendit a regia via qui ducit de Stukemere usque ad Sabrinam et aliud capud se extendit super terram domini Nicholai filii Rogeri, et unam garam cum forrerda que se extendit super viam supradictam. Tenendam et habendam de me et heredibus meis sibi et successoribus suis inperpetuum libere et quiete integre et pacifice sicut liberam puram et perpetuam elemosinam meam. Ita quod nec michi nec heredibus meis nec nulli omnino hominum in aliquo inde respondeant nisi soli deo in orationibus. Ego vero et heredes mei totam predictam terram cum omnibus pertinenciis suis contra omnes homines [f. 66v.] et feminas dictis canonicis warantizabimus et eosdem de omnibus sectis curie et hundredorum serviciis et omnibus secularibus exactionibus et demandis defendemus et acquietabimus inperpetuum. Quod ne inposterum devocetur indubium presens scriptum sigilli mei impressione roboravi. *Testibus.*

[1] MS. *seilonones.*
[2] There is no second name at this point; either the land was bounded on both sides by the land of Payn Seisil, or the scribe has omitted the name of a second tenant.

179. *Charter of Robert Selwyn to St Augustine's granting in free alms 3 acres of arable land in Hill. (1230 × before 1258.)*

Sciant presentes et futuri quod ego Robertus Selewine pro salute anime mee patris mei et matris mee et omnium parentum meorum dedi concessi et hac presenti carta mea confirmavi deo et ecclesie Sancti Augustini de Bristoll' et canonicis regularibus ibidem deo servientibus tres acras terre arabilis que continent quinque seilones et duas garas, quorum seilones tres et una gara jacent inter terram Pagani filii Seisil et terram Walterii le Bonde et extendit se super la Northuiswelond' domini ex parte occidentali et super terram Walteri le Bonde ex parte aquilonari, et unum seilonem qui jacet inter terram Roberti le King et terram Walteri le Bonde et extendit se usque ad viam estivalem ex alia usque ad Langemere. Tenendas et habendas de me et heredibus meis sibi et successoribus suis inperpetuum libere et quiete integre et pacifice sicut liberam puram et perpetuam elemosinam meam nulli omnino hominum in aliquo inde responsuris nisi soli deo in orationibus. Ego vero et heredes mei totam predictam terram cum omnibus suis pertinenciis contra omnes homines et feminas dictis canonicis warantizabimus et eosdem de omnibus sectis curie et hundredorum serviciis et omnibus secularibus exactionibus et demandis defendemus et acquietabimus inperpetuum. Quod ne inposterum devocetur indubium presens scriptum sigilli mei inpressione roboravi. T*estibus*.

180. *Charter of Robert Selwyn to St Augustine's granting in free alms land in Hill: 5½ acres in Longlands, and 1 acre in Wheeland, and a foreland and a gore. One boundary of the acre in Wheeland and the foreland and gore is the royal road from Stuckmoor to the river Severn. (1230 × before 1258.)*[1]

Sciant presentes et futuri quod ego Robertus Selewine pro salute anime mee et patris mei et matris mee et omnium parentum meorum dedi concessi et hac presenti carta mea confirmavi deo et ecclesie Sancti Augustini de Bristoll' et canonicis regularibus ibidem deo servientibus quatuor acras terre arabilis quas habui in Langelond, quarum unum capud in parte australi extendit se super terram Rogeri Dolling et aliud capud in parte aquilonali extendit se [f. 67][2] super hidam domini Nicholai filii Rogeri cum tota forrerda que jacet ad capud supradicte terre, et tres seillones cum suis forrerdis et omnibus aliis pertinenciis qui continent unam acram terre et dimidiam in prenominata cultura et jacent inter terram Pagani Seisil et terram supradictorum canonicorum, et unam acram terre cum suis pertinenciis apud Hwlond' que continet octo seillones et jacent inter terram supradicti Rogeri Dolling et terram Pagani Seisil, quorum unum capud se extendit a regia via que ducit de Stokemere usque ad Sabrinam, et aliud capud se extendit super terram dicti domini Nicholai filii Rogeri, et unam garam cum forrerda que se extendit super viam supradictam. Tenendas et habendas[3] de me et heredibus meis sibi et successoribus suis inperpetuum libere et quiete integre et pacifice sicut liberam puram et perpetuam elemosinam meam. Ita quod nec michi nec heredibus meis nec ulli omnino hominum in aliquo inde respondeant nisi soli deo in orationibus. Ego vero et heredes mei totam predictam terram cum omnibus pertinenciis suis contra omnes homines et feminas dictis canonicis warantizabimus et eos de omnibus sectis cur*ie* et hundredorum serviciis et omnibus secularibus exactionibus et demandis defendemus et acquietabimus inperpetuum. Quod ne inposterum devocetur indubium presens scriptum sigilli mei inpressione roboravi. T*estibus*.

[1]   The road from Stuckmoor to the Severn lies on the northern edge of Hill; Longlands lies along the line of the road; Wheeland survives as a field-name in the south-eastern quarter of the manor. A second field with the same name seems likely, perhaps the *Northuiswelond'* of no. 179.

[2]   Rubric: *Hulle*.

[3]   MS. *Tenendam et habendam*; influenced perhaps by the singular form of *unam garam* in the preceding clause.

181. *Charter of Robert Selwyn to St Augustine's granting in free alms 7 acres of arable and 2 acres of meadow which he had from Matthew of Bagpath. (Before 1258.)*

Noverit universitatis vestra me concessisse et presenti scripto confirmasse abbati et conventui Sancti Augustini de Bristoll' septem acras terre arrabilis et duas acras prati in liberam puram et perpetuam elemosinam inperpetuum quas[1] habuerunt de dono Mathei de Bagepaþe. Habendas et tenendas sibi et successoribus suis sine inpedimento vel vexatione mea aut heredum meorum inperpetuum, libere quiete integre et pacifice. Ita quod dicti canonici aut eorum successores nulli omnino hominum inde in aliquo respondeant nisi soli deo in orationibus. Quod ne inposterum devocetur indubium presenti scripto sigillum meum apposui. Testibus.

[1] MS. *quos.*

182. *Charter of Robert Selwyn to St Augustine's granting in free alms 1 acre in Hill. (Before 1258.)*

[f. 67v.] Sciant presentes et futuri quod ego Robertus Selewine pro salute anime mee patris mei et matris mee et omnium parentum meorum dedi et concessi et hac presenti carta mea confirmavi deo et ecclesie Sancti Augustini de Bristoll' et canonicis ibidem deo servientibus unam acram terre cum suis pertinenciis, videlicet octo seilones[1] qui jacent inter terram Rogeri Dolling et terram Pagani Sesil, quorum unum capud extenditur a regia via que ducit de Stukemere usque ad Sabrinam et aliud capud se extendit[2] super terram domini Nicholai filii Rogeri. Tenendam et habendam de me et heredibus meis sibi et successoribus suis inperpetuum libere et quiete integre et pacifice sicut liberam puram et perpetuam elemosinam meam. Ita quod nec michi nec heredibus meis nec ulli omnino hominum in aliquo inde respondeant nisi soli deo in orationibus. Ego vero et heredes mei totam predictam terram cum omnibus pertinenciis suis contra omnes homines et feminas dictis canonicis warantizabimus et eosdem de omnibus sectis cur*ie* et hundredorum serviciis et omnibus secularibus exactionibus et demandis defendemus et acquietabimus inperpetuum. Quod ne inposterum devocetur indubium presens scriptum sigilli mei inpressione roboravi. Testibus.

[1] MS. *seilonos.*
[2] *se extendit* here, *extenditur* in the earlier part of this phrase.

183. *Charter of Robert Selwyn to St Augustine's granting in free alms 2½ acres of arable land in Langedone, in Hill. (Before 1258.)*

Sciant presentes et futuri quod ego Robertus Selewine pro salute anime mee patris mei et matris mee et omnium parentum meorum dedi concessi et hac presenti carta mea confirmavi deo et ecclesie Sancti Augustini de Bristoll' et canonicis regularibus ibidem deo servientibus duas acras et dimidiam terre arabilis quas habui in Langedone, quarum unum capud in parte australi extendit se super terram Rogeri Dolling et aliud capud in parte aquilonali extendit se super hydam domini Nicholai filii Rogeri et jacent inter terram meam ex parte orientali et parte occidentali cum tota forrerda que jacet ad capud supradicte terre et terre[1] dicti Roberti ex parte australi versus villam de Hulle. Tenendas et habendas de me et heredibus meis sibi et successoribus suis inperpetuum libere et quiete integre et pacifice sicut liberam puram et perpetuam elemosinam meam nulli omnino hominum in aliquo inde responsuris nisi soli deo in orationibus. Ego vero et heredes [f. 68][2] mei[3] totam predictam terram cum omnibus suis pertinenciis contra omnes homines et feminas dictis canonicis warantizabimus et eosdem de omnibus sectis cur*ie* et hundredorum serviciis et omnibus secularibus exactionibus et demandis defendemus [et] acquietabimus inperpetuum. Quod ne in posterum devocetur indubium presens scriptum sigillum meum inpressione roboravi. T*estibus*.

[1] MS. *tere*.   [2] Rubric: *Hulle*.

[3] After *mei* the scribe has repeated from the previous clause the passage *sibi et successoribus . . . deo in orationibus*.

184. *Charter of Robert Selwyn to St Augustine's granting in free alms 1 acre and 1 gore and a foreland at Wheeland, in Hill. (Before 1258.)*

Sciant presentes et futuri quod ego Robertus Selewine pro salute anime mee et omnium parentum meorum dedi et concessi et hac presenti carta mea confirmavi deo et ecclesie Sancti Augustini de Bristoll' et canonicis regularibus ibidem deo servientibus unam acram et unam goram terre cum suis pertinenciis apud Welond', quarum unum capud se extendit versus austrum super terram quam Matheus de Bakepa*p*e prefatis canonicis dedit et aliud capud se extendit super regiam viam que ducit de Stukemere usque ad Sabrinam, et unam forrerdam que jacet in longitudine juxta viam supradictam. Tenendas et habendas[1] de me et heredibus meis sibi et successoribus suis inperpetuum libere et quiete integre et pacifice sicut liberam puram et perpetuam elemosinam meam. Ita quod nec michi nec heredibus meis nec ulli omnino hominum in aliquo inde respondeant nisi soli deo in orationibus. Ego vero et heredes mei totam predictam terram cum omnibus pertinenciis suis dictis canonicis contra omnes homines et feminas warantizabimus et eosdem de omnibus sectis cur*ie* et hundredorum serviciis et omnibus secularibus exactionibus et demandis defendemus et acquietabimus inperpetuum. Quod ne inposterum devocetur indubium presens scriptum sigilli mei inpressione roboravi.

[1] MS. *Tenendam et habend'*.

185. *Charter of Robert Selwyn of Hill to Richard the cook of Cam giving him 3 acres of land in Hill, with Alice his eldest daughter in marriage, for an annual render of a pair of gloves. The land lies in Southmerefurlong and Longlands. (Before 1258.)*

Sciant presentes et futuri quod ego Robertus Selewine de Hulle dedi et concessi et presenti carta mea confirmavi Ricardo coco de Camm' cum Alicia filia mea primogenita in liberum maritagium [f. 68v.] tres acras terre mee in villa de Hulle, quarum una acra jacet in campo qui vocatur Suthemerefurlung' et jacet inter terram meam et terram Payn Seysel, et una acra in campo que vocatur Longelonde extendens se ex una parte in longitudine terre domini que vocatur le Hyde et ex altera parte terre eodem cursu terre Nicholai de la More. Tenendas et habendas de me et heredibus meis sibi et heredibus suis de predictis Ricardo et Alicia exeuntibus libere quiete et integre. Reddendo inde annuatim michi et heredibus meis predicti Ricardus et Alicia vel eorum heredes unam par cerotecarum ad Pascha pro omni servicio sectis et secularibus exactionibus qualicumque modo contingentibus. Ego vero predictus Robertus et heredes mei totas predictas acras cum omnibus pertinenciis predictis Ricardo et Alicia vel eorum heredibus contra omnes mortales warantizabimus inperpetuum. Si autem contingat quod[1] dictus Ricardus supervixerit dictam Aliciam dictus Ricardus totam predictam terram cum omnibus pertinenciis suis omnibus diebus vite sue habeat et gaudeat. Et quia volo quod hec mea donatio et concessio rata et stabilis inposterum permaneat presentem cartam sigilli mei inpressione roboravi. Hiis *testibus*.

Marginal note: Villa de Hull'.

[1] MS. *quo*.

186. *Charter of Robert Selwyn of Hill to William Fowel of Nibley granting him, with his daughter Alice in marriage, one third of a virgate in Hill, with its capital messuage. They are to pay annually half a mark to the capital lord of the fee. (Before 1258.)*

Sciant presentes et futuri quod ego Robertus Selewine de Hulle dedi concessi et hac presenti carta mea confirmavi Willelmo Fowel de Nubel' pro homagio et servicio suo in liberum maritagium cum Alicia filia [mea] totam terciam partem unius virgate terre cum capitali mesuagio in villa de Hulle. Tenendam et habendam dicto Willelmo Fowel et Alicie uxori sue et heredibus eorum inperpetuum libere quiete bene et in pace. Reddendo inde annuatim dimidiam marcam argenti capitali domino ad quatuor terminos anni, scilicet ad festum Sancti Michaelis viginti denarios,[1] ad Nathale Domini viginti denarios, ad Pasca viginti denarios, ad Nativitatem Sancti Johannis Baptiste viginti denarios, pro omnibus serviciis et secularibus demandis, salvo regali servicio cum acciderit, videlicet quantum ad tantum liberum tenementum in eadem villa pertinebit. Ego vero Robertus sive heredes mei dicto Willelmo et Alicie filie mee et eorum heredibus contra omnes homines et feminas warantizabimus totam prenominatam terram inperpetuum. In cujus rei testimonium [f. 69][2] presenti carte sigillum meum apposui. *Testibus*.

[1] MS. adds *pro omnibus serviciis et secularibus demandis salvo regali servicio*. With the exception of *pro*, the phrase has been expuncted for deletion.
[2] Rubric: *Hulle*.

187. *Charter of Alice daughter of Robert Selwyn of Hill. A widow, she has granted to William Fowel of Nibley a third of a virgate in Hill with its capital* *messuage which passed to her after the death of her father Robert, and 3 acres which Robert gave her as her marriage portion. He pays annually half a mark to the capital lord of the fee. Alice has authenticated her charter with her seal. (Before 1258.)*

Sciant presentes et futuri quod ego Alicia filia Roberti Selewine de Hulle in mera viduitate mea dedi concessi et hac presenti carta mea confirmavi Willelmo Fowel de Nubel' totam terram meam in villa de Hulle cum pertinenciis, videlicet totam terciam partem unius virgate terre cum capitali mesuagio que me contingit per decensum hereditatis ex parte dicti Roberti patris mei, una cum tribus acris terre quas dictus Robertus pater meus michi dedit in liberum maritagium. Tenendam et habendam de me et de heredibus meis sibi et heredibus suis inperpetuum libere quiete bene et in pace. Reddendo inde annuatim dimidiam marcam argenti capitali domino ad quatuor terminos anni, scilicet ad festum Sancti Michaelis viginti denarios, ad Pasca viginti denarios, ad Nativitatem Sancti Johannis Baptiste viginti denarios,[1] pro omnibus serviciis et secularibus demandis, salvo regali servicio cum acciderit, videlicet quantum ad tantam liberam terram in eadem villa pertinebit. Ego vero Alicia sive heredes mei dicto Willelmo Fowel et heredibus suis totam predictam terram cum pertinenciis contra omnes homines et feminas inperpetuum warantizabimus. Et quia volo quod hec mea donatio et concessio rate et stabiles permaneant hanc cartam sigilli mei inpressione sibi confirmavi. *Testibus.*

[1]   The fourth term, Christmas, has been omitted.

188. *Charter of William le Fowel of Nibley to St Augustine's granting in free alms all the lands which Alice daughter of Robert Selwyn gave them. These were said to consist of 18 scattered pieces. The detailed figures are inconsistent and would lead to varying totals of $13^5/_{12}$ or $16^1/_{12}$ acres. He also granted the capital messuage, with a third part of its garden, and common of pasture in la Pul and Longemere, with all other common of pasture, free of all service except a payment of half a mark a year to the capital lord. (c. 1258.)*

Omnibus Christi fidelibus ad quos presens scriptum pervenerit Willelmus le Fowel de Nubeleg', salutem in domino. Noverit universitas vestra me dedisse concessisse et hac presenti carta mea confirmasse pro salute anime mee et omnium parentum meorum deo et ecclesie Beati Augustini de Bristoll' et canonicis regularibus ibidem deo servientibus et eorum successoribus in liberam puram et perpetuam elemosinam totam illam terram meam de Hull' quam Alicia filia Roberti Selewine in libera viduitate sua michi dedit et carta sua confirmavit, que quidem terra duodecim acras terre in se continet: quarum dimidia acra jacet in crofta juxta gardinum ad dictam terram pertinens versus domum Ricardi le King; et due acre et dimidia in crofta que vocatur Le Worthi per limites suos jacent; et tercia pars[1] acre in se continet, quarum dimidia acra jacet in crofta [f. 69v.] gardini ad dictam terram pertinens versus domum Ricardi le King et due acre[2] et dimidia in crofta que vocatur le Worthy per limites suos jacent; et tercia

pars acre jacet in crofta que vocatur la Luthlebev'ewe[3] in inferiori parte versus
Worthi; et dimidia acra jacet in medio culture que vocatur Crofteclif; et dimidia
acra per limites et particulas suas jacet in la Redelonde cujus australe capud
extendit se super terram Ade de Catesgrave et aquilonale capud super la
Holewedig subtus parcum; et dimidia acra jacet in Gorbrodelond per limites et
particulas suas versus la Redelond; et tres partes unius acre jacent in Garston' que
vocantur la Dedeker; et dimidia acra jacet in marisco in campo qui dicitur
Longeneit que se extendit supra pratum domini de Hulle ex parte australi et ex
parte aquilonali versus la Longemere; et duo seilones qui continent unam acram
in eodem campo jacent inter terram Pagani Seisil et terram Willelmi Ayelmon; et
ex parte aquilonali dictorum seilonem[4] dimidia acra jacet que se extendit versus
la Longemere; et dimidia acra jacet in campo que vocatur Langeþurum et
extendit se versus aquilonalem super stratam regiam tendentem versus Sabrinam;
et duo seillones qui continent unam acram et dimidiam jacent in Wellond' versus
dictam stratam; et dimidia acra jacet in Stichemereforlonge cujus capud[5] orientale
extendit se versus villam de Hulle et capud occidentale versus Sabrinam; et una
acra jacet in Wallelond inter terram Dionisse filie Roberti Selewine et terram
Reginaldi de Teberewe; et tres seillones qui continent unam acram jacent in
Medlond per limites et particulas suas; et tres partes unius acre prati jacent in
Suthememed[6] quarum capud australe extendit versus dictam acram in Medlond et
aquilonale capud versus pratum dictorum canonicorum; et quarta pars unius acre
jacet in prato quod dicitur Lashorne inter terras supradictorum Dionisse et
Reginaldi. Volo igitur et concedo pro me et heredibus vel assignatis meis quod
dicti canonici et eorum successores habeant inperpetuum [et] possideant totam
prenominatam terram cum capitali mesuagio et tercia parte gardini, communis
pasturarum et de la Pul et de Longemere secundum morem dicte Willelmi de
Hull', et omnibus aliis communis [f. 70][7] pasturarum et pertinenciis ad dictam
terram pertinentibus libere et quiete ab omnibus secularibus serviciis demandis et
cur*ie* sectis sicut liberam puram et perpetuam elemosinam, salva dimidia marca
annuatim capitali domino solvenda ad quatuor anni terminos, scilicet ad Nathale
Domini viginti denarios, ad Pascha viginti denarios, in festo Nativitatis Beati
Johannis Baptiste viginti denarios, in festo Sancti Michaelis viginti denarios, pro
omnibus serviciis et secularibus demandis. Ego vero Willelmus et heredes vel
assignati mei totam predictam terram cum omnibus supranominatis pertinenciis
suis dictis canonicis et eorum successoribus inperpetuum contra omnes mortales
warantizabimus et de regali servicio sectis omnium cur*iarum* et omnibus
secularibus serviciis et demandis acquietabimus et defendemus. Quod ne
inposterum devocetur indubium presenti scripto sigillum meum apposui.
T*estibus*.

[1] This charter gave the cartulary scribe some difficulties. Here *tercia pars acre* is made to cover
three acres.

[2] MS. *agre.*

[3] Perhaps *Luthlebeverewe.*

[4] The writer used a number of spellings for selion in this charter. Here a genitive form is required
in place of his accusative.

⁵ MS. *apud.*
⁶ For *Suthemed.*
⁷ Rubric: *Hulle.*

189. *Agreement between St Augustine's and William le Fowel and his wife Alice, daughter of Robert Selwyn of Hill. William and Alice agree to warrant the canons in the land which they sold to St Augustine's. If the canons are excluded from this land, or burdened with heavy exactions, William and Alice and their heirs or assigns will repay the purchase price under pain of distraint by the sheriff of Gloucestershire and of ecclesiastical censure by the archdeacon of Gloucester, or his official, or by the dean of Bristol. Dated the morrow (3 February) of the Purification of the Virgin, 1258.*

Anno gratie m°.cc°.l°. octavo, in crastino Purificationis Beate Marie Virginis, facta fuit hec conventio inter abbatem et conventum Sancti Augustini de Bristoll' et [Willelmum le Fowel]¹ et Aliciam uxorem [suam] ex altera, videlicet quod dicti Willelmus et Alicia fide media pro se et heredibus et assignatis suis promiserunt, et presenti scripto obligaverunt se firmiter teneri memoratis abbati et conventui Sancti Augustini ad warantizandum contra omnes mortales inperpetuum totam illam terram de Hulle quam vendiderunt sepedictis canonicis, et acquietandum et defendendum eos contra omnes dicte terre dominos de omnibus sectis curiar*um* hundredorum et aliorum omnium secularum demandarum, exactionibus et serviciis excepta dimidia marcha quam annuatim dicti canonici pro redditu dicte terre domino de Hulle persolvent et dictos abbatem et conventum in plenam et pacificam dicte terre et ejus pertinenciis possessionem bona fide introducent. Hac etiam sane conditione, quod si pro defectu predictorum Willelmi vel Alicie aut heredum vel assignatorum suorum dicti abbas et conventus fuerunt aliquando a dicte terre possessione per aliquem vel aliquos seclusi, vel de sectis pro dicta terra faciendis seu aliis quibuslibet [f. 70v.] serviciis per aliquos exactionibus inposterum gravari concesserunt pro se et heredibus vel assignatis suis et presenti scripto obligaverunt quod dictis abbati et conventui totam pecunie summam quam receperunt pro dicta terra post habitam monitionem mense uno elapso plene persolverunt. Ita quod vicecomes Glouc', per² omnem districtionem secularem, et archidiaconus Gloucestrie vel ejus officialis seu etiam decanus Bristoll', per² omnem³ censuram ecclesiasticam, ipsos ad dicte pecunie plenam et tempestivam possint compellere solutionem, una cum dampnis et expensis suis eis ad simplex dictum caveri simul ab eis refundendis, non obstante prohibitione regia vel aliquo juris remedio canonici vel civili. In cujus rei testimonium presenti scripto in modum cirographi confecto et inter partes diviso signa partium hinc inde sunt appensa. T*estibus.*

¹ Omitted, but clearly required by the sense.
² MS. *pro*: the long sequence of accusative forms points to *per.*
³ MS. *omni.*

190. *Charter of Mabel daughter of Robert Selwyn of Hill to Reginald of Tetbury, of Nibley. She grants him all her land in Hill, a third of a virgate which came to* *her by inheritance from her father Robert. Reginald pays an annual rent of half a mark to the capital lord of the fee. (Mid-thirteenth century.)*

Sciant presentes et futuri quod ego Mabilla filia Roberti Selewine de Hulle dedi concessi et hac presenti carta mea confirmavi Reginaldo de Tedberewe de Nubbel' totam terram meam in villa de Hulle, videlicet totam terciam partem unius virgate terre que me contingit per decensum hereditatis ex parte dicti Roberti patris mei. Tenendam et habendam dicto Reginaldo et heredibus suis inperpetuum libere quiete bene et in pace integre et honorifice cum omnibus libertatibus et liberis consuetudinibus ad predictam terram pertinentibus. Reddendo inde annuatim capitali domino dictus Reginaldus et heredes ejus dimidiam marcham argenti ad quatuor terminos anni, videlicet ad festum Sancti Michaelis viginti denarios, ad Pascha viginti denarios, ad Nathale Domini viginti denarios, ad Nativitatem Sancti Johannis Baptiste viginti denarios, pro omnibus serviciis et secularibus demandis, salvo regali servicio cum acciderit, videlicet quantum ad tantam liberam terram in eadem villa pertinebit. Ego vero Mabilla sive heredes mei dicto Reginaldo et heredibus suis totam predictam terram cum pertinenciis contra omnes homines et feminas warantizabimus acquietabimus et defendemus inperpetuum. In cujus rei testimonium hanc[1] cartam sigilli mei inpressione confirmavi. T*estibus.*

[1] MS. *hac.*

191. *Charter of Reginald of Tetbury, presumably to St Augustine's, and intended as a confirmation of the lands of Robert Selwyn. The scribe is content to identify the donor and refers to the charter of William le Fowel (no. 188).*

Omnibus etc. Reginaldus de Tedberewe, salutem in domino. Noverit etc. Cetera ut supra in carta Willelmi le Fowel.

192. *Charter of Dionisia daughter of Robert Selwyn of Hill, similar in nature and intention to no. 191. The scribe gives the address with a reference to William le Fowel's charter (no. 188).*

[f. 71][1] Omnibus etc. Dionisia filia Roberti Selewine de Hulle, salutem in domino. Noverit etc. Cetera ut supra in carta Willelmi le Fowel.

[1] Rubric: *Hulle.*

193. *Charter of Nicholas son of Roger to St Augustine's. He confirms the virgate in Hill which Walter, chaplain of Cam, gave to Robert Selwyn in marriage with Helen his daughter, and which the canons hold by gift of Robert and Helen. Before this present charter was drawn up, Robert had sold some parts of the virgate to Nicholas son of Roger and to Nicholas de Lamore and William Gulafre and others. The canons are to hold their part of the virgate in free alms,* *quit of services due to Nicholas son of Roger, but they are to pay each year 20s to his son Nicholas and his heirs. (Before May 1262.)*[1]

Omnibus Christi fidelibus presens scriptum visuris vel audituris Nicholaus filius Rogeri, salutem in domino. Noverit universitas vestra me concessisse et hac presenti carta mea confirmasse deo et ecclesie Sancti Augustini de Bristoll' et canonicis regularibus ibidem deo servientibus in liberam et perpetuam elemosinam totam illam virgatam terre in Hulle cum omnibus pertinenciis suis quam Walterus capellanus de Camme dedit Roberto Selewine in liberum maritagium cum Helena filia sua; scilicet illam quam dicti canonici habent de dono dicti Roberti et Helene uxoris sue et heredum suorum, exceptis quibusdam portionibus dicte virgate terre a dicto Roberto michi et heredibus meis, Nicholao de Lamore, Willelmo Gulafre et aliis, ante confectionem presentis instrumenti venditis inperpetuum. Volo igitur et concedo pro me et heredibus meis quod dicti canonici et eorum successores totam dictam virgatam terre cum omnibus suis pertinenciis, exceptis supradictis portionibus prius venditis, habeant et teneant inperpetuum sicut liberam et perpetuam elemosinam, salvo regali servicio quantum pertinet ad tantum tenementum dictorum canonicorum in Hulle. Ita tamen ut dicti canonici et eorum successores liberi sint et quieti inperpetuum ab omnibus sectis curiarum mearum et hundredorum meorum et omnibus secularibus serviciis et demandis seu exactionibus quibusdam que ad me et heredes meos pertinentibus, salvo annuo[2] redditu viginti solidorum pro dicta terra debito et consueto Nicholao filio meo et heredibus vel assignatis suis annuatim solvendo. In cujus rei robur et testimonium presenti scripto sigillum meum apposui. T*estibus*.

Marginal notes: (1) Nicholaus filius Rogeri. (2) Nicholaus fil'.

[1]   Nicholas son of Roger succeeded his father in 1230 (*Excerpta e Rot. Fin.* i, p. 206); he died before 26 May, 1262; he was succeeded by his son Ralph (*Cal. Inq. P. M.*, i, p. 145, no. 512).
[2]   MS. *anno.*

194. *Charter of Nicholas son of Roger to St Augustine's confirming in free alms grants of land in Hill: Robert Selwyn's gift of 4 acres and 1 foreland, Matthew of Bagpath's gift of 7 acres of arable land and 2 acres of meadow, and Nicholas of Bassingbourn's gift of 4 solidates of land which Hugh the smith had held there. He has read the charters issued by these donors plainly and understood them well. These gifts are assigned to maintain lights in the Lady Chapel built at St Augustine's abbey. (1230 × 62.)*[1]

Omnibus Christi fidelibus presens scriptum visuris vel audituris Nicholaus filius Rogeri, salutem in domino. Noveritis me pro salute anime mee patris mei et matris mee uxorum mearum et liberorum meorum et omnium antecessorum et successorum meorum concessisse et hac presenti carta mea confirmasse deo et ecclesie Sancti Augustini de Bristoll' et canonicis regularibus ibidem deo servientibus in liberam puram et perpetuam elemosinam donum quod Robertus Selewine eisdem fecit apud Hulle de quatuor acris terre et una forrerda, et donum quod eisdem fecit Matheus [f. 71v.] de Bagepaþe de septem acris terre arabilis et duabus acris prati, et donum Nicholai de Bassinburn' de quatuor solidatis redditus in villa de Hulle de terra illa quam Hugo faber tenuit, ad luminare capelle Beate Marie apud Sanctum Augustinum constructe assignatis. Tenendas et habendas supradictis canonicis et eorum successoribus inperpetuum singulas terras supradictas cum omnibus pertinenciis suis libertatibus et liberis consuetudinibus cum predicto redditu quatuor solidorum adeo libere et quiete pro ut in cartis singulorum predictorum donatorum, quas pleni inspexi et bene intellexi, melius et plenius continentur. Et ut hec mea concessio et carte mee confirmatio rata et stabilis perseveret presens scriptum sigilli mei inpressione duxi roborandum. T*estibus*.

[1]   The charter contains a hint that the date may be much earlier than 1262. To write of 'the chapel of the Blessed Virgin Mary built at St Augustine's' may suggest that the building was recent. The Lady Chapel was built by Abbot David, who resigned in 1234, and this charter may have been issued between 1230 and 1234. The reference to *uxorum mearum* is difficult to explain. Nicholas's wife, Ala, survived him, and his inheritance passed to their son, Roger. No record of an earlier marriage was known to Smyth (*Lives*, i, p. 45).

195. *Charter of Nicholas son of Nicholas to St Augustine's confirming in free alms the virgate in Hill which Walter the chaplain gave to Robert Selwyn. (Before May 1262.)*[1]

Omnibus Christi fidelibus presens scriptum visuris vel audituris Nicholaus filius Nicholai, salutem in domino. Noverit universitas vestra me concessisse et hac presenti carta mea confirmasse deo et ecclesie Sancti Augustini de Bristolle et canonicis regularibus ibidem deo servientibus in liberam et perpetuam elemosinam totam illam virgatam terre in Hulle cum omnibus pertinenciis suis quam Walterus capellanus de Camme dedit Roberto Selewine in liberum maritagium cum Helena filia, scilicet illam quam dicti canonici habent de dono dicti Roberti et Helene uxoris sue et heredum suorum, exceptis quibusdam portionibus dicte virgate terre a dicto Roberto Nicholao patri meo et heredibus suis, domino Nicholao de la More, Willelmo Gulafre et aliis ante confectionem presentis instrumenti venditis inperpetuum. Volo igitur et concedo pro me et heredibus et assignatis meis quod dicti canonici et eorum successores totam dictam virgatam terre cum omnibus suis pertinenciis, exceptis supradictis portionibus prius venditis, habeant et teneant inperpetuum sicut liberam et perpetuam elemosinam, salvo regali servicio quantum pertinet ad tantum tenementum dictorum canonicorum in Hulle. Ita tamen ut dicti canonici et eorum successores liberi sint et quieti inperpetuum ab omnibus sectis curiarum mearum et hundredorum meorum et omnibus secularibus serviciis et demandis seu exactionibus quibuscumque ad me et ad heredes vel assignatos meos pertinentibus, salvo annuo redditu viginti solidorum pro dicta [f. 72][2] terra debita et consueta michi et heredibus et assignatis meis annuatim solvendo. In cujus rei testimonium et robur presenti scripto sigillum meum apposui. T*estibus*.

[1] This charter must have been passed on the same occasion as no. 193.   [2] Rubric: *Hulle*.

196. *Charter of Maurice de Berkeley quitclaiming to William le Fowel of Nibley and Alice his wife, Reginald of Tetbury and Mabel his wife, and Dionisia daughter of Robert Selwyn his rights of suit of courts in the virgate of land which Robert Selwyn held in Hill. (1243 × 58; the charter was passed in the later years of this range.)*

Sciant presentes et futuri quod [ego] dominus Mauricius de Berkele pro me et heredibus meis et assignatis meis remisi et quietum clamavi Willelmo le Fowel de Nibelegh' et Alicie uxori sue, et Reginaldo de Tedberewe et Mabil*ia* uxori sue, et Dionisia filia Roberti Selewine et heredibus eorum et eorum assignatis totum jus et clamium quod habui vel habere potui in secta hundredorum et curiarum mearum aliqua occasione illius virgate terre quam Robertus Selewine prenominatus[1] aliquando tenuit in villa de Hulle. Ita quod nec ego Mauricius de Berkele vel heredes mei sive assignati in supradictis sectis hundredorum aut curiarum nomine supradicte virgate terre aut ratione nichilominus de cetero temporibus futuris exigere poterimus vel calumpniare. In cujus rei testimonium presenti scripto sigillum meum apposui. T*estibus*.

  [1]   MS. *prenominatis.*

197. *Charter of Matthew of Bagpath to St Augustine's confirming in free alms 7 acres of arable land and 2 acres of meadow in Hill. (Before 1258.)[1]*

Omnibus Christi fidelibus presens scriptum visuris vel audituris Matheus de Bagepeþe, salutem in domino. Noverit universitas vestra me dedisse concessisse et hac presenti carta mea confirmasse deo et ecclesie Beati Augustini de Bristolle et canonicis regularibus ibidem deo servientibus in liberam puram et perpetuam elemosinam septem acras terre arabilis et duas acras prati cum suis pertinenciis,[2] videlicet tres acras apud Hwlonda que jacet inter terram Hugonis Wainnet*er* versus austrum et terram Roberti Selewine versus aquilonem; et unam acram apud Gerstone que jacet inter terram domini Nicholai de Mora et terram Ade de Battegrave juxta parcum domini de Hulle; et apud Scukende duas acras que se extendunt a Stukemere in parte occidentali et in parte orientali super terram Walteri le Bonde et terram Roberti Selewine ex parte utraque; et apud la Walle tres seilones qui continent quartam partem unius acre qui se extendunt versus la Pulle et jacent inter terram Pain Seisil et terram Helye le Bond'; et quartam partem unius acre in Medecroft que se extendit versus aquilonem super terram Helie de Wicstowe, et jacet inter terram Rogeri Bolling' et terram [f. 72v.] Willelmi Eþelmon; et apud Scudhille dimidiam acram que se extendit versus orientem super terram Roberti le King, et jacet inter terram Walteri Gorwi et terram Rogeri Dolling; et in Hulhememed duas acras prati que se extendunt a parte[3] aquilonali super terram Osberti Bulkard, et jacent inter terram Nicholai de la More et terram Willelmi Gulafre. Tenendas et habendas sibi et successoribus suis de me et heredibus meis libere et quiete integre et pacifice inperpetuum sicut liberam puram et perpetuam elemosinam. Ita quod dicti canonici aut eorum successores nulli omnino hominum inde in aliquo respondeant nisi soli deo in orationibus. Ego vero Matheus et heredes mei totam prenominatam terram cum suis pertinenciis memoratis canonicis et eorum successoribus contra omnes mortales warantizabimus acquietabimus et defendemus inperpetuum. Quod ne inposterum devocetur indubium presenti scripto sigillum meum apposui. Hiis testibus, domino Nicholao vighario[4] de Berkele, domino Mauricio de Salso marisco, domino Nicholao Lupo, Mauricio de Stanes, Luca de Hulle, Willelmo Mandewarr', Nicholao Scotto, Willelmo filio[5] Roberti, Ada Flambard, Reginaldo de Gatebur', Johanne de Stantone, et aliis.

¹   This grant was confirmed by Nicholas son of Roger, 1230 × 62 (no. 194). Matthew's widow had remarried by February 1265, but the date of his death is not established (Jeayes, *Select Charters*, p. 137, no. 435).
²   MS. adds here *videlicet tres acras prati cum suis pertinenciis*. This has not been marked for erasure, but the remainder of the text identifies the 9 acres conveyed by this charter.
³   MS. *aperte*.
⁴   MS. *vigharius*.   ⁵   MS. *filius*.

198. *Charter of Robert of Bibury to John of Appleridge, son of Roger the smith, confirming 1 acre of arable land in Hill called the Park acre for an annual rent of ½d, and in Robert's urgent necessity, a payment of half a mark. (Mid-thirteenth century.)*[1]

Sciant presentes et futuri quod ego Robertus de Beybur' dedi concessi et hac presenti carta mea confirmavi Johanni de Appelruge filio[2] Rogeri fabri pro homagio et servicio suo unam acram terre arabilem que vocatur la Parcachre, et jacet inter terram quod Lucas Rocel quondam tenuit et terram quod Thomas cocus quondam tenuit, et continet in se ix cellones cum duabus forrerdis et extendunt quedam capita sua in aquilone versus Codiswithe, et alia capita extendunt erga australem super terram quod Lucas Rocel olim tenuit. Tenendam et habendam de me et heredibus meis cum omnibus libertatibus que jure possunt exigi in villa de Hulle sibi et heredibus suis vel suis assignatis cuicumque et quibuscumque et quando illam terram dare vendere legare assignare vel alio modo alienare voluerit, sive in sanitate vel in infirmitate, libere quiete bene integre honorifice in pace et in hereditate inperpetuum. Reddendo inde annuatim michi et heredibus meis ipse et heredes sui vel sui assignati [f. 73][3] unum obulum ad Pascha pro omnibus serviciis et consuetudinibus auxiliis releviis sectis cur*ie* et omnibus secularibus demandis que nunc sunt vel aliquo tempore evenire poterunt, salvo tamen regali servicio quantum pertinet ad tantam terram in eadem villa et in eodem feudo. Ego vero predictus Robertus et heredes mei warantizabimus defendemus et acquietabimus prenominato Johanni et heredibus suis vel suis assignatis ut predictum est servicium contra omnes homines et feminas. Pro hac autem donatione et concessione predictus Johannes prenominato Roberto in urgenti[4] negotio unum dimidium marcum dedit sterlingorum premanibus. Et ideo volo quod hec mea donatio et concessio rata et stabilis semper permaneat presentem cartam inpressione mei sigilli omnia predicta confirmanda roboravi. Hiis testibus, domino Nicholao de la Mora, domino Roberto de Glastingbur', magistro Willelmo Gulafre, Nicholao la Scot, Willelmo Mandew', Hugone Wainet', Rogero fabro, et multis aliis.

[1] Robert of Bibury occurs *c*. 1234 × *c*. 1250 (and certainly before 1267) (no. 210).
[2] MS. *filii*.
[3] Rubric: *Hulle*.
[4] MS. *viginti*.

199. *Charter of Gunnilda widow of Matthew of Bagpath to St Augustine's remitting and quitclaiming her right of dower in 7 acres of land and 2 acres of meadow in Hill which Matthew had given to the abbey. (Before 1265.)*[1]

Omnibus Christi fidelibus presens scriptum visuris vel audituris Gunnilda relicta Mathei de Baggepethe, salutem in domino. Noverit universitas vestra me in libera voluntate mea remisisse et quietum clamasse inperpetuum abbati et conventui Sancti Augustini de Bristoll' totum jus et clamium quod ratione dotis habui vel aliquo modo habere potui in septem acras terre arabilis et duabus acris prati cum suis pertinenciis seu aliis quibuscumque terris quas dictus Matheus quondam vir meus dictis abbati et conventui in liberam et perpetuam elemosinam dedit et carta sua confirmavit. Volo igitur et concedo pro me et omnibus assignatis meis quod dicti abbas et conventus memoratas terras cum prato et omnibus pertinenciis suis in ea libertate et pacifica possessione habeant et teneant inperpetuum sine aliquo inpedimento mei vel meorum qua eas terras[2] vite dicti viri mei tenuerunt. In cujus rei testimonium presenti scripto sigillum meum apposui. T*estibus*.

[1] See no. 197.   [2] MS. *terre*.

200. *Charter of John of Appleridge, son of Roger the smith, to St Augustine's confirming in free alms 1 acre of arable land in Hill called the Park acre. (Mid-thirteenth century.)*[1]

Sciant presentes et futuri quod ego Johannes de Applelruge filius Rogeri fabro pro salute anime mee et omnium parentum meorum dedi concessi et hac presenti carta mea confirmavi deo et ecclesie Beati Augustini [f. 73v.] de Bristoll' et canonicis regularibus ibidem deo servientibus unam acram terre arabilem que vocatur la Parcacre et jacet inter terram quam Lucas Rocel quondam tenuit et terram quam Thomas cocus quondam tenuit, et continet in se ix celliones cum duabus forrerdis et extendunt quodam capita sua in aquilonem versus Coddiswrthe et alia capita extendunt erga australem super terram quam Lucas Rocel olim tenuit. Tenendam et habendam de me et de heredibus meis sibi et successoribus suis inperpetuum libere et quiete integre et pacifice sicut liberam puram et perpetuam elemosinam meam. Ita quod nec michi nec heredibus meis nec ulli omnino hominum in aliquo inde respondeant nisi soli deo in orationibus. Ego vero et heredes mei totam predictam terram cum omnibus pertinenciis suis contra omnes homines et feminas dictis canonicis warantizabimus et eosdem de omnibus sectis cur*iarum* et hundredorum serviciis et omnibus secularibus exactionibus et demandis defendemus [et] acquietabimus inperpetuum. Quod ne inposterum devocetur indubium presens scriptum sigilli mei inpressione roboravi. Hiis testibus, domino Nicholao de la Mora, domino Mauricio de Berkele, Nicholao Scoto, Willelmo Mandewerr', Hugone Waynet', Rogero fabro, Gileberto tunc serviente de Berkele, et multis aliis.

¹ If the Maurice de Berkeley who attests is Maurice II, lord of Berkeley, this charter was issued after 1243. As his name is the second on the list, it may be that this is Maurice, a younger son of Maurice I.

201. *Charter of William Gulafre to St Augustine's confirming in free alms the land in Hill which he had by grant from Robert Selwyn. (Before 1265.)*¹

Omnibus Christi fidelibus presens scriptum visuris vel audituris Willelmus Gulafre, salutem in domino. Noveritis me dedisse et concessisse et hac presenti carta mea confirmasse deo et ecclesie Sancti Augustini de Bristoll' et canonicis regularibus ibidem deo servientibus in liberam puram et perpetuam elemosinam totam illam terram meam quam habui de dono Roberti Selewine, videlicet duos seilones qui jacent juxta terram Osberti Athelman et extendunt se versus altam viam ex parte una et versus terram Matillis Dolling ex altera; et unum seilonem qui vocatur Morerugg', et continet in se dimidiam acram terram, et jacet inter terram Pagani Seisil et terram Matillis le Bonde, et extendit se versus Stukemere ex parte una et versus Eite ex altera; et unum seylonem qui se extendit versus Bodeworthe ex parte una et super Eyte ex altera; et unam garam que extendit se versus Averamelon'; et [f. 74]² quatuor seillones in Madecrofta quorum unus jacet inter terram Pagani Seisil, et alius inter terram³ dicti Pagani, et tercius inter terram Osberti Seisil et terram Walteri le Bonde, et quartus inter terram tunc Ricardi le King et Pagani Seisil et pratum Mathei de Bagepeþe, et extendit se ex una parte versus Wilepole et versus pratum Osberti Bolhard ex altera; et duos seilones terre quorum unus extendit se versus Averamelon' juxta supradictam garam et alius extendit se versus viam regiam ex parte una et versus Eyte ex parte occidentali juxta terram meam ex altera. Volo igitur et concedo pro me et heredibus vel assignatis meis quod dicti canonici et eorum successores inperpetuum habeant et teneant omnes prenominatos seilones cum supradicta gara et dimidia acra prati⁴ et omnibus aliis pertinenciis suis sicut liberam puram et perpetuam elemosinam libere et quiete integre et pacifice quietam et absolutam ab omnibus serviciis sectis *curie* et hundredorum et omnibus aliis querelis exactionibus et secularibus demandis. Ita quod nulli omnino hominum inde respondeant nisi soli deo in orationibus. Ego vero Willelmus et heredes vel assignati mei omnia premissa cum omnibus pertinenciis suis contra omnes mortales dictis canonicis et eorum successoribus warantizabimus inperpetuum acquietabimus et defendemus. In cujus rei testimonium presenti scripto sigillum meum apposui. T*estibus*.

¹ Matthew of Bagpath is mentioned in terms which suggest that he is still alive.
² Rubric: *Hulle.*
³ MS. *interram.*
⁴ This is the first mention of a parcel of meadow in this charter.

202. *Charter of Nicholas Scot to St Augustine's confirming in free alms 1 selion of land in Oxenhay in Hill. (Mid-thirteenth century.)*

Sciant presentes et futuri quod ego Nicholaus Scotus dedi concessi et hac presenti karta mea confirmavi pro me et heredibus meis abbati et conventui Sancti Augustini de Bristollo et eorum successoribus unum ceylonem terre mee in Oxenhay jacentes inter duos seilones dictorum abbatis et conventus quos habuerunt de dono Roberti Bastard. Habendum et tenendum dictis abbati et conventui et eorum successoribus in liberam puram et perpetuam elemosinam de me et heredibus meis libere quiete et integre inperpetuum. Ego vero et heredes mei dictum seilonem terre cum omnibus suis pertinenciis prenominatis abbati et conventui[1] et eorum successoribus contra omnes mortales tam Christianos quam Judeos warantizabimus acquietabimus et inperpetuum defendemus. Et quia volo quod hec mea donatio concessio et presentis carte mee [f. 74v.] confirmatio perpetuo stabilitatis robur obtineant presens scriptum sigilli mei inpressione confirmavi. T*estibus*.

[1] MS. *abbatis et conventus.*

203. *Charter of Robert of Bibury to St Augustine's confirming in free alms 4 acres of land in the croft called Cleeve with his grove in Hill called* Mosleie, *and with a piece of land between the croft and the grove. (Mid-thirteenth century.)*

Sciant presentes et futuri quod ego Robertus de Beibur' concessi dedi et hac presenti carta mea confirmavi deo et ecclesie Beati Augustini de Bristoll' et canonicis regularibus ibidem deo servientibus et eorum successoribus inperpetuum in liberam puram et perpetuam elemosinam quatuor acras terre que jacent in crofta qui vocatur Cleithf una cum tota grava mea in Hull' qui vocatur Mosleie, et quadam portione terre que jacet inter dictam croftam et gravam memoratam. Tenendas et habendas sibi et successoribus suis inperpetuum libere et quiete integre et pacifice sicut liberam puram et perpetuam elemosinam. Ita quod inde nulli omnino hominum in aliquo respondeant nisi soli deo in orationibus. Ego vero Robertus et heredes et assignati mei dictas quatuor acras terre una cum dicta grava et memorata portione terre dictis canonicis et eorum successoribus contra omnes mortales warantizabimus et in omnibus sectis curiarum et hundredorum et omnibus secularis demandis et exactionibus acquietabimus necnon et de omnibus serviciis secularibus et per omnia defendemus. In cujus rei testimonium presenti scripto sigillum meum[1] apposui. T*estibus*.

[1] MS. *meus.*

204. *Charter of Luke Russell to Nicholas Page and his heirs, made with the assent of his wife Cristiana, granting him 2 acres of arable in Hill for a payment of 30s and an annual rent of 1d. No. 205 makes it clear that Nicholas has* *purchased the land from Luke Russell before selling it on to John Rufus. (Before 1265.)*[1]

Sciant presentes et futuri quod ego Lucas Rusel assensu et consensu Cristiane uxoris mee et heredum meorum dedi et concessi et hac presenti carta mea confirmavi Nicholao Page et heredibus suis vel suis assignatis duas acras terre arabilis[2] cum pertinenciis de tenemento meo in villa de Hulle quarum septem seilones jacent juxta Brodestrete, et tendunt ad terram que fuit Willelmi Senescath in occidentali parte et tendunt ad terram que fuit Roberti filii[3] Ysabelle in orientali parte, et quatuor seilones et una gara qui jacent inter terram Mathei de Bakepathe et terram de Wimbersethe. Tenendam et habendam de me et heredibus meis sibi et heredibus suis vel suis assignatis libere et quiete integre et honorifice jure hereditario inperpetuum. Pro hac autem donatione [et] concessione dedit michi [f. 75][4] predictus Nicholaus triginta solidos sterelingorum, reddendo inde annuatim michi et heredibus meis ille et heredes sui vel sui assignati unum denarium ad Pasch' pro omni servicio et seculari demanda que sunt vel evenire poterunt. Ego vero predictus Lucas et heredes mei totam predictam terram sicut predictum est sepedicto Nicholao et heredibus suis vel suis assignatis contra omnes mortales inperpetuum warantizabimus acquietabimus et defendemus. In hujus rei testimonium huic presenti carte sigillum meum apposui. *Testibus*.

Marginal note: vill' de H'.

[1] Matthew of Bagpath is mentioned in terms which suggest that he is still alive.
[2] MS. *arrabiles*; the scribe has made this agree with *acras* rather than with *terre*.
[3] MS. *Robertus filius*.
[4] Rubric: *Hulle*.

205. *Charter of Nicholas Page to John Rufus confirming to him 2 acres of arable land in Hill. John pays Nicholas 30s as an entry fine (*gersuma*), and pays Luke Russell an annual rent of 1d. The land has been sold for a second time. (Before 1265.)*

Sciant presentes et futuri quod ego Nicholaus Page dedi et concessi et hac mea presenti carta confirmavi Johanni Ruffo duas acras terre arabilis[1] cum omnibus pertinenciis in villa de Hulle, scilicet septem seilones juxta Bradestrete, et tendunt ad terram que fuit Willelmi Senesc' versus occidentem, et quatuor seilones et una gara qui jacent inter terram[2] Matheis de Bakepath' et terram Walteri de Wimberseth'. Tenendam et habendam de me et de heredibus meis sibi et heredibus suis vel suis assignatis libere et quiete integre et honorifice jure hereditario inperpetuum. Reddendo inde annuatim Luce Rucel et heredibus suis unum denarium ad Pascha pro omni servicio et seculari demanda sicut continetur in carta originali, quam cartam Lucas Rusel michi fecit. Pro hac autem donatione et concessione dedit michi predictus Johannes triginta solidos sterelinguorum in gersumam.[3] Ego vero predictus Nicholaus Page et heredes mei totam predictam terram sicut predictum est predicto Johanni Rufo et heredibus suis vel suis assignatis contra omnes mortales inperpetuum warantizabimus. In hujus rei testimonium huic presenti carte sigillum meum apposui. *Testibus*.

[1] MS. *arabiles*; the scribe has made this agree with *acras* rather than with *terre*.
[2] MS. *ter terram*.
[3] MS. *ingersumam*.

206. *Charter of Luke Russell to John Rufus confirming to him 1½ acres of arable land in Hill. John has paid 18d as an entry fine (*gersuma*), and owes an annual rent of 1d. (Mid-thirteenth century.)*

Sciant presentes et futuri quod ego Lucas Russel dedi et concessi et hac presenti carta mea confirmavi Johanni Rufo pro servicio suo et decem et octo solidos esterlingorum quos michi premanibus dedit in gersumam unam acram terre et dimidiam cum pertinenciis de tenemento meo in villa de Hulle; scilicet quatuor seilones qui insimul jacent super moneƿte[1] incipientes apud Rokhemeberlond' [f. 75v.] quam Thomas de Danbur' tenuit in occidentali parte et extendunt se usque ad viam regiam que jacet inter Rokhamtone et Hulle in orientali parte; et duos seilones qui incipiunt ad pasturam Radulfi Waynetere, et extendunt se super moneyte inter capud Longecrofte et terram que fuit Walteri de Wimbersethe; et unum seylonem in eodem campo propiorem vie regie preter unum. Tenendas et habendas de me et heredibus meis eidem Johanni[2] et heredibus suis et cuicumque vel quibuscumque eandem terram dare vendere legare vel alio modo assignare voluerit quo modo et quando libere quiete bene et in pace et hereditarie inperpetuum, exceptis viris et feminis religiosis atque judeis. Reddendo inde annuatim michi et heredibus meis ipse et heredes sui vel sui assignati unum denarium ad Pascha pro omnibus serviciis consuetudinibus auxiliis sectis curiarum et omnimodis secularibus demandis que inde evenire poterunt, salvo tamen regali servicio quantum pertinet ad tantum liberum tenementum in eadem villa et de eodem feudo. Et ego Lucas predictus et heredes mei warantizabimus defendemus et acquietabimus totam predictam terram cum pertinenciis suis predicto Johanni[2] et heredibus suis vel suis assignatis ut predictum est per predictum servicium contra omnes gentes inperpetuum. In cujus rei testimonium huic presenti carte sigillum meum apposui. *Testibus*.

[1] The odd spelling produces a phonetic version of the Welsh *mynydd* (mountain); it matches the use of the Welsh element *hen* (old) in Henridge Hill in Rockhampton (*P-NG*, iii, p. 13).
[2] MS. *Johannam*.

207. *Charter of Luke Russell to John Rufus (*Rusti*) confirming to him 2 acres of arable land in Hill which he had from Nicholas Page, and which Nicholas formerly held by charter. John has paid 1 bezant in recognition, and owes an annual rent of 1d. (Before 1265.)*

Sciant presentes et futuri quod ego Lucas Russel concessi et hac presenti carta mea confirmavi Johanni Rusti et heredibus suis vel assignatis suis duas acras terre arabilis[1] cum pertinenciis suis quas habuit de dono Nicholai Page et quas dictus Nicholaus quondam habuit donatione mea in villa de Hulle per cartam; scilicet septem seilones qui jacent juxta Bradestrete et tendunt ad terram que fuit Willelmi Senescalli in occidentali parte et ad terram que fuit Roberti filii Ysabelle in orientali parte, et quatuor seilones cum una gara qui jacent inter terram Mathei de Backepathe et terram Walteri de Wimbersethe. Tenendas et habendas de me et heredibus meis sibi et heredibus suis vel suis assignatis sine ullo tenemento libere quiete integre bene in pace et hereditarie inperpetuum. [f. 76][2] Reddendo inde annuatim michi et heredibus meis ille et heredes sui vel sui assignati unum denarium ad Pascha pro omnibus serviciis et secularibus demandis que nunc sunt vel aliquo tempore evenire poterunt. Pro hac autem concessione et carte mee confirmatione dedit michi predictus Johannes unum bizantium premanibus de recognitione. Ego vero predictus Lucas et heredes mei warantizabimus defendemus et acquietabimus totam predictam terram cum pertinenciis suis predicto Johanni et heredibus suis vel suis assignatis ut predictum est per predictum servicium contra omnes gentes inperpetuum. Et in hujus rei testimonium huic presenti carte mee sigillum meum apposui. *Testibus.*

[1]   MS. *arabiles*; the scribe has made this agree with *acras* rather than *terre.*
[2]   Rubric: *Hulle.*

208. *Charter of John Rufus to St Augustine's granting in free alms 1½ acres in Hill. The canons must pay 2d annually to the heirs of Luke Russell. (Before 1265.)*

Sciant presentes et futuri quod ego Johannes Rufus concessi dedi et hac presenti carta mea confirmavi deo et ecclesie Beati Augustini de Bristolle et canonicis regularibus ibidem deo servientibus et eorum successoribus inperpetuum in liberam puram et perpetuam elemosinam unam acram terre et dimidiam cum pertinenciis suis in Hull'; scilicet quatuor seilones qui simul jacent super moneþte[1] incipientes apud Rokhemeberlond' quam Thomas le Danbur quondam tenuit in occidentali parte et extendunt se usque ad viam regiam que jacet inter Rokhamton' et Hulle in orientali parte; et duas seilones qui incipiunt ad pasturam Radulfi Waynetere et extendunt se super monente[2] inter capud Langecrofte et terram que fuit Walteri de Wimbersethe; et unum seilonem in eodem campo propriorem vie regie preter unum. Item duas acras terre arabilis cum omnibus pertinenciis in eadem villa de Hulle, scilicet septem seilones juxta Bradestrete et tendunt ad terram que fuit Willelmi Senescalli versus occidentem, et quatuor seilones et unam garam qui jacent inter terram Mathei de Baggepeþe et terram Walteri de Wimbersethe. Tenendas et habendas sibi et successoribus suis inperpetuum libere et quiete integre et pacifice sicut liberam puram et perpetuam elemosinam. Ita quod inde nulli omnino hominum respondeant nisi soli deo in orationibus, preter quam de duobus denariis heredibus Luce Russel in Pascha pro dicta terra annuatim soluendis pro omnibus serviciis sectis curiarum et hundredorum et aliis quibuscumque secularibus exactionibus et demandis.

[f. 76v.] Ego vero Johannes et heredes vel assignati mei omnes prenominatas acras terre cum gara et omnibus aliis pertinenciis suis dictis canonicis contra omnes mortales inperpetuum warantizabimus acquietabimus per omnia et defendemus. In cujus rei testimonium presenti scripto sigillum meum apposui. *Testibus.*

1   See no. 206, n. 1.
2   A variant for *monepte.*

209. *Charter of Luke Russell of Hill to Thomas Long, burgess of Bristol, granting him 8 acres and 1 fardel (a quarter-acre) of arable land and 3 fardels of meadow in Hill. Thomas renders annually a pair of white gloves, worth at least ½d, or a rent of ½d, whichever he prefers, and he pays 10 marks in recognition. This charter and nos. 210 and 211 show Thomas Long investing in land in Hill. (c. 1235 × c. 1250.)*[1]

Sciant presentes et futuri quod ego Lucas Russel de Hulle[2] dedi concessi et hac presenti carta mea confirmavi Thome Longo burgensi de Bristolle octo acras et unum ferdellum terre arabilis et unam acram et tres ferdelles prati in manerio de Hulle. Quarum quidem octo acrarum, quatuor acre jacent in Oldecrofte, scilicet due acre extendunt se super viam versus Apelrugge, et due acre jacent juxta capud australe predictarum duarum acrarum; et due acre et dictum unum ferdellum jacent in Scortocolecrofte et extendunt se de terra Aluredi Dilling versus Oldebur'; et due acre jacent in Gorbrodelonde juxta terram Roberti Adhelman in parte orientali; et predicta una acra et tres ferdellos prati jacent in prato de Tramtone inter pratum Aluredi Dilling et pratum Walteri de Wimersete. Habendas et tenendas dictas octo acras et dictum unum ferdellum terre arabilis et dictam unam acram et tres ferdellos prati cum pertinenciis suis sibi Thome Longo et heredibus et assignatis suis de me et heredibus meis libere et pacifice integre et quiete de omnibus serviciis sectis querelis wardis eschaetis releviis et omnibus aliis secularibus demandis in omnibus rebus et in omnibus locis. Reddendo inde annuatim michi et heredibus vel assignatis meis dictus Thomas et heredes vel assignati sui unam par albarum cyrotecarum de pretio unius oboli vel unum obolum argenti, utrum maluerit, in festo Sancti Michaeli pro omni servicio, salvo regali servicio quantum pertinet ad tantum tenementum in eodem manerio. Licet vero predicto Thome et heredibus et assignatis suis totam predictam terram cum omnibus pertinenciis suis dare vendere et assignare tam in sanitate quam in infirmitate et etiam in testamento legare cuicumque voluerit. Pro hac autem mea donatione concessione et presentis carte mee confirmatione dedit michi predictus Thomas decem marcas sterelinguorum de recognitione premanibus. Quare ego Lucas et heredes et assignati mei [f. 77][3] debemus warantizare predicto Thome et heredibus et assignatis suis predictas octo acras et unum ferdellum terre arabilis et dictam unam acram et tres ferdellos prati cum pertinenciis suis contra omnes mortales inperpetuum. Quod ut ratum et stabilis semper permaneat presentem cartam sigilli mei inpressione roboravi. *Testibus.*

¹ Thomas Long attested a charter issued in June 1244, and others issued between 1234 and 1250 (*St Mark's Cartulary*, pp. 43–4, 94, 184–5, nos. 40, 41, 136, 286, 287). David Long occurs in 1267 (ibid. p. 94, no. 132).
² *Quare quidem* expuncted for deletion.
³ Rubric: *Hulle*.

210. *Charter of Robert of Bibury to Thomas Long of Bristol confirming to him 1 acre of arable land in Hill, in Moorcroft, for a rent of ½d and the payment of 1 mark. (c. 1234 × c. 1250.)*

Sciant presentes et futuri quod ego Robertus de Bibur' dedi concessi et hac presenti carta mea confirmavi pro me et heredibus meis Thome Longo de Bristoll' et heredibus suis vel assignatis suis unam acram terre arabilis in manerio de Hulle que jacet in Morcrofta, cujus capud orientale extendit se super terram quam Robertus de Ponte aliquando tenuit et capud occidentale extendit se super terram quam Alicia filia Roberti filii Ysabelle aliquando tenuit in parte australi. Habendam et tenendam dictam acram terre dicto Thome Longo et heredibus vel assignatis suis de me et de heredibus meis libere et quiete integre et pacifice inperpetuum. Reddendo inde annuatim michi et heredibus vel assignatis meis unum obolum argenti in festo Sancti Michaelis pro omnibus serviciis exactionibus sectis querelis et omnibus aliis secularibus demandis ad dictam acram terre pertinentibus, salvo regali servicio quantum pertinet ad tantum tenementum in eodem manerio. Et pro hac mea donatione concessione et presentis carte mee confirmatione dedit michi dictus Thomas Longus unam marcam argenti premanibus. Quare ego dictus Robertus de Bibur' et heredes mei dicto Thome Longo et heredibus et assignatis suis totam predictam acram terre contra omnes homines et feminas warantizare debemus inperpetuum. Et ut hec mea donatio et concessio et presentis carte mee confirmatio rata et stabilis semper permaneat presentem cartam sigilli mei inpressione roboravi. T*estibus.*

Marginal note: Maner' de Hull.

211. *Charter of Nicholas Scot to Thomas Long of Bristol confirming to him 1 acre of arable land in Hill, in* Cortellesverland, *for an annual rent of ½d and a payment of 1 mark. (c. 1234 × c. 1250.)*

Sciant presentes et futuri quod ego Nicholaus le Escot dedi concessi et hac presenti carta mea confirmavi pro me et heredibus meis Thome Longo de Bristoll' et heredibus vel assignatis suis unam acram terre arabilis in manerio de Hulle que jacet in Cortellesverland, cujus capud occidentale extendit se super terram quam Reginaldus de Catesgrave aliquando tenuit et capud orientale extendit se super terram meam et jacet proxima terre quam Willelmus [f. 77v.] Mandewerr' aliquando tenuit excepto uno seilone terre mee in parte aquilonali. Habendam et tenendam dictam acram terre dicti Thome Longo et heredibus vel assignatis suis de me et heredibus meis libere et quiete integre et pacifice inperpetuum. Reddendo inde annuatim michi et heredibus vel assignatis meis unum obolum argenti in festo Sancti Michaelis pro omnibus serviciis exactionibus sectis et omnibus aliis secularibus demandis ad dictam acram terre pertinentibus, salvo regali servicio quantum pertinet ad tantum tenementum in eodem manerio. Et pro hac mea donatione concessione et presentis carte mee confirmatione dedit michi predictus Thomas Longus unam marckam argenti premanibus. Quare ego dictus Nicholaus le Escot et heredes mei dicto Thome Longo et heredibus et assignatis suis totam predictam acram terre contra omnes homines et feminas warantizare debemus inperpetuum. Et ut hec mea donatio concessio et presentis carte mee confirmatio rata et stabilis semper permaneat presentem cartam sigilli mei inpressione roboravi. Testibus.

Marginal note (*Modern*): Estcourt.

212. *Charter of David Long son and heir of Thomas Long, formerly a burgess of Bristol, to St Augustine's granting in free alms 8 acres and 1 fardel of arable land and 1 acre and 3 fardels of meadow in Hill. The canons are to render annually to Luke Russell 1 pair of white gloves, worth at least ½d, or a rent of ½d, whichever they prefer. He also grants 1 acre in Moorcroft, for which they are to pay ½d annually to Robert of Bibury, and 1 acre in* Cattethesverland, *for which they are to pay ½d annually to Luke Russell. In his great necessity, the canons have given David an unspecified sum of money. (c. 1267.)*[1]

Sciant presentes et futuri quod ego David Longus filius et heres Thome Longi quondam burgensis Bristoll' dedi concessi et hac presenti carta mea confirmavi pro salute anime mee uxoris mee et omnium liberorum et successorum nostrorum [et] antecessorum deo et ecclesie Beati Augustini de Bristoll' et canonicis regularibus ibidem deo servientibus et eorum successoribus inperpetuum in liberam et perpetuam elemosinam octo acras et unum ferdellum terre arabilis et unam acram et tria ferdella prati in manerio de Hull'. Quarum quidem octo acrarum, quatuor acre[2] terre jacent in Oldecrofte, scilicet due acre extendunt se super viam versus Appelrugg', et due acre jacent juxta capud australe predictarum acrarum; et due acre et dictum unum ferdellum jacent in Scorterolecrofte et extendunt se de terra Aluredi Dilling versus Oldebur'; et due acre jacent in Gorbrodelonde juxta terram Roberti Aibelman in parte orientali; et predicta una acra et tria ferdella prati jacent in prato de Urimentone inter pratum Aluredi Dilling et pratum Walteri de Wimersethe. Pro quibus octo acris et ferdello terre et una acra et tribus ferdellis prati dicti canonici reddent annuatim Luce Russel de Hull' et heredibus vel assignatis suis unum par albarum cirotecarum de pretio unius oboli vel unum obulum argenti, utrum maluerint, in festo Sancti Michaelis pro omni servicio [f. 78][3] sectis cur*iarum* et omnibus secularibus demandis et exactionibus. Item unam acram terre arrabilis in dicto manerio de Hull' que jacet in Morcrofte cujus capud orientale extendit se super terram quam Alicia filia Roberti filii Ysabelle aliquando tenuit et capud occidentale extendit se super terram quam Robertus de Ponte aliquando tenuit et jacet in longo juxta terram quam dicta Alicia aliquando tenuit in parte australi. Pro qua quidem acra dicti canonici reddent annuatim Roberti de Bibur' et heredibus vel assignatis suis unum obolum argenti in festo Sancti Michaelis pro omnibus serviciis sectis cur*iarum* et omnibus secularibus exactionibus et demandis. Item unam acram[4] terre arabilis in dicto manerio que jacet[5] in Cattethesverland cujus capud occidentale extendit se super terram quam Reginaldus de Catesgrave aliquando tenuit et capud orientale extendit se super terram Nicholai le Scot et jacet proxima terre quam Willelmus Mandewerr' aliquando tenuit, excepto uno seilo de terra dicti Nicholai in parte aquilonali. Pro qua quidem acra dicti canonici reddent annuatim dicto Nicholao et heredibus vel assignatis suis unum obolum argenti in festo Sancti Michaelis pro omnibus serviciis sectis curiarum et omnibus secularibus exactionibus et demandis. Volo igitur quod dicti canonici et eorum successores habeant teneant et inperpetuum possideant omnes predictas acras et ferdellum terre arabilis et predictam unam acram et tria ferdella prati cum omnibus suis pertinenciis de me et heredibus vel assignatis meis libere et quiete bene et in pace sicut liberam et perpetuam elemosinam, salvo redditu supradicto. Pro hac autem donatione concessione mea et presentis carte mee confirmatione dicti canonici dederunt michi ad urgens negotium meum expendiendum[6] quodam summam pecunie premanibus. Ego vero et heredes vel assignati mei omnes predictas acras cum ferdellis et omnibus suis pertinentibus dictis canonicis et eorum successoribus contra omnes mortales warantizabimus inperpetuum et eas de omnibus acquietabimus et defendemus. Quod ne inposterum devocetur indubium presente carte sigilli mei munime roboravi. T*estibus.*

[1] See no. 209.   [2] MS. *acras.*   [3] Rubric: *Hulle.*
[4] *Item unam acram* repeated.   [5] *de Hull'* expuncted for deletion.   [6] MS. *expediendum.*

213. *Charter of William of Stone son of Walter of Stone to St Augustine's granting in free alms his land called Hitching which lies next to* Horethurum, *in Stone. (Mid-thirteenth century.)*

Omnibus Christi fidelibus presens [scriptum] visuris vel audituris Willelmus de Stanes filius Walteri de Stanes, salutem. Noverit universitas vestra me pro salute anime mee et omnium parentum meorum dedisse concessisse [f. 78v.] et hac presenti carta mea confirmasse deo et ecclesie Sancti Augustini de Bristoll' et canonicis ibidem deo servientibus totam terram meam que vocatur Inheching'[1] juxta Horethurum[2] cum omnibus pertinenciis suis in liberam puram et perpetuam elemosinam. Tenendam et habendam de me et heredibus meis sibi et successoribus suis inperpetuum. Ita quod nec michi nec heredibus meis nec alicui omnino hominum in aliquo de supradicta terra respondeant nisi soli deo in orationibus. Ego vero et heredes mei totam predictam terram cum omnibus suis pertinenciis contra omnes homines et feminas memoratis canonicis inperpetuum warantizabimus et eosdem canonicos de omnimodis serviciis sectis querelis demandis et exactionibus plene acquietabimus. Et ut hec mea donatio et

concessio rata et stabilis inperpetuum permaneat eam presenti scripto sigilli mei
appositione roborato duxi confirmandum. T*estibus*.

¹   *deo et ecclesie Sancti Augustini de Bristoll' et canonicis ibidem deo servientibus* repeated.
²   Perhaps Hagthorn (*P-NG*, ii, p. 227).

214. *Charter of William of Stone son of Walter of Stone. He has received from
William, abbot of St Augustine's, 4½ marks for his urgent needs. If the lord of
Berkeley, or any other, impleads or disseises the canons for the land called
Hitching, which he gave them, he must pay 4½ marks to the canons and meet
any expenses they might have incurred. If need be, he and his heirs shall be
distrained by the sheriff of Gloucestershire to meet this obligation. (1234–64.)*¹

Omnibus Christi fidelibus presentes literas visuris vel audituris Willelmus de
Stanes filius Walteri de Stanes, salutem. Noverit universitas vestra me recepisse
de domino Willelmo abbate Sancti Augustini de Bristoll' et conventu ejusdem
loci quatuor marcas argenti et dimidiam pro urgentibus negotiis meis
expendiendis.² Ita videlicet quod si dominus de Berkele vel aliquis alius de terra
Inhechinge juxta Horethurne quam dictis canonicis dedi in liberam puram et
perpetuam elemosinam eos implacitaverit vel deseisiaverit et ego vel heredes mei
cum super hoc fuerimus requisiti infra quindenam proximo sequentem sine
ulteriori dilatione de supradictis quatuor marcis et dimidia absque contradictione
vel reclamatione predictis abbati et conventui plene satisfaciemus. Et si contingat
dictos canonicos occasione warantizationis non facte³ sumptus facere vel
expensas, nos dictos sumptus et expensas una cum quatuor marcis et dimidia
supradictis canonicis refundere debebimus modo supradicto. Ad hec omnia
predicta fideliter observanda subjeci me et heredes meos jurisdictioni vicecomitis
Glouc' qui pro tempore fuerit quod me et heredes meos si necesse fuerit per
omnia bona nostra mobilia et immobilia ad omnium predictorum [f. 79]⁴
solutionem compellat. In cujus rei testimonium litteris meis presentibus et
patentibus sigillum meum apposui. Valete.

¹   This arrangenent could have been made by William of Breadstone or William Long.
²   MS. *expediendis*.
³   MS. *ficte*.   ⁴   Rubric: *Staanes*.

215. *Charter of William of Stone granting to Reginald of Uley, with his daughter
Agnes in marriage, 2 acres in Stone, one in the field called* Leye, *the other
called* Cortebrode aker. *The land is to be held by Reginald and the heirs of this
marriage, for an annual render of 1d or 1 pair of white gloves. (Mid-thirteenth
century.)*

Sciant presentes et futuri quod ego Willelmus de Stone dedi et concessi et hac
presenti carta mea confirmavi Reginaldi de Eweleg' in libero maritagio cum
Agnete filia mea duas acras terre mee in villa de Stone, unde altera acra jacet in
campo que vocatur Leye et illa acra vocatur Cortebrode aker. Tenendam et

habendam sibi et[1] heredibus suis de dicta Agnete filie mea exeuntibus[2] de me et heredibus meis libere et quiete bene et in pace. Reddendo annuatim michi et heredibus meis ipse et heredes sui de dicta Agnete procreati ad Pascha unum denarium vel unum par cirotecarum albarum pro omni servicio tantum pertinet ad tantum tenementum in eadem villa. Ego vero Willelmus et heredes mei warantizabimus dictas acras cum pertinenciis contra omnes mortales dicto Reginaldo et heredibus suis de sepe dicta Agnete exeuntibus inperpetuum. Et ad majorem securitatem huic scripto signum meum apposui. T*estibus.*

1 *successoribus suis* expuncted for deletion.
2 MS. *exuntibus.*

216. *Charter of Reginald of Uley and Agnes his wife to St Augustine's giving in free alms the land in Stone which they received from William of Stone. (Mid-thirteenth century.)*

Omnibus Christi fidelibus presens scriptum visuris vel audituris Reginaldus de Eweleg' et Agnes uxor ejus, salutem in domino. Noverit universitas vestra nos dedisse concessisse et hac presenti carta mea[1] confirmasse deo et ecclesie Beati Augustini de Bristolle et canonicis regularibus ibidem deo servientibus et eorum successoribus inperpetuum pro salute anime mee et antecessorum nostrorum in liberam puram et perpetuam elemosinam totam terram nostram in villa de Stanes cum omnibus pertinenciis suis quam habuimus de dono Willelmi de Stanes. Tenendam et habendam sibi et successoribus suis inperpetuum libere et quiete integre et pacifice sicut liberam puram et perpetuam elemosinam. Ita sane quod exinde nulli omnino hominum dicti canonici in aliquo respondeant nisi solo deo in orationibus. Nos vero Reginaldus et Agnes totam dictam terram cum pertinenciis suis memoratis canonicis et eorum successoribus pro nobis et heredibus nostris warantizabimus contra omnes mortales et de omnibus secularibus demandis et serviciis per omnia acquietabimus et defendemus inperpetuum. In cujus rei testimonium presenti scripto signa nostra apponi fecimus. T*estibus.*

1 Here, and in the phrase *pro salute anime mee,* the cartulary scribe, or the writer of the charter, became confused between 'ours' and 'mine'.

217. *Charter of Agnes of Stone. As a widow, she has given land [in Stone to St Augustine's]. (Mid-thirteenth century.) The scribe has entered only a shortened address and an incomplete dispositive clause for this charter. The remainder of f. 79v. was left blank. So, too, were f. 80 and f. 80v. which were used later (below, Add. Docs. 15–18).*

[f. 79v.] Omnibus Christi fidelibus etc. Agnes de Stanes, salutem in domino. Noverit universitas vestra me in ligia potestate et libera viduitate mea dedisse ut ante.

218. *Charter of Maurice of Bevington to St Augustine's. He gives the canons in free alms extensive property in Bevington: his court there, with houses, buildings, and gardens; 2 crofts called la Burlonde; 36 acres of arable, 7¾ acres of meadow, and 3 acres of pasture. These lands lie in Synderlands and Newland, la Hulle, Redelond, Goldemore Brec, Broadmere, and Elonde. He also gives 1 bushel of corn, the homage and service of Elias Leskirmissur, and a rent of 1½d a year from his own son Elias of Bevington. He reserves a number of holdings in Synderlands and Redelond which have been allocated to different tenants. The canons may enclose their land with hedges and ditches. (Before 1243.)*[1]

[f.81][2] Omnibus Christi fidelibus ad quos presens scriptum pervenerit Mauricius de Bevintone, salutem in domino. Noverit universitas vestra me pro deo et salute anime mee et Matildis uxoris mee necnon patris mei et matris mee atque omnium antecessorum et successorum meorum dedisse et hac presenti carta mea confirmavi deo et ecclesie Beati Augustini de Bristoll' et canonicis regularibus ibidem deo servientibus totam curiam meam de Bevintone cum domibus edificiis et gardino et cum duabus croftis que jacent desuper eandem curiam et vocantur la Burlonde; et triginta sex acras terre arabilis et septem acras et dimidiam et quartam partem unius acre prati, et tres acras pasture in Bevintone, scilicet undecim acras terre arabilis, et septem acras et dimidiam et quartam partem unius acre prati in Sunderlond;[3] videlicet totum tenementum de Sunderlond cum omnibus pertinenciis salvis tamen Elyo filio meo duabus acris et dimidia[4] terre arabilis et una acra prati, Mauricio filio meo septem acris terre Ade Flamberd [et] una acra prati, et Henrico le Marescall' una acra prati, quas tenent de feffamento meo de eodem tenemento de Sunderlond; et quinque acras terre que jacent subtus croftam Mauricii filii mei inter terram Willelmi filii Roberti et terram que vocatur la Hulle, et vocantur Newelond; et octo acras terre que jacent subtus curiam prenominatam usque ad terram Ade Flamberd, videlicet inter predictam terram de Newelond et occidentale capud crofte illius que vocatur Redelond', et vocantur la Hulle; et duodecim acras terre in eadem crofta de Redelonde, scilicet totam croftam de Redelond' cum omnibus pertinenciis suis exceptis mesuagio Elye filii mei et una acra quam dedi Juliane filie mee juxta vicum qui vocatur Goldemore Brec; et tres acras pasture in Brademere et in Elonde subtus Suthmede, scilicet totam pasturam meam que vocatur Brademere inter terram meam et terram Willelmi Belhotham ex parte una et terram Mauricii filii mei et terram Willelmi de Yrlonde ex altera; et totam pasturam de Elonde inter terram Gunillde de Purlewent ex parte una et terram predicti Willelmi Beltham[5] ex altera, cum omnibus pertinenciis suis a Suthmede usque in Severnam,[6] una cum libertatibus Severne eidem pertinentibus. Concessi siquidem et dedi deo et memoratis canonicis unum bussellum frumenti de redditu assiso percipiendum de Elya Leskirmisur et heredibus suis de tenemento quod [f. 81v.] idem Elyas de me tenuit in eadem villa cum toto homagio et servicio ipsius Elye et heredum suorum, quiete et solute de me et heredibus meis inperpetuum sine aliquo retenemento; et tres oblatas redditus annuatim percipiendas de Elya de Bevintone filio meo et heredibus suis quod dictus Elyas michi reddere solebat de quinque acris terre quas de feudo meo tenuit de dono et feffamento ejusdem Elye le Eskirmesur in eadem villa, salvis tamen michi et heredibus meis homagio et servicio ejusdem Elye filii mei et heredum suorum de alio tenemento quod de me tenet in eadem villa. Volo itaque et concedo quod memorati canonici et eorum successores habeant et teneant et pacifice ac plenarie possideant omnia supradicta cum liberis et competentibus[7] de me et heredibus meis libere quiete pacifice et integre cum omnibus eorum pertinentibus in liberam puram et perpetuam elemosinam. Ita quod nemini inde in aliquo teneantur respondere nisi soli deo in orationibus. Licebit autem dictis canonicis totam predictam terram de Bevintone tensare et claudere haiis et fossatis et aliter quocumque modo viderint expedire sine calumpnia impedimento et contradictione mei et heredum meorum. Ita scilicet quod nec ego nec heredes mei decetero in eadem terra iter vel semitam exigere poterimus eandem ingrediendo vel transeundo nec in ea communicando vel aliquid juris alterius vendicando. Et nichilominus predicti canonici et eorum successores per totam terram meam de Bevintone in omnibus locis justis et competentibus communicabunt cum omnimodis animalibus suis ibidem residentibus. Ego vero Mauricius et heredes mei warantizabimus sepedictis canonicis et eorum successoribus omnia prenominata cum eorum pertinenciis ut liberam puram et perpetuam elemosinam contra omnes gentes et ea in omnibus et per omnia defendemus et plenarie acquietabimus inperpetuum. Ut autem hec mea donatio et concessio et hujus carte mee confirmatio ratam stabilem et perpetuam optineat firmitatem hoc presens scriptum sigilli mei appositione roboravi. T*estibus.*

[1]   Elias of Bevington attests charters before 1217 (no. 266), and again before 1220 (Jeayes, *Select Charters*, p. 57, no. 162), and 1220 × 43 (ibid. p. 92, no. 275). His son Maurice of Bevington attests charters with him in the early years of the thirteenth century, and appears frequently as the only representative of his family in charters of Thomas de Berkeley (1220 × 43). His extensive gifts to St Augustine's, recorded in this charter as a grant in free alms, were noted in a document issued by William Long, abbot of St Augustine's, in December 1243 (ibid. p. 94, no. 281); there the abbot speaks of tenure for an unspecified term, and he guarantees Maurice of Bevington and his lord, Maurice de Berkeley, against loss. At some stage, Maurice of Bevington had already given land to two sons, Roger and Maurice (nos. 220, 221), and arranged the marriage of his daughter to Adam Flambard (BCM, GC no. 362). A third son, Elias, also had interests in Bevington. Roger died before his father who arranged the transfer of Roger's land to his younger son Maurice. When that younger son succeeded Maurice of Bevington, he was still a minor. He had attained his majority before January 1256. His charter to the canons was presumably issued soon after he had taken over the control of his estates (no. 227). A tentative succession is: Elias of Bevington *c.* 1225; Maurice of Bevington, died 1243 × 56, perhaps *c.* 1250; Maurice son of Maurice, active from 1256.

[2]   Rubric: *Bevyngton.*
[3]   MS. *inSunderlond.*
[4]   MS. *dimidiam.*
[5]   The letter *l* is interlined.
[6]   MS. *insevernam.*
[7]   *pertinenciis* seems to be required.

219. *Charter of Maurice of Bevington to Agnes la Pouere granting her 10 acres in Bevington, which included 38 selions and between 7 and 11 forelands. She owes an annual rent of 1d and has paid Maurice 12 marks. (Before 1243.)*[1]

Sciant presentes et futuri quod ego Mauricius de Bevintone dedi et concessi et hac presenti carta mea confirmavi Agneti la Pouere quinque seylones in Bevintone in campo de Brademere qui jacent [f. 82][2] in parte orientali juxta terram Willelmi Marscalli; et quatuor seylones terre ex altera parte vie in eodem campo qui jacent inter terram Willelmi Belethom et terram Willelmi filii Osberti, unde capita tendunt usque ad campum de Cloptone; et totam terram que vocatur Gorbrodelond que jacet inter terram Willelmi Belthom et terram Willelmi le Paumer in Longbengrot'; et de incremento quatuor seilones terre in crofta que vocatur Ryxecrofte cum forardis adjacentibus in latitudine ejusdem terre proximiores vie que tendunt versus domum Gunnilde Purlewent; et quatuor seilones terre[3] in Brodemereforlonge qui jacent inter terram Matillis relicte Nigelli et terram[4] Gunnilde Purlewent, unde capita tendunt usque ad terram que fuit Alexandri de London' versus partem orientalem et alia capita descendunt super terram Walteri Goldemere versus partem occidentalem; et sex seilones terre cum quatuor forerdis in Brodemereforlong' qui jacent inter terram predicte Gunnillde Purlewent et terram Willelmi filii Osberti; et unam acram terre cum pertinenciis in crofta que vocatur Rixecrofta, scilicet sex seilones et tres forardis, scilicet illos sex seilones qui jacent inter terram ejusdem Agnetis la Pouere quam habet de dono meo et terram que fuit Rogeri Gogger, et duo forarde jacent in parte orientali juxta terram Ricardi le Paumer et tercia forarda jacet in Brodemereforlongo proximior Stanpulledich' in longitudine de Brademereforlong'; et tres seilones in campo qui vocatur Longbongrot' qui jacent inter terram que fuit Mauricii de Stanes et terram Elye le Eskirmisur, unde capita tendunt super terram Roberti Bastard; et unam acram in campo qui vocatur Longebengrot' que jacet inter terram meam et terram Willelmi Belham filii Osberti in parte australi, unde unum capud descendit super viam que est inter terram illam et terram dicte Agnetis la Pahere; et preterea quatuor seilones[5] terre quorum duo jacent in Henacre inter terram Willelmi filii Osberti et terram Hugo Purlewent; et duo alii seilones[6] jacent in Stoke, scilicet unus[7] inter terram meam et terram Willelmi Belotham. Tenendas et habendas totas predictas terras cum libere introitu et exitu omnium particularum prenominatarum et cum omnibus pertinenciis suis de me et heredibus meis sibi et heredibus suis vel suis assignatis bene libere et integre pacifice et quiete cum omnibus libertatibus et liberis consuetudinibus inperpetuum. Reddendo inde annuatim michi et heredibus [f. 82v.] meis ipsa et heredes sui vel sui assignati unum denarium ad Pascha pro omnibus serviciis consuetudinibus sectis et demandis que aliquo tempore possint evenire, salvo regali servicio quantum pertinet ad decem acras terre liberi tenementi in Bevinton'. Pro hac autem donatione et concessione dedit michi predicta Agnes duodecim marcas sterelingorum premanibus. Ego vero Mauricius de Bevintone et heredes mei predicte Agneti et heredibus suis vel assignatis omnes prenominatas terras cum omnibus pertinenciis suis contra omnes gentes inperpetuum warantizabimus. Et quia volo quod hec mea donatio et concessio rata et stabilis permaneat inperpetuum presentem cartam sigilli mei inpressione duxi roborandum. *Testibus.*

[1]   This grant and the following charters issued by Maurice of Bevington were presumably effective before he made his grant to St Augustine's (no. 218).
[2]   Rubric: *Bevyngton.*
[3]   *in crofta* expuncted for deletion.
[4]   *et terram* repeated.
[5]   *seilones* repeated.
[6]   MS. *seilonones*, the *no* expuncted for deletion.
[7]   MS. *unius.*

220. *Charter of Maurice of Bevington to Roger his son granting him 23 acres of arable land and 2 acres of meadow in Bevington.(Before 1243.)*

Sciant presentes et futuri quod ego Mauricius de Beventone dedi et concessi et hac presenti carta mea confirmavi Rogero filio meo pro homagio et servicio suo viginti tres acras terre arabilis et duas acras prati in villa de Bevintone, scilicet illud mesuagium quod est oppositum domum Johannis Purlewent, et unam acram terre de septem seilonibus que extendit super croftam dicti mesuagii, et unum culturam in Sunderlond' cum forurdis ad latentibus que jacet inter terram Elye le Eskirmisur, et pratum meum unde unum capud tendit super[1] fossatum, et totam illam terram in Cunielog' proximam[2] terre que est inter terram Willelmi Marescalli et terram Osberti filii Ernulfi, unde unum capud tendit super croftam Alwini; et duas acras de grava mea in Cunieleg' proximas terre Radulfi de Wilintone; et unam hammam in Brademere; et quatuor seilones terre in campo de Pourtegerstone que jacent inter terram Willelmi Joherel; et totam illam terram in Purtegarstone que est inter terram Alexandri de Londonis et terram Willelmi Belo*þ*om, cujus capud tendit super croftam Reginaldi le Seyt; et totam illam terram in Exehaie que jacet inter terram Willelmi Mandewere et terram Johannis Purlewent, scilicet novem seilones; et illas duas acras prati in Surmede proximiores prato Osberti Bulcard; et quinque garas terre proximiores terre Willelmi Marchalli. Tenendum et habendum de me et heredibus meis sibi et heredibus suis vel assignatis suis bene et in pace integre et honorifice libere et quiete cum libero introitu et exitu et cum omnibus libertatibus et liberis [f. 83][3] consuetudinibus. Reddendo inde annuatim michi et heredibus meis ille et heredes sui vel assignati sui unam woc*r*am[4] frumenti ad festum Sancti Michaelis pro omnibus serviciis [et] demandis salvo regali servicio scilicet quantum pertinet ad tantam terram in eadem villa. Dictus vero Mauricius et heredes mei totam predictam terram predicto Rogero et heredibus suis vel assignatis suis contra omnes mortales inperpetuum warantizabimus. Et si ita contigerit quod dictus Mauricius vel heredes mei dicto Rogero vel heredibus suis dictam terram warantizare non possimus rationabilem escambium in eadem villa[5] sibi faciemus. Et ut hec mea donatio et concessio rata sit et stabilis inperpetuum presenti scripto sigillum meum apposui. T*estibus*.

[1]   *croftam Alwini* expuncted for deletion.   [2]   MS. *proximas.*
[3]   Rubric: *Bevyngton.*
[4]   *wocra* is an uncommon measure: it was evidently a bushel (see no. 225).
[5]   MS. *villam.*

221. *Charter of Maurice of Bevington to Maurice his younger son granting him land in Bevington: the land called* Botildecrofte, *and land in* Hucse *and* Synderlands, *to be held for an annual rent of 2d. (Before 1243.)*

Sciant presentes et futuri quod ego Mauricius de Bevintone dedi concessi et hac presenti carta mea confirmavi Mauricio filio meo juniori totam terram meam que vocatur Botildecrofte in villa de Bevintone sine aliquo retenemento michi vel heredibus meis, et de incremento totam terram que vocatur Hucse et duas forherdas apud Sunderlande de super quas terra predicti Mauricii vertit. Habendam et tenendam de me et heredibus meis sibi et heredibus suis vel suis assignatis libere et quiete integre et pacifice inperpetuum. Reddendo inde annuatim michi et heredibus meis duos denarios ad festum Sancti Michaelis pro omnimodo servicio et seculari demanda ad me vel ad heredes meos pertinente, salvo tamen regali servicio scilicet quantum pertinet ad tantam terram in eadem villa et de eodem tenemento. Ego vero dictus Mauricius et heredes mei predicto Mauricio vel heredibus suis vel suis assignatis totas predictas terras cum eorum pertinenciis et totam terram illam que vocatur Botildecrofte contra omnes homines mortales et feminas inperpetuum warantizabimus. Et ut hec mea donatio et concessio rata sit et stabilis hanc presentem cartam sigilli mei inpressione corroboravi. T*estibus*.

Marginal note: villa.

222. *Charter of Elias le Eskirmissur to Agnes la Poere granting her 5 acres and 3 selions and 1 gore in Bevington. She owes an annual rent of 1d and has paid Elias 8 marks and 16d. (Mid-thirteenth century.)*[1]

Sciant presentes et futuri quod ego Elyas le Eskirmisur dedi et concessi et hac presenti carta mea confirmavi Agneti la Poere quinque acras terre mee et tres seilones cum una gora in villa de Bevinton'; [f. 83v.] scilicet duos seilones in Longefurlonge qui jacent inter seilonem Elie de Bevintone et Willelmi filii Osberti ex una parte et terram Panie de dote sua ex altera; et duos seilones cum tribus goris desuper Newedich qui jacent inter terram que fuit Elie quam Reginaldus Scot tenuit et terram predicte Panie; et unam acram in Cortebengrote; et unam acram in Siremere forlonge que jacet inter terram que fuit Elie filii[2] Mauricii de Bevintone ex parte una[3] et terram que fuit predicte Panie ex altera in Longebengrot', et unus seilo et gora jacent inter terram que fuit Mauricii de Bevintone ex parte una et terram predicte Panie ex altera in eodem campo; et unam acram in campo qui vocatur in Hechinge que jacet inter terram Willelmi Bolothom et terram Roberti Scot et extendit se super terram que fuit Willelmi filii Osberti versus partem orientalem. Tenendam et habendam predictam terram cum omnibus pertinenciis et libertatibus suis de me et heredibus meis sibi et heredibus suis vel cuicumque eam assignare voluerit libere et integre pacifice et quiete inperpetuum. Reddendo inde annuatim michi et heredibus meis sibi et heredibus suis vel cuicumque eam assignare[4] voluerint ipsa et heredes sui vel sui assignati unum denarium ad festum Sancti Michaelis pro omnibus serviciis querelis et demandis, salvo regali servicio quantum pertinet ad tantum libere terre in eadem villa. Pro hac autem donatione et concessione mea dedit michi dicta Agnes octo marcas argenti et sexdecim denarios premanibus. Et ego Elias et heredes mei predicte Agneti et heredibus ejus vel suis assignatis totam predictam terram cum omnibus suis pertinenciis contra omnes gentes warantizabimus. Et quia volo quod hec mea donatio rata et stabilis permaneat inperpetuum presenti scripto sigillo meo signato eam roboravi. *Testibus.*

[1]   Elias was closely linked with Maurice of Bevington; he is named as a tenant in the vill in 1243 (Jeayes, *Select Charters*, p. 94, no. 281).

[2]   MS. *filie.*

[3]   *et terram que fuit Elie filii Mauricii de Bevintone ex parte una* repeated; *Elie filii* is correct here.

[4]   *assignare* repeated.

223. *Charter of Agnes la Poere to St Augustine's granting the lands which Maurice of Bevington and Elias le Eskirmissur gave her in Bevington. The canons are to pay an annual rent of 1d to Maurice at Easter, and 1d to Elias at Michaelmas. The canons have paid her 23 marks. (Mid-thirteenth century.)*[1]

Omnibus Christi fidelibus ad quos presens scriptum pervenerit Agnes la Poere, salutem. Noverit universitas vestra me pro salute anime mee matris mee et omnium antecessorum et successorum meorum dedisse concessisse et hac presenti carta mea confirmasse deo et ecclesie Sancti Augustini de Bristoll' et canonicis regularibus ibidem [f. 84][2] deo servientibus totas terras quas Mauricius de Beventone michi dedit et carta sua confirmavit, et totas terras illas quas Elias le Eskirmisur michi dedit et carta sua confirmavit. Tenendas et habendas sibi et successoribus suis inperpetuum cum omnibus pertinenciis suis libertatibus et liberis consuetudinibus ad dictas terras pertinentibus pro ut in cartis dictorum Mauricii et Elie melius distinguitur et plenius continetur. Reddendo inde singulis annis dicto Mauricio in festo Pasche unum denarium et dicto Elie in festo Sancti Michaelis unum denarium pro omnibus serviciis consuetudinibus sectis et demandis que aliquo tempore possint evenire, salvo regali servicio quantum pertinet ad tantum terre libere tenementi in Bevintone. Pro hac autem mea donatione et concessione dederunt michi dicti canonici viginti et tres marcas argenti. Et ut hec mea donatio et concessio rata et stabilis perpetuo perseveret presenti scripto sigillum meum duxi apponendum. *Testibus.*

[1]   This deed is related to the previous charters, but 1243 is not necessarily a significant date.

[2]   Rubric: *Bevyngton.*

224. *Charter of Robert Bastard of Ham to St Augustine's granting in free alms half an acre at Oxenhay, in Ham. (Probably first half of the thirteenth century.)*

Sciant presentes et futuri quod ego Robertus Bastard[1] de Hamme dedi concessi et hac presenti carta mea confirmavi pro me et heredibus meis abbati et conventui

Sancti Augustini de Bristoll' et eorum successoribus unam dimidiam acram terre apud Oxenhae, videlicet duos seilones tres particas quartam partem unius partice, cujus capita seilonum se extendunt super terram Seberni de Aldeburi versus Sabrinam et alia capita super terram Ricardi de Purtegarstune. Habendam et tenendam dictam dimidiam acram terre cum omnibus pertinenciis suis dictis abbati et conventui et eorum successoribus in puram et perpetuam elemosinam de me et heredibus meis libere quiete et integre inperpetuum. Ego vero dictus Robertus et heredes mei prenominatis abbati et conventui et eorum successoribus totam prenominatam dimidiam acram terre cum omnibus pertinenciis suis tam contra Christianos quam contra Judeos warantizabimus acquietabimus inperpetuum et defendemus. Et quia volo quod hec mea donatio et concessio et presentis carte mee confirmatio perpetue stabilitatis robur optineant presens scriptum sigilli mei inpressione confirmavi. *Testibus.*

[1]   The name recurs in successive generations. One Robert Bastard is closely associated with Robert de Berkeley (1190 × 1220) and Thomas de Berkeley (1220 × 43).

225. *Charter of Maurice of Bevington to St Augustine's confirming in free alms grants in Bevington: the land which the canons hold of Agnes la Poer; land given by Maurice his son in* Botildecrofte *and* Hucse *and land in Synderlands which Maurice himself had given them, for which they pay 2d a year; 23 acres of arable land and a messuage which Maurice his son had given them, and which had formerly been held by his elder son Roger, for an annual render of a bushel of corn. Maurice acquits the canons of suit of court for these lands. (Before 1243.)*

[f. 84v.] Omnibus Christi fidelibus ad quos presens scriptum pervenerit Mauricius de Bevintone, salutem in domino. Noverit universitas vestra me concessisse et hac presenti carta mea confirmasse deo et ecclesie Sancti Augustini de Bristoll' et canonicis regularibus ibidem deo servientibus totam terram quam habuerunt de Agnete la Poere de tenemento de Beventone sicut carte quas eadem Agnes inde habuit[1] melius et plenius testantur. Concessi etiam et confirmavi supradictis canonicis in liberam et perpetuam elemosinam omnes terras quas habuerunt de dono Mauricii filii mei videlicet Botildecrofte et terram que vocatur Hucse et duas forrerdas apud Sunderlande quas habuerunt[2] de dono meo. Reddendo inde singulis annis michi et heredibus meis duos denarios in festo Sancti Michaelis pro omnibus serviciis et demandis salvo regali servicio. Confirmo insuper eisdem canonicis omnes terras quas predictus Mauricius filius meus eis dedit quas Rogerus frater ejus aliquando tenuit in villa de Bevintone, scilicet viginti et tres acras terre arabilis et duas acras prati et illud mesuagium quod est oppositum domui Johannis Purlewent. Reddendo inde singulis annis michi et heredibus meis vel meis assignatis unum boissellum frumenti in festo Sancti Michaelis pro omnibus serviciis et secularibus demandis ad me vel ad heredes meos pertinentibus salvo regali servicio. Ita quod si aliqua consuetudo curie vel secta de predictis terris aliquando debebatur vel michi fieri solebat, eandem supramemoratis canonicis omnino remisi inperpetuum. Ego vero et heredes mei supradictis canonicis in omnibus acquietare volumus et debemus, et de omnibus serviciis et secularibus demandis que ad me vel ad heredes meos poterunt pertinere immunes conservabimus et indempnes. Preterea confirmavi jam dictis canonicis omnes donationes et collationes eis factas et faciendas de tenemento de Bevinton', tenendas et habendas inperpetuum sicut carte donatorum testantur. Ad hec ego Mauricius et heredes mei omnia supradicta cum eorum pertinenciis sepedictis canonicis contra omnes homines et feminas warantizabimus inperpetuum. Et ut hac[3] mea confirmatio et presens concessio perpetue stabilitatis robur optineat, eam presenti scripto sigilli mei appositione roborato duxi confirmandam. *Testibus.*

[1]   The scribe was confused here. He presumably intended *quas de eadem Agnete inde habuerunt,* or perhaps, *quas eadem Agnes inde fecit.*

[2]   MS. *habuit.*   [3]   MS. *hoc.*

226. *Quitclaim by Richard of Cromhall to Maurice of Bevington of all his rights in Bevington. For this Maurice has granted him a rent of 20s in Bevington. (Mid-thirteenth century.)*[1]

[f. 85][2] Sciant presentes et futuri quod ego Ricardus de Cromhale pro me et heredibus meis concessi et quietum clamavi Mauricio de Bevintone et heredibus suis totum jus et clamium quod habui vel habere potui in terra de Bevintone cum pertinenciis inperpetuum. Pro hac autem concessione et quieta clamatione predictus Mauricius dedit michi viginti solidos redditus in villa de Bevintone annuatim percipiendos de se et heredibus suis michi et heredibus meis vel cuicunque illos assignare voluero. Et quia volo quod hec mea concessio et quieta clamatio rata et stabilis inperpetuum perseveret eam presenti scripto sigilli mei inpressione confirmavi. *Testibus.*

[1]   Before 1256 (see no. 227).
[2]   Rubric: *Bevyngton.*

227. *Charter of Maurice son of Maurice of Bevington to St Augustine's. Since he has reached his majority, he grants in free alms all the land in Bevington which Roger his brother had held before him by gift of their father Maurice, and all the land in Bevington which his father had given him. Dated the morrow of the Epiphany (6 January) 1256.*

Omnibus Christi fidelibus ad quos presens scriptum pervenerit Mauricius filius Mauricii de Bevintone, salutem. Noverit universitas vestra quod cum ego ad plenam et legitimam etatem secundum legem et consuetudinem regni Anglie [et] stabilitatem pervenissem, pro deo et salute anime mee patris mei matris mee et Rogeri fratris mei et omnium parentum meorum concessi dedi et hac presenti carta mea confirmavi deo et ecclesie Sancti Augustini de Bristoll' et canonicis regularibus ibidem deo servientibus in liberam et perpetuam elemosinam totam terram meam de Bevintone cum omnibus suis pertinenciis quam Rogerus frater meus ante me tenuit de dona predicti Mauricii de Bevintone patris mei, et totam terram illam cum omnibus pertinenciis suis quam habui de dono ejusdem Mauricii patris mei tam in redditibus et serviciis quam in mesuagiis et serviciis dominicis et aliis omnimodis pertinenciis que eisdem terris pertinent vel pertinere poterunt, et omnes terras et possessiones redditus et servicia que de cetero ad me vel heredes meos de terris de Bevintone jure hereditario sine aliquo quacunque modo poterunt pertinere vel pertinent, et omnes terras et possessiones redditus et servicia nullo jure michi vel heredibus meis retento in omnibus supradictis. Tenendas et habendas de me et heredibus meis eisdem canonicis et eorum successoribus libere et quiete pacifice et integre inperpetuum. Reddendo inde singulis annis domino Mauricio de Berkel' et heredibus suis unum boissellum frumenti et duos denarios ad festum Sancti Michaelis pro omnibus consuetudinibus sectis serviciis et omnimodis demandis que evenire poterunt, salvo regali servicio quantum ad tantam terram [f. 85v.] de tenemento de Beventone pertinebit. Ego vero Mauricius et heredes mei omnes predictas terras possessiones redditus et servicia cum omnibus earum pertinenciis suis supramemoratis canonicis contra omnes mortales warantizabimus. Et ut hec mea donatio et concessio perpetue stabilitatis robur obtineat presenti scripto sigillum meum apposui. Datum anno domini milesimo ducentisimo quinquagesimo sexto, in crastino[1] Epiphanie Domini. T*estibus*.

[1] MS. *carastino*, the first *a* expuncted for deletion.

228. *Charter of Juliana daughter of Maurice of Bevington to St Augustine's granting and confirming in free alms 1 acre of arable land in Betelande, lying next to the public highway. She undertakes to warrant the land and, if she or her heirs are not able to do so, they will give the acre called Longcroft in exchange. (Mid-thirteenth century.)*[1]

Sciant presentes et futuri quod ego Juliana filia Mauricii de Bevinton' dedi concessi et hac presenti carta mea confirmavi deo et ecclesie Sancti Augustini de Bristoll' et canonicis regularibus ibidem deo servientibus et eorum successoribus inperpetuum unam acram terre arabilis in cultura que dicitur Betelande, que quidem acra jacet proxima strate puplice inter eandem stratam et terram dictorum canonicorum, in liberam puram et perpetuam elemosinam. Habendam et tenendam a deo libere et quiete ab omnibus sectis curiarum et quibuscunque secularibus demandis sibi et successoribus suis inperpetuum, quod nulli omnino homini inde in aliquo respondeant nisi soli deo in orationibus. Ego vero Juliana et heredes vel assignati mei totam prenominatam acram cum omnibus pertinenciis suis memoratis canonicis et eorum successoribus inperpetuum warantizabimus contra omnes mortales acquietabimus et defendemus. Si vero acram illam, quod abscit, dictis canonicis warantizare non poterimus, acram illam que vocatur Longtcroft que jacet inter terram dictorum canonicorum et terram que fuit Ade Flamberd et terram Alexandri Purlewent dabimus eidem in excambium acre supranominate, vel quicunque eam tenebit post me dictis canonicis sine aliqua contradictione illam pro dicto excambio restituet. Quod ne inposterum devocetur in dubium presenti scripto sigillum meum apposui. *Testibus.*

[1] This must belong to the later years of Maurice of Bevington's life, or the period after his death; probably *c.* 1243 × *c.* 1250.

229. *Charter of Elias le Eskirmissur to St Augustine's granting in free alms 4 selions and a grove in Newditch. (Mid-thirteenth century.)*[1]

Omnibus Christi fidelibus ad quos presens scriptum pervenerit Elias le Eskirmisur, salutem. Noverit universitas vestra me pro salute anime mee et uxoris mee, Ade le Eskirmisur patris mei et matris mee, [f. 86][2] et omnium antecessorum et successorum meorum, dedisse concessisse et hac presenti carta mea confirmasse deo et ecclesie Sancti Augustini de Bristoll' et canonicis regularibus ibidem deo servientibus in liberam puram et perpetuam elemosinam quatuor seilones terre et unam gravam cum omnibus suis pertinenciis in cultura de Newedich qui jacent inter terram Willelmi Bolodom et terram Willelmi filii Osberti et extendunt super terram Willelmi filii Roberti versus aquilonem et usque ad regiam stratam versus austrum, et duos seilones cum pertinenciis suis in cultura de Ludecroft qui jacent inter terram Willelmi Belodom et terram que fuit Mauricii de Bevington, et extendit super terram domini Rogeri de Lukintane versus austrum et super terram Willelmi Greel versus aquilonem. Tenendas et habendas de me et heredibus meis inperpetuum libere et quiete integre et pacifice cum omnibus libertatibus et liberis consuetudinibus ad predictas terras pertinentibus sicut liberam puram et perpetuam elemosinam. Ita quod nec michi nec heredibus meis nec alicui hominum de cetero in aliquo respondeant nisi soli deo in orationibus. Ego vero Elyas et heredes mei supradictas terras cum omnibus pertinenciis suis memoratis canonicis contra omnes homines et feminas warantizare debemus et de servicio regio et omnibus aliis serviciis et demandis que de dicta terra exigi poterunt plene acquietabimus. Et ne promissa convelli valeant presenti scripto sigillum meum duxi apponendum. *Testibus.*

[1] See no. 222.
[2] Rubric: *Bevyngton.*

230. *Charter of Elias le Eskirmissur to St Augustine's granting and confirming in free alms 5 selions, 3 gores, and 2 forelands in Littlecroft, Hitchin, and Cheremere, in Bevington. (Mid-thirteenth century.)*

Omnibus Christi fidelibus ad quos presens scriptum pervenerit Elias le Eskirmisur, salutem in domino. Noverit universitas vestra me dedisse concessisse et hac presenti carta mea confirmasse deo et ecclesie Sancti Augustini de Bristoll' et canonicis regularibus ibidem deo servientibus in liberam puram et perpetuam elemosinam duos seilones in cultura de Lutcrofte qui jacent inter terram dictorum abbatis et conventus et terram Petri Beloþum, et unum seilonem qui jacet in Hechinge inter terram dictorum abbatis et conventus et terram Ricardi de Purtegaste, et unum seilonem qui jacet in dicta cultura inter terram domini Rogeri de Lakintone et terram Gunnilde Purlewent, et unum seilonem qui jacet in dicta cultura de Hechinge inter terram dictorum abbatis et conventus[1] que jacet [f. 86v.] ex utraque parte, et duas garas[2] que jacent inter terram dictorum abbatis et conventus et terram abbatis de Kingeswode in eadem cultura cum forrerda in eadem cultura jacente, et in Cheremere tres garas inter terram dictorum abbatis et conventus, et unam garam que jacet inter terram dictorum abbatis et conventus et terram Ade Flambart, videlicet in Sciremere. Tenendam et habendam[3] de me et de heredibus meis inperpetuum libere et quiete integre et pacifice cum omnibus libertatibus et liberis consuetudinibus suis sicut decet liberam puram et perpetuam elemosinam. Ita quod nec michi nec heredibus meis nec alicui omnino hominum de dictis terris in aliquo respondeant nisi soli deo in orationibus. Ego vero et heredes mei omnes predictas terras de omnimodis serviciis sectis querelis exactionibus et secularibus demandis que aliquo modo evenire poterunt plene acquietabimus et eisdem memoratis canonicis inperpetuum warantizabimus. Et ut hec mea donatio et concessio perpetue stabilitatis robur obtineat eam sigilli mei inpressione confirmavi. T*estibus*.

[1] *et terram* expuncted for deletion.
[2] MS. *gararas*.
[3] The case is in agreement with the last *unam garam* to be identified.

231. *Charter of Elias le Eskirmissur to St Augustine's granting in free alms 12 acres in Bevington and a rent of assise of 1d due from Agnes le Poer for the land which he had conveyed to her in Bevington. He confirms to the canons the rent which Agnes had paid him. (Mid-thirteenth century.)*[1]

Omnibus Christi fidelibus ad quos presens scriptum pervenerit Elias le Eskirmisur, salutem in domino. Noverit universitas vestra me dedisse concessisse et hac presenti carta mea confirmasse deo et ecclesie Beati Augustini de Bristoll' et canonicis regularibus ibidem deo servientibus in liberam puram et perpetuam elemosinam duodecim acras terre cum omnibus suis pertinenciis in Bevintone. Tenendas et habendas de me et heredibus meis inperpetuum libere et quiete integre et pacifice cum omnibus libertatibus et liberis consuetudinibus suis sicut decet liberam puram et perpetuam elemosinam. Ita quod nec michi nec heredibus meis nec alicui omnino hominum de eisdem duodecim acris in aliquo respondeant nisi soli deo in orationibus. Ego vero et heredes mei omnes predictas terras de omnimodis serviciis sectis querelis exactionibus et secularibus demandis que aliquo modo evenire poterunt plene acquietabimus et easdem memoratis canonicis warantizabimus. Preterea unum denarium de redditu assiso quem Agnes la Poer michi in festo Sancti Michaelis reddere consuevit singulis annis pro terra quam dedi eidem Agneti in Bevintone et carta mea confirmavi sepedictis canonicis pro me et heredibus meis remisi inperpetuum. Et volo quod predictam [terram][2] quam predicti canonici habuerunt de dono Agnetis predicte memoratis canonicis [f. 87][3] in liberam puram et perpetuam elemosinam remaneat inperpetuum.[4] Ego autem et heredes mei eandem terram sicut jam dictas duodecim acras in omnibus et per omnia modo predicto acquietabimus. Et ut hec mea donatio et concessio perpetue stabilitatis robur obtineat eam sigilli mei inpressione confirmavi. *Testibus.*

1 Agnes le Poer occurs in 1243 (*Curia Regis Rolls*, xvii, p. 478, no. 2349).
2 A noun, *terram*, is missing. It was added, in error, after *inperpetuum.*
3 Rubric: *Bevyngton.*
4 MS. has *terra*, at this point, with no abbreviation for a final *m*.

232. *Charter of Elias le Eskirmissur to St Augustine's confirming in free alms 1 foreland in Oxenhay and 1 gore at Formed'. (Mid-thirteenth century.)*

Omnibus Christi fidelibus ad quos presens scriptum pervenerit Elias le Eskirmisur, salutem. Noverit universitas vestra me pro deo et pro salute anime mee dedisse concessisse et hac presenti carta mea confirmasse abbati et conventui Sancti Augustini de Bristoll' in liberam puram et perpetuam elemosinam unam forrerdam terre in Oxehaie, illam scilicet que jacet inter terram dictorum abbatis et conventus et terram Willelmi Belodom. Dedi etiam eisdem canonicis unam goram terre apud Formed' que jacet inter terras dictorum abbatis et conventus et juncta est eisdem terris ex utraque parte. Tenendas et habendas de me et heredibus meis sibi et successoribus suis inperpetuum libere et quiete integre et pacifice sicut liberam puram et perpetuam elemosinam. Ita quod nec michi nec heredibus meis nec alicui alii hominum inde respondeant nisi soli deo in orationibus. Ego vero et heredes mei terras supradictas memoratis abbati et conventui contra omnes mortales warantizabimus acquietabimus et defendemus inperpetuum. Et ut hec mea donatio et concessio perpetue stabilitatis robur obtineat eam presenti scripto sigilli mei inpressione roborato duxi confirmandum. *Testibus.*

233. *Charter of Maurice son of Elias le Eskermissur to St Augustine's granting and confirming 13 selions, 4 gores, and 4 forelands in Newditch, Littlecroft, Hitchin, Schiremere, Oxenhay, and Formede. He quitclaims 12 acres which Pama, once wife of Adam le Eskirmissur his grandfather, held in dower in Bevington. He remises and confirms the quitclaim which his father Elias made to St Augustine's of the annual rent of 8d for the land which Agnes la Poer once held. (Probably c. 1260 × 72.)[1]*

Sciant presentes et futuri quod ego Mauricius filius Elie le Eskirmisur pro salute anime mee et omnium antecessorum et successorum meorum concessi et presenti carta mea[2] confirmavi deo et ecclesie Beati Augustini de Bristoll' et canonicis regularibus ibidem deo servientibus quatuor seilones terre et unam garam in cultura de Newedich, et quatuor seilones in cultura de Lutelcroft, et tres seilones in Hechinge, et duas garas cum earum forrerda. Et in Schiremere quatuor garas, et unum seilonem et unam forrerdam in Oxehay, et unam garam in Formede, cum omnibus suis pertinenciis. Tenendas et habendas de me et heredibus meis et meis assignatis sibi et successoribus suis inperpetuum. Ad hec remisi concessi et quietas clamavi memoratis [f. 87v.] canonicis pro me et heredibus meis et assignatis meis inperpetuum duodecim acras terre cum suis pertinenciis quas Pama quondam uxor Ade le Eskirmisur avi mei tenuit in Bevintone nomine dotis, cum toto jure quod in prenominatis duodecim acris habui vel quocumque modo habere potui. Insuper relaxationem remissionem et quietam clamationem quam dictus Elias quondam pater meus de annuo redditu viii denariorum prefatis canonicis fecit, pro terra quam Agnes la Poer aliquando tenuit, ego pro me et heredibus meis et meis assignatis inperpetuum remitto et ratam habeo et prescripta sigilla et universa presenti scripto confirmo. Ita videlicet quod ego et heredes mei et mei assignati omnia supradicta de omnibus sectis curiarum hundred*orum* et omnibus serviciis exactionibus et secularibus demandis que aliquo modo evenire poterunt, tam versus dominum regem et capitales dominos quam omnes alios plene et per omnia defendemus et acquietabimus, et memoratis canonicis omnia prenominata inperpetuum warantizabimus. Et quia volo quod hec mea concessio et carte mee confirmatio rata et stabilis perpetuo perseveret presens scriptum sigilli mei inpressione duxi roborandum. T*estibus.*

[1] With Elias active in the 1250s, this confirmation may belong to the last years of Henry III's reign. Matilda Bochard daughter of the late Elias le Eskirmissur, issued a charter some time after 1281 (BCM, GC no. 2492) relating to land which she had received from Elias in Bevington (BCM, GC no. 748). Whether Maurice's confirmation could be as late as that is an open question.

[2] MS. *carta meo.*

234. *Charter of Adam Flambard to St Augustine's granting and confirming in free alms 4 selions at Greenhill, 1 selion which the canons held by gift of Elias le Eskirmissur, and 2 crofts, Pikedehale and Flexale. (Mid-thirteenth century.)*[1]

Omnibus Christi fidelibus presens scriptum visuris vel audituris Adam Flambard, salutem in domino. Noverit universitas vestra me pro salute anime mee et uxoris mee et omnium parentum nostrorum dedisse concessisse et hac presenti carta confirmasse deo et monasterio Sancti Augustini de Bristoll' et canonicis regularibus ibidem deo servientibus quatuor seilones terre mee apud Grenhulle, scilicet illas qui jacent inter terram Willelmi Belothom, et unum seilonem quem[2] predicti canonici de dono Elye le Eskirmisur prius habuerunt, et unam croftam que vocatur Pikedehale, et aliam croftam que vocatur Flexale. Omnes predictas terras tenendas et habendas de me et de heredibus meis sibi et successoribus suis inperpetuum. Ita quod nec michi nec heredibus meis nec alicui omnino hominum in aliquo de cetero respondeant de supradictis terris nisi soli deo in orationibus. Ego vero et heredes mei omnes predictas terras cum eorum pertinenciis contra omnes homines et feminas warantizare debemus [f. 88][3] memoratis canonicis inperpetuum, et eosdem canonicos de omnimodis serviciis sectis querelis demandis et exactionibus acquietabimus. Et ut hec mea donatio et concessio rata et stabilis futuris temporibus et inperpetuum permaneat, eam presenti scripto sigilli mei inpressione roborato duxi confirmandum. T*estibus*.

[1] Adam Flambard occurs in the entourage of Maurice de Berkeley (1243 × 81); he attests as early as 1243 × 45, and regularly within the limits 1243 × 74 (Jeayes, *Select Charters*, pp. 96, 107, nos. 287, 328; and BCM GC nos. 687, 689, 729, 756, 871). He attested a charter of Thomas de Berkeley (1220 × 43), presumably late in that period (BCM, GC no. 363). *Pikedehale* must be linked with Peaked leaze or Picked leaze *(P-NG*, ii, p. 227).

[2] MS. *que*.

[3] Rubric: *Bevyngton*.

235. *Charter of Adam Flambard to St Augustine's confirming in free alms 15 selions and 2 forelands in the Hale. (Mid-thirteenth century.)*

Omnibus Christi fidelibus ad quos presens scriptum pervenerit Adam Flambard, salutem in domino. Noverit universitas vestra me pro salute anime mee et uxoris mee et omnium parentum nostrorum dedisse concessisse et hac presenti carta mea confirmasse deo et ecclesie Sancti Augustini de Bristoll' et canonicis regularibus ibidem deo servientibus quindecim seilones terre mee de Bevintone cum duabus forrerdis adjacentibus, scilicet in illa cultura que vocatur la Hulle versus domum Gunnilde Purlewent inter terram quam idem abbas et conventus habent dono Mauricii de Bevintone versus domum que fuit Mauricii filii predicti Mauricii. Tenendas et habendas de me et de heredibus meis in liberam puram et perpetuam elemosinam inperpetuum, nemini inde vel pro eisdem in aliquo respondeant nisi soli deo in orationibus. Ego vero et heredes mei predictos quindecim seilones cum omnibus pertinenciis suis et cum predictis duabus forerdis sepedictis abbati et conventui contra omnes homines et feminas warantizare debemus inperpetuum. Et si forte contingat quod predictos quindecim seilones cum predictis forrerdis et omnibus eorum pertinenciis warantizare non poterimus in parte vel in toto, ego et heredes mei rationabile excambium tante terre de terra mea in Bevintone memoratis abbati et conventui ubicumque voluerunt faciemus. Ut autem hec mea donatio et concessio rata et stabilis perpetuo perseveret eam presenti scripto sigilli mei inpressione roborato duxi confirmandam. T*estibus*.

236. *Charter of Adam Flambard to St Augustine's confirming in free alms his meadow in Synderlands. (Mid-thirteenth century.)*

Sciant presentes et futuri quod ego Adam Flambard pro salute anime mee patris mei et matris mee et omnium parentum meorum dedi concessi et hac presenti carta mea confirmavi deo et ecclesie Sancti Augustini de Bristoll' et canonicis regularibus ibidem deo servientibus totum pratum meum quod habui in Sunderlond'. Tenendum et habendum [f. 88v.] de me et de heredibus meis inperpetuum libere et quiete integre et pacifice sicut liberam puram et perpetuam elemosinam meam, nulli omnino hominum in aliquo inde respondentes nisi soli deo in orationibus. Ego vero et heredes mei totum predictum pratum cum omnibus pertinenciis suis defendemus [et] acquietare debemus de sectis hundredis serviciis et omnimodis exactionibus et demandis et eundem pratum contra omnes homines et feminas warantizabimus. Et ut hec mea donatio et concessio rata et stabilis perpetuo perseveret eam presenti scripto sigilli mei appositione roborato duxi confirmandam. *Testibus.*

237. *Charter of Nicholas Scot of Hill to St Augustine's granting in free alms land in Bevington: 2 acres of arable land in the marsh, 3 selions which make up 1 acre, and 5 selions which make up 2 acres, and 1 selion and 1 acre which Adam Flambard formerly held of Eve, Nicholas's mother. (Mid-thirteenth century.)*[1]

Omnibus Christi fidelibus presens scriptum visuris vel audituris Nicholaus Scotus de Hulle, salutem in domino. Noverit universitas vestra me pro salute anime mee et omnium antecessorum meorum et successorum dedisse concessisse et hac presenti carta mea confirmasse deo et ecclesie Beati Augustini de Bristoll' et canonicis regularibus ibidem deo servientibus duas acras terre arabilis in marisco de Bevinton'; quarum una jacet inter terram dictorum abbatis et conventus et terram Roberti de Egenton', et unum capud illius acre extendit se usque ad Balcardeswurthi, alterum vero capud extendit se usque ad Schiremerewei; altera vero acra jacet inter terram dictorum abbatis et conventus et terram Alexandri Purlewent, cujus unum capud extendit se usque ad Bulkardesweie, alterum autem capud extendit se usque ad terram Rogeri de Lakintone. Item tres seilones terre mee in Bevington cum omnibus earum pertinenciis qui continent unam acram, quorum duo seilones jacent inter terram dictorum abbatis et conventus ex parte una et terram Roberti de Egentone ex altera. Item quinque seilones qui continent duas acras, quorum unum capud extendit super Langepullesdich versus orientem, et jacent inter terram Alexandri Purlewent versus aquilonem et terram meam ex parte alia; et unum seilonem in eadem cultura juxta prenominatos quinque seilones, et unam acram quam Adam Flambert aliquando de Eva matre mea tenuit, de qua deficiunt tres pertice, una scilicet in langitudine et due in latitudine. Tenend*as* et habend*as* de me et heredibus meis sibi et successoribus suis inperpetuum libere et quiete integre et pacifice sicut liberam puram et perpetuam elemosinam. Ita quod nec michi nec heredibus meis nec alicui omnino hominum [f.89][2] inde in aliquo respondeant nisi soli deo in orationibus. Ego vero et heredes mei memoratos abbatem et conventum et eorum successores versus dominum regem et capitalem dominum et omnes alios de omnibus serviciis sectis curiarum et hundredorum querelis et demandis et omnibus aliis secularibus exactionibus que de pretaxatis terris vel earum pertinenciis quocumque modo exigantur vel exigi contigerit plene et per omnia acquietabimus et eisdem canonicis dictas terras cum suis pertinenciis inperpetuum contra omnes homines et feminas warantizabimus et defendemus. Quod si forte predictas terras cum earum pertinenciis dictis canonicis warantizare non poterimus vel dicti canonici inquietationem pro defectu nostri sustinuerunt volumus et debemus eis rationabile excambium et plenum ad valentiam premissorum secundum estimationem fide dignor*um* de tenemento meo de Hulle sine aliqua contumacione exhibere. Et quia volo quod hec mea donatio et concessio perpetue firmitatis robur optineat presens scriptum eisdem sigilli mei inpressione confirmaui. Te*stibus*.

¹ Cf. nos. 209, 211.   ² Rubric: *Bevyngton.*

238. *Charter of Nicholas Scot to St Augustine's granting in free alms 1 acre and 1½ selions [in Bevington]. (Mid-thirteenth century.)*

Omnibus Christi fidelibus ad quos presens scriptum visuris vel audituris Nicholaus Scot de Hulle, salutem in domino. Noverit universitas vestra me pro salute anime mee et omnium antecessorum meorum et successorum dedisse concessisse et hac presenti carta mea confirmasse deo et ecclesie Beati Augustini de Bristoll' et canonicis regularibus ibidem deo servientibus unam acram terre et unum seilonem et dimidium¹ cum omnibus suis pertinenciis; de qua acra tres partes jacent inter terram dictorum canonicorum in parte occidentali et terram Willelmi filii Osberti in parte orientali, et quarta pars ejusdem acre jacet inter terram Alexandri Purlewent et terram Roberti de Egenton' in parte australi, et extendit se super terram predictorum canonicorum in parte aquilonali; et unus seilo et dimidium jacent juxta terram prescriptam inter terram predicti Roberti de Egentone et terram supradictorum canonicorum. Tenendam et habendam de me et heredibus meis sibi et successoribus suis inperpetuum libere et quiete integre et pacifice sicut liberam puram et perpetuam elemosinam. Ita quod nec michi nec heredibus meis nec alicui omnino hominum inde in aliquo respondeant [f. 89v.] nisi soli deo in orationibus. Ego vero et heredes mei memoratos abbatem et conventum et eorum successores versus dominum regem et capitalem dominum et omnes alios de omnimodis serviciis sectis curiarum et hundredorum² querelis et demandis et omnibus aliis secularibus exactionibus que de predictis terris vel eorum pertinenciis quocumque modo exigantur vel exigere contigerit plene et per omnia acquietabimus et defendemus et eisdem canonicis dictas terras cum suis pertinenciis inperpetuum contra omnes homines et feminas warantizabimus et defendemus. Et quia volo quod hec mea donatio et concessio perpetue firmitatis robur obtineat presens scriptum eisdem sigilli mei inpressione confirmaui. Te*stibus*.

¹ MS. *dimidiam.*
² MS. *hundredum.*

239. *Charter of Eve widow of Gregory Scot to St Augustine's granting and confirming in free alms 1 acre of arable land in Purgarston and 2 selions of arable land in Littlecroft. (Mid-thirteenth century.)*¹

Omnibus Christi fidelibus ad quos presens scriptum pervenerit Eva que fuit uxor Gregorii Scotici, eternam in domino salutem. Noverit universitas vestra me pro salute anime mee patris mei et matris mee dedisse concessisse et presenti carta mea confirmasse deo et ecclesie Sancti Augustini de Bristoll' unam acram terre arabilis[2] in campo que vocatur Purtegarstune, cujus unum capud se extendit a terra Hugonis Purlewent super gardinum Willelmi Budding et terram predictorum canonicorum Sancti Augustini; et duos seilones terre arabilis in cultura de Lutelcrofta, quorum unus seilo jacet inter terram Ricardi le Paumer et terram predictorum canonicorum, et alter seilo jacet inter terram Roberti de Beyburi et terram Willelmi Budding, cujus unum capud se extendit super terram domini Rogeri de Lokinton'; in liberam puram et perpetuam elemosinam. Ita quod ego nec heredes mei in predicta terra nichil jure exigere poterimus nec nobis vel alicui hominum inde respondeant nisi soli deo in orationibus. Et ego vero Eva et heredes mei predictis canonicis et eorum successoribus totam predictam terram ut liberam puram et perpetuam elemosinam contra omnes gentes inperpetuum warantizabimus. Et ut hec mea donatio et concessio et carte mee confirmatio rate stabiles et inconcusse permaneant huic carte sigillum meum apposui. *Testibus*.

[1] The limits of date are indicated by Roger de Lokinton' who begins to attest dated charters in 1243 and occurs at intervals until August 1252 (Jeayes, *Select Charters*, pp. 94, 130, nos. 282, 424). He may well attest charters of the later years of the life of Maurice de Berkeley (1243 × 81).
[2] MS. *arabili*.

240. *Charter of Henry Marshal son of William Marshal of Newport* (Novo Burgo juxta Berkele) *to St Augustine's, granting and confirming in free alms 2¼ acres and 29 perches of arable land in Purgarston in Bevington. (Third quarter of the thirteenth century.)*[1]

[f. 90][2] Omnibus Christi fidelibus ad quos presens scriptum pervenerit Henricus Marescallus filius Willelmi Marescalli de Novo Burgo juxta Berkele, eternam in domino salutem. Noverit universitas vestra me pro salute anime mee patris mei et matris mee dedisse concessisse et hac presenti carta mea confirmasse deo et ecclesie Sancti Augustini de Bristoll' et canonicis regularibus ibidem deo servientibus duas acras, quartam partem unius acre, viginti et novem perticas terre arabilis in Bevintone que jacent in campo qui vocatur Purtegarstone, inter terram quam Willelmus filius Osberti tunc tenuit ex parte una et terram quam Ricardus le Palmer tunc tenuit ex parte altera in latitudine, et se extendit in longitudine a terra Ade Flambert super legalem viam que ducit de Bevintona versus Hulle, in liberam puram et perpetuam elemosinam. Ita scilicet quod nec michi nec heredibus meis vel alicui hominum inde respondeant nisi soli deo in orationibus. Et quia volo quod hec mea donatio concessio et hujus carte mee confirmatio rate stabiles et inconcusse permaneant inperpetuum huic carte sigillum meum apposui. *Testibus*.

Marginal note: Nuport.

[1] William Marshal occurs in the mid-thirteenth century; he attests a dated charter in 1248 (Llanthony Cartularies, P.R.O., Chancery Masters' Exhibits, C 115/A 1, VII, no. 14).
[2] Rubric: *Bevyngton*.

241. *Charter of Roger son of Nicholas to Humphrey of Hill assigning to him for his service and homage a half-virgate in Roger's manor of Hill, which John Chude held of Roger on the day on which Roger gave it to Humphrey in exchange for a half-virgate called Westowe, between Appleridge and Watercombe. He also gives Humphrey 1 acre of meadow called* Pera. *Humphrey owes 10s annual rent, and has rendered 4 capons in recognition. He remains responsible for royal service. (1195 × 1230.)*[1]

Rogerus filius Nicholai omnibus hominibus suis et amicis, salutem. Sciatis me dedisse et concessisse et hac presenti carta mea confirmasse Amfredo de Hulle pro servicio suo et homagio totam illam dimidiam virgatam terre cum pertinenciis suis quam Johannes Chude tenuit de me in manerio meo de Hulle die qua eam eidem Amfredo dedi in excambio illius dimidie virgate[2] terre quam predictus Amfredus tenuit inter Apelrugge et Watercumbe quod vocatur Westowe; et unam acram prati in prato de Peram juxta pratum Walteri decani de Came. Tenendam et habendam sibi et heredibus suis de me et heredibus meis libere et quiete integre et honorifice cum omnibus libertatibus et liberis consuetudinibus. Reddendo inde michi et heredibus meis singulis annis decem solidos ad festum sancti Michaelis pro omni servicio excepto regali servicio quod inde faciet, videlicet quantum pertinebit ad unam dimidiam virgatam terre. Quando vero hanc concessionem et hoc excambium [f. 90v.] prenominatum Amfredo feci, ipse dedit michi de recognitione quatuor capones. Igitur quia volo quod ista mea donatio rata et inconcussa perseveret hac presenti carta mea sigilli mei appositione roborata sibi confirmavi. T*estibus*.

Marginal note: Rog'. fil'. Nich'.

[1]   Roger succeeded in 1195, on the death of Nicholas son of Robert fitz Harding; he died in 1230 (*Excerpta e Rot. Fin*. i, p. 206).
[2]   MS. *dimidiam virgatam*.

242. *Charter of Laurence of Bevington to Humphrey of Hill and Alice his wife granting him for his service and homage 5 acres of land, 3 in Widecroft, 1 in Oxenhay, and 1 in Chiremere. Humphrey owes annually a render of 1 pair of gloves worth 1d, and has paid 1 mark in recognition. (Mid-thirteenth century.)*

Laurencius de Bevintone omnibus ad quos presens carta pervenerit, salutem. Sciatis me dedisse et concessisse et hac presenti carta mea confirmasse Umfredo de Hulla et Alicie uxoris sue pro servicio suo et homagio quinque acras terre, scilicet tres acras in Widecroft et unam acram in Oxenehei juxta ydam et unam acram in Chiremere; sibi et heredibus suis tenendas et habendas de me et heredibus meis libere et quiete integre et honorifice cum omnibus libertatibus et liberis consuetudinibus. Reddendo inde annuatim michi et heredibus meis unum par calcariorum pretio unius denarii pro omni servicio preter regale servicium, scilicet quantum pertinet ad quinque acras terre. Et quando hanc donationem sibi feci dederunt michi de recognitione unam marcham argenti. Unde quia volo quod ista donatio et concessio firma sit et stabilis hoc scriptum sigilli mei attestatione roboravi. *Testibus.*

243. *Charter of Richard son of Humphrey to Elias his brother quitclaiming all the land which he held in Hill of Roger son of Nicholas and in Bevington of Maurice of Bevington. Elias is to hold these lands of Roger and Maurice for an annual payment of 10s to Roger and his heirs and of 1d to Maurice and his heirs. When this quitclaim was made, Elias paid Richard 2 marks and 15s in recognition. (Mid-thirteenth century; certainly before 1264.)*[1]

Sciant presentes et futuri quod ego Ricardus filius Anfredi dedi et concessi et quietam clamavi et hac mea presenti carta confirmavi Helie fratri meo totam terram meam quam habui in Hulla de domino Rogeri filii Nicholai et in Bevintone de Mauricio de Bevinton' cum omnibus pertinenciis suis et totum jus meum quod habui vel habere potui in tota predicta terra. Tenendam et habendam sibi et heredibus suis de domino Rogero filio Nicholai et heredibus suis et Mauricio de Bevinton et heredibus suis adeo libere et integre pro ut ego integrius et liberius eam unquam tenui. Reddendo inde annuatim domino Rogero filio Nicholai et heredibus suis decem solidos ad festum Sancti Michaelis pro omnibus serviciis et demandis salvo regali servicio, quantum scilicet ad dimidiam virgatam terre pertinet, et Mauricio de Bevinton' et heredibus suis annuatim unum denarium ad Pascha pro omnibus serviciis et demandis salvo regali servicio, quantum scilicet [f. 91][2] ad quinque acras terre pertinet. Quando vero hanc donationem concessionem et quietam clamationem ei feci ipse Elyas frater meus dedit michi duas marcas argenti et quindecim solidos de recognitione.[3] Et ut hec mea donatio et concessio et quieta clamatio rata et stabiles permaneant hanc cartam sigilli mei inpressione roboratam sibi confirmavi. *Testibus.*

[1]   The phrasing of the charter suggests that Roger son of Nicholas and Maurice of Bevington are both dead. Elias had given all his lands to St Augustine's before 1264 (no. 246).
[2]   Rubric: *Bevyngton.*
[3]   *de recognitione* repeated.

244. *Charter of Elias of Wickstow to St Augustine's granting in free alms half a virgate in Hill which Alice widow of Humphrey once held. He refers to Edith his wife. (Before 1264.)*

Omnibus Christi fidelibus ad quos presens scriptum pervenerit Elyas de Wikstowe, salutem in domino. Noveritis me pro salute anime mee et Edithe uxoris mee et omnium parentum nostrorum dedisse et concessisse et hac presenti carta mea confirmasse deo et ecclesie Sancti Augustini de Bristoll' et canonicis regularibus ibidem deo servientibus in liberam puram et perpetuam elemosinam dimidiam virgatam terre cum pertinenciis suis in Hulla quam Alicia relicta Amfredi aliquando tenuit. Tenendam et habendam de me et heredibus meis sibi et successoribus suis in perpetuum, libere et quiete integre et pacifice in boscho et in plano, in aquis et aquarum cursibus, viis et semitis, pratis pascuis et pasturis et ceteris omnibus libertatibus et liberis consuetudinibus suis, sicut liberam puram et perpetuam elemosinam quietam ab omni seculari servicio et demanda. Ita quod nec michi nec heredibus meis nec alicui omnino hominum in aliquo inde respondeant nisi soli deo in orationibus. Ego vero et heredes mei memoratis canonicis et successoribus suis predictam dimidiam virgatam terre cum omnibus suis pertinenciis contra omnes homines et feminas warantizabimus acquietabimus et defendemus. Et ut hec mea donatio et concessio rata et stabilis et inconcussa inperpetuum permaneat presens scriptum etc. *Testibus* etc.

245. *Charter of Elias of Wickstow to St Augustine's granting in free alms 5 acres of the fee once held by Maurice of Bevington, 3 in Widecroft, 1 in Oxenhay, and 1 in Sciremere. (Before 1264.)*

Omnibus Christi fidelibus ad quos presens scriptum pervenerit Elyas de Wistowe, salutem in domino. Noveritis me pro salute anime mee et Edithe[1] uxoris mee et omnium parentum nostrorum dedisse et concessisse et hac presenti carta mea confirmasse deo et ecclesie Sancti Augustini de Bristoll' et canonicis regularibus ibidem deo servientibus in liberam puram et perpetuam [f. 91v.] elemosinam quinque acras terre de feudo[2] quod fuit quondam Mauricii de Bevintone; quarum tres acre jacent in Widecrofte, et una acra in Oxehaie, et una acra apud Sciremere. Tenendas et habendas[3] de me et heredibus meis sibi et successoribus suis inperpetuum libere et quiete integre et pacifice cum omnibus libertatibus et liberis consuetudinibus suis sicut liberam puram et perpetuam elemosinam. Ita quod nec michi nec heredibus meis nec alicui omnino hominum in aliquo inde respondeant nisi soli deo in orationibus. Ego vero et heredes mei memoratis canonicis et successoribus suis predictas quinque acras terre cum suis pertinenciis omnibus contra omnes homines et feminas warantizabimus. [. . .][4] presens scriptum predictis canonicis sigilli mei inpressione confirmavi. *Testibus*.

---

[1] MS. *Edithe et.*
[2] MS. *feoudo.*
[3] *et habendas* repeated.
[4] The scribe has omitted part of his text. It should probably read; *warantizabimus acquietabimus et defendemus. Et ut hec mea donatio concessio et confirmatio rata et stabiles permaneant presens scriptum* etc.

246. *Agreement between William, abbot of St Augustine's, and Elias of Wickstow. The abbot grants to Elias and his wife Edith that, for a rent of 10s, they should hold for their lifetime all the lands, rents, and possessions which Elias has given the abbey in free alms. After their deaths, the lands, rents, and possessions shall revert to the abbey. (1242 × 64.)*[1]

Hec est conventio facta inter dominum Willelmum abbatem Sancti Augustini de Bristoll' et ejusdem loci conventum ex parte una et Elyam de Wigstowe ex altera. Videlicet quod dicti abbas et conventus pro se et successoribus suis concesserunt memorato Elye et Edithe uxori sue quamdiu vixerint omnes terras illas redditus et possessiones quas idem Elias dictis abbati et conventui in liberam puram et perpetuam elemosinam dedit et carta sua confirmavit. Ita quod inde singulis annis supradictis abbati et conventui in festo Sancti Michaelis decem solidos argenti dicti Elyas et Editha persolvent. Post eorundem decessionem omnes terre redditus et possessiones ad supradictos abbatem et conventum absque omni diminutione plene et integre sine contradictione alicujus vel inpedimento revertentur. Ad majorem autem hujus rei securitatem huic scripto in modum cirographi confecto et inter partes diviso signa partium hinc inde sunt appensa. T*estibus*.

¹ The agreement was made by William Long (1242 × 64) (see no. 243).

247. *Charter of Elias Giffard and Isolde his wife. When they secured from William, abbot of St Augustine's, a licence to hear divine service in the oratory they had built at Wick, in Alkington, they undertook that the mother church of Berkeley should be protected and indemnified. They accepted that the concession was for a limited period, that their chaplain should not settle at Wick but leave when they left, and that he should preserve the rights of the mother church to dues and obventions. There are indications that the scribe found this a difficult document, either to copy, or to understand. (Before October 1254.)*¹

Omnibus Christi fidelibus ad quos presens scriptum pervenerit Elyas Giffart et Yseuda uxor ejus, salutem. Noverit universitas vestra quod, cum a domino W*illelmo* abbate Sancti Augustini de Bristoll' licenciam obtinuerimus² audiendi divina in oratorio apud Wikam [f. 92]³ per nos constructo cum illuc venerimus vel moram ibidem fecerimus, ne forte in posterum devocetur quod factum est ob gravam tendat ad noxam, presenti scripto et juramento corporaliter prestito dicto domino abbati obligavimus, nosmet ipsos pariter et heredes nostros, quod ecclesiam de Berkele in omnibus in memoriam conservabimus et indempnem. Ita quod, elapso bienno a tempore confectionis hujus instrumenti numerando, nullum jus nobis vel heredibus nostris audiendi divina vendicabimus occasione dicte concessionis possessionis vel quasi in loco memorato. Non enim loco, set personis nostris⁴ tamen g*rant*a⁵ est concessa supradicta. Capellanus autem qui nobis in dicto loco divina celebrabit⁶ residentiam ibidem non facturus cum recesserimus recederet et ipse qui antequam ibidem celebret se ecclesie de Berkeley obligabit super obligationibus⁷ et oventionibus ad ecclesiam de Berkel' fideliter deferendis et omni fidelitate dicte ecclesie conservanda. Ut autem universa premissa plenius observentur, subjecimus nos, liberos nostros, et terras nostras juris adictionem et cohercionem domini Wigornensis et officialum suorum qui pro tempore fuerint renunciantes pro nobis et nostris omnem appellationem cavillationem exceptionem et maxime regie prohibitionem et utriusque juris remedium⁸ canonici videlicet et civilis. Ita quod si occasione istius concessionis gravamen vexationem sustinuerimus vel jacturam pro quolibet articulo non observato pena dimidie marce istius concessionis commitante domui Sancti Augustini de Bristoll' persolvenda.

[1] Elias and Isolde, who outlived her husband, were both dead by 1254, and had been succeeded by their son, John Giffard (*Excerpta e Rot. Fin.* ii, p. 183). An inquisition, damaged and undated, but endorsed '32 H.3', identifies Elias's heir as a son, aged 16 years (*Cal. Inq. P. M.*, i, p. 30, no. 124) and points to 1248 as the date of Elias's death. Abbot William could be William of Breadstone or William Long.

[2] MS. *obtinuierimus.*   [3] Rubric: *Wyke'.*

[4] MS. *matris.*   [5] The word may be *granta* (grant) or *gratia* (licence).

[6] *obligabit super obligationibus* has been written and expuncted for deletion.

[7] The appropriate word would be *oblationibus*, but here, and in the deletion (n. 6), the scribe preferred *obligationibus.*

[8] MS. *remodio.*

248. *Charter of Celia daughter of Alexander of Acton to Maurice son of Maurice de Berkeley granting and confirming to him the grove called the wood (or* Thwenewode*), between* Horewellewode *and* Fulmore*, the pasture adjoining it, and 1 foreland in* Mewellewde*. He holds it for an annual render of 1 pound of cumin. Maurice has become her man bound by his oath. Her grant is sealed with her own seal. (Early thirteenth century.)*[1]

Selia filia Alexandri de Egentone omnibus ad quos presens carta pervenerit, salutem. Sciatis me dedisse et concessisse et hac mea carta confirmasse Mauricio filio Mauricii de Berkel' pro servicio suo totam gravam meam que vocatur Thwede, que est inter culturam que vocatur Horewellewode et pratum que vocatur Fulmore; et totam pasturam meam que eidem grave adjacet, que est inter eandam gravam cum prenominata pastura circuit; et totum pratum meum similiter quod habeo in prato de Fulmore; et unam forrerdam in predicta cultura de Mewellewde in inferiori parte [f. 92v.] illius culture, juxta haicium quodam quod eidem forrerde adjacet a chemino sicut ducit[2] de Eggetone versus Hurste usque ad prefatam gravam de Thwenewde, habentem in latitudinem tres perticas, ad faciendum unum cheminum versus predictam gravam; sibi et heredibus suis singulis annis unam libram cumini ad festum Sancti[3] Michaelis reddendo inde michi et heredibus meis. Tenenda et habenda de me et heredibus meis libere et quiete integre et honorifice. Et idem Mauricius est inde michi meus affidatus. Ut igitur ista donatio rata et in concussa perseveret sigilli mei attestatione hanc cartam meam roboravi. *Testibus.*

[1] Alexander and his daughter occur 1190 × 1221 (nos. 116, 120).

[2] MS. *dicit.*

[3] *Augustini* expuncted for deletion.

249. *Charter of Isolde daughter of Alexander of Acton, widow of Adam of Saltmarsh, to St Augustine's granting in free alms a virgate of land in Acton called Caldicot, which Ailric the Welshman held, and half a virgate which Richard Walding held, and half a virgate which Walter Walding held. The* *canons are to be responsible for the royal service due from this land. She also gives the canons common of pasture for 8 oxen in Acton, and for 12 cows and a bull, and 5 sows and a boar, together with housebote, hedgebote and firewood from Haywood. (Early thirteenth century.)*[1]

Sciant presentes et futuri quod ego Ysillia filia Alexandri de Eggentona dedi et concessi et hac mea presenti carta confirmavi deo et ecclesie Sancti Augustini de Bristoll' et canonicis ibidem deo servientibus pro salute anime mee et quondam viri mei Ade de Salto Marisco necnon et puerorum meorum et omnium antecessorum et amicorum meorum tam vivorum quam defunctorum, totam illam virgatam terre que apellatur Caldicota cum omnibus pertinenciis suis de terra mea de Egentuna[2] quam Ailricus Walensis tenuit die qua fuit vivus et mortuus; et totam illam dimidiam virgatam terre cum omnibus pertinenciis suis quam Ricardus Walding tenuit die qua obit; et totam illam dimidiam virgatam terre cum omnibus pertinenciis suis quam Walterus Walding tenuit die qua eandem terram eisdem canonicis dedi. Tenendas sibi et habendas de me et heredibus meis in liberam puram et perpetuam elemosinam cum omnibus pertinenciis libertatibus liberis consuetudinibus in boscho et plano in pratis et pasturis in viis et semitis et in omnibus rebus et locis ad predictas terras pertinentibus, bene et in pace integre et honorifice libere et quiete ab omnibus serviciis et secularibus demandis ad me vel ad heredes meos pertinentibus, salvo tantum regali servicio quantum scilicet ad tantam terram pertinebit. Preterea dedi et concessi deo et Sancto Augustino et predictis canonicis octo boves habere in omnibus pasturis ad terram meam de Egentone pertinentibus, et duodecim [f. 93][3] vaccas cum uno tauro, et quinque suos cum uno verro, et cum exitibus illarum, et hubote et haibote ad predictas terras et boscum ad focum suum de nemore meo de Haiwoda. Et quia volo quod hec mea donatio et concessio rata sit et stabilis inperpetuum hac presenti carta sigilli mei inpressione roborata confirmavi. T*estibus*.

> [1]   Adam of Saltmarsh was dead by Michaelmas, 1199 (*PR 1 John*, PRS, NS, 10, p. 29).
> [2]   The *E* interlined.
> [3]   Rubric: *Eggetone*.

250. *Charter of Thomas son of William to John of Acton. John is to hold in peace the 2 virgates of land which John holds of the abbot of St Augustine's in Acton, and which Isolde of Acton gave to the canons. He is to hold the land according to the terms of the charter which he has from the abbot. Thomas will not implead him for this land, and will defend and warrant his tenure if it is challenged. John has given him 4 marks, the corn in Acton grange, and the standing corn on the land of Acton Court, when Thomas took seisin of the manor. (Early thirteenth century.)*

Sciant presentes et futuri quod ego Thomas filius Willelmi dedi et concessi Johanni de Egentone quod habeat et teneat bene et in pace illas duas virgatas terre cum omnibus pertinenciis suis quas tenet de abbate de Sancto Augustino et de canonicis ejusdem loci in villa de Egentone et quas Isilia de Gentone dedit predictis canonicis, secundum formam carte sue quam habet de predicto abbate et de canonicis. Et quod ego de predicto tenemento illum inplacitum non ponam nec aliquis per me. Et siquis illum inplacitum posuerit de predicto tenemento contra hanc cartam meam et contra hanc concessionem meam ego illum defendam et manutenebo et warantizabo contra omnes homines secundum posse meum. Et pro hac concessione et manutenemento et warentizatione predictus Johannes dedit michi quatuor marcas argenti et totum bladum quod inveni in grangia de Egentone quando seisinam curie de Egentone recepi et totum inbadimentum quod factum fuit in tota terra que ad curiam de Egentone pertinet quando hec conventio inter nos facta fuit. Et quia volo quod hec mea concessio et hec conventio firma sit et stabilis illas presenti carta mea et sigilli mei inpressione confirmavi. *Testibus.*

Marginal note: Nota quere in superiori parte istius libri qualiter terra illa tradita fuit Johanni de Egeton'.[1]

[1] The reference is to f. 12. See Add. Doc. 4.

251. *Charter of Adam of Saltmarsh and Isolde his wife granting the tithe of their hay at Acton to the church of Berkeley. They both add their seals to the deed. (Before 1199.)*

Notum sit omnibus tam presentibus quam futuris quod ego Adam de Salso Marisco et uxor mea Ysilia pro salute animarum nostrarum et patrum et matrum et liberorum et omnium parentum nostrorum decimam de feno nostro apud Egentone ecclesie de Berkelai comuni assensu dedimus inperpetuum et presentis scripti et sigilli nostri testimonio confirmavimus. *Testibus.*

252. *Agreement between William Long, abbot of St Augustine's, and Thomas Mathias and Hildeburga his wife. Thomas and Hildeburga are to be responsible for all services, including royal service, due from 2 virgates in Acton held by John of Acton. When scutage is levied, the canons will be responsible for 3s, whatever the rate of scutage demanded, and Thomas and his heirs will be responsible for any excess. The agreement is dated on the Nativity of St John the Baptist, 32 Henry III (24 June 1248).*

[f. 93v.] Hec est conventio facta inter dominum Willelmum abbatem Sancti Augustini de Bristoll' et ejusdem loci conventum ex parte una et Thomam Mathias et Hildeburgam uxorem ejus ex altera, anno regni regis Henrici filii[1] regis Johannis tricesimo secundo in Nativitate Sancti Johannis Baptiste, videlicet quod dicti Thomas et Hildeburga presenti scripto se et heredes suos obligaverunt eorundem [quod]² memoratos abbatem et conventum et eorum successores et Johannem de Egenton' et heredes suos et assignatos suos de omnimodis serviciis tam regali quam alio qui³ aliquo modo poterunt evenire vel exigi de duabus virgatis terre quas predictus Johannes tenuit de canonicis supradictis plene et per omnia acquietabunt et defendent, salvo annuo[4] redditu dictis canonicis debito de terra supradicta, et salvis casibus fortuitis, de quibus dictus Johannes et heredes sui respondere debebunt. Ita tamen quod quando scutagium evenerit prefati canonici et eorum successores predicto Thome et heredibus suis tantum tres solidos persolvent. Et quamvis plus vel minus de scuto exigatur cum currerit scutagium sepedictus Thomas vel heredes sui vel aliqui alii occasione illarum duarum virgatarum terre a predictis abbate et conventu vel Johanne predicto et heredibus suis aliquid amplius quam tres solidos antedictos exigere aliquatenus non poterunt nec debebunt inperpetuum. Et predicti canonici modo supradicto absolutionem predictorum trium solidorum presenti scripto se et successores suos obligaverunt;[5] et ne premissa oblivioni tradantur inposterum presenti scripto in modum cirographi confecto et inter partes diviso signa partium huic inde sunt appensa.

[1]   MS. *filius*.
[2]   The scribe looked back and repeated the words *et heredes* at this point, and presumably missed the *quod* which is necessary.
[3]   *tam regalibus quam aliis que* would make better sense.
[4]   MS. *anuo*.
[5]   MS. *obligavit*.

253. *Charter of Peter of Wick recording that he and his heirs are obliged to pay 13s 4d each year for the wood of Eucumbe which the abbey of St Augustine's has given him and confirmed by charter. If they fail to pay, the abbot may distrain their lands and goods. (Mid-thirteenth century.)*[1]

Sciant presentes et futuri quod ego Petrus de Wike et heredes mei vel assignati mei tenemur [et] presenti scripto obligamur reddere et exsolvere abbati et conventui Sancti Augustini de Bristoll' et eorum successoribus singulis annis inperpetuum tresdecim solidos et quatuor denarios ad quatuor anni terminos, videlicet ad Nathale quadraginta denarios, ad Pascha quadraginta [f. 94] denarios, ad festum Sancti Johannis Baptiste quadraginta denarios, et ad festum Sancti Michaelis quadraginta denarios pro bosco de Eucumbe quod dicti abbas et conventus michi dederunt et sua carta confirmaverunt. Et [si] forte ego vel heredes mei seu assignati mei in solutione predicti redditus aliquo termino defecerimus liceat predictis abbati et conventui [me] et heredes meos vel assignatos meos per omnia bona nostra mobilia et immobilia ubicumque fuerint inventa, absque mei ulla et heredum vel assignatorum meorum contradictione et reclamatione distringere namia nostra capiendo et in curia sua de Berkel' detenendo, donec eisdem plene de predicto redditu fuerit satisfactum. In cujus rei testimonium presenti scripto sigillum meum apponendum. *Testibus*.

Marginal note: Carta facta Petro de Wyke de bosco de Eucumbe.

[1]   One Peter of Wick occurs in the reign of John. The Peter of Wick of this charter is prominent from the 1240s to the 1260s, attesting dated charters which range from 1244 to 1270.

254. *Charter of [Peter of Wick] to St Augustine's granting in free alms a parcel of 12 acres of land called la Breche which he bought from Nicholas of Crawley with 1 acre adjoining it, and 2 acres of meadow in the Ham. (Mid-thirteenth century.)*

Sciant presentes et futuri quod ego dedi concessi et hac presenti carta mea confirmavi deo et ecclesie Sancti Augustini de Bristoll' et canonicis regularibus ibidem deo servientibus in liberam puram et perpetuam elemosinam totam terram meam que vocatur la Breche quam emi de Nicholao de Crauley continentem duodecim acras cum omnibus suis pertinenciis, et unam acram terre proximo jacentem dicte Breche ex partem occidentali et duas acras prati que jacent in la Hamma inter cursum aque de Langebruge et culturam dicti abbatis que vocatur la Lege[1] cum omnibus pertinenciis suis. Tenendas et habendas de me et heredibus meis sibi et successoribus suis inperpetuum libere et quiete integre et pacifice sicut liberam puram et perpetuam elemosinam cum omnibus libertatibus et liberis consuetudinibus ad predictas terras et pratum pertinentibus. Ita quod nec michi nec heredibus meis nec alicui hominum in aliquo inde respondeant nisi soli deo in orationibus. Ego vero et heredes mei vel assignati mei omnes predictas terras et pratum supradictum cum omnibus eorum pertinenciis memoratis abbati et conventui et eorum successoribus contra omnes mortales inperpetuum warantizabimus et de omnibus serviciis et sectis curiarum eosdem acquietabimus et defendemus. Et ut hec mea donatio et concessio rata et stabilis [f. 94v.] perpetuo perseveret eam presenti scripto sigilli mei inpressione roborato duxi confirmandam. T*estibus*.

Marginal note: Nota cartam de terra vocata Breche.

[1]   These lands lie in Hamfallow.

255. *Agreement between William, abbot of St Augustine's, and Peter of Wick. Peter has given the canons 2 acres of meadow below the Lay and 3½ acres of arable land in the Lay in exchange for 4½ acres of arable land in the Lay. They offer mutual protection against claims on the land. Peter may enclose and use the land as he wishes. (1234 × 64.)[1]*

Hec est conventio facta inter dominum Willelmum abbatem Sancti Augustini de Bristoll' et ejusdem loci conventum ex parte una et Petrum de Wika ex altera, videlicet quod dictus Petrus dedit et inperpetuum concessit memoratis abbati et conventui duas acras prati subtus culturam que vocatur la Leya in longitudine inter pratum dictorum canonicorum in parte australi et pratum dicti Petri ex parte aquilonali et inter dictam culturam et moram in latitudine; et tres acras terre arabilis et dimidiam in dicta cultura de la Leya cum fossato et omnibus pertinenciis suis in excambium quatuor acrarum et dimidie[2] terre arabilis in dicta cultura de Leya que jacent propinquius domui dicti Petri, quarum unum capud extendit versus orientem super terram dictorum canonicorum et aliud capud super viam regiam qua itur de Berkel' versus Bevintone. Dicti vero abbas et conventus partem suam in predicto excambio sibi assignatam adeo libere et quiete tenebunt et habebunt inperpetuum quod nec dicto Petro nec heredibus suis nec alicui hominum de aliquo servicio et exactione aut demanda seculari respondeabunt, sed dictus Petrus et heredes sui illos de omnibus predictis serviciis exactionibus et demandis defendent et acquietabunt. Liceat autem dicto Petro et heredibus suis partem suam in predicto excambio sibi assignatam tensare fossare claudere et modis omnibus quibus poterunt et expedire viderunt ordinare disponare et meliorare sine aliqua dicti Petri et heredum suorum contradictione. Partes vero supradicte excambium supradictum contra omnes gentes adinvicem warantizabunt inperpetuum. Quod si forte utraque pars vel earum altera aliquo casu continginte id efficere nequiverit partem suam pristinam quam ante excambium factam obtinuerat sibi resumat et teneat sicut eam prius tenuit. In cujus rei. *Testibus.*

[1] Abbot William may be William of Breadstone or William Long.
[2] MS. *dimidiam.*

256. *Charter of Philip of Leicester. He has licence for a chapel in his court at Wanswell and gives undertakings that the rights of the mother church at Berkeley will be guaranteed. Unless they are prevented by sound and reasonable cause, he and his family and guests will attend the mother church of Berkeley on the four major feasts of the year. (1243 × 74.)*[1]

Omnibus Christi fidelibus presens scriptum visuris vel audituris Philippus [f. 95][2] de Leycestr', salutem in domino. Ne pro gratia quam venerabiles viri abbas et conventus Sancti Augustini de Bristoll' michi [concesserunt], super capella infra curiam meam de Weneswelle de licencia eorundem erecta, matricem ecclesiam suam de Berkel' dampno subjacere contingat aliquo tempore vel lesioni, ego Philippus de Leycestria fideliter promitto et presenti scripto me et heredes vel assignatos meos firmiter obligo nos dictam ecclesiam matricem in omnibus et per omnia semper indempnem fore conservaturos. Ita sane quod in dicta capella michi, hospitibus meis, et familie mee, divina sumptibus meis faciam celebrari,[3] exceptis quatuor principalibus festis in anno[4] tam ego quam familia mea nisi aliqua legitima et rationabile causa fuerimus prepediti dictam matricem ecclesiam more debito visitabimus. Que quidem omnia heredes vel assignati mei similiter facient inperpetuum. Conservabimus autem dicte matricis ecclesie sic indempnate quod omnia que ad dictam capellam vel ad capellanum in ea celebrantem titulo legati vel oblati aut alicujus alterius obventionis quandoque pervenerint sine difficultate aut contradictione dicte matrici ecclesie restituentur. Ad que quidem omnia et singula fideliter observanda capellanus in dicta capella ministraturus vicario[5] supradicte ecclesie corporale prestabit sacramentum. Si vero dictus capellanus diffamatus fuerit quod aliqua de premissis subtraxerit vel celaverit, si se coram vicario eorum canonice purgare non poterit, extunc dicta capella per[6] eos vel vicarum eorundem suspendetur cessante cantaria donec matrici ecclesie memorate per dictum capellanum vel per[6] me et heredes vel assignatos meos de subtractis vel celatis plene fuerit satisfactum. Quod ne in posterum devocetur indubium presenti scripto sigillum meum apposui. T*estibus*.

Marginal note: Capella de Wanswell.

¹ Philip of Leicester occurs 1243 × 45 (Jeayes, *Select Charters*, p. 96, no. 289). Philip and his wife Isabella gave 1 mark for a writ of novel disseisin in 1263 (*Excerpta e Rot. Fin.* ii, p. 405). Philip was dead by 1274 (BCM, GC no. 458).

² Rubric: *Aveneswell'*.

³ MS. *celebrare*.

⁴ The original presumably had some form of grammatical link, perhaps using *cum* or *quando*, at this point.

⁵ MS. *vicarior'*.

⁶ MS. *pro*.

257. *Charter of Philip of Leicester to St Augustine's giving in free alms a rent of 3s due from the land which Walter Jordan held in Wanswell, to be paid by the tenants. If he or his heirs default on payments the canons may distrain that land. (1243 × before 1274.)*

Omnibus Christi fidelibus presens scriptum visuris vel audituris Philippus de Leycestr', salutem in domino. Noverit universitas vestra me pro salute anime mee uxoris mee et omnium antecessorum et successorum meorum dedisse et concessisse et hac presenti carta mea confirmasse deo et ecclesie Sancti Augustini de Bristoll' et canonicis regularibus ibidem deo servientibus in liberam puram et perpetuam elemosinam tres solidos [f. 95v.] annui redditus inperpetuum de terra quam Walterus Jordan aliquando de me tenuit in Weneswelle recipiendos de dicta terra per tenentibus ad quatuor anni terminos, videlicet in Nathale Domini novem denarios, in Pascha novem denarios, in Nativitate Beati Johannis Baptiste novem denarios et in festo Sancti Michaelis novem denarios. Tenendam¹ et habendam de me et heredibus meis vel assignatis meis sibi et successoribus suis inperpetuum libere et quiete integre et pacifice sicut liberam puram et perpetuam elemosinam, ita quod nulli hominum in aliquo respondeant nisi soli deo in orationibus suis. Concedo etiam pro me et heredibus meis vel assignatis meis dictis canonicis dicta terra tenementis² si necesse fuerit absolutio veru dicti redditus per servientes suos libere possint distringere sine aliqua contradictione vel inpedimento mei vel aliquorum meorum heredum vel assignatorum meorum vel servientum namiam eorum capiendo et detinendo donec eisdem super dicto redditu plene fuerit satisfactum. Ego vero Philippus et heredes mei vel assignati mei dictos tres solidos annui redditus dictis canonicis contra omnes mortales warantizabimus et de sectis curiarum hundredorum et de omnibus secularibus demandis et exactionibus acquietabimus et defendemus. In cujus rei testimonium etc. T*estibus* etc.

¹ MS. *tenenendam*.

² MS. *tenenementis*. The reference seems to be to the tenants, rather than their holdings.

258. *Charter of Philip of Leicester to St Augustine's granting in free alms 2 acres in Wanswell in the croft called Shortland. The canons may enclose the holding at will. (1243 × before 1274.)*

Sciant presentes et futuri quod ego Philippus de Leycestr' dedi et concessi et hac presenti carta mea confirmavi deo et ecclesie Sancti Augustini de Bristoll' et canonicis regularibus ibidem deo servientibus in liberam puram et perpetuam elemosinam duas acras terre mee apud Weneswelle in crofta que dicitur Sortelonde, inter terram abbatis Sancti Augustini que dicitur Cothecroft ex parte orientali et aquilonali et terram meam ex parte occidentali et australi. Tenendas et habendas sibi et successoribus suis inperpetuum de me et de heredibus meis vel assignatis meis libere et quiete integre et pacifice. Ita quod nec michi nec heredibus meis nec assignatis meis vel alicui omnino hominum in aliquo inde respondeant nisi soli deo in orationibus. Licebit autem dictis canonicis dictas duas acras fossato et hayscio claudere et clausas tenere pro ut sibi melius viderint expedire absque omni aliqua contradictione mei vel heredum [f. 96][1] meorum sue assignatorum meorum. [Si] ego vero Philippus et heredes mei seu assignati mei dictas duas acras dictis canonicis et eorum successoribus contra omnes homines et feminas warantizare non poterimus rationabile escambium in loco competenti de terra mea de Weneswelle eisdem faciemus. Et ut hec mea donatio et concessio rata et stabilis permaneat inperpetuum presentem cartam sigilli mei inpressione duxi roborandam. T*estibus.*

[1]   Rubric: *Weneswell'.*

259. *Charter of Walter Jordan to St Augustine's acknowledging his obligation to pay to the canons a rent of 3s which he used to pay to Philip of Leicester, and accepting that his land may be distrained in the event of default. (1243 × before 1274; probably in the later part of this period.)*

Universis Christi fidelibus presens scriptum visuris vel audituris Walterus Jordan de Weneswelle, salutem. Universitati vestre notum facio me et heredes mei et assignatos meos teneri et presenti scripto obligari inperpetuum abbati et conventui Sancti Augustini de Bristoll' in tribus solidis annui redditus quos magistro Philippo Legacestr' singulis annis ad quatuor anni terminos solvere consueveram, scilicet ad Nathale Domini novem denarios, ad Pascha novem denarios, ad Nativitatem Sancti Johannis Baptiste novem denarios,[1] ad festum Sancti Michaelis novem denarios. Et si forte quod abscit ego vel heredes mei aut assignati mei dictis terminos non observaverimus vel eorum aliquem libere liceat dictis canonicis ad solutionem predicti redditus per servientes suos me vel heredes meos aut assignatos distringere sine aliqua contradictione vel impedimento namia nostra in tenemento nostro de Weneswelle capiendo et detendo ubi voluerint donec eis super predicto redditu plene fuerit satisfactum. In cujus rei testimonium.

[1]   *ad Pascha novem denarios* repeated and expuncted for deletion.

260. *Charter of Walter de la Planche, brother of Thomas de la Planche, granting to John son of John Sewake the croft called Hobby Hill which John held of Thomas de la Planche for a rent of 12d. Walter has received homage and relief for this land from John son of John Sewake. (Mid-thirteenth century.)*[1]

Sciant presentes et futuri quod ego Walterus de la Planche concessi et confirmavi Johanni filio[2] Johannis Sewake totam illam croftam que est juxta terram canonicorum Sancti Augustini de Bristoll' que vocatur Oppingehulle[3] quam [carta] Thome de la Planche quam dictus Johannes de eodem Thoma habuit melius et plenius testatur. Reddendo inde annuatim michi et heredibus meis ille et assignati sui duodecim denarios argenti sicut continetur in carta Thome fratre mei. Habendam et tenendam de me et heredibus meis sibi et assignatis suis adeo libere et quiete pro ut carta [f. 96v.] dicti Thome de la Planche quam dictus Johannis de eodem Thoma habuit. Et ego vero Walterus recepi homagium et relevium de jam dicta terra a Johanne filio Johannis Sewak'. Pro hac autem concessione et confirmatione et relevio dedit michi Johannes filius Johannis Sewak' [. . .][4] et assignatis suis totam dictam croftam contra omnes homines et feminas inperpetuum warantizabimus. Et ad majorem securitatem precedentium presenti scripto sigillum meum apposui. Te*stibus.*

[1]   The brothers occur during the 1230s and 1240s; John Sewake attests a dated charter in 1225 (Jeayes, *Select Charters*, p. 133, no. 427), and occurs between 1221 and 1264 (ibid. pp. 93, 99, 107, 126, nos. 280, 300, 327, 405); he attests one charter within the limits 1243 × 81 (ibid. p. 113, no. 351). He does not attest as John son of John Sewake.   [2]   MS. *filii.*

[3]   *Oppingehulle* is an early form of the name Hobby Hill, recorded in the sixteenth century as Hobyhull (*P-NG*, ii, p. 232).

[4]   The text is defective. The scribe has omitted the end of this clause and the beginning of the warranty clause.

261. *Charter of Thomas de Planche to John Sewake granting him for his homage and his service the land called Thomas de Planche's Hill. John owes a rent of 12d and has paid half a mark in recognition. (Mid-thirteenth century; c. 1255 × 61.)*[1]

Sciant presentes et futuri quod ego Thomas de Plang' dedi et concessi et hac presenti carta confirmavi Johanni Sewak' pro homagio et servicio suo totam illam terram que est inter Hoppingehullam et Edwardeshullam que nominatur Hulla Thome de Plang', et que jacet ad capud superius vinarii de Cyruplemare. Tenendam et habendam sibi et alicui puerorum suorum cui eam libet donare vel assignare de me et heredibus meis hereditarie libere et quiete integre et honorifice bene et in pace cum omnibus libertatibus et liberis consuetudinibus. Reddendo inde annuatim michi et heredibus meis ille et aliquis puerorum suorum cui eam libet donare vel assignare duodecim denarios ad quatuor terminos anni, ad Nathale Domini tres denarios, ad Pascha tres denarios, ad Nativitatem Sancti Johannis Baptiste tres denarios, et ad festum Sancti Michaelis tres denarios pro omnibus serviciis et demandis salvo regali servicio quantum scilicet ad septem acras terre pertinebit. Pro hac autem donatione et concessione dedit michi predictus Johannes Sewak' dimidiam marcam argenti de recognitione. Ego vero et heredes mei totam predictam terram sepedicto Johanni Sewak' et alicui puerorum suorum cui eam libet donare vel assignare contra omnes homines et feminas warantizabimus. Et ut hec mea donatio et concessio rate et stabiles permaneant hanc cartam sigilli mei inpressione roboratam sibi confirmavi. *Testibus*.

[1] John Sewaker occurs in March 1255 (Jeayes, *Select Charters*, p. 133, no. 427); Thomas de la Planche occurs 28 October 1260 × 27 October 1261 (*Cal. Inq. P. M.*, i, p. 139, no. 493).

262. *Charter of John Sewake son of John Sewake to St Augustine's granting in free alms 1½ acres in the parish of Berkeley, in a field called Hill, in Wanswell. He also grants a rent of 15½d paid by five tenants. The canons are to pay the capital lord of the fee 12d annually, and to be responsible for royal service. (Mid-thirteenth century.)*

Omnibus Christi fidelibus presens scriptum visuris vel audituris Johannes Sewak' filius Johannis Sewak' de Berkel', salutem in domino. Noverit universitas vestra me pro salute anime mee et antecessorum et successorum meorum dedisse et concessisse et hac presenti carta mea confirmasse deo et ecclesie Beati Augustini de Bristoll' [f. 97][1] et canonicis regularibus ibidem deo servientibus unam acram et dimidiam terre cum pertinenciis suis in parochia de Berkel', videlicet in campo illo qui vocatur La Hulle, et jacent inter Oppingthull' et Edwardeshull'; et quindecim denarios et obolum annui redditus, videlicet de Rogero de Clothleya et Juliana uxore sua et heredibus ipsius Juliane tres obolos; de Ricardo le gardiner et Ysabella uxore sua et heredibus ipsius et Ysabelle vi denarios; de Matilda que fuit uxor Thome le Vignor et heredibus suis tres denarios; de Roberto de Swonungra et Gunnilda uxore sua et heredibus ipsius Gunnilde tres denarios;[2] et de Eva sorore mea et heredibus suis duos denarios de tenemento quod de me tenent in eodem campo de Hulla, una cum homagiis et serviciis quam in wardis et releviis et omnibus consuetudinibus et eschaetis que inde provenire poterunt. Habenda et tenenda de me et heredibus meis eisdem canonicis in liberam puram et perpetuam elemosinam inperpetuum, libere et quiete bene et in pace plenarie et integre cum omnibus [libertatibus] et liberis consuetudinibus. Reddendo inde annuatim capitali domino duodecim denarios argenti ad terminos statutos et regale servicium quantum ad idem tenementum pertinet. Ego vero Johannes et heredes mei memoratis canonicis Sancti Augustini omnia predicta cum eorum pertinenciis sicut predictum est contra omnes mortales warantizabimus. Et ut hec mea donatio et concessio et carte mee confirmatio rate et stabiles et inconcusse permaneant inperpetuum huic carte sigillum meum apposui. *Testibus*.

Marginal note: (*Modern*) Robert de Saniger.

[1] Rubric: *Berk'*.
[2] Since the heirs of four wives are mentioned, the likely explanation of these holdings is that they were held by sisters and their husbands. Eva may be a fifth sister; but if that is the case it is odd that the donor does not identify the others as his own sisters.

263. *Charter of Adam son of Nigel to St Augustine's granting, with his body, a rent of 5s from the 10s which Peter of Uley pays him for 1 virgate of land which he holds of Adam in Uley, and which belongs to Kingscote. (Before 1262.)*[1]

Rubric: Carta Ade filii Nigelli de decem solidis annuis in Yweleye.

Omnibus Christi fidelibus ad quos presens carta pervenerit Adam filius Nigelli, salutem. Noveritis me una cum corpore meo dedisse et concessisse deo et canonicis Sancti Augustini de Bristoll' in liberam puram et perpetuam elemosinam redditum quinque solidorum ex illis x solidis quos Petrus de Uelci[2] michi singulis annis solvere consuevit nomine unius virgate terre quam de me tenuit in Uelei, que quidem virgata pertinet ad terram de Kingesct. Ita quod dictum redditum quinque solidorum quatuor terminos anni solvendorum, scilicet quindecim denarios in festo Sancti Michaelis, quindecim ad Nathale Domini, quindecim ad Pascha, et quindecim in Nativitatem[3] Sancti Johannis Baptiste, dicti canonici libere et quiete habeant et teneant inperpetuum nulli hominum in aliquo respondentes nisi soli deo in orationibus. Quod ne in [f. 97v.] posterum devocetur indubium presenti scripto sigillum meum apposui. T*estibus.*

[1] Adam attested a dated charter in 1255 (Jeayes, *Select Charters*, p. 133, no. 427). Peter of Uley was dead by 1262 (BCM, GC no. 299).
[2] The spelling is clear, in error for *Uelei.*
[3] *quidecim* expuncted for deletion.

264. *Charter of Robert son of Nigel confirming the grant made to St Augustine's by his brother Adam son of Nigel. (c. 1250 × 70.)*[1]

Omnibus Christi ad quos presens carta pervenerit R*obertus* filius Nigelli, salutem in domino. Noveritis me rato et grato habere donationem v solidorum annuorum quam frater meus A*dam* filii Nigelli fecerit canonicis Sancti Augustini de Bristoll' sicut carta ipsius A*de* eis confecta testatur. Quod ut ratum etc. T*estibus* etc.

[1] For Robert, brother of Adam, see Jeayes, *Select Charters*, p. 102, no. 308.

265. *Charter of Harding son of Elias granting to Juliana wife of Robert de Berkeley 2 solidates of land with a messuage, which Osbert de la Lupe held at Coombe, in Wotton under Edge, and confirming 6½ acres of land: 1 acre in* la Hulegh'bere, *1 acre in Hall Mead, 3 acres in* Revenescumba, *1 acre below Lisleway, and half an acre in* Revenespenna. *She is to render a pair of white gloves annually. (Before 15 November 1217.)*[1]

Sciant presentes et futuri quod ego Hardingus filius Elie dedi et concessi et hac presenti carta mea confirmavi domine Juliane uxori Roberti de Berkel' totas illas duas solidatas terre cum messuagio quas Osbertus de la Lupe tenuit de me apud Cumbam; scilicet sex acras terre et dimidiam, quarum una jacet a la Hulegh'bere, et una in Holemeda, et tres in Revenescumba, et una sub Lislisweia, et una dimidia acra in Revenespenna.[2] Tenendas et habendas sibi et heredibus suis vel cui eas donare vel assignare voluerit de me et de heredibus meis libere et quiete integre et honorifice cum omnibus libertatibus et liberis consuetudinibus. Reddendo inde michi et heredibus meis singulis annis unas cyrotecas albas ad festum Sancti Michaelis pro omnibus serviciis et secularibus demandis ad me vel ad heredes meos pertinentibus, salvo tantum regali servicio quod inde faciet, videlicet quantum pertinebit ad tantam terram, et salvo denario Sancti Petri. Et pro hac donatione et concessione mea predicta Juliana [dedit michi] unam marcam argenti de recognitione. Et quia volo quod ista mea donatio et concessio rata sit et stabilis inperpetuum hac presenti carta sigilli mei inpressione roborota sibi confirmavi. Testibus.

Marginal note: (Modern) Elias fuit filius junior Roberti filii Hardingi cui dominus Robertus dedit Comb. Hec Juliana fuit neptis Willelmi Marshall comitis Pembroke temp. Johannis R.

[1]   The limiting date is from Juliana's death.
[2]   Revenespenna must be linked with la Penn, an enclosure (P-NG, ii, pp. 257, 259, 261). Revenescumba and Revenespenna are presumably derived from Hraefn's combe and Hraefn's penn.

266. *Charter of Hugh of Bradley granting to Juliana de Pontdelarch wife of Robert de Berkeley the half-virgate which Odo Russell held of him in Wotton under Edge, next to the parson's court. She has paid him 7 marks. She also gave him in recognition a horse worth half a mark. She owes 1 pound of cumin annually as rent. No. 270 makes it explicit that by this transaction the land was sold to Juliana. It appears to be one of a number of similar land transactions made on her behalf. The text is taken from the original charter. (Before 15 November 1217.)*

Sciant presentes et futuri quod ego Hugo de Bradeleia[1] dedi et concessi et hac mea carta confirmavi domine Juliane de Ponte Arche uxori Roberti de Berkeleia totam illam dimidiam virgatam terre quam Odo Russellus tenuit de me in villa de Wottuna juxta curiam persone pro septem marcis argenti quas nominata Jvliana michi pre manibus dedit sibi et heredibus suis vel cui ipsa Jvliana assignaverit vel cui predictam terram donare voluerit . tenendam et habendam de [f. 98][2] me et de heredibus meis libere et quiete integre et honorifice cum omnibus libertatibus et liberis consuetudinibus ad predictam terram spectantibus . Reddendo inde michi et heredibus meis singulis annis unam libram cimini[3] ad festum Sancti Michaelis pro omni servicio et exactione excepto regali servicio quod inde faciet quando regale servicium eveniet . videlicet quantum pertinebit ad unam virgatam terre . Et si ego vel heredes mei predicte domine Jvliane predictam terram warantizare non poterimus nos ei excambium faciemus de feudo meo de Bradeleia ad valorem predicte terre . Quando vero hanc donationem sibi feci ipsa Jvliana dedit michi de recognitione[4] unum equum . de precio dimidie marce . Et quia volo quod hec mea donatio rata permaneat et inconcussa hac mea presenti carta sigilli mei impressione[5] roborata sibi confirmavi[6] . Hiis Testibus Adam filio Nigelli . Mauricio de Berkeleia . Willelmo de Berkel' . Henrico de Coueleia . Bernardo de

Stanes . Rog*ero* de Boivillis Hen*rico* capellano Wa*ltero* capellano . Hugone capellano Hardingo de Hvnteneford' . Mauricio filio Nigelli Ricardo de Cromhale Bernardo de Cromhale . Elia de Bevintuna . Mauricio filio ejus . Elias de Cvmba . Gileberto filio Osberti Waltero de Angervillis . et multis aliis.

Original charter BCM, SC no. 75. Single fold, three slits, parchment tag, remains of seal. Endorsed (1) Carta Hugonis de Bradeleia facta Juliane uxori domini Roberti de Berkley de dimidia virgata terre in Wotton. (2) [. .] vto. (3) 28.

Calendared: Jeayes, *Select Charters*, p. 31, no. 75.

1 *Bradeleya*, Cartulary.
2 Rubric: *Wotton*.
3 *cymini*, Cartulary.
4 In the original *recognitione* appears as *frecognitione*.
5 *inpressione*, Cartulary.
6 MS. *T*[*estibus*].

267. *Charter of Juliana wife of Robert de Berkeley to Reginald of Cam granting him for his homage and service the* cotset *(cottage-land) in Coombe which she held of Harding of Coombe. (Before 15 November 1217.)*

Sciant presentes et futuri quod ego Juliana uxor Roberti de Berkel' dedi et concessi et hac mea presenti carta confirmavi Reginaldo de Came pro homagio et servicio suo unam cotsetlam terre de Cumbe cum omnibus pertinenciis suis, scilicet illam quam tenui de Herding de Cumbe. Tenendam et habendam sibi et heredibus suis de predicto Herding et heredibus suis[1] libere et quiete et integre[2] cum omnibus libertatibus per idem servicium quod ego feci predicto[3] Herding, scilicet reddendo annuatim unum par cyrotecarum ad festum Sancti Michaelis pro omni servicio et exactione et consuetudine, salvo regali servicio ad illam terram pertinente. Et ut hec mea donatio et concessio mea rata sit et inconcussa sigilli mei inpressione presentem cartam roboravi. T*estibus*.

1 *de predicto Herding et heredibus suis* repeated.
2 *cum omnibus pertinenciis suis, scilicet illam quam tenui de Herding de Cumbe. Tenendam et habendam sibi et heredibus suis de predicto Herding et heredibus suis libere et quiete et integre* repeated.
3 MS. *predicti*.

268. *Charter of Robert de Berkeley son of Maurice de Berkeley. He has inspected the charters relating to land in Wotton under Edge issued by Juliana, formerly his wife, and confirms to Reginald of Cam the land which she gave him. (15 November 1217 × 13 May 1221.)*[1]

Omnibus ad quos presens scriptum pervenerit Robertus de Berkel' filius Mauricii de Berkel', salutem in domino. Noverit universitas vestra nos cartas Juliane quondam uxoris mee super una dimidia virgata terre [f. 98v.] in Wutune, illa scilicet quam tenuit de Hugone de Bradeleg', et una cotsetla terre de Cumbe, illa scilicet quam tenuit de Herding de Cumbe, cum omnibus pertinenciis suis Reginaldo de Camma et heredibus suis perpetuo possidendis confectas inspexisse. Quas ratas habentes et inacussas[2] predicte *Juliane* quondam uxoris mee, super una dimidia virgata terre donationem [et] concessionem sicut in memoratis cartis dicto Reginaldo et heredibus suis factis continentur, presenti scripto sigilli mei appositione roborato duxi confirmandum. *Testibus.*

¹ The limits of date are taken from the death of Juliana and Robert.
² i.e. free from accusation.

269. *Charter of Juliana wife of Robert de Berkeley to Reginald of Cam confirming to him the half-virgate in Wotton under Edge which she held from Hugh of Bradley. He is to render 1 pound of cumin annually. (Before 15 November 1217.)*

Sciant presentes et futuri quod ego Juliana uxor Roberti de Berkel' dedi et concessi et hac presenti carta confirmavi Reginaldo de Camm' pro homagio et servicio suo unam dimidiam virgatam terre in Wutone cum omnibus pertinenciis suis, scilicet illam quam tenui de Hugone de Bradelei. Habendam et tenendam sibi et heredibus suis de predicto Hugone et heredibus suis libere et quiete et integre cum omnibus libertatibus suis per idem servicium quod ego feci Hugoni predicto, scilicet reddendo annuatim unam libram cumini ad festum Sancti Michaelis pro omni servicio et exactione et consuetudine, salvo servicio regali ad illam dimidiam virgatam terre pertinente. Et ut hec mea donatio et concessio rata sit et inconcussa sigillo meo presentem cartam roboravi. *Testibus.*

270. *Charter of William of Bradley to St Augustine's confirming in free alms the grant made by Reginald of Cam of half a virgate in Wotton under Edge. William's brother Hugh of Bradley had sold this land to Juliana, former wife of Robert de Berkeley, for 7 marks and a horse, and she had given it to Reginald. The canons are to render 1 pound of cumin annually, and for this grant they have given William 10s. The text is taken from the original charter. (After 15 November 1217.)*

Omnibus Christi fidelibus ad quos presens scriptum pervenerit Willelmus de Bradeleg' salutem in domino . Noverit universitas vestra me ratam et gratam habere illam donationem[1] quam Reginaldus de Camma fecit canonicis Sancti Augustini de Bristoll' de una dimidia virgata terre in Wottun'[2] cum omnibus pertinenciis suis quam domina Juliana de Berkel' quondam uxor Roberti de Berkel' eidem Reginaldo pro homagio et servicio suo dedit et concessit et carta sua confirmavit . Quam etiam terram Hugo de Bradeleg' frater meus dicte Juliane pro septem marcis argenti . et uno equo vendiderat et carta sua confirmavit . Ita quod dicti canonici dictam dimidiam virgatam terre habeant et teneant inperpetuum de me et heredibus meis libere et quiete . integre et pacifice in puram et perpetuam elemosinam cum omnibus pertinenciis . libertatibus . et liberis consuetudinibus [f. 99][3] ad predictam terram pertinentibus sicut in cartis super dicta terra confectis plenius et melius continetur . Reddendo inde annuatim michi et heredibus meis unam libram cumini in festo Sancti Michaelis pro omni exactione et servicio ad me vel ad heredes meos pertinenti . salvo regali servicio cum acciderit quantum videlicet ad tantam terram in eadem villa pertinebit . Pro hac autem ratihabitatione et concessione mea dederunt dicti canonici decem solidos sterlingorum . Quare ego et heredes mei predictam terram cum omnibus pertinenciis suis predictis canonicis contra omnes homines et feminas warantizare debebimus[4] inperpetuum . Quod ne inposterum devocetur in dubium . presenti scripto sigillum meum duxi apponendum. Hiis testibus[5] . Domino Roberto de Laxinton' . Mauricio de Gaunt . Radulfo Musard' Jordano Warr' . Willelmo camarario . Thoma de Tiringeham . Johanne de Egetun' . et multis aliis.

Original charter BCM, GC no. 364. Single fold, single slit, parchment tag, seal missing. Endorsed (1) Confirmatio Willelmi de Bradleah' super donationem Reginaldi de Camma. (2) B .vto. (3) 364.

[1] *donatione*, Cartulary.

[2] *Wottone*, Cartulary.

[3] Rubric: *Wotton*.

[4] *debemus*, Cartulary.

[5] *T*[*estibus*], Cartulary.

271. *Charter of Reginald of Cam to St Augustine's confirming the half-virgate in Wotton under Edge which his lady, Juliana de Berkeley, held of Hugh of Bradley, and which she conveyed to him. The canons are to render to Hugh and his heirs 1 pound of cumin annually. He also grants them the cotset in Coombe which Juliana held of Harding of Coombe. The canons are to render a pair of gloves annually to Harding and his heirs. (After 15 November 1217.)*

Sciant presentes et futuri quod ego Reginaldus de Camma dedi et concessi et hac presenti carta mea confirmavi in puram et perpetuam elemosinam deo et monasterio Sancti Augustini de Bristoll' et canonicis regularibus ibidem deo servientibus illam dimidiam virgatam terre in Wottone cum omnibus pertinenciis suis et libertatibus et liberis consuetudinibus quam domina mea Juliana de Berkel' de Hugone de Bradeleg' tenuit et michi pro homagio et servicio meo dedit et concessit. Habendam et tenendam dictis canonicis libere et quiete et pacifice. Reddendo annuatim predicto Hugone et heredibus suis unam libram cumini ad festum Sancti Michaelis pro omni servicio et exactione et consuetudine salvo regali servicio ad tantam terram de jure pertinenti. Dedi etiam et concessi eisdem canonicis unam cotsetlam terre in Cumba, illam scilicet quam dicta Juliana de Herdingo de Cumba tenuit et michi pro homagio et servicio meo contulit. Habendam et tenendam dictis canonicis cum omnibus pertinenciis suis inperpetuum libere et quiete integre et pacifice. Reddendo annuatim unum par cirotecarum predicto Herdingo et heredibus suis ad festum Sancti Michaelis pro omni servicio et exactione querelis et demandis salvo regali servicio ad tantam terram pertinenti. Ita quod dicti canonici nec michi nec alicui alii in aliquo respondeant super predictis terris sive heredes habuero sive constituero nisi soli deo in orationibus et predictis dominis de supra memorato servicio. Et ut hec mea donatio etc. Testibus[1] etc.

[1] A rare instance where the scribe writes *Testibus* in full.

272. *Charter of William de Keynes to St Augustine's confirming 1 hide of his land in Lasborough. William's tenant, William of Lasborough, had given the land to the abbey when he became a canon of St Augustine's. The gift had the assent of his son Simon, who acknowledged it in the presence of his lord, Ralph de Keynes, father of William de Keynes, and had been confirmed by Ralph (no. 273). The confirmations by Ralph and William de Keynes as feudal lords enabled the canons to enjoy the land in free alms. (c. 1170 × 1222.)*[1]

[f. 99v.] Willelmus de Chahan' omnibus amicis suis et hominibus Francis et Anglicis, et universis matris ecclesie filiis, salutem.[2] Notum facio tam futuris quam presentibus me concessisse et presenti carta mea confirmasse in liberam et perpetuam elemosinam ecclesie Sancti Augustini de Bristoll' et canonicis regularibus ibidem deo servientibus unam hidam terre de feudo meo apud Lesbergam; quam hidam Willelmus pater Simonis militis mei prefate ecclesie de Sancto Augustino dedit cum in ea canonicus devenit, assensu Simonis filii et heredis[3] sui. Quam donationem predicti Willelmi patris sui predictus Simon coram patre meo recognovit, sicut carta patris mei quam canonici inde habent testatur. Et ego pro salute anime mee et antecessorum meorum libertatem et quietanciam quam pater meus predictis canonicis fecerat et carta sua confirmaverat eis concessi et assensu Simonis militis mei ut scilicet predicti canonici habeant et teneant predictam hidam terre libere et quiete ab omni seculari servicio exactione et consuetudine sicut decet liberam elemosinam. Quia ego et heredes mei de omni servicio quodcumque super predictam hidam evenerit, sive de servicio domini regis, sive de alia quacum re, eos acquietabimus et servicium pro eis faciemus, et similiter pro predicto Simoni et heredibus suis. Ita quod nec Simoni nec heredibus ejus nec alicui hominum de aliquo servicio respondebunt, set neque Simon neque heredes ejus michi vel heredibus meis de re aliqua pro predicta hida respondeant. Testibus.[4]

[1]   Lasborough was held in 1086 by Gilbert Maminot, bishop of Lisieux, as part of a substantial fief (*DB*, i, f. 166v.). At his death in 1101 his estates passed to his son Hugh, who retained his father's nick-name, Maminot, and who was dead by 1131; they remained in the hands of Hugh's son and grandson, both called Walkelin, until *c*. 1190. Hugh's daughter Alice married Ralph de Keynes, and Lasborough must have come to him as part of her *maritagium*. He was alive in 1166 (*RBE*, i, p. 218), and his last debt to the crown appears to be for the money raised for the marriage of Henry II's daughter, levied in 1168. His debt was recorded in the Pipe Rolls from Michaelmas 1170 (cf. *PR 16 Henry II*, PRS, 15, p. 114). Alice paid 3 marks for unlawful disseisin in 1180 (*PR 26 Henry II*, PRS, 29, p. 153) and succeeded her nephew Walkelin as heiress to the whole of the family's estates in or about 1190. Ralph was succeeded by his son William, the donor of this charter, who died in 1221 or 1222 (*VCH Glos.* xi, p. 287).

[2]   In place of *salutem*, MS. has *Will'*.

[3]   MS. *heredes*.

[4]   *Testibus* in full.

273. *Charter of Ralph de Keynes to St Augustine's confirming in free alms the hide of land in his fee of Lasborough which his knight, William of Lasborough, gave them with the assent of his son Simon. That gift Simon acknowledged in*

Ralph's presence when William became a canon at St Augustine's. (1148 × c. 1170.)[1]

Rad*ulfus* de Kaines omnibus amicis et fidelibus suis Francis et Anglis, et universis sancte matris ecclesie fidelibus, salutem. Notum facio tam futuris quam presentibus me concessisse in liberam et perpetuam elemosinam ecclesie Sancti Augustini de Bristoll' et canonicis regularibus ibidem deo servientibus unam hidam terre de meo feudo apud Lessebergam pro mea salute et pro salute[2] meorum et antecessorum quietam ab omni servicio et exactione et consuetudine sicut decet liberam elemosinam et perpetuam. Quam hidam Willelmus de Lesseberga miles meus donavit prefate ecclesie assensu Simonis filii et heredis[3] sui. [f. 100][4] Quam donationem ipse Simon recognovit in presencia mea quando Willelmus devenit canonicus in eadem prefata ecclesia. Et ideo volo quod [et] firmiter precipio ut prefata ecclesia et canonici predictam hidam de Lesseberga inperpetuam elemosinam teneant libere et quiete. Ita quod nemini respondeant nec michi nec heredibus meis nec alicui alii nec predicto Simoni, set neque Simon michi nec heredibus meis de hac ipsa terra respondeat de aliquo servicio neque de quacumque alia re. T*estibus*.

[1]   The limits are imprecise: it is difficult to know when, within this period, William became a canon. In 1166, Simon of Lasborough held one knight's fee of Ralph de Keynes, who answered for his fief in Dorset (*RBE*, i, p. 218). He continued to hold his fee of William de Keynes.

[2]   The sense requires *parentum* or some similar indication of kindred here.

[3]   MS. *heredes.*

[4]   Rubric: *Lesseburg'.*

274. *Charter of Ralph de Keynes to St Augustine's. He records his grant in free alms of a hide at Lasborough; now, inspired by God, and for the good of his soul and the soul of his wife Juliana, he quits them of responsibility for royal service due from their hide. (1148 × c. 1170.)*

Radulfus de Canns omnibus hominibus et fidelibus suis Francis et Anglis, salutem. Notum vobis omnibus facio me dedisse unam hidam de terra mea apud Lessebergam ecclesie Sancti Augustini de Bristoll' in perpetuam elemosinam liberam et quietam ab omni servicio exactione et consuetudine et de omni re alia que ad me pertinet sicut carta mea quam eidem feci ecclesie testatur. Et insuper inspirante deo pro salute anime mea et pro anime Juliane uxoris mee eandem hidam liberam predicte ecclesie dono ab omni regali servicio, ita quod ego ipse regi neque respondebo pro eadem terra. Quia volo quod illa elemosina mea ita sit libera quod nulli respondeat nisi soli deo.

275. *Charter of Robert de Caple and Joyce (Jocia) his wife to St Augustine's confirming in free alms 4 selions of arable land behind their house at Arlingham, with a messuage and garden which Joyce's father Peter of Wick had* *given them. For this confirmation the canons have paid them 10s. (? Mid-thirteenth century.)*[1]

[f. 100v.] Sciant tam presentes quam futuri quod ego Robertus de Caple et Jocia uxor mea concedimus et confirmamus deo et ecclesie Sancti Augustini de Bristoll' et canonicis ibidem deo servientibus pro salute nostra et antecessorum nostrorum quatuor seilones terre arabili qui jacent retro domum suam de Erlingeham versus austrum cum mesuagio et orto que Petrus de Wike pater Jocie uxoris mee eis dedit in vita sua in puram et perpetuam elemosinam tenenda et possidenda libere et quiete ab omni seculari servicio exactione et vexatione. Et quando hanc concessionem et hanc confirmationem predictis canonicis fecimus ipsi nobis dederunt de beneficio ecclesie sue x solidos. Et ut hec nostra confirmatio et concessio stabilis sit et firma eam presentis scripti confirmatione et sigilli nostri attestatione confirmavimus. *Testibus.*

Marginal note: Caple.

[1]   The following sequence of charters is difficult to date. This charter and no. 276 seem to belong to the reign of Henry III rather than that of John.

276. *Charter of Robert de Caple and Joyce his wife to St Augustine's. With minor differences it is a parallel deed to no. 275. (? Mid-thirteenth century.)*[1]

Sciant presentes et futuri quod ego Robertus de Caple et Jocia uxor mea dedimus et concessimus ecclesie Sancti Augustini de Bristoll' et canonicis ibidem deo servientibus quatuor seilones terre arabilis qui jacent retro domum suam de Erlingeham in puram et perpetuam elemosinam liberos et quietos ab omni seculari servicio exactione et omnia demanda. Et quando nos hanc donationem et concessionem predictis canonicis fecimus ipsi nobis dederunt de[2] beneficio ecclesie sue x solidos. Et ut hec mea donatio et concessio rata sit et firma hac presenti carta et sigilli nostri inpressione eam corroboravimus. *Testibus.*

[1]   This charter seems to confirm that Peter of Wick gave a messuage and garden in Arlingham, but not the 4 selions which are the subject of this charter and no. 275.
[2]   MS. *et.*

277. *Charter of Ralph the Welshman to St Augustine's. With the assent of his wife Margaret (daughter of Peter of Wick) he confirms the grant which Peter made of half an acre in Arlingham. (? First half of thirteenth century.)*

Omnibus sancte ecclesie filiis ad quos presens scriptum pervenerit Radulfus Walensis, salutem. Sciatis me assensu uxoris mee Margarete concessisse et presentis carte munimine confirmasse donationem illam quam Petrus de Wica fecit de dimidia acra terre apud Erlingeham ecclesie Sancti Augustini de Bristou et canonicis regularibus ibidem deo servientibus. Ita quidem ut predicta ecclesia Sancti Augustini prenominatam dimidiam acram terre liberam et quietam ab omni servicio seculari habeant et inperpetuum teneant. *Testibus.*

278. *Charter of Margaret of Wick to Robert Churwet conveying to him 14 selions in Westmarsh, with the assent of her heir Hugh. Robert may dispose of the land, saving for her the rent of 12d due from it. He has paid an entry fine of 10s. (? Late twelfth × early thirteenth century.)*

Sciant presentes et futuri quod ego Margareta de Wike dedi et concessi [f. 101][1] Roberto Churwet pro homagio et servicio suo xiiii seilones terre in Westmers per concensum et voluntatem Hugonis heredis mei. Tenendo et habendo de me et heredibus meis sibi et heredibus suis libere et quiete ab omni servicio salvo servicio domini regis ad tantam terram pertinente. Ita quod licebit eidem Roberto dare vel vendere prefatis seilones cuicumque voluerit salvo redditu meo, videlicet xii denarios per annum, scilicet ad Nathale Domini iii denarios, ad Sanctam Mariam Marcialem tres denarios, ad Nativitatem Sancti Johannis Baptiste tres denarios, ad festum Sancti Michaelis tres denarios. Et pro hac concessione et confirmatione dedit michi prefatus Robertus x solidos sterelingorum de introitu. Et quia volo quod hec mea donatio ratum et firmum[2] inposterum[3] sigilli mei inpressione confirmavi. T*estibus*.

[1] Rubric: *Erlyngham*.   [2] MS. *infirmum*, the *in* expuncted for deletion.
[3] A verb is required, perhaps *permaneat*. There is an awkward mixture of case endings: *rata et firma permaneat* might be expected.

279. *Charter of Margaret daughter of Peter of Wick, wife of Ralph theWelshman, to Robert Knivet. She conveys to him the land which Ralph Urri held of Ralph the Welshman and of herself in Arlingham, with 2 selions. Robert is to pay an annual rent of 40d and has paid an entry fine of 2s. (? Early thirteenth century.)*

Sciant tam presentes quam futuri quod ego Margareta filia Petri de Wike uxor Radulfi Walensis dedi et concessi et hac carta confirmavi Roberto Knivet pro homagio et servicio suo totam terram quam Radulfus Urri tenuit de Radulfo Walense[1] marito[2] meo et de me cum omnibus ad eandem terram pertinentibus. Et preterea duos seilius[3] in Rulch, quorum unus jacet juxta quatuor sellius Rogeri de Lench et altera juxta terram predicti Rogeri sub salicibus, quos quidem seilones Helyas Swift tenuit de prenominato marito meo et de me. Ita ut idem Robertus Knivet et heredes sui teneant predictam terram cum prefatis duobus seilonibus de me et heredibus meis libere et quiete. Reddendo inde annuatim quadraginta denarios pro omni servicio et omnia demanda que ad [predictam] terram pertinent[4] ad quatuor terminos anni, scilicet ad Nathale Domini decem denarios, ad Pascha decem denarios, ad Nativitatem Sancti Johannis Baptiste decem denarios, ad festum Sancti Michaelis decem denarios, salvo tamen servicio domini regis quantum scilicet ad tantum terre. Et pro hac donatione et concessione dedit michi predictus Robertus Knivet duos solidos de introitu. Quod ut ratum sit [nec] inposterum devocetur indubium presentis scripti paginam sigillo meo confirmavi. T*estibus*.

[1] MS. *Walensi*.   [2] MS. *mariti*.
[3] MS. has *seilius* and *seillius* for selions.   [4] MS. *pertinet*.

280. *Charter of Hugh of Wick. With the assent of Adeline his wife and Margaret his aunt he confirms to Robert Knivet 1 selion in Pownshams furlong in Longfurlong near the pasture of Roger of Ling, and 2 perches of pasture in Swille with the osiers within their boundaries. Robert is to render 4 horseshoes with nails annually. (? Early thirteenth century.)*

[f. 101v.] Sciant presentes et futuri quod ego Hugo de Wika consilio et assensu Etlene uxoris mee et Margarete matertere mee dedi et concessi et hac presenti carta confirmavi Roberto Knivet et heredibus suis pro servicio suo unum seilonem terre in Pulshammesfurlunge in Langefurlunge in perspectu pasture Rogeri de Ling, et duas percatas pasture in Swille cum totidem sallicibus quot habentur in finem. Habenda et tenenda sibi et heredibus suis de me et heredibus meis libere et quiete. Reddendo inde annuatim pro omni servicio et exactione michi et heredibus meis quatuor ferra equi cum clavis ad festum Sancti Michaelis. Ego vero et heredes mei[1] predicto Roberto et heredibus suis predictum seilonem et pasturam predictam cuicumque voluerit[2] dare vendere vel assignare contra omnes homines et feminas warantizabimus. Et ut hec mea donatio etc. Testibus[3] etc.

[1]   At this point, the scribe has *warantizabimus*, which is repeated at the end of the clause.
[2]   MS. adds *salvo tamen servicio*.
[3]   *Testibus* in full.

281. *Charter of Alice de Berkeley to Robert Knivet, her servant, granting him the virgate of land in Arlingham which Roger Athestan had held. He owes a rent of 10s a year for the land. (After 1190.)*[1]

Sciant presentes et futuri quod ego Alais de Berkeleia dedi et concessi Roberto Knivet servienti meo pro homagio et servicio[2] suo unam virgatam terre in villa de Erlingeham, illam scilicet quam tenuit Rogerus Aþestan. Tenendam de me et heredibus meis illi et heredibus suis libere et quiete in boscho et plano in agris et aquis in pratis et pascuis. Reddendo inde annuatim michi et heredibus meis duodecim solidos argenti ad duos terminos, videlicet ad festum Sancti Michaelis vi solidos et ad Pascha vi solidos pro omnibus serviciis exactionibus excepto servicio regali, scilicet quantum pertinet ad unam virgatam terre in eadem villa. Et ut hoc ratum et inconcussum permaneat inposterum hanc donationem et concessionem presenti pagina sigillo meo munita corroboravi. T*estibus*.

[1]   This appears to be a charter issued by Alice in her widowhood. Smyth claimed that she lived to extreme old age (Smyth, *Lives*, i, p. 73).
[2]   *meo* expuncted for deletion.

282. *Charter of Elias de Boiville. With the assent of his wife, he confirms to St Augustine's in free alms the grant made by Robert Knivet of the land he had been given in Arlingham. It consisted of the land and messuage by Winch and* *land in Calfcroft which Robert Tulebat had held. The grant was for lights in the abbey church. (Late twelfth or early thirteenth century.)*[1]

Sciant presentes et futuri quod ego Elias de Buvilla concessi et assensu Juliane uxoris mee concessi et hac presenti carta mea confirmavi deo et ecclesie Beati Augustini de Bristoll' et canonicis regularibus ibidem deo servientibus pro salute anime mee et omnium antecessorum meorum in liberam puram et perpetuam elemosinam totam donationem illius terre quam Robertus Knivet eis fecit quam ipse Robertus pro servicio suo et humagio [f. 102][2] suo de me tenuit in Erlingeham; scilicet terram illam cum mesuagio et omnibus aliis pertinenciis suis quam Robertus Tulebat tenuit juxta Winch[3] in Erlingeham, scilicet terram illam cum mesuagio et unus Falones[4] de augmento in Calvecrofta, inter terram Eustachii de Camma. Tenendam et habendam sibi inperpetuum ad luminarium ecclesie sue cum omnibus libertatibus et liberis consuetudinibus in omnibus rebus et locis ad predictam terram pertinentibus, bene et in pace integre et honorifice libere et quiete ab omnibus serviciis et secularibus demandis ad me vel ad heredes meos pertinentibus. Et ego et heredes mei predictam terram predictis canonicis contra omnes homines et feminas warantizabimus et de omnibus secularibus serviciis acquietabimus. Et quia volo quod ista mea donatio etc. Te*stibus* etc.

[1] Elias appears in the return of Roger de Berkeley of Dursley to Henry II's enquiry into knight service in 1166 (*RBE*, i, p. 292). He may have continued into the thirteenth century or, alternatively, have had a son of the same name.

[2] Rubric: *Erlyngham*.

[3] Winchcroft occurs in the seventeenth century (*P-NG*, ii, p.177).

[4] An obscure reading which seems to have troubled the scribe. *Unus* and *Falones* are in the wrong case for the sense. Perhaps *et uno selione* may be intended; *scilicet terram illam cum mesuagio* may be a repetition of the phrase describing the land by Winch.

283. *Charter of Elias of Bristol, canon of Hereford, to St Augustine's, granting in free alms all his land in Arlingham which he holds from Robert de Berkeley or from others to provide a corrody. The canons are to pay his brother John 40s annually for his lifetime, and to provide John and a servant with lodging and food. After John's death, the canons shall be quit of all services and demands. (1221 × before 1230.)*[1]

Omnibus Christi fidelibus ad quos presens scriptum pervenerit Helias de Bristoll' canonicus Hereford', salutem in domino. Noverit universitas vestra nos divine pietatis intuitu dedisse et concessisse deo et ecclesie Sancti Augustini de Bristoll' et canonicis regularibus ibidem deo servientibus in puram et perpetuam elemosinam totam terram meam de Erlingeham tam illam quam tenui de domino Roberto de Berkel' et heredibus suis vel de aliis, libere et quiete integre et pacifice sicut carte mee quas habeo de domino Roberto de Berkel' et heredibus suis[2] melius testatur. Ita tamen ut reddant Johanni fratri meo quadraginta solidos ad quatuor terminos anni, scilicet ad festum Sancti Michaelis decem solidos, ad Nathale Domini decem solidos, ad Pascha decem solidos, ad festum Sancti

Johannis Baptiste decem solidos. Post vero decessum dicti Johannis sint predicti canonici quieti de omnibus serviciis et demandis ad me vel ad heredes meos pertinentibus. Invenient autem predicti canonici dicto Johanni fratri meo omnibus diebus vite sue ubicumque fuerit victualia sicut uni de canonicis suis et servienti suo sicut uni de liberis servientibus suis. Et ut hec mea donatione etc. *Testibus* etc.

[1]   The reference which Elias makes to the charters of Robert de Berkeley and his heirs indicates that this charter was issued after Robert's death. There is nothing to indicate how soon before his death Elias made provision for his brother.

[2]   *libere et quiete . . . heredibus suis* repeated.

284. *Charter of John of Hereford to St Augustine's confirming the grant by his brother Elias of all the land he held in Arlingham, in accordance with the charter issued by Elias. John clarifies the vague phrasing of that charter, and indicates that Elias held land there of St Augustine's as well as of Robert de Berkeley. (After 1221.)*

Omnibus Christi fidelibus ad quos presens scriptum pervenerit Johannes de Hereford' [f. 102v.][1] frater domini Elye canonici de Hereford,[2] salutem in domino. Noverit universitas vestra me divine pietatis intuitu concessisse et hac presenti carta mea confirmasse deo et ecclesie Sancti Augustini de Bristoll' et canonicis ibidem deo servientibus in liberam puram et perpetuam elemosinam totam terram de Erlingeham quam dictus Elyas frater meus eisdem canonicis dedit, tam illam terram quam tenuit de predictis canonicis quam illam quam tenuit de domino Roberto de Berkel' et heredibus suis vel quibusque aliis, libere et quiete et pacifice sicut carta domini Elie fratris mei quam inde habent et carte donatorum melius et plenius testantur. Reddendo michi de predicta terra omnibus diebus vite mee quadraginta solidos sterelingorum singulis annis pro omnibus serviciis et demandis, videlicet in festo Sancti Michaelis decem solidos, in Nativitatem Domini decem solidos, in Pascha decem solidos, et in Nativitatem[3] Sancti Johannis Baptiste decem solidos. Invenient autem michi predicti canonici omnibus diebus vite mee ubicumque fuero victualia sicut uni de canonicis suis et uni servientium meorum sicut uni de liberis servientibus suis. Post meum vero decessum volo quod predicti canonici sint quieti de omnibus predictis et omnibus serviciis et demandis ad me vel ad heredes meos pertinentibus. Ita quod nulli hominum de jam dicta terra respondeant nisi soli deo in orationibus. Et ut hec mea concessio etc. *Testibus* etc.

[1]   Exceptionally, this *verso* has a rubric: *Erlyngham.*

[2]   MS. *Herford.*

[3]   MS. *Nativitate.*

285. *Charter of John of Hereford to St Augustine's quitclaiming any right in the lands in Arlingham once held by his brother Elias. (? c. 1230.)[1]*

Johannes de Hereford frater Elie canonici de Hereford universis Christi fidelibus presens scriptum visuris vel audituris, salutem. Universitatem vestram scire volo me sponte et libera voluntate mea remisisse et inperpetuum quietum clamasse abbati et conventui Sancti Augustini de Bristoll' pro me et heredibus meis omne jus et clamium quod habui vel quocumque modo habere potui in tota illa terra cum omnibus suis pertinenciis quam aliquando dictus Elias frater meus in Erlingeham tenuit. Et quia volo quod dicti canonici inperpetuum pro me et heredibus meis[2] ab omni inquietatione[3] et molestia dicte terre [quieti] maneant presens scriptum sigilli mei inpressione munivi. Testibus.[4]

[1]   Elias was still active in the 1220s, and a date early in the 1230s is possible.
[2]   *meis* repeated.
[3]   MS. *inquietationem.*
[4]   These charters do not fill f. 102v. The rubric, *Erlyngham* was added to f. 103, perhaps in anticipation of copying more charters for this manor, but ff. 103–104v. were left blank.

286. *Record of a dispute, settled in the shire court at Ilchester and attested by the seal of the sheriff of Somerset, William de Bendenges. Eve wife of Wlmerd had sold to the canons her claims on a hide of land, but had later moved a suit against them. In the shire court, she and her husband and their sons Aldwin and Adam have remitted all claims against the abbey; their daughter Matilda was unable to attend the court, but made a similar renunciation in the presence of the abbot of St Augustine's. In the settlement, the canons have paid additional sums to Eve, her husband, and her two sons. All the earlier deeds relating to the land in dispute had been handed over to the canons at the time of the original sale. The king's writ by which Eve initiated her suit has been handed over to the sheriff. This record was presented in the shire court at Ilchester on the day after the feast of St James the Apostle (26 July), 1182.[1]*

[f. 105][2] Sciant tam presentes quam futuri ad quos hoc scriptum pervenerit quod, cum Eva uxor Wlmerdi totum jus quod in una hida habuerat canonicis Sancti Augustini de Bristou simul cum marito suo et quibusdam liberis suis vendidisset pro octo marcis argenti, sicut ipsa in pleno comitatu recognovit, postea per breve domini regis adversus ipsos canonicos de eadem hida querelam movit, et cum canonici et ipsa Eva coram Willelmo de Bendeng' tunc vicecomite Sumerset' plures dies fuissent prosecuti, tandem finalis concordia inter eos hoc modo facta est et presentata in pleno comitatu coram predicto vicecomite: videlicet quod predicta Eva remissa omni calumpnia et querela [quam] contra canonicis moverat[3] predictam hidam terram cum omni jure quod in ea clamabat aut clamare poterat in pleno comitatu inperpetuum abjuravit; simul cum viro suo abjuravit etiam in eidem comitatu Aldwinus primogenitus filius Eve ipsam terram totam cum omni jure quod ad eum poterit pertinere, et similiter Adam junior filius Eve; Matillis vero filia ipsius quia ad comitatum venire non poterat, similiter hanc terram cum omni suo jure quod ad eum poterat pertinere pro se et suis omnibus abjuraverat apud Sanctum Augustinum de Bristou coram abbate et multis aliis sicut pater et mater ipsius pro ea in comitatu recognoverunt, qui etiam ibidem in manu ceperunt; quod predicta filia ipsorum quando placent canonicis in hundredo de Bedmenistra coram vicecomite, aut hiis qui in loco ipsius tenet eandem terram cum omni suo jure abjuraret, sicut pater et mater ipsius pro ea comitatu recognoverunt, qui etiam ibidem [in manu ceperunt]. Et canonici preter illas viii marcas quas in prima emptione prenominate Eve et viro suo dederant, in hac finalis concordia xx solidos eis dederunt quos ipsa Eva breve domini regis per manum Willelmi prioris Sancti Augustini qui ex parte canonicorum ad comitatum venerat in pleno recepit comitatu; et Aldwino primogenito filio Eve dederunt i bizantum et xii denarios, et Ade filio ipsius ii solidos similiter in comitatu. Et ipsa Eva breve domini regis reddit in manu vicecomitis et per illud dimisit se simul cum viro suo et predictis filiis suis de omni querela et [f. 105v.] calumpnia et omni jure quod in predicta hida clamabat. Reliqua vero scripta que ipsa vel antecessores sui inde habuerant sicut ipsa in comitatu recognovit reddiderat canonicis de Sancto Augustino quando eis hanc terram primo vendidit. Facta fuit hec concordia anno domini mclxxxii et presentata in pleno comitatu in crastino post festum Sancti Jacobi apostoli apud Ivelcest', Willelmo de Bending' tunc vicecomite Sumerset', et pro memoria rei factum fuit scriptum illud et lectum in comitatu presente predicta Eva cum viro suo et predictis filiis suis Alwino et Adam. Et pro firmitate testimonium in futurum predictis vicecomes in hoc scripto suum posuit sigillum. Te*stibus*.

[1]   There is no mention in the Pipe Rolls for 1181 and 1182 of Eva's writ; *Som. Pleas* does not contain any material relating to this year.

[2]   Although it starts a new section in the cartulary, the folio has no rubric.

[3]   *moverat*, the *r* interlined.

287. *Charter of Thomas (of Ipton'?) to St Augustine's quitclaiming all rights and claim to common pasture in Leigh Woods.*

Universis Christi fidelibus ad quos presens scriptum pervenerit Thomas de Ipton',[1] salutem. Noverit universitas vestra quod ego pro me et heredibus meis et quibusdam assignatis meis remisi inperpetuum et quietum clamavi abbati et conventui Sancti Augustini de Bristoll' et eorum successoribus omne jus et clamium quod habui vel aliqua modo habere potui in eorum boscho de Lega nomine commune pasture. Ita quod nec per me nec per heredes vel assignatos meos aliquam de cetero sustinebunt molestiam vel inquietationem. In cujus rei testimonium presenti scripto sigillum meum apposui. Te*stibus*.

[1]   The reading of the surname is uncertain.

288. *Agreement between William, abbot of St Augustine's, and Alexander de Auno. The abbot and canons quitclaim to Alexander for themselves and their villeins of Leigh all right to common of pasture in his wood called Stokeleigh. Alexander quitclaims, for himself, his heirs, and his villeins of Ashton, all right to common of pasture in Leigh Woods. Alexander should enclose his wood of Stokeleigh and if the abbey's beasts stray into his woodland because the defence is weak, the canons shall not be liable. The canons should enclose Leigh Woods* *and the same provision applies to Alexander's beasts if they stray into the canons' wood. (1234 × 64.)*[1]

Hec est conventio facta inter dominum Willelmum abbatem Sancti Augustini de Bristoll' et ejusdem loci conventus ex parte una et Alexandrum de Aunno ex altera, videlicet quod dicti abbas et conventus pro se et successoribus suis et villanis suis de Legh remiserunt et quietum clamaverunt dicto Alexandro et heredibus suis totum jus et clamium quod habuerunt vel habere potuerunt ratione commune in boscho suo qui vocatur Stocleye. Et dictus Alexander pro se et heredibus suis et villanis suis de Astone remisit et quietum clamavit dictis abbati et conventui totum jus et clamium quod habuit vel habere potuit ratione commune in bosco suo de Legh' inperpetuum. Ita videlicet quod tam dictus Alexander et heredes sui quam canonici prenominati boscum suum bene claudere debebunt [f. 106][2] et clausum tenere. Et si forte averia aut cujuscumque generis animalia dictorun canonicorum in boscum predictum de Stocleye pro defectu clausure fuerint ingressa absque contradictione libera dimittantur nisi fuerint in warda facta. Et modo supradicto fiat de animalibus et averiis Alexandri sepedicti et heredum suorum boscum de Leg' ingressa. Et ad majorem hujus rei securitatem et tam futurorum quam presentium notitiam mutuis scriptis signa sua apposuerunt. T*estibus.*

[1]   The limits of date fall between the appointment of William of Breadstone as abbot and the death of William Long.

[2]   Rubric: *Lega et Hamme.*

289. *Charter of Richard of Morville to the church of St Helen at Portbury restoring half a virgate with a messuage and meadow which belonged to the virgate which Saewulf held. The church is to hold this with a quarter of a virgate at Ham which Geoffrey the potter holds, and a parcel of land which Gudmund, Richard's man, had occupied unlawfully, and is to have free collection of Peter's Pence in future. He grants the church its parochial rights and customs. (c. 1140 × 48; probably early in that period.)*[1]

Ricardus de Morevill' omnibus sancte matris ecclesie fidelibus, salutem. Sciatis quod ego pro salute anime mee et omnium antecessorum meorum reddidi ecclesie Sancti Helene de Portburi unam virgatam terre cum mesuagio et prato eidem virgate pertinente quam Sewlfus tenuit, cujus magna pars est ad occidentem domorum ecclesie, solutam et quietam ab omni seculari servicio inperpetuum. Tenendam sicut liberam elemosinam meam cum quodam ferdel apud Hammam quam tenet Galfridus potarius, et quandam terre particulam eadem libertate possidendam, quam quidem Gudmundus homo meus contra ecclesiam occupaverat. Et collectam denariorum Sancti Petri inperpetuum, liberam sine omni contradictione. Concessi etiam eidem ecclesie de Portburi omnes consuetudines et libertates suas in omnibus; nominatim in pastura ut scilicet equi et boves porci et oves et alia peccora de tenemento ecclesie eant et pascant libere ubicumque boves et peccora de dominico pascantur aut paschi debent in bosco et plano per hiemem et per estatem; et porci ecclesie quieti sint de pasnagio. Hec, ut certe scirentur, et bona fide deo et Sancte Helene conservarentur ab hominibus et baillivis meis et heredeum meorum inperpetuum, per scriptum et sigillum volui in huic modo confirmari. Testibus.

Marginal note: (*Modern*) Portbury.

¹ This grant was presumably made before Robert fitz Harding acquired his interest in Portbury in the years when he was forming his endowment for St Augustine's.

290. *Charter of Richard of Morville to St Augustine's granting in free alms 2 virgates in Ham; this was the land which came to him when Portbury was divided between himself and Robert fitz Harding. When Richard made his grant to the abbey, Robert fitz Harding, its founder, gave him in recognition 35 marks and Geoffrey 1 mark. (c. 1148.)*¹

Ricardus de Morvill' omnibus amicis et hominibus suis Francis et Anglis, salutem. Notum sit vobis quod ego dedi et confirmavi Sancto Augustino de Bristoll' in liberam et perpetuam elemosinam pro salute anime mee et omnium antecessorum meorum duas virgatas de terra mea apud Hammam, [f. 106v.] illas scilicet que michi obvenerunt quando villa Portbirie partita est inter me et Robertum filium Harding cum agris et pascuis cum bosco et pratis cum hominibus et eorum tenementis omnibus sicut ea fuerunt illa die qua partivimus villam ubicumque essent, et cum omnibus que ad homines habuerunt² tunc quando istam donationem feci canonicis. Ideoque volo et precipio quod idem canonici ista habeant et teneant libere et quiete atque plenarie sine omni servicio quod vel michi vel alicui faciant, sicut elemosinam meam omnino liberam ut nulli de ea in aliquo nisi soli deo respondeant. Et quando ego dedi canonicis hanc elemosinam Robertus filius Harding qui fundator est ecclesie Sancti Augustini dedit michi pro hac in recognitionem xxxv marcas argenti, et Galfrido³ unam.⁴ Testibus, etc.

¹ Issued during Robert fitz Harding's lifetime. Henry II had confirmed these lands to St Augustine's by 1172 (no. 13). The grant belongs to the early years of the foundation of St Augustine's.
² Perhaps the sense might be *que dicti homines habuerunt*.
³ MS. *Galfridum*.
⁴ MS. *unum*. The text implies clearly 35 marks and one (mark). It is possible that a word has been omitted and that the final phrase might be *et unum denarium*.

291. *Charter of Richard of Morville to St Augustine's giving the land of his fee above the stream which falls into the pill near the chapel of St Katherine, with its woodland. He reserves the tithes for the church of Portbury. Robert fitz Harding, joined by his son Maurice, made this grant to the abbey before the partition of Portbury. (c. 1148 × 71.)*

Ricardus de Morevilla omnibus sancte matris ecclesie fidelibus, salutem. Sciant presentes et futuri quod ego concessi et dedi canonicis Sancti Augustini de

Bristoll' pro salute anime mee et omnium antecessorum meorum totam terram de feudo meo ultra dutellum qui cadit in pullam juxta capellam Sancti Katerine cum tanto bosco quantum in illa est inperpetuam elemosinam. Tenendam de me et de heredibus meis libere et quiete, ita ut pro ea de nullo servicio respondeant alicui nisi soli deo, salvo tamen decimam ecclesie de Portbiria de eadem terra. Hanc concessit donationem Robertus filius Harding et Mauricius filius ejus ante partitionem Portbirie. *Testibus.*

292. *Charter of Herbert of Morville to St Augustine's confirming in free alms the church of Portbury, with the virgate held by Saewulf and a quarter of a virgate at Ham, Peter's Pence, and all the parish customs granted in the charter issued by his brother Richard (no. 289). (Late twelfth or early thirteenth century.)*[1]

Herebertus de Morvill' omnibus hominibus suis et amicis, salutem. Sciatis me concessisse et hac mea carta confirmasse canonicis Sancti Augustini ecclesiam Portbirie cum omnibus pertinenciis suis inperpetuam et liberam elemosinam pro salute mea et omnium antecessorum meorum, nominatim cum virgata terre simul cum mesuagio et prato eidem pertinente quam Seulfus olim tenuit solutam[2] et quietam ab omni seculari servicio, cum quodam ferdello apud Hammam et cum denariis Sancti Petri. Concessi etiam et confirmavi eidem ecclesie omnes consuetudines et libertates suas in omnibus, nominatim in pastura ut scilicet equi et boves et porci et oves et [f. 107][3] pecora de tenemento ecclesie eant et pascant libere ubicumque boves et pecora de dominico pascuntur aut pasci debent in bosco et plano per hiemem et per estatem et ut porci ecclesie quieti sint[4] de pasnagio. Ideoque volo ut hec omnia integre et libere et honorifice inperpetuum predicte ecclesie ab omnibus hominibus meis et baillivis et amicis sicut carte domini et fratris mei Ricardi testantur fideliter conserventur qui ipsam ecclesiam predictam cum rebus prenominatis canonicis prefatis et dedit et confirmavit. *Testibus.*

[1] Herbert was issuing charters to the abbey before 1217 (no. 294).
[2] MS. *solam.*
[3] Rubric: *Hamme.*
[4] MS. *sunt*; *sint* in no. 289.

293. *Charter of Herbert of Morville to St Augustine's confirming in free alms 2 virgates in Ham, which came to his brother Richard by agreement with Robert fitz Harding; he follows the terms of Richard's charter (no. 290). (Before 1217.)*[1]

Herebertus de Morvill' omnibus hominibus suis, salutem. Notum sit vobis me dedisse et concessisse et confirmasse canonicis Sancti Augustini de Bristoll' in liberam et perpetuam elemosinam duas virgatas terre apud Hammam, illas scilicet que domino Ricardo fratri meo ibidem obvenerant in participatione adversus Robertum filium Harding. Quas volo quod prefati canonici habeant et teneant inperpetuum ita integre et libere sicut carta domini Ricardi fratris mei vel eas confirmat, ita quidem ut neque pro eis neque pro earum pertinenciis ulli de aliquo seculari servicio respondeant. Concessi quoque et confirmavi fratribus eisdem de Sancto Augustino totam terram ultra dutellum que de feudo meo est juxta pullam apud Sanctam Caterinam ut eam in elemosinam teneant eadem integritate et libertate que prius dicta est et que per cartam domini fratris mei qui harum et predictarum donator fuit canonicis est confirmata. Testibus.

Marginal note: (*Modern*) partition.

[1]   Herbert's charter was issued before the confirmation by William de Redvers, who died in 1217 (no. 294).

294. *Charter of William de Redvers, earl of Devon, confirming to St Augustine's in free alms the 2 virgates in Ham given by Richard of Morville. They were held of the earl's fee. (17 April 1194 × 8 or 10 September 1217.)*[1]

Sciant presentes et futuri quod ego Willelmus de Redveriis comes Devon' pro salute anime mee et omnibus antecessorum et successorum meorum concessi et hac carta mea confirmavi canonicis Sancti Augustini Bristoll' inperpetuam et puram elemosinam duas virgatas terre in Ham que de feudo meo sunt, illas scilicet que Ricardo de Morevill' obvenerunt in participatione de Portburi adversus Robertum filium Heard' quas volo ut prefati canonici habeant et teneant[2] inperpetuum, ita libere et quiete et integre sicut carta Ricardi de Morewill' et confirmatio[3] Herberti de Morevill' protestantur, ita quidem ut neque pro eis neque pro earum pertinenciis ulli [f. 107v.] de aliquo servicio seculari respondeant nisi soli deo. Concessi etiam et confirmavi eisdem fratribus in puram et perpetuam elemosinam totam terram ultra doitellum juxta pillam apud Sanctam Katerinam que de feudo meo est eadem integritate et libertate que prius dicta est et per cartis Ricardi de Morevill' et Hereberti eisdem canonicis dicta et confirmata. Et ne hoc decursu temporis alicui vertatur indubium presenti carta mea et sigilli mei appositione confirmavi. Testibus.

Marginal note: (*Modern*) Rivers Comes Devon'.

[1]   The limits of date are provided by William's tenure of the earldom of Devon.
[2]   MS. *teant.*
[3]   MS. *confirmato.*

295. *Charter of John, abbot of St Augustine's, to Robert de Berkeley granting him a chantry in his chapel at Portbury. He provides safeguards for the mother church of Portbury. Robert's chaplain is to share the alms and oblations of the chapel, and both he and the church of Portbury are to have half of them. When Berkeley is restored to Robert this chantry shall cease, unless the canons sanction its continued use. (1211 × 14 or 1215 × 16.)*[1]

Sciant[2] qui sunt et qui futuri sunt quod Johannes dei gratia abbas de Sancto Augustino et ejusdem loci conventus concesserunt domino Roberto de Berkel' cantariam in capella sua apud Portbiriam sub hujus conditionis forma, videlicet ut matrix ecclesia et capellanus domini Roberti equis portionibus obventiones inter se divident. Et quicumque fuerit capellanus domini Roberti, matrix ecclesia medietatem omnium oblationum et obventionum ejusdem capelle percipiat et alteram medietatem capellanus domini Roberti in suos usus[3] retineat. Si autem capellanus canonicorum in predicta capelle cantaverit felicitatem inde faciet matrici ecclesie. In majoribus vero et precipuis festivitatibus anni, scilicet ad Nathale Domini, in Purificatione Beate Marie, in festo Sancte Helene, et in die crucis adorande, in die Pasche, in Ascensione Domini, in die Pentecosten, dominus et domina ad matricem ecclesiam de Portburi venient sicut consueverunt ante edificationem predicte capelle [et] matricem suam ecclesiam parochiam vero de Portburi frequentabunt. Et quando deus per gratiam suam domino Roberto hereditatem suam de Berke restituerit nisi ex concessu canonicorum fuerit cessabit capelle cantaria. Hiis Testibus.

Marginal notes: (1) Portebury. (2) (*Modern*) Portbury chantrey.

¹ Abbot John died on 12 February 1216 (D. Knowles, C. N. L. Brooke, and V. C. M. London, *Heads of Religious Houses England and Wales 940–1216*, 1972, p. 155). There were two occasions when Robert lost his lordship; one in 1211–12, when he made peace with the king before Michaelmas 1213 (*PR 13 John*, PRS, NS, 28, p. 177; *PR 14 John*, PRS, NS, 30, p. 144), and the other in the conflict with John in 1215, when he was restored to favour by William Marshal on 16 February 1217. He had to wait a number of years before Henry III allowed him his full inheritance, and this charter probably belongs to that second restoration.

² The MS. text of this charter is a veritable jigsaw; phrases and odd words have been copied in the wrong sequence, and it has been necessary to restore the text to a proper order.

³ MS. *versus*.

296. *Charter of Eudo of Morville to St Augustine's. With the assent of William his son and heir he confirms in free alms the half-virgate in Wraxall which Richard of Radford held, and the mill which he built on Radford stream, which runs between Failand and Abbots Leigh. He also confirms common of pasture in Wraxall. In recognition the canons have given 15 marks to him and 1 gold coin* (aureus) *each to his wife and to William his heir. (Late twelfth century.)*[1]

Eudo de Morevilla omnibus amicis suis et hominibus ceterisque Christi fidelibus ad quos presens carta pervenerit, salutem. Noverit universitas vestra quod ego assensu et consilio Willelmi filii mei et heredis et aliorum amicorum meorum dedi et hac presenti carta mea confirmavi ecclesie Sancti Augustini de Bristoll' et canonicis ibidem deo servientibus [f. 108][2] pro salute anime mee et omnium antecessorum meorum et heredum dimidiam virgatam terre de feudo meo apud Wrockeshale, scilicet illam quam Ricardus de Radefort tenuit, et molendinum quod feci super aquam de Radeford que currit inter Feilande et Legam, inperpetuam puram et liberam elemosinam cum communi pastura de Wrokeshal', ita quod canonici communione pasture illius habeant sicut habere debent ad equos suos et boves porcos et oves et pecora alia. Et ideo volo quod prenominati canonici habeant et teneant hanc terram cum molendino predicto et pastura inperpetuam et liberam elemosinam solutam[3] et quietam de utiban' de gelldo et negeldo[4] et de omni alio seculari servicio. Ita ut pro ea nullo servicio respondeant alicui nisi soli deo. Quia ego et heredes mei respondebimus pro illa sicut pro libera elemosina de omni servicio quod spectat ad regem et ad omnes alios dominos. Et quando ego dedi canonicis hanc elemosinam et cartam meam super altare Sancti Augustini optuli presente Willelmo filio meo assentiente et eam manu offerente, ipsi canonici dederunt michi pro hoc recognitione xv marcas argenti et Willelmo heredi meo unum aureum[5] et uxori mee unum aureum. Ego et heredes mei warantizabimus canonicis hanc donationem contra omnes homines cum omnibus que habuit quando eis illam dedi. Te*stibus.*

> [1]   This grant was confirmed by John, as count of Mortain, between 1189 and 1199 (no. 23). Eudo of Morville was amerced for a forest offence in 1175–6 (*PR 22 Henry II*, PRS, 25, p. 161).
> [2]   Rubric: *Wrokeshale et Radeford.*
> [3]   MS. *solam.*
> [4]   *utibannum*, a term used in south-west England for foreign service, or royal service; *negeldum*, from *neggildo* or *meggildo*, to pay wergeld.
> [5]   An *aureus* is a gold coin; the Latin is sometime used for a bezant.

297. *Charter of Richard of Wraxall, son of Tovi, to St Augustine's confirming with the assent of his lord, Eudo of Morville, and of his son and heir Saeweald, his land in Radford, with a garden, which yielded a rent of 2s. The canons are to render 1 pound of cumin, and in recognition they have paid him 30s and have given his son a pair of spurs. (Late twelfth century.)*

Ricardus de Wrokeshal' filius Tovi omnibus sancte ecclesie fidelibus ad quos presens carta pervenerit, salutem. Sciatis quod ego voluntate et assensu Eudonis de Morevill' domini mei et Sewalt mei filii et heredis dedi et concessi ecclesie Sancti Augustini de Bristoll' et canonicis regularibus ibidem deo servientibus pro salute anime mee et liberorum meorum terram meam de Radeford cum gardino que michi duos solidos reddebat per annum. Habendam et tenendam libere et quiete ab omni seculari servicio per unam libram cumini quam canonici michi et heredibus meis annuatim inde reddent ad festum Sancti Michaelis pro omni servicio. Ita quod nec michi nec heredibus meis de alio aliquo servicio respondere debebunt. Quia ego et heredes mei garantizabimus et adquietabimus [f. 108v.] predictam terram de omni servicio tam erga dominum regem quam omnes alios dominos. Et hanc terram ita tenendam et habendam ego et filius meus super altare Sancti Augustini obtulimus. Quando cartam hanc donationem feci ecclesie Sancti Augustini canonici dederunt michi in recognitione xxx solidos et heredi meo pro concessione ipsius quedam calcaria. Te*stibus.*

298. *Charter of Eudo of Morville to St Augustine's. He has inspected Richard of Wraxall's charter and confirms his grant in Radford, reserving the render of 1 pound of cumin from the canons. (Late twelfth century.)*

Eudo de Morevill' omnibus hominibus suis et amicis tam presentibus quam futuris, salutem. Sciatis quod ego concessi et hac presenti carta mea confirmavi canonicis Sancti Augustini de Bristoll' donationem quam eis Ricardus de Wrockeshale assensu heredis sui fecit de terra sua et gardino de Radeford. Quare volo ut ipsi canonici eandem terram et gardinum habeant et teneant inperpetuum libere et quiete ab omni seculari servicio sicut ejusdem Ricardi carta quam inspeximus testatur, salva tamen una libra cimini quam canonici eidem Ricardo et heredibus suis singulis annis ad festum Sancti Michaelis michi pro omni servicio dabunt. T*estibus*.

299. *Charter of Robert son of Robert of St Denis of Axbridge conveying to David la Warre of Bristol the land and manor of Rowberrow. David owes an annual rent of 4 marks. In recognition he has paid Robert 8 marks and has given him a cloak and tunic of green cloth, and to each of Robert's three sisters he has given 2s for their assent. The transaction also has the assent of the lord of the fee, William Maureward. (Before 1199.)*[1]

[f. 109][2] Robertus filius Roberti de Sancto Dionisio de Axebrigia dominis et amicis et vicinis suis Francis et Anglicis tam presentibus quam futuris, salutem. Sciatis me dedisse et concessisse totam terram meam de Ruebere cum omnibus pertinenciis in ecclesia in hominibus in bosco in plano in pratis in pasturis in aquis in molendinis et cum omnibus libertatibus et rebus eidem manerio pertinentibus David Werre de Bristouwe et heredibus suis hereditarie et libere et honorifice et quiete, tenendam de me et de heredibus meis pro servicio suo et propter homagium suum quod michi fecit. Reddendo michi et heredibus meis de se et heredibus suis singulis annis quatuor marcas argenti per quatuor terminos anni pro omnibus serviciis excepto regali servicio, scilicet quartam partem militis quando venerit. Et pro hac donatione et concessu ipse predictus David dedit michi in recognitione viii marcas argenti et unum pallum varium de viridi et tunicam[3] de eodem, et Cristini et Marie et Heme sororibus meis unicuique istarum ii solidos pro concessu illarum et suorum heredum. Et hanc predictam terram de Ruebere donavi in feudo et hereditate David Werre et heredibus suis concessu Willelmi Malrewardi domini mei de cujus feudo hec terra est. T*estibus* etc.

Marginal notes: (1) Roweb'. (2) (*Modern*) Axbridge.

[1] See no. 22. The Warre interest in Rowberrow was created when Robert son of Robert of St Denis conveyed this land to him. David then leased it to John la Warre (*Curia Regis Rolls*, xiv, p. 76, no. 394), whose tenure was confirmed between 1189 and 1199 by John, as count of Mortain (no. 22). The charter issued by Robert son of Robert of St Denis to John la Warre (no. 301) makes no reference to David's tenure. What happened when that lease fell in is not clear, but in 1230 descendants of Robert and David still claimed rights in Rowberrow. The claim, made in the dispute

in 1230, that the lease had fallen in may be a reference to the final acquisition of the manor by St Augustine's (*Curia Regis Rolls*, xiv, p. 76, no. 394). The genealogy of the Maurewards of Twerton before 1236 presents some difficulty, partly through the recurrent use of Geoffrey and William as Christian names. The William of this charter had been succeeded by his son Geoffrey before 1216 (nos. 310–12). He may be the William Maureward (Mauregard) who occurs in the early years of John's reign (*PR 7 John*, PRS, NS, 19, p. 141; *Curia Regis Rolls,* iii, pp. 200, 261), and men of the same name occur in Henry III's reign. The series of charters ascribed to the period before 1216 (nos. 301–4), may perhaps be dated more closely *c.* 1208 × 16. The dispute in 1230 was settled by reference to charters issued by Robert son of Robert of St Denis, Geoffrey Maureward, and Count John, and claims depending on the la Warre tenure were then upheld.

  [2]   Rubric: *Roweburgh'.*
  [3]   MS. *et tunicam et.*

300. *Charter of William Maureward. At the request of his man, Robert of Axbridge, and with the assent of his heir Geoffrey, he has confirmed the grant which Robert made, in William's presence, to David la Warre. The service due to William, an annual payment of 3 marks, and the royal service due from a quarter of a knight's fee, are to be paid by David. The capital lord's entitlement to 3 marks a year is made explicit in this charter. For this confirmation David has given William 4 marks and 2s and 1 gold bezant; he has also given William's wife Alice a bezant and his son Geoffrey 6d. (Before 1199.)*[1]

Willelmus Malreward dominis et amicis et vicinis suis Francis et Anglicis tam presentibus quam futuris, salutem. Sciatis me prece Roberti hominis mei de Axebrigia concessisse et hac mea carta confirmasse et concessu Galfridi filii[2] mei et heredis[3] mei illam donationem quam Robertus homo meus fecit David Werre in presentia mea cum omnibus libertatibus eidem manerio pertinentibus sicut carta ipsius Roberti testatur salvo servicio meo, scilicet iii marcas argenti per quatuor terminos anni et servicium regale, scilicet quartam partem militis quando venerit. Et pro hac concessione ipse predictus David dedit michi quatuor marcas argenti et duos solidos et unum bizantium auri, et alium bezantium Alicie uxoris mee, et Galfrido filio meo et heredi meo vi denarios. Quare volo et firmiter precipio quod ipse David et heredes sui teneant terram illam de Ruberhe libere et quiete et honorifice [f. 109v.]   sicuti carta ipsius Roberti testatur. Et si ipse Robertus vellet exire de conventione, ego sum plegius, et justicia ad faciendum tenere conventionem facta ante me inter illos. *Testibus* etc.

  [1]   See no. 299.   [2]   MS. *fili.*   [3]   MS. *heredes.*

301. *Charter of Robert son of Robert of St Denis. He has now confirmed to John la Warre of Bristol all his land in Rowberrow for an annual payment of 4 marks. Of these, 3 marks are to be paid to Robert's lord, Geoffrey Maureward, for all the services due to Geoffrey from Rowberrow. The fourth mark is due to Robert and his heirs. John has become his man and has paid him 60s in recognition. He is to be responsible for the royal service, rendered in money, from a quarter of a knight's fee. (Before 1216.)*[1]

Robertus filius Roberti de Sancto Dionisio omnibus hominibus presentibus et futuris ad quos presens scriptum pervenerit, salutem. Sciatis me dedisse et concessisse et hac presenti carta mea confirmasse Johanni Werr' de Bristollo totam terram meam de Rudbergia cum omnibus pertinenciis suis in ecclesie advocatione in hominibus in boscis in planis in pratis in pascuis in aquis in molendinis in viis in semitis in placidis in querelis in omnibus libertatibus et liberis consuetudinibus eidem terre pertinentibus. Habendam et tenendam prefato Johanni et heredibus ejus bene et in pace libere et quiete plene et integre hereditabiliter et inconcusse de me et de heredibus meis. Reddendo inde annuatim quatuor marcas argenti pro omnibus serviciis et secularibus exactionibus salvo regali servicio in denariis pro quarta parte militis faciendo siquando evenerit. Ex hiis autem quatuor marcis predictus Johannes et heredes sui post ipsum reddent annuatim tres marchas domino meo Galfrido Maregard et heredibus suis posteris scilicet ad unumquemque quatuor terminorum anni decem solidos pro omni servicio quod ego Robertus et heredes mei debemus facere annuatim prefato Galfrido et heredibus ejus nominatim de terra de Rudhbergia. Quartam vero marcham prefatus Johannes et heredes sui reddent annuatim michi et heredibus meis pro omni servicio et pro omni seculari exactione ad nos pertinente, videlicet ad unumquemque quatuor terminorum anni tres solidos et quatuor denarios. Pro hac autem hereditaria donatione et concessione predictus Johannes devenit homo meus, et dedit michi sexaginta solidos de recognitione. Unde ego et heredes mei debemus warantizare ipsi et heredibus suis prenominatam terram de Rugbergia contra omnes homines etc. T*estibus* etc.[2]

[1]   Hugh of Wells, who had built up his local possessions in Somerset and the south west, became bishop of Lincoln in 1209. Rowberrow, with Draycott and Norton in Kewstoke, formed a knight's fee. In 1219, Geoffrey Maureward and Maurice de Barintun' held half a knight's fee of the bishop of Lincoln in Rowberrow and Draycott, and Reginald of Hautville held half a fee in Norton (*Fees*, i, p. 263; *Bath Deeds*, p. 193, Part II, no. 298/5). The transfer of the land which Robert of St Denis held of Geoffrey Maureward to St Augustine's, with the canons responsible for a payment of 4 marks, was completed before 1216 (nos. 310–12).

[2]   Constant repetition in this and the following charters caused the cartulary scribe some difficulty, especially in two respects: one was keeping clear the payments due to different individuals; the other was the use of the phrase, the capital lord, as it was applied to Geoffrey Maureward and his son, as lords of the fee, and to their tenants of the family of St Denis, who were styled capital lords of Axbridge.

302. *Charter of Geoffrey Maureward confirming to John la Warre of Bristol the land of Rowberrow which is of his fee, and which had been held by Robert of St Denis. John is to hold the land of Geoffrey's man, Robert son of Robert of St Denis, and his heirs for the render described in no. 301. For this confirmation John has paid Geoffrey 1 bezant in recognition, and has given his son and heir a pair of gilt spurs. (Before 1216.)*

Galfridus[1] Mauregard omnibus hominibus presentibus et futuris [f. 110][2] ad quos hoc scriptum pervenerit, salutem. Sciatis me concessisse et hac presenti carta confirmasse Johanni Werre de Bristollo totam illam terram de Rudeberg' que est de feudo meo que fuit Roberti de Sancto Dionisio cum omnibus pertinenciis suis in advocatione ecclesie in hominibus in redditibus in boscis in planis in pratis in pascuis in aquis in molendinis in stagnis, in vivariis in viis in semitis in placidis in querelis in auxiliis in omnibus libertatibus et liberis consuetudinibus eidem terre pertinentibus. Habendam et tenendam prefato Johanni et heredibus ejus bene et in pace libere et quiete plene et integre hereditabiliter et inconcusse de Roberto filio Roberti de Sancto Dionisio homine meo et de heredibus ejus. Reddendo inde annuatim quatuor marcas argenti pro omnibus serviciis et omnibus querelis et exactionibus salvo regale servicio in denariis pro quarta parte militis faciendo cum evenerit. Ex hiis autem quatuor marcas ipse Johannes et heredes sui reddent michi et heredibus meis annuatim tres marcas argenti, scilicet ad unumquemque quatuor terminorum anni decem solidos pro omni servicio ad me et ad heredes meos pertinente. Quartam vero partem prefatus Johannes et heredes sui reddent annuatim jamdicto Roberto et heredibus suis pro omnibus serviciis exactionibus et querelis ad ipsum et ad heredes suos pertinentibus, videlicet ad unumquemque quatuor terminorum anni iii solidos pro omni servicio et quatuor denarios. Pro hac autem concessione et confirmatione prefatus Johannes dedit michi de recognitione unum bizantium et filio meo et heredi quedam calcaria deaurata. Unde ego Galfridus et heredes mei debemus warantizare prenominato Johanni et heredibus ejus totam predictam terram cum omnibus pertinenciis ejus contra omnes homines. Quare volo quod prefatus Johannes et heredes sui post ipsum habeant et teneant totam preassignatam terram de Ruthdebergia cum omnibus pertinenciis ejus bene et in pace libere et quiete plene et integre sentiabiliter et hereditarie in boscis in planis in pratis in pascuis in aquis in molendinis in stagnis in vivariis in viis in semitis in fossis [f. 110v.] in assartis in ecclesie advocatione in hominibus in redditibus in donis in auxiliis in placidis in querelis in omnibus emendationibus quas prefatus Johannes et heredes sui super terram illam facere poterunt et in omnibus libertatibus et liberis consuetudinibus ad illam terram de Rugeberg' pertinentibus per premonstratum servicium. *Testibus.*

¹ The rubricator has written R in place of G.
² Rubric: *Roweburgh'.*

303. *Charter of John la Warre to St Augustine's granting all his land of Rowberrow. The canons are to hold it of Robert of St Denis, paying annually 4 marks. The scribe presents a confused account of how these 4 marks are to be divided. Geoffrey Maureward and his heirs are to receive 3, and the fourth should have been allotted to Robert son of Robert of St Denis. The canons paid the large sum of 53 marks in recognition, which may represent the full value of the land. They continued to invest in this property (nos. 304 and 305). (Before 1216.)*

Omnibus sancte matris ecclesie ad quos presens scriptum pervenerit Johannes la Werra, salutem. Noverit universitas vestra me pietatis intuitu et pro salute anime mee et patris mei et predecessorum meorum dedisse et concessisse et hac mea carta confirmasse deo et ecclesie Beati Augustini de Bristoll' et canonicos ibidem deo servientibus totam terram meam de Ruthbergia sine omni reclamatione mei vel heredum meorum cum omnibus pertinenciis suis inperpetuam et liberam elemosinam in advocatione ecclesie in hominibus in boscis in planis in pratis in pascuis in aquis in molendinis in viis in semitis in placidis in omnibus libertatibus et liberis consuetudinibus eidem terre pertinentibus. Habendam et tenendam predictis canonicis de Roberto filio Roberti de Sancto Dionisio de quo ego predictam terram tenueram et de heredibus ejus inperpetuum bene et in pace libere et quiete plene et integre finabiliter et inconcusse. Reddendo inde annuatim quatuor marcas argenti pro omni servicio et seculari exactione salvo regali servicio in denariis pro quarta parte militis faciendo quando evenerit. Ex hiis autem quatuor marcis predicti canonici reddent annuatim tres marchas Galfrido Maureward et heredibus suis, scilicet ad unumquemque quatuor terminorum anni decem solidos pro omni servicio ad prefatum Galfridum et ad heredes suos pertinente. Quartam vero marcam jam dicti canonici reddent[1] prefato Roberto et heredibus suis videlicet ad Pascha dimidiam marcham et ad festum Sancti Michaelis dimidiam marcam. Pro hac autem donatione et confirmatione predicti canonici dederunt[2] michi [f. 111][3] quinquaginta tres marcas de recognitione.

Marginal note: a.

[1] At this point the scribe repeated *annuatim tres marc[h]as Galfrido . . . quatuor terminorum anni*, followed by *videlicet* etc. A late-medieval annotator expuncted the error and added *prefato Roberto et heredibus suis*.

[2] MS. *dedederunt*, with the last *de* expuncted for deletion.

[3] Rubric: *Roweburgh'*.

304. *Charter of Robert son of Robert of St Denis to St Augustine's confirming in free alms all his land in Rowberrow for an annual payment of 4 marks, 3 to be paid to Geoffrey Maureward, and the fourth to be paid to Robert. The canons have paid him 3 gold coins* (aurei) *in recognition. (Before 1216.)*

Omnibus sancte ecclesie fidelibus ad quos presens scriptum pervenerit Robertus filius Roberti de Sancto Dionisio, salutem. Sciatis me pro salute anime mee et omnium antecessorum et successorum meorum dedisse et concessisse et hac carta mea confirmasse ecclesie Sancti Augustini de Bristou et canonicis regularibus ibidem deo servientibus totam terram meam de Ruheb' inperpetuam et liberam elemosinam cum omnibus pertinenciis suis in ecclesie advocatione, in hominibus, in redditibus in boscis in planis in pratis in pascuis in aquis in molendinis in stagnis in vivariis in viis in semitis in placidis in querelis in fossis et in omnibus emendationibus quas predicti canonici super illam terram facere poterunt et in omnibus libertatibus et liberis consuetudinibus eidem terre pertinentibus. Habendam et tenendam predictis canonicis inperpetuum bene et in pace libere et quiete plene et integre et inconcusse de me et de heredibus meis. Reddendo inde annuatim quatuor marcas argenti pro omnibus serviciis et secularibus exactionibus salvo regali servicio in denariis pro quarta parte militis faciendo quando evenerit. Ex hiis autem quatuor marcis ipsi canonici reddent pro me et heredibus meis annuatim tres marchas argenti domino meo Galfrido Maureward et heredibus suis posteris scilicet ad unumquemque quatuor terminorum anni decem solidos pro omni servicio quod ego Robertus et heredes mei debemus facere annuatim prefato Galfrido et heredibus ejus nominatim de terra de Ruthbergia. Quarta vero marcha idem canonici reddent annuatim michi et heredibus meis pro omni servicio et pro omni seculari exactione ad nos pertinente, videlicet ad Pascha floridum dimidiam marcam, ad festum Sancti Michaelis dimidiam marcam. Pro hac autem donatione et concessione ipsi canonici dederunt michi de recognitione tres aureos. Unde ego et heredes mei debemus warantizare ecclesie Sancti Augustini de Bristou et prenominatis canonicis predictam terram de Rugebergia cum omnibus pertinenciis suis contra omnes homines. *Testibus* etc.

305. *Charter of Geoffrey Maureward son and heir of Geoffrey Maureward to St Augustine's confirming in free alms the land in Rowberrow which was held by Robert of St Denis for a payment of half a mark a year. The canons are to pay 1 mark a year to Robert's heirs, and they have paid Geoffrey 16 marks. (Early thirteenth century; c. 1216.)*[1]

[f. 111v.] Omnibus Christi fidelibus ad quos presens scriptum pervenerit Galfridus Maureward filius et heres Galfridi Maureward, salutem in domino. Noverit universitas vestra me dedisse et concessisse et hac presenti carta mea confirmasse deo et ecclesie Sancti Augustini de Bristoll' et canonicis regularibus ibidem deo servientibus totam terram meam de Ruegebergia que fuit Roberti de Sancto Dionisio in puram et perpetuam elemosinam cum omnibus pertinenciis suis in advocatione ecclesie in hominibus in redditibus in boscis in planis in pratis in pascuis in aquis in aquarum cursibus in molendinis in stagnis[2] in vivariis in viis in semitis in fossatis in placitis in querelis in donis in[3] auxiliis in omnibus emendationibus quas super terram illam facere poterunt et in omnibus libertatibus et liberis consuetudinibus eidem terre pertinentibus. Habendam et tenendam dictis canonicis inperpetuum bene et in pace libere et quiete plene et integre et inconcusse. Reddendo annuatim michi et heredibus meis dimidiam marcham argenti ad duos terminos anni, videlicet ad Pascha quadraginta denarios et ad festum Sancti Michaelis quadraginta denarios pro omnibus serviciis querelis et exactionibus secularibus et demandis ad me et ad heredes meos pertinentibus, salvo regali servicio in denariis pro quarta parte militis faciendo, salva etiam una marca heredibus Roberti de Sancto Dionisio annuatim persolvenda. Pro hac autem donatione concessione et confirmatione dicti canonici dederunt michi sexdecim marcas argenti. Unde ego et heredes mei dictam terram predictis canonicis contra omnes homines et feminas warantizar[e][4] debemus inperpetuum. *Testibus*.

Marginal note [f. 111v.]: [. . .]in' etio redd' ij mark' dimidii debit' Galfr' Malwar'.[5]

[1]   This charter records the reduction of the annual render due to the Maureward lord of Rowberrow to half a mark. It must be later than the final agreement between Henry of Axbridge and the abbey (no. 313). The donor may be the Geoffrey Maureward who was dead by 1236, when his wife, Diamand, was described as a widow (*Bath Deeds*, p. 163, Part II, no. 188/527). His successor was married to Agnes, who may be the stepmother mentioned in no. 306.

[2]   *hominibus in redditibus in boscis in planis* deleted.

[3]   *in querelis in donis in* added in later hand, and the remainder of the phrase *auxiliis . . . omnibus libertatibus* added in the margin.

[4]   The scribe had written *warantizabunt*, which the later writer amended by overwriting and interlineation.

[5]   The marginal note has been damaged when the margin was trimmed.

306. *Charter of Geoffrey Maureward son and heir of Geoffrey Maureward to St Augustine's remitting 1 mark of the 20s which the canons owe him for land in Rowberrow. So long as Agnes his stepmother is alive the canons shall be quit of all payments to him and his heirs, except for royal service, and when Agnes dies they shall resume payment of half a mark due for this land. They continue to pay 1 mark to the heirs of Robert, capital lord of Axbridge. For this grant the canons have given him 1 mark, and they have returned to him land in Draycott for the use of his brother William. (Mid-thirteenth century; probably c. 1236 × 50.)*[1]

Omnibus Christi fidelibus ad quos presens scriptum pervenerit Galfridus Maureward filius et heres Galfridi Maureward, salutem in domino. Noveritis me remisisse canonicis Sancti Augustini de Bristollo annuum redditum unius marce de viginti solidis quos michi pro terra Rueberge annuatim reddere consueverunt. Ita scilicet quod quamdiu Agnes noverca mea vixerit predicti canonici ab omni solutione ad me vel ad heredes meos pertinente salvo regali servicio quieti sint et immunes. Defuncta vero dicte Agnete ipsi [f. 112][2] michi et heredibus meis dimidiam marcham argenti singulis annis pro predicta terra de Rueberge reddant inperpetuum pro omni servicio et exactione seculari ad me vel ad heredes meos pertinente, salvo regali servicio, salva etiam una marca heredibus *Roberti* [capitalis domini] de Axebrug' annuatim persolvenda. Pro hac autem concessione et remissione dederunt michi predicti canonici unam marcam argenti, et terram de Draicote quam eis proprius dederam michi ad opus Willelmi fratris mei reddiderunt. Quare ego et heredes mei dictam concessionem et remissionem eisdem canonicis warantizare debemus inperpetuum. Quod ut ratum perpetuo perseveret presenti scripto sigillum meum duxi apponendum. T*estibus* etc.

[1]   The payment of half a mark at this stage is consistent with the terms of no. 305, though the full render of 20s is less easy to explain.

[2]   Rubric: *Roweburgh'*.

307. *Charter of Geoffrey Maureward to St Augustine's remitting the rent of 20s which his father used to receive for Rowberrow. He reserves royal service and the payment of 1 mark to the heirs of the capital lord of Axbridge, Robert of St Denis. The canons have paid him 15 marks. (Early thirteenth century; c. 1216.)*[1]

Omnibus Christi fidelibus ad quos presens scriptum pervenerit Galfridus
Maurewart, salutem in domino. Noveritis me remisisse canonicis Sancti
Augustini de Bristollo redditum viginti solidorum quem de terra de Ruthberg'
pater meus percipere consueverat. Ita quod dicti canonici nec michi nec heredibus
meis in aliquo respondeant nisi tamen in viginti solidis annuatim persolvendis pro
omni servicio et exactione seculari ad me vel ad heredes meos pertinente, salvo
regali servicio, salvo etiam una marcha heredibus *Roberti* capitalis[2] [domini] de
Axebrug' annuatim persolvenda. Pro hac autem concessione et remissione dicti
canonici quindecim marchas argenti michi dederunt. Quare ego et heredes mei
dictam concessionem contra omnes homines et feminas warantizare debemus
inperpetuum. Quod ut ratum perpetuo perseveret presens scriptum sigilli mei
appositione roboratum confirmavi. T*estibus*.

Marginal note: c.

¹ See no. 305; issued after Geoffrey reduced the payment for Rowberrow from 3 marks to half a
mark.
² MS. *capituli*.

308. *Charter of Geoffrey Maureward to St Augustine's granting and confirming
in free alms, with the assent of his heir, his land in Rowberrow, which they are to
hold from his man, Robert son of Robert of St Denis. They are to pay annually 4
marks, 3 to Geoffrey and his heirs, and 1 to Robert and his heirs. For this
confirmation the canons have given 3 gold coins* (aurei) *to Geoffrey in
recognition, and to his heir Geoffrey a pair of spurs worth 8d. (Before 1216.)*

Omnibus sancte ecclesie fidelibus ad quos presens scriptum pervenerit Galfridus
Maureward, salutem. Sciatis me pro salute anime mee et patris mei et matris mee
et omnium antecessorum et successorum meorum concessisse et hac presenti
carta mea confirmasse ecclesie Sancti Augustini de Bristoue et canonicis ibidem
deo servientibus assensu heredis mei totam illam terram de Rugebergia que est de
feudo meo que fuit Roberti de Sancto Dionisio [f. 112v.] in perpetuam et liberam
elemosinam cum omnibus pertinenciis suis in advocatione ecclesie in hominibus
in redditibus in boscis in planis in pratis in pascuis in aquis in molendinis in
stagnis in vivariis in viis in semitis in foscis in placidis in querelis in donis in
auxiliis in omnibus[1] emendationibus quas super terram illam facere poterunt et in
omnibus libertatibus et liberis consuetudinibus eidem terre pertinentibus.
Habendam et tenendam predictis canonicis inperpetuum bene et in pace libere et
quiete plene et integre et inconcusse de Roberto filio[2] Roberti de Sancto Dionisio
homine meo et de heredibus ejus. Reddendo inde annuatim quatuor marcas
argenti pro omnibus serviciis et omnibus querelis et exactionibus salvo regali
servicio in denariis pro quarta parte militis faciendo cum evenerit. Ex hiis autem
quatuor marcis ipsi canonici reddent michi et heredibus meis annuatim tres
marchas argenti, scilicet ad unumquemque quatuor terminorum anni decem
solidos pro omni servicio ad me et ad heredes meos pertinente. Quartam vero
marcam idem canonici reddent annuatim jam dicto Roberto et heredibus ejus pro

omnibus serviciis exactionibus et querelis ad ipsum et heredes suos pertinentibus, videlicet ad Pascha floridum dimidiam marcham et ad festum Sancti Michaelis dimidiam marcham. Pro hac autem concessione et confirmatione ipsi canonici dederunt michi de recognitione tres aureos et heredi meo[3] Gaufrido quedam calcaria ad pretium quedam octo denariorum. Unde ego Gaufridus et heredes mei debemus garantizare ecclesie Sancti Augustini de Bristoll' et prenominatis canonicis totam predictam terram de Rugebergia cum omnibus ejus pertinenciis contra omnes homines. *Testibus*.

Marginal note: b.

¹ MS. *homnibus*, the *h* expuncted for deletion.
² MS. *meo* expuncted for deletion.
³ MS. *me*.

309. *Charter of Thomas de Hautville to St Augustine's. He has inspected a charter issued by Geoffrey Maureward (no. 305) which he recites in full and confirms. (First half of the thirteenth century.)*¹

Omnibus Christi fidelibus² presens scriptum inspecturis Thomas de Alta Villa, salutem in domino. Noverit universitas vestra nos cartam Galfridi Malreward inspexisse sub hac forma.

Omnibus Christi fidelibus ad quos presens scriptum pervenerit, Galfridus Maureward,³ salutem in domino. [*etc., as no. 305, running to* f. 113].⁴

Nos igitur donationes et concessiones dicti Galfridi et predecessorum ejus rata habentes et gratas eas dictis canonicis presenti scripto sigilli nostri appositione roborato duximus confirmandas.

¹ Thomas de Hautville occurs in Somerset in 1237–8 and in 1242–3 (*Som. Pleas*, pp. 113, 232, 247, nos. 394i, 768, 841). He may be the Thomas son of Henry de Hauville who occurs in 1253 (*Excerpta e Rot. Fin.* ii, pp. 169, 175). Hautville and Hauville are common French forms of Alta Villa.
² MS. *ad quos* deleted.
³ *Galfridi Malregard filius et heres* added in later hand.
⁴ Rubric: *Roweburgh'*. The cartulary scribe ended his transcript at *Testibus*. The amender added *etc* and completed the text of the inspeximus.

310. *Charter of Henry of Axbridge, Mary his wife, and Simon their son and heir, to St Augustine's granting in free alms the land in Rowberrow which Robert son of Robert of St Denis gave to them and their heirs. The canons are to hold it as freely as Robert granted it to them, and as Geoffrey Maureward, the capital lord, had confirmed it. They are to pay 4 marks a year, 3 to Henry's lord, Geoffrey Maureward, and 1 to Henry, Mary, and Simon. Henry and Simon warrant the grant in the hand of John, abbot of St Augustine's. (Before 1216.)*¹

Omnibus sancte ecclesie filiis ad quos presens scriptum pervenerit Henricus de Axebrug' et Maria uxor ejus et Simon eorum filius et heres, salutem. Sciant nos totam illam terram de Rugebergia quam Robertus filius Roberti de Sancto Dionisio nobis et heredibus nostris dedit et concessit hereditabiliter tenendam et habendam concessisse et hac carta mea confirmasse ecclesie Sancti Augustini de Bristou et canonicis ibidem deo servientibus inperpetuam et liberam elemosinam cum omnibus pertinenciis suis sicut Robertus filius Roberti de Sancto Dionisio eandem terram melius et liberius ipsis canonicis inperpetuam elemosinam dedit, et sicut Galfridus Mareward capitalis dominus donationem [f. 113v.] ejusdem Roberti eisdem canonicis concessit et carta sua confirmavit, videlicet in ecclesie advocatione in hominibus in redditibus in boscis in planis in pratis in pascuis in aquis in molendinis in stagnis in vivariis in viis in semitis in placidis in querelis in donis in auxiliis in omnibus emendationibus quas super illam terram facere poterunt et in omnibus libertatibus et liberis consuetudinibus eidem terre pertinentibus. Habendam et tenendam inperpetuum de nobis et heredibus nostris bene et in pace libere et quiete plene et integre et inconcusse. Reddendo inde annuatim quatuor marcas argenti pro omnibus serviciis suis et omnibus querelis et exactionibus salvo regali servicio in denariis pro quarta parte militis faciendo cum evenerit. Ex hiis autem quatuor marcis canonici reddent pro nobis et pro heredibus nostris annuatim tres marcas domino nostro Galfrido Maureward et heredibus suis post ipsum, scilicet ad unumquemque quatuor terminorum anni decem solidos pro omni servicio quod nos et heredes nostri debemus facere annuatim prefato Galfrido et heredes ejus annuatim de terra de Rugeberge. Quartam vero marcam canonici reddent annuatim nobis et heredibus nostris pro omni servicio et pro omni seculari exactione ad nos pertinente, videlicet ad Pascha dimidiam marcam et ad festum Sancti Michaelis dimidiam marcam. Pro hac autem concessione et confirmatione canonici dederunt nobis de recognitione unam marcam argenti. Unde nos et heredes nostri debemus warantizare ecclesie Sancti Augustini de Bristou et prenominatis canonicis predictam terram de Rugeberga cum omnibus pertinenciis suis contra omnes homines. Et hanc concessionem ego Henricus et Simon filius meus sine dolo et sine malo ingenio canonicis fideliter et firmiter tenendam in manu domini Johannis abbatis de Sancto Augustino affidavimus. *Testibus* etc.

[1] Abbot John died in 1216. This, and the following two charters were all issued on the same occasion. Henry, Mary, and Simon all claim title to this land. Robert and Mary were brother and sister. Mary issued a charter recording this grant in her own right (no. 311). Her son Simon identified Robert as his uncle (no. 312).

311. *Charter of Mary wife of Henry of Axbridge. Of her own free will, and under no pressure from her husband, she grants and confirms to St Augustine's the land in Rowberrow which Robert son of Robert of St Denis had granted to her and her heirs. Geoffrey Maureward, the capital lord of the fee, confirmed this to the canons by his charter. The canons owe 4 marks a year, 3 to Geoffrey and his heirs, and 1 to Mary and her heirs. The canons have given in recognition 1 mark to Mary, Henry, and Simon, who have placed their gift in the hand of John, abbot of St Augustine's. (Before 1216.)*[1]

Sciant[2] tam presentes et futuri quod ego Maria uxor Henrici de Axebrug' terram illam de Ruheberg' quam Robertus filius Roberti de Sancto Dionisio michi et heredibus meis dedit et concessit hereditabiliter tenendam et habendam, nulla coactione viri mei nec aliorum hominum sed propria voluntate mea, et assensu Simonis heredis [f. 114][3] mei concessi et hac carta confirmavi ecclesie Sancti Augustini de Bristou et canonicis ibidem deo servientibus inperpetuam et liberam elemosinam cum omnibus pertinenciis suis sicut Robertus filius Roberti de Sancto Dionisio eandem terram melius et plenius et liberius ipsis canonicis inperpetuam elemosinam dedit, et sicut Galfridus Maureward capitalis dominus donationem ejusdem Roberti canonicis [concessit] et carta sua confirmavit, videlicet in ecclesie advocatione in hominibus in redditibus in boscis in planis in pratis [in] querelis in donis in auxiliis in omnibus emendationibus quas super illam terram facere poterunt et in omnibus libertatibus et liberis consuetudinibus eidem terre pertinentibus. Habendam et tenendam inperpetuum de me et de heredibus meis bene et in pace libere et quiete plene integre et inconcusse. Reddendo inde annuatim quatuor marcas argenti pro omnibus serviciis et exactionibus salvo regali servicio in denariis pro quarta parte militis faciendo cum evenerit. Ex hiis quatuor marcis canonici reddent pro me et heredibus meis annuatim tres marcas domino Galfrido Maureward et heredibus suis post ipsum ad unumquemque [quatuor] terminorum anni decem solidos pro omni servicio quod ego et[4] heredes mei debemus facere annuatim prefato Galfrido et heredibus ejus nominatim de terra de Rugeberge. Quartam vero marcam canonici reddent annuatim michi et heredibus meis pro omni servicio seculari [et] exactione ad nos pertinente. Pro hac autem concessione et confirmatione canonici dederunt domino meo Henrico et michi et Simoni heredi meo de recognitione unam marcam argenti. Unde nos et heredes nostri debemus warantizare ecclesie Sancti Augustini de Bristou et prenominatis canonicis predictam terram de Rueberga cum omnibus pertinenciis suis contra omnes homines. Et hanc[5] concessionem Henricus dominus meus et ego Maria et Simon filius meus sine dolo et sine malo[6] ingenio canonicis fideliter et firmiter tenendam in manu domini Johannis abbatis de Sancto Augustino affidavimus. *Testibus.*

[1]   This transaction was completed during the abbacy of Abbot John, 1186/7–1216.
[2]   The rubricator has omitted the capital *S.*
[3]   Rubric: *Roweburgh '.*
[4]   Here the scribe has added, from later in the charter, *quartam vero marcam canonici reddent annuatim michi et heredibus meis pro omni servicio quod ego et.*
[5]   MS. *hac.*
[6]   MS. *mala.*

312. *Charter of Simon, son of Henry of Axbridge and his wife Mary, granting to St Augustine's the land of Rowberrow which his uncle Robert son of Robert of St Denis had given him. The canons are to pay 4 marks a year, 3 to Geoffrey Maureward and 1 to Simon and his heirs. For this the canons have given Simon and his father and mother 1 mark in recognition. The grant has been given into the hand of John, abbot of St Augustine's. (Before 1216.)*

[f. 114v.] Sciant tam presentes quam futuri quod ego Simon filius Henrici de Axebrug' et Marie uxoris ejus totam illam terram de Ruheberga quam Robertus filius Roberti de Sancto Dionisio avunculus meus michi et heredibus meis dedit et concessit hereditabiliter tenendam et habendam dedi et concessi et hac mea carta confirmavi ecclesie Sancti Augustini de Bristou et canonicis ibidem deo servientibus inperpetuam et liberam elemosinam cum omnibus pertinenciis suis sicut Robertus filius Roberti de Sancto Dionisio eandem terram melius et plenius et liberius ipsis canonicis inperpetuam elemosinam dedit, et sicut Galfridus Maureward capitalis dominus donationem ejusdem[1] Roberti eisdem canonicis concessit et carta sua confirmavit, videlicet in ecclesie advocatione in hominibus in redditibus in boscis in planis in pratis in pascuis in aquis in molendinis in stagnis in vivariis in viis in semitis in placidis in querelis in donis in auxiliis in omnibus emendationibus quas super illam terram facere poterunt et in omnibus libertatibus et liberis consuetudinibus eidem terre pertinentibus. Habendam et tenendam de me et de heredibus meis bene et in pace libere et quiete plene et integre et inconcusse. Reddendo inde annuatim quatuor marcas argenti pro omnibus serviciis et omnibus querelis et exactionibus salvo regali servicio in denariis pro quarta parte militis faciendo [quando] evenerit. Ex hiis autem quatuor marcis canonici reddent pro me et heredibus meis annuatim tres marcas domino Galfrido Maureward et heredibus suis post ipsum, scilicet ad unumquemque quatuor terminorum anni decem solidos pro omni servicio quod ego et heredes mei debemus facere annuatim[2] prefato Galfrido Maureward et heredibus suis post ipsum[3] nominatim de terra de Rueberga. Quartam vero marcam canonici reddent annuatim michi et heredibus meis pro omni servicio et pro omni seculari exactione ad nos pertinente. Pro hac autem concessione et confirmatione canonici dederunt patri mei Henrico de Axebrugg' et uxori ejus Marie matri[4] mee et michi[5] Simoni filii et heredi eorum de recognitione unam marcam argenti. Unde nos et heredes nostri debemus garantizare ecclesie Sancti Augustini [f. 115][6] de Bristou et canonicis prenominatis predictam terram Rueberg' cum omnibus pertinenciis suis contra omnes homines. Et hanc concessionem pater meus et mater mea et ego Simon filius eorum et heres sine dolo et sine malo ingenio canonicis fideliter et firmiter tenendam in manu Johannis abbatis de Sancto Augustino de Bristou affidavimus. *Testibus.*

[1] MS. *eisdem.*
[2] The scribe has repeated the phrase *tres marcas . . . heredibus suis post ipsum*; the normal phrasing has been restored.
[3] The use of *post ipsum* confirms that the scribe has repeated the earlier phrase.
[4] *sue* expuncted for deletion.
[5] MS. *michi et.*
[6] Rubric: *Roweburgh'.*

313. *Agreement between St Augustine's and Henry of Axbridge. The canons are to have their land in Rowberrow as the charter of Robert son of Robert of St Denis attests, and after Robert dies, or enters religion, they shall pay 1 mark annually to Henry and his heirs, and 3 marks to Geoffrey Maureward and his* *heirs, and be responsible for the royal service for a quarter of a knight's fee. Henry and his heirs warrant the land to the canons against any claims made by Robert's kinsmen and relations. (Probably before 1216.)*[1]

Sciant tam presentes quam futuri ad quos presens scriptum pervenerit quod hec conventio facta est inter canonicos Sancti Augustini de Bristou et Henricum de Axebrug' et heredes ejus de terra de Ruheberge, scilicet quod canonici habebunt et tenebunt predictam terram inperpetuum libere et quiete bene et in pace cum omnibus pertinenciis suis et omnibus[2] libertatibus in eandem terram pertinentibus, sicut carta Roberti filii Roberti de Sancto Dionisio testatur. Reddendo annuatim eidem Henrico et heredibus suis postquam predictus Robertus decesserit vel habitum religionis assumpserit unam marcam argenti pro omni servicio[3] et seculari exactione quantum ad eos pertinet, salvis tribus marcis quas canonici reddent annuatim Galfrido Maureward et heredibus suis, salvo regali servicio in denariis pro quarta parte militis quando evenerit. Predictus autem Henricus et heredes sui debent warantizare prenominatam terram canonicis contra omnes de parentela et congnatione predicti Roberti contra omnes homines.[4]

[1] Abbot John is not named in this agreement, and the document may be later than the charters in which Henry and his wife and son are associated (nos. 310–12).

[2] *omnibus pertinenciis suis et* repeated.

[3] *in denariis* expuncted for deletion.

[4] The remainder of f. 115 and f. 115v. are blank.

314. *Charter of Warin of Aller and Juliana his wife to St Augustine's granting in free alms the church of Weare. (Before 1180.)*[1]

[f. 116][2] Omnibus fidelibus sancte matris ecclesie ad quos presens scriptum pervenerit Warinus de Alla et Juliana uxor ejus, salutem. Noverit universitas vestra quod nos pro amore dei et pro salute animarum nostrarum et patrum nostrorum dedimus et concedimus in puram et perpetuam elemosinam ecclesiam de Wera cum omnibus appendiciis suis deo et ecclesie Beati Augustini de Bristoll' et canonicis ibidem deo servientibus ad eorum sustentationem. Et [ut] hec nostra donatio et concessio rata et firma permaneat sigilli nostri inpressione corroboravimus et presenti scripto confirmavimus. *Testibus* etc.

[1] See no. 317.

[2] Rubric: *Were.*

315. *Charter of Hamo son of Geoffrey, issued with assent and goodwill, granting to the church of St Gregory of Weare a house in front of the cemetery and 5 acres of land, and the tithes of fishing and hay, and of everything which should be tithed. He makes his gift on the altar. (c. 1150 × 1193.)*[1]

Notificetur omnibus tam presentibus quam futuris quod ego Hamund' filius Galfridi concessi assensu benivolo ecclesie Sancti Jeorgi[2] de Wera unam mansionem domus ante cimiterium et quinque acras terre, duas scilicet in capite divis (?)[3] et unam inter molendina[4] [et][5] duas in mora in orientali parte spelunce,[6] et decimam piscium tam de molendinis quam piscaturis, et decimam caretam feni, decimamque omnium aliarum rerum de quibus decima procedere discernitur. Hecque confirmavi deo super altare offerendo. *Testibus* etc.

[1] Hamo son of Geoffrey occurs in Somerset as a tenant of the bishop of Bath in 1166 (*RBE*, i, p. 221). He is probably Hamo son of Geoffrey, also known as Hamo de Valognes, the knight of the honour of Gloucester (*RBE*, i, p. 291) who served Earl William as constable (cf. *EGC*, pp. 58, 63–4, nos. 43, 48, 51). He attests a charter of Earl William which can be dated *c.* 1150–3 (*EGC*, p. 115, no. 120) and a number of charters of John, as count of Mortain, including charters issued before 1191 (*EGC*, pp. 37, 49, nos. 10, 31), and one issued on 4 March 1193 (*EGC*, p. 127, no. 138). Hamo and Hamund are interchangeable. A number of curious features suggest that the original was drafted locally.

[2] Apparently a misreading of the original deed.

[3] This should have been a recognisable boundary; it might be from *diva*, for ditch or moat, which would be appropriate for the mill-sluices which were a prominent feature of this manor.

[4] Weare had 2 mills in 1086 which produced 42s of the £5 which the manor was then worth (*DB*, i, f. 95r.).

[5] At this point the scribe added the words *s. ficeser*; the meaning is not known.

[6] At Weare the most likely meaning is cave, though it could mean passageway, chambered tomb, or possibly kiln.

316. *Charter of Stephen de Betuntone granting in free alms to St Augustine's, and to its church of Weare, which he recognises as his parish church, 3 acres from his domain land in Alston Sutton. (c. 1148 × 80.)*[1]

Omnibus sancte matris ecclesie fidelibus tam presentibus quam futuris Stephanus de Betuntone, salutem. Notum vobis scire volo quod ego ad honorem dei et pro salute anime mee et uxoris mee et patris mei et aliorum antecessorum meorum dedi et concessi canonicis Sancti Augustini in liberam et perpetuam elemosinam et ecclesie eorum de Wera, cujus me recognosco parochianum, tres acras de dominio meo de Alnodestone, scilicet unam acram de terra arabili et unam de prato et unam de arundine.[2] Quas tres acras ita liberas et quietas predictis canonicis et ecclesie eorum de Wera dedi, ut nec michi nec heredibus meis nec ulli homini de aliquo servicio respondeant. Et si de predicta terra quocumque tempore servicium fuerit requisitum ego et heredes mei illud acquietabimus ut elemosina mea perpetuum[3] omnino libera et quieta permaneat. *Testibus*.

[1] After Weare had been granted to St Augustine's; for the later limit of date see no. 317.

[2] *arundine*, probably for 'sandy', or 'sand dune'.

[3] MS. *inperpetuum*, the *in* deleted.

317. *Agreement between St Augustine's and Stephen de Baintone. The terms on which Stephen is allowed to have his own chapel at Alston Sutton, serviced by his own chaplain, are stated in detail. He may select a chaplain, and present him to the canons, but they retain the right of presentation to the chapel. The* *apportionment of tithes is carefully defined. Dated at Bristol, on the morrow (24 November) of the feast of St Clement, 1180.*

[f. 116v.][1] Sciant tam presentes quam futuri[2] quod cum inter canonicos Sancti Augustini de Bristou et Stephanum de Baintone super capellam de Alnodestone controversia haberetur,[3] canonicis scilicet liberam disposationem in scriptura capellam vendicantibus et ipsam cum decimis et obventionibus universis ad ecclesiam suam de Wera pertinere asserentibus, reclamante predicto Stephano et decimas de dominio suo ad suam spectare donationem contendente, assensu domini *Reginaldi* Baton' episcopi[4] in hanc pacis formam consenserunt. Canonici Sancti Augustini predicto Stephano et heredibus ejus concesserunt ut in capella de Alnodeston' si eis placuerit capellanum habeant residentem, quem tamen antequam administrandum admittatur abbati et canonicis Sancti Augustini presentabunt, et canonici ad eorum presentationem eum suscipient. Si ydoneum esse intellexerint sacerdos vero qui presentatione Stephani aut heredum ejus a canonicis ad predictam capellam susceptus fuerit. Tantum de dominio Stephani aut heredum ejus decimas et ceteras obventiones et oblationes de dono ipsius ad sustentationem suam percipiet, salvis ecclesie de Wera, cujus se idem Stephanus parochianum recognovit, omnibus decimis de villanagio cum omnimodis obventionibus. Et quicumque ad presentationem predicti Stephani aut heredum ejus in prescripta capella ministravit canonicis Sancti Augustini de jure ecclesie ipsorum de Wera integre conservando fidelitatem faciet. Qui etiam si minus ydoneus repertis fuerit, consilio utriusque partis admoneri debebit. Si vero predictus Stephanus aut heredes ejus aliquod villenagium in dominium suum revocaverint omnes decimas fructuum inde proveniente ecclesie de Wera[5] integre persolvent. Quod si aliquam partem dominii sui in villenagium converterint, sacerdos qui in capella ministrabit ab eo qui illam partem dominii excolet nichil proisus preter decimas fructuum inde pertinentes percipiet aut exiget. Ecclesia scilicet de Wera reliquas decimas obventiones de domo cultoris illius plene et libere habitura. Corpora vero omnia tam servientium de domo predicti Stephani quam aliorum villanorum ad ecclesiam de Wera deferentur ibi sepelienda. Facta est hec transactio anno domini mclxxx in crastino post festum Sancti Clementi apud Bristoll'. *Testibus.*

[1] Exceptionally, the *verso* has the rubric, *Were.*   [2] *quam futuris* added in a later hand.
[3] *haberetur*, the *ur* added in a later hand.
[4] Reginald fitz Jocelin, bishop of Bath, 1173–91.   [5] A long phrase was added here and erased.

318. *Charter of Henry Lovel. At the request of his knight, Michael of Stourton, he confirms the agreement between Michael and St Augustine's and the grant of land, the equivalent of 1 virgate, in West Harptree. (c. 1207 × c. 1225.)*[1]

[f. 117][2] Henricus Luvel omnibus hominibus et amicis suis et universis ad quos presens carta pervenerit, salutem. Sciatis me ad petitionem Michaelis militis mei de Stortone concessisse et hac presenti carta mea confirmasse conventionem que facta est inter canonicos Sancti Augustini de Bristou et ipsum Michaelem de terra quam eis concessit apud Herpetreham que est de feudo meo. Tenendam et habendam inperpetuum cum communa pasture et cum omni integritate et libertate et liberis consuetudinibus salvo servicio domini regis quantum pertinet ad unam virgatam terre, sicut carta predicti Michaelis testatur. T*estibus* etc.

¹   Nos. 318–22 are sophisticated and well drafted, and should be assigned to the thirteenth century. In 1166, Robert of Stourton held 3 fees of Henry Lovel (*RBE*, i, p. 234). The grantor is likely to be that Henry Lovel's younger son Henry, who succeeded in 1207 (*PR 9 John*, PRS, NS, 22, p. 60). His son Richard, who had succeeded him by 1225 (*Som. Pleas*, p. 101, no. 383), was recorded as owing a debt first noted in September 1227 (*PR 14 Henry III*, PRS, NS, 4, p. 41).
²   Rubric: *Harpetre.*

319. *Agreement between St Augustine's and Michael of Stourton, who grants lands in West Harptree which make up a virgate: half a virgate held by Edward son of Acelin in Gorwell, 2 quarter-acres of land held by Edwin and Acelin, 30 acres from his domain land in* Carwelle, *the meadow of* Pinhale, *and the enclosure called* Landfrid. *The canons are to pay an annual rent of 8s. (Early thirteenth century; before 1225.)*

Hec est conventio facta inter canonicos Sancti Augustini de Bristollo et Michaelem de Sturtone, videlicet quod predictus M*ichael*is concessit memoratis canonicis Sancti Augustini de Bristollo de terra sua de Harpetre dimidiam virgatam quam Edwardus filius Acelini tenuit de Goruuelle sicut jacet per campos cum prato ad eam pertinente, et duos ferelingos¹ quos Edwinus et Acelinus frater ejus tenuerunt cum pratis et terris ad eos pertinentibus, et de dominio suo xxx acras de Carwelle² cum prato de Pinhale. Et has omnes terras cum pratis concessit memoratus M*ichael*is predictis canonicis pro una virgata. Habendas et tenendas inperpetuum de se et de heredibus suis cum communa pasture et cum clostura que dicitur Landfrid et cum omnibus libertatibus que pertinent ad dominium suum, in bosco in plano in pastura et in³ aliis rebus. Reddendo inde sibi et heredibus suis⁴ annuatim viii solidos, medietatem ad Pascha et medietatem ad festum Sancti Michaelis pro omni servicio quod ad se et heredes suos pertinet, salvo annui servicio domini regis quantum ad unam virgatam pertinet de eodem feudo. Et ut hec conventio etc. T*estibus* etc.

¹   MS. *sterelingos*; see no. 320.
²   Gorwell survived as Gorrell Paddock (Som. Rec. Off., West Harptree Tithe Award) near the eastern boundary of the village. *Carwelle* may be a variation of Gorwell.
³   *in* interlined.
⁴   *cum communi pasture* expuncted for deletion.

320. *Charter of Michael of Stourton to St Augustine's granting the equivalent of 1 virgate of land in West Harptree; the details match those given in no. 319. (Early thirteenth century; before 1225.)*

Michalis de Sturton' universis tam futuris quam presentibus ad quos hec carta pervenerit, salutem. Sciatis quod ego pro salute anime mee et uxoris mee et patris mei et matris mee et heredum meorum et omnium antecessorum et successorum meorum concessi canonicis Sancti Augustini [f. 117v.] de Bristoll' de terra mea de Harpetre dimidiam virgatam terre quam Edwardus filius Acelini tenuit de Gorwelle sicut jacet per campos cum prato in eadem pertinente et duos ferlingos quod Edwinus et Azelinus frater ejus tenuerunt cum pratis et terris ad eas pertinentibus, et de dominico meo triginta acras de Carwelle cum prato de Pinnehale. Et has terras cum pratis concessi predictis canonicis pro una virgata habendas et tenendas inperpetuum de me et de heredibus meis cum communa pasture et cum clostura que dicitur Landfrid et cum omnibus libertatibus que pertinent ad dominicum meum, in bosco et plano et pastura et in aliis rebus. Reddendo michi et heredibus meis annuatim viii solidos, medietatem ad Pasca et medietatem ad festum Sancti Michaelis pro omni servicio quod ad me et heredes meos pertinet, salvo omni servicio domini regis quantum ad unam pertinet virgatam de eodem feudo. *Testibus*.

321. *Charter of Michael of Stourton to St Augustine's granting half a virgate in Gorwell, the title to which he had successfully defended against Thomas Croc. The canons are to pay Michael and his heirs annually 4s. (Early thirteenth century; before 1225.)*

Universis sancte matris ecclesia filiis ad quos presens scriptum pervenerit Michaelis de Sturtone, salutem in domino. Universitatem vestram scire volo me pro salute anime mee et uxoris mee et patris mei et matris mee et heredum meorum concessisse canonicis Sancti Augustini de Bristoll' dimidiam virgatam terre de Gorwelle cum prato et omnibus aliis rebus ad eandem terram pertinentibus, illam scilicet quam dirationavi contra Thomam Croc. Tenendam et habendam inperpetuum de me et heredibus meis cum communa pasture, et cum clostura que dicitur Landfrid, et cum omnibus libertatibus que pertinent ad dominicum meum, in bosco et plano et pastura et in omnibus aliis rebus. Reddendo michi et heredibus meis annuatim quatuor solidos ad duos terminos anni, scilicet duos solidos ad Pascha et duos solidos ad festum Sancti Michaelis pro omni servicio quod ad me et heredes meos pertinet, salvo servicio domini regis quantum ad dimidiam virgatam terre pertinet de eodem feudo cum evenerit. Ego autem prenominatus Michaelis et heredes mei debemus warantizare supramemoratis canonicis supradictam dimidiam virgatam terre contra omnes homines. Et ut hec mea concessio [f. 118][1] rata et inperpetuum valutura consistat etc. *Testibus* etc.

[1] Rubric: *Harpetre*.

322. *Charter of Thomas Croc to St Augustine's granting in free alms all his land in West Harptree which his uncle Gilbert Croc had given him. The canons owe William son of John of Harptree an annual render of half a pound of pepper. (Early thirteenth century; before 1225.)[1]*

Omnibus Christi fidelibus ad quos presens scriptum pervenerit Thomas Croc, salutem in domino. Noverit universitas vestra me pro salute anime mee patris mei matris mee et omnium antecessorum meorum dedisse et concessisse et hac presenti carta mea confirmasse deo et ecclesie Sancti Augustini de Bristoll' et canonicis regularibus ibidem deo servientibus totam terram meam de Harpetre quam Gilebertus Croc avunculus meus michi dedit pro homagio et servicio meo cum omnibus pertinenciis suis et cum omnibus libertatibus et liberis consuetudinibus ad predictam terram pertinentibus. Tenendam et habendam sibi inperpetuum libere et quiete et pacifice sicut liberam puram et perpetuam elemosinam. Ita quod dicti canonici nec michi nec alicui hominum in aliquo respondeant nisi soli deo in orationibus, et domino Willelmo filio Johannis de Harpetre et heredibus suis de dimidia libra piperis in festo Sancti Michaelis annuatim persolvenda pro omni servicio et exactione ad predictam terram pertinenti. Et ut hec mea donatio etc. *Testibus* etc.

¹ See nos. 318, 324.

323. *Charter of William son of William son of John of Harptree to St Augustine's. With the assent of his wife he grants in free alms pasturage for 1,000 sheep and 60 draught animals in West and East Harptree and in the pasture on Mendip belonging to these manors. He also grants pannage for 20 pigs in his woods of Buckley,* Hoclea, *(now surviving as woodland on Hook Hill, just south of the county boundary), and his woodland of Great Whistley. (Late twelfth century × c. 1232.)*¹

Sciant presentes et futuri quod ego Willelmus filius Willelmi filii Johannis de Harpetre consilio et consensu uxoris mee et heredum meorum pro salute anime mee et dicte uxoris et liberorum nostrorum et omnium antecessorum et successorum nostrorum concessi et hac presenti carta nostra confirmavi deo et ecclesie Sancti Augustini de Bristoll' et canonicis regularibus ibidem deo servientibus in liberam puram et perpetuam elemosinam ut habeant mille oves et etiam sexaginta averia libera et quieta inperpetuum in pastura mea apud West Harpetre et apud Hestharpetre, et in pastura mea super Munedip ad predicta maneria pertinente, tam superus quam subternis. Concesso etiam eisdem canonicis viginti porcos quietos de pannagio inperpetuum in boscis meis de Bukelea, de Wistla major et de Hoclea.² Ita quod dicti canonici in nullo michi vel heredibus meis de memoratis respondeant nisi soli deo in orationibus. Ego vero [f. 118v.] et heredes mei omnia predicta dictis canonicis sicut puram et perpetuam elemosinam nostram warantizabimus. Ut autem hec mea caritativa concessio rata perserveret et stabilis inperpetuum eam presenti scripto sigilli mei inpressione appositione roborato confirmavi. *Testibus* etc.

¹ The family retained the name of fitz John. This grant was part of the lands and rights in dispute between Robert de Gurney and the Master of the Knights of the Temple in England; judgement was given in favour of the Templars on 10 February 1234 (*Som. Fines*, p. 77, no. 161). A William son of John had granted land to the Templars before 1185, though land in Somerset was not then identified

as part of that grant (*Records of the Templars in England in the Twelfth Century*, ed. B. A. Lees, 1935, p. 62). Robert de Gurney inherited Gurney estates from his mother, Eve de Gurney, who married Thomas son of William son of John of Harptree. Thomas predeceased his father. When William died (before 23 September 1231, *Excerpta e Rot. Fin.* i, p. 227) Robert was his heir.

2   The place-names *Bukelea* and *Hoclea* survive in Buckley wood and Hook's Hill to the south and east of East Harptree. The name *Wistla* survived as Whistley in Great, Upper and Lower Whistley; Great Whistley lay on the western boundary of West Harptree (Som. Rec. Off., West Harptree Tithe Award.).

324. *Charter of Michael of Stourton to St Augustine's confirming in free alms the grant of land in West Harptree made by Thomas Croc. (Early thirteenth century; before 1225.)*[1]

Omnibus Christi fidelibus ad quos presens carta pervenerit Michaelis de Sturton', salutem in domino. Noverit me pro salute anime mee patris mei matris mee et omnium antecessorum et successorum meorum dedisse concessisse et hac presenti carta mea confirmasse deo et monasterio Sancti Augustini de Bristoll' et canonicis regularibus ibidem deo servientibus totam illam terram quam Thomas Croc dictis canonicis contulit in Westherpetre que quidem terra est de feudo meo in liberam puram et perpetuam elemosinam per omnia sicut in carta predicti Thome continetur. Quod ut ratum perpetuo perseveret presenti scripto sigillum meum duxi apponendum. T*estibus* etc.

1   See no. 318.

325. *Charter of Anselm de Gurney to St Augustine's quitclaiming all right to the pasture in Gorwell called Knackenhull' which the canons have enclosed. (1269 × 86.)*[1]

Universis Christi fidelibus presens scriptum visuris vel audituris Ancell' Gurnay,[2] salutem. Sciatis me pro salute anime mee et omnium antecessorum meorum et successorum meorum quod ego Ancellus de Gurnay remisisse abbati et conventui Sancti Augustini de Bristoll' et quietum clamasse quicquid juris ratione commune aut aliquo quocumque titulo habui vel habere potui in tota illa pastura quam memorati abbas et conventus juxta Gorwelle claudere fecerunt que vocatur Knackenhull'.[3] Ita videlicet quod nec per me nec per heredes meos nec per assignatos meos aliquam inperpetuum inquietationem sustinebunt vel calumpniam. Et quia volo quod hec mea remissio et quieta clamacio inperpetuum rata et firma perseveret presenti scripto sigillum meum duxi apponendum. T*estibus* etc.

1   Anselm had succeeded to his estates, and given homage, by 13 June 1269, and died before 15 November 1286 (*Cal. Inq. P. M.*, i, p. 226, no. 710; *Cal. Inq. P. M.*, ii, p. 357, no. 600).

2   *Ancell' Gurnay* interlined.

3   The name *Knackenhull'* survived as Nackland (Som. Rec. Off., West Harptree Tithe Award), though the field of that name lay rather a long way from Gorwell.

326. *Charter of William de Tilly to St Augustine's confirming in free alms the half-virgate in Gorwell held by Manus of Bristol. (? Early thirteenth century.)*[1]

Omnibus Christi fidelibus ad quos presens scriptum pervenerit Willelmus de Thilli, salutem in domino. Noveritis me pro salute anime mee patris mei matris mee omnium antecessorum et successorum meorum dedisse concessisse et hac presenti carta mea confirmasse deo et ecclesie Sancti Augustini [f. 119][2] de Bristoll' et canonicis regularibus ibidem deo servientibus totam illam dimidiam virgatam terre apud Gorwelle quam Manus de Bristoll' quondam tenuit. Habendam et tenendam sibi et successoribus suis inperpetuum de me et de heredibus meis libere et quiete integre et pacifice sicut liberam puram et perpetuam elemosinam. Ita quod nec michi nec heredibus meis nec alicui hominum in aliquo inde respondeant nisi soli deo in orationibus. Ego vero et heredes mei dictam dimidiam virgatam terre cum omnibus suis libertatibus et liberis consuetudinibus ad eandem pertinentibus dictis canonicis contra omnes homines et feminas warantizabimus inperpetuum. Ut autem hec mea donatio etc. *Testibus* etc.

  [1] There is no positive indication of a date for this charter.
  2 Rubric: *[. . .]ect' et Baggerugge.*

327. *Charter of Robert de Berkeley to St Augustine's confirming the land in Baggridge which he bought from William de le Fremonte. They are to hold it as a virgate, and pay William and his heirs half a mark a year. Duplicate of no. 133.(c. 1218 × 13 May 1220.)*[1]

  [1] Limits of date from Robert's second marriage and his death, 13 May 1220. The last two lines of the transcript, *inperpetuum . . . Testibus*, are on f. 119v.

328. *Charter of Walter of Gatbury and Emma his wife. They have read the charter of Robert de Berkeley to St Augustine's relating to Baggridge (no. 133) and they confirm its contents. The cartulary scribe did not copy Robert's charter in full. (After 1219.)*[1]

Omnibus Christi fidelibus ad quos presens scriptum pervenerit Walterus de Gathurga et Emma[2] uxor[3] ejus, salutem in domino. Noveritis nos cartam domini Roberti de Berkel' quam canonicis Sancti Augustini de Bristollo fecit de terra de Bageruge[4] inspexisse sub hac forma: Omnibus Christi fidelibus etc. Nos itaque memoratam cartam donationem et concessionem ratam habentes eam presenti scripto sigillorum nostrorum appositione roborato fide etiam pro nobis et heredibus nostris[5] interposita firmitate roboravimus.[6]

  [1] This charter was issued after no. 133. No. 335 is a duplicate copy with minor differences.
  [2] *Emma*, no. 335. The surname occurs as *Gathurga, Gateberi,* and *Ieteberi.*
  [3] MS. *uxoris.*
  [4] *Bakerugg'*, no. 335.
  [5] *pro nobis et heredibus nostris* omitted, no. 335.   [6] *etc.* no. 335.

329. *Charter of William de le Fremonte conveying to Robert de Berkeley all his land in Baggridge, to be held at fee-farm for an annual payment of half a mark. Robert has paid him 23 marks, together with a palfrey worth 20s and a robe of green material worth 20s. He has also undertaken to pay William's debts to the Jews of Bristol, namely Jacob of Hereford and others, to whom William had pledged the land for 30 marks. (1190 × 1221.)*[1]

Willelmus de lefremonte omnibus presentibus et futuris ad quos presens carta pervenerit, salutem. Sciatis universitas vestra me dedisse et concessisse et hac presenti carta confirmasse Roberto de Berkelay pro servicio et homagio suo totam terram meam de Bakerugge cum omnibus pertinenciis suis. Habendam et tenendam predicto Roberto et heredibus suis[2] vel cuicumque terram illam donare vel assignare voluerit de me et heredibus meis ad feodi firmam. Reddendo annuatim in eodem feodo dimidiam marcam argenti michi et heredibus meis ad festum Sancti Michaelis pro omnibus serviciis michi vel heredibus meis pertinentibus, salvo servicio domini regis, scilicet servicio quarte partis unius militis quando ei evenerit faciendum; cum omnibus libertatibus et liberis consuetudinibus ad predictam terram pertinentibus, in bosco in plano in pratis et pasturis et in semitis et in viis, in aquis et aquarum cursibus in molendinis in homagiis et releviis et serviciis, in omnibus rebus et locis, bene et in pace libere et quiete ab omnibus placitis et querelis et omnibus rebus michi vel heredibus meis pertinentibus, pro nominato servicio absque omni retenimento quod ego vel heredes mei possimus facere predicto Roberto vel heredibus suis quibuscumque hereditatem voluerunt conferre preter predictum servicium [f. 120].[3] Pro hac autem donatione et concessione et istius carte confirmatione dedit michi predictus Robertus viginti tres marcas argenti et unum palefridum de pretio viginti solidorum, et unam robam de viridi de pretio viginti solidorum. Preterea predictus Robertus adquietavit predictam terram de Bakerugge versus Judeos de Bristoll', scilicet Jacobum de Herefordia et alios, quibus terram illam invadiaveram de triginta marcas argenti. Ea propter ego et heredes mei debemus warantizare predictam terram cum omnibus pertinenciis suis predicto Roberto et heredibus suis vel cuicumque terram illam donare vel assignare voluerit contra omnes homines et feminas. Ut autem hec donatio et concessio stabilis perseveret et rata cartam istam sigilli mei munimine confirmavi. T*estibus.*

[1]   The limits of date are from Robert's tenure of the Berkeley inheritance; the later limit may be somewhat earlier than 1221. The drafting is rather crude. The high price which Robert was prepared to pay (£37 6s 8d) for this estate is a notable feature of the transaction.

[2]   *habendam et tenendam predicto Roberto et heredibus suis* repeated.

[3]   Rubric: *Baggerugge.*

330. *Charter of William de le Fremonte conveying to Robert de Berkeley all his land in Baggridge, to be held at fee-farm for an annual payment of half a mark. The terms of the charter are similar to those in no. 329, but the sums paid to William are different. The major payment is said to be 20 marks, with a palfrey worth 20s and a green robe for which no value is given. Robert has undertaken* *to pay William's debts to the Jews, to whom William has pledged his land, with chattels and profits, for 20 marks, and to pay the Christians (who had loaned him money) for 3 marks. (1190 × 1221.)*

Sciant presentes et futuri quod ego Willelmus de lefremonte dedi et concessi et hac presenti carta mea confirmavi Roberto de Berkel' pro homagio et servicio suo totam terram meam de Baggeruge cum omnibus pertinenciis suis sine aliquo retinemento, tenendam sibi et heredibus suis de me et heredibus meis ad feodi firmam pro una dimidia marca argenti michi et heredibus meis annuatim ad festum Sancti Michaelis reddendo pro omnibus serviciis ad me vel ad heredes meos pertinentibus, salvo tantum regali servicio quantum scilicet ad predictam terram pertinet.[1] Quare volo quod ipse Robertus de Berkel' et heredes sui post ipsum vel ubi eam donare vel assignare voluerit habeant et teneant totam predictam terram de Bakerug' cum omnibus pertinenciis suis et libertatibus et liberis consuetudinibus ad predictam terram pertinentibus, in bosco et plano in pratis et pasturis in viis et semitis in aquis et aquarum cursibus in molendinis in humagiis et releviis et serviciis, et in omnibus rebus et [locis], bene et in pace libere et quiete ab omnibus placitis querelis et secularibus demandis ad me vel ad heredes meos pertinentibus, salvo predicto servicio. Et pro hac donatione [f. 120v.] et concessione dedit michi predictus Robertus xx^{ti} marcas argenti et unum palefridum pretio viginti solidos et unam robam de viridi. Et preterea predictam terram adquietavit versus Judeos quibus invadiaveram de viginti marcas argenti, catallo et lucro, et versus Christianos de tribus marcis argenti. Ego vero et heredes mei warantizabimus predicto Roberto et heredibus suis vel cui eam donare vel assignare voluerit totam predictam terram cum omnibus pertinenciis suis contra omnes homines et feminas. Quod si forte eis warantizare non possimus dabimus eis excambium ad valenciam illius terre. Et ut hec mea donatione etc. T*estibus* etc.

[1]   The size of the holding, identified in no. 329 as a quarter of a knight's fee, is not stated here.

331. *Charter of Henry de Montfort to Robert de Berkeley restoring and quitclaiming the land which William de le Fremonte sold to him: 26 acres of the domain of Baggridge, all his wood of Hassage, half the wood of Prestwick, the meadow called* Aldredesmed, *and the land held by Elias of Prestwick, William de la Suzze, and Edward of Hassage. Robert has paid Henry 12½ marks and has given him 1 quarter-virgate and a third of a quarter-virgate, the land near the bridge at Foxcote which Richard son of Wlward held of William de le Fremonte. Henry is to render 1 pound of cumin annually. (1190 × 1221.)[1]*

Sciant presentes et futuri quod ego Henricus de Muntfort[2] reddidi Roberto de Berkel' totam terram quam Willelmus de le Fremunt dedit michi pro servicio et homagio meo et pro pecunia quam dedi ei[3] scilicet xxvi acras terre de dominio de Baggerug' et totum boscum quem habui de Harseruge qui pertinet ad manerium de Baggeruge, et medietatem bosci de Prestewike[4] in parte aquilonali, et pratum quod vocatur Aldredesmed, et totam terram quam Helyas de Prestewike tenet, et totam terram quam Willelmus de la Suzze[5] tenet, et totam terram quam Edwardus de Harserugge tenet, in bosco et in plano in pratis et in pascuis in aquis et molendinis in viis et in semitis et in omnibus locis et rebus ad predictam terram spectantibus. Ita quod ego nichil inde reteneo ad opus meum vel ad heredes meos nec amodo aliquid inde calumpniabor nec capiam nec exigam nec aliquis pro me vel pro heredibus meis.[6] Et quando ego predictam terram prefato Roberto reddidi ipse Robertus dedit michi xii marcas argenti et dimidiam, et pro servicio meo et homagio et in excambium predicte terre dedit michi unum ferlingium terre et tertiam partem ferlingi terre, scilicet terram illam quam Ricardus filius Wlwardi tenuit de predicto Willelmo de le Fremonte juxta pontem de Foxcote.[7] Tenendam et habendam michi et heredibus meis de se et heredibus suis solutam et quietam ab omni servicio salvo tamen regali servicio cum evenerit, scilicet quantum ad tantam terram faciendum pertinet, et unam libram cimini quam reddere debeo ei annuatim ad [f. 121][8] festum Sancti Michaelis. Et quia nolo quod ille Robertus vel heredes ejus vel cui ipse eam assignare voluerit debeant inde vexari presenti scripto et sigilli mei appositione signato totam predictam terram quam tenui de prelibato Willelmo et totum jus meum pariter quod inde habui sibi resignavi. Testibus.

¹   The limits of date are provided by Robert's tenure of Berkeley.
²   The de Montforts of Farleigh were well established locally, holding land for example at Radstock and Faulkland.
³   MS. *eis.*
⁴   *Prestewike* survived as Prestick and Prestwick (Som. Rec. Off., Baggridge Tithe Award).
⁵   *La Suzze* may be *la Sorr.*
⁶   For *heredibus meis* MS. has *me.*
⁷   The bridge at Foxcote was known as Baggridge Bridge (Baggridge Tithe Award).
⁸   Rubric: *Baggerugge.*

332. *Charter of William de le Fremonte to his son Ralph granting all the land which Richard son of Wlward held in Peglinch in the fee of Baggridge. To augment this he gives him 5 acres in* Brevescumbe, *2 acres on* Puteldone, *3 acres at* Þormermora, *half of Prestwick Wood, a meadow on Hassage moor and 6 acres in* Lupurforlonge. *Ralph owes him an annual render of 1 pound of pepper. (Late twelfth or early thirteenth century.)*

Sciant tam presentes quam futuri quod ego Willelmus de lefremund consilio amicorum meorum et concessu heredum meorum dedi et concessisse Radulfo filio meo pro servicio suo et homagio in feudo et in hereditate totam terram illam quam Ricardus filius Wlwardi tenuit in Pegeling de feudo de Bakeruge cum omnibus pertinenciis suis. Et in augmento illius prenominate terre quinque acras in Brevescumbe, et duas acras super Puteldone, et tres acras ad Þomermoram cum prato, et dimidium boscum de Prestewika apud austrum, et unum pratum in mora de Herserigge, et in alio campo sex acras in Lupurforlonge apud occidentem.¹ Hanc autem teneriam cum omnibus pertinenciis suis tenebit Randulfus² et heredes sui de me et heredibus meis libere et quiete in bosco in pratis in planis in pascuis et in omnibus locis. Reddendo inde annuatim michi aut heredibus meis unam liberam piperis ad festum Sancti Michaelis pro omni servicio preter servicium domini regis. Et ut hec mea donatio etc. *Testibus* etc.

Marginal note: Nota redd' i lb' piperis.

[1] MS. *occidentent*.
[2] The change of name is unmistakable.

333. *Charter of William de le Fremonte to Robert de Orunde granting the furlong in Baggridge which Reginald King held. To augment this, he grants him common of pasture for 8 animals with his own animals everywhere within the manor except in his own virgate. Robert owes William an annual render of 1 pound of cumin. (Late twelfth or early thirteenth century.)*

Sciant tam presentes quam futuri quod ego Willelmus de le Fremund assensu et concessu heredum meorum dedi et concessi Roberto de Orunde et heredibus suis pro servicio et homagio suo unam forlingam terre in Bagerigia quam Reginaldus King tenuit, et in aumento[1] illius pasturam octo animalium ubique cum meis propriis animalibus excepto virgulto meo. Hanc autem terram et communionem in boscuis[1] et planis et omnibus locis tenebit predictus Robertus et heredes sui de me et heredibus meis libere et quiete, salvo servicio domini regis. Reddendo michi et heredibus meis annuatim ad festum Sancti Michaelis unam libram cimini. Et ut hec donatio rata et in concussa permaneat literis meis et sigilli mei inpressione corroboravi. *Testibus* etc.

Marginal note: redd' i lb' cim'.

[1] In the text, *aumento* is an attested variant of *augmento*; *boscuis* seems to be an eccentricity of the writer of the original charter.

334. *Charter of Walter son of Everard of Gatbury to Robert de Berkeley confirming with the assent of Emma his wife all his land in Baggridge, assessed as 1 virgate, for an annual payment of half a mark, to be paid to Walter or his heirs or their messenger, sent to the fee for this purpose. This land had been conveyed to Robert by Emma's brother William de le Fremonte. (1190 × 1221.)[1]*

[f. 121v.] Sciant presentes et futuri quod ego Walterus filius Everardi de Geteberi consilio et assensu Emme uxoris mee et heredum meorum concessi et hac presenti carta mea confirmavi Roberto de Berkel' pro[2] humagio et servicio suo totam terram de Baggeruge cum omnibus pertinenciis suis sine aliquo retenemento que se defendit pro una virgata terre. Tenendam sibi et heredibus suis de me et heredibus meis pro una dimidia marca argenti annuatim ad festum Sancti Michaelis. Reddendo in eodem feudo michi et heredibus meis vel nuntio nostro quem ad eundem feudum mittemus propter ipsam dimidiam marcam argenti pro omnibus serviciis ad me vel ad heredes meos pertinentibus, salvo regali servicio quantum scilicet pertinet ad unam virgatam terre. Quare volo quod ipse Robertus de Berkel' et heredes sui post ipsum vel cui eam donare vel assignare voluerit habebant et teneant totam predictam terram [cum omnibus libertatibus] spectantibus in bosco et plano in pratis et pasturis in viis et semitis et in omnibus rebus [et] locis bene et in pace libere et quiete ab omnibus placitis querelis secularibus demandis ad me vel ad heredes meos spectantibus, salvo predicto servicio sicut carta Willelmi de le Fremund fratris uxoris mee plenius et melius testatur. Et ut hec mea concessio etc. *Testibus* etc.

¹ Limits of date are from Robert de Berkeley's tenure of the Berkeley lordship. The grant confirmed is that made in nos. 329 and 330.
² MS. *et.*

335. *Charter of Walter of Gatbury and Emma his wife; a duplicate of no. 328. The place-name Bageruge appears as Bakerugg'. (1190 × 1221.)*

336. *Charter of Reginald of Gatbury son and heir of Walter of Gatbury and Emma his wife. He has inspected the charter by which Robert de Berkeley gave to St Augustine's the land in Baggridge which he had bought from William le Fremonte and he confirms the grant. The canons are to pay him half a mark annually by the hand of their precentor. (? Early thirteenth century.)*¹

Omnibus Christi fidelibus ad quos presens scriptum pervenerit Reginaldus de Gatebir' filius et heres Walteri² de Gatebir' et Emme uxoris sue, salutem in domino. Noverit universitas vestra me cartam domini [f. 122]³ Roberti de Berkelo inspexisse et plenius intellexisse qua deo et ecclesie Sancti Augustini de Bristoll' et canonicis regularibus ibidem deo servientibus totam terram⁴ quam emit de Willelmo le Fremont apud Bakeruge in liberam puram et perpetuam elemosinam dedit et concessit et carta sua confirmavit. Ego vero dictam donationem ratam et stabilem inperpetuum sicut liberam puram et perpetuam elemosinam volens permanere eam pro salute anime mee et omnium antecessorum et successorum meorum dictis canonicis et eorum successoribus pro ut in carta dicti Roberti de Berkel'⁵ melius et plenius continetur presens scriptum sigilli mei inpressione roborato confirmo. Ita quod dimidia marca argenti michi et heredibus meis singulis annis in festo Sancti Michaelis in domo Sancti Augustini per manus cantarii dicte domus persolvatur. *Testibus* etc.

¹ This is closely linked with the charters dated 1190 × 1221, but there is nothing to indicate whether it was issued before or after the death of Robert de Berkeley.
² MS. *Walterus.*
³ Rubric: *Baggerugge et Blakdune.*
⁴ *meam* deleted.
⁵ A word has been erased here.

337. *Charter of Reginald of Gatbury to St Augustine's confirming the grant of the half a mark of annual rent which they owed for Baggridge. (? Early thirteenth century.)*

Notum sit universis tam presentibus quam futuris presens scriptum visuris vel audituris quod ego Reginaldus de Ietebiri pro salute anime mee patris mei matris mee et omnium antecessorum et successorum meorum dedi concessi et hac presenti carta mea confirmavi deo et ecclesie Sancti Augustini de Bristoll' et canonicis regularibus ibidem deo servientibus dimidiam marcam argenti anni redditus quam dicti canonici michi singulis annis pro terra sua de Bakerugg' reddere consueverunt. Et quia volo quod prefati canonici et eorum successores a prestatione supradicte dimidie marce de me et heredibus meis inperpetuum quieti sint et immunes, in hujus rei testimonium presens scriptum sigilli mei inpressione roboravi. Te*stibus* etc.

338. *Charter of William son of Robert fitz Martin to St Augustine's granting a messuage in Blagdon, between the land of the monks of Bath and Blakemere, and common of pasture above the road from Priddy to Burrington. He has placed his gift on the altar of St Augustine's. Among the beneficiaries of his gift is his lord, Henry, the young king. The text is taken from the original charter. (1170 × 83.)*[1]

Omnibus sancte matris ecclesie fidelibus ad quos presens carta pervenerit Willelm*us* filius Robe*rt*i filii Martini salutem . Sciatis quod ego ad honorem dei et sancte religionis concessi et dedi canonicis Sancti Augustini de Bristoll' et manibus meis optuli super altare Sancti Augustini unum masuagium[2] in manerio meo de Blakeduna quod est inter terram monachorum Bathonie et stagnum de Blakemere[3] . cum duabus croftis ad predictum masuagium pertinentibus . et decem acras terra inter jamdictam terram monachorum et Blakemere[4] et communionem [f. 122v.][5] pasture mecum et cum omnibus meis ultra viam que jacet inter Pridiam de Buringtune in quantum terra mea extendit . in liberam et puram et perpetuam elemosinam pro salute anime mee et domini mei Henrici regis junioris et[6] uxoris mee . et omnium parentum meorum . Ita ut predicti canonici omnia ista habeant . et teneant inperpetuum . libere . et plene . honorifice et quiete ab omni servicio seculari aut me aut ad[7] heredes meos pertinente . Volens igitur prefatam donationem ratam et firmam inperpetuum esse predictis canonicis hac carta mea eam confirmavi . et sigilli mei impressione[8] roboravi . Testibus[9] . Robe*rt*o filio Robe*rt*i filii Hardingi . Joha*nn*e de Novavilla . Hugone de Gant . Da*vi*d Walense . Joha*nn*e de Cogan . Hen*ric*o de Gant . Philippo de Burci . Roberto de Burci . Wille*lm*o Bodin . Robe*rt*o de Lega . Wille*lm*o de Boclande . et aliis pluribus.

Original charter BCM SC no. 48. Single fold, three slits parchment tag, seal missing. Endorsed: (1) CARTA Willelmi filii Martini de terra de Blakeduna. (2) ad .iij. (3) To St Augustines. (4) 35.

Calendared: Jeayes, *Select Charters*, p. 22, no. 48.

[1] The limits of date are provided by the coronation and death of Henry the young king. The family retained the name fitz Martin. Robert fitz Martin was pardoned a debt in 1158, and died before 29 September 1159; (*PR 4 Henry II, The Great Rolls of the Pipe for the Second, Third, and Fourth Years of the Reign of King Henry the Second*, ed. J. Hunter, 1844, Reprint, PRS, 1930, p. 159; *PR 5 Henry II*, PRS, 1, p. 21). William's heir accounted for a debt of 300 marks for his lands in 1209 (*PR 11 John*, PRS, NS, 24, p. 102).

[2] *mesuagium*, Cartulary.

[3] Did this *stagnum de Blakemere* develop into Blagdon Lake?

[4] MS. omits *cum duabus . . . Blakemere*.

[5] In the lower margin of f. 121v., in a late medieval hand, *Blakeduna*.

[6] *et* omitted, Cartulary.

[7] *ad* omitted, Cartulary.

[8] *inpressione*, Cartulary.

[9] MS. *T*[*estibus*].

339. *Charter of William son of Robert fitz Martin to St Augustine's granting in free alms common of pasture for 50 sheep on the north side of the road called* Raganachereswei, *and pasture for 30 mares with foals of two years. The text is taken from the original charter.* (*1159 × 1209.*)[1]

Omnibus sancte ecclesie fidelibus ad quos presens carta pervenerit Will*elmu*s filius Rob*erti* filii Martini salutem . Sciatis quod ego pro salute anime mee et uxoris mee et antecessorum et liberorum meorum concessi et dedi canonicis Sancti Augustini de Bristoll' in liberam puram et perpetuam elemosinam communam pasture ex parte aquilonari vie que dicitur Raganachereswei[2] . videlicet quod ipsi canonici in eadem communa pasture quingentas oves habeant et teneant inperpetuum . libere et plenarie honorifice et quiete ab omni servicio seculari ad me aut ad heredes meos pertinente . Insuper concessi eisdem canonicis ut habeant triginta equas cum exitu duorum annorum in communa totius pasture mee pro ut jacet in longitudine et latitudine . Et quia hec omnia concessi . et dedi eisdem canonicis in puram perpetuam et liberam elemosinam . volo ut nulli hominum inde respondeant . sed sint quieti et immunes ab omni seculari servicio sicut liberam decet elemosinam . Et hanc donationem presenti carta mea sigilli mei inpressione roborata confirmavi . Hiis te*stibus* . Ric*ardo* capellano de Blakedun' . Rob*erto* de Sancta Cruce senescallo . Rog*er*o de Aldewic' . Ric*ardo* de Munecheston' . Rob*erto* de Ses[. .]ga . Rog*er*o pistore . Hug*one* de Paeteto . Ada*m* de Hospicio . Will*elm*o Scutario . et aliis.

Original charter BCM SC no. 111. Single fold, single slit, parchment tag, remains of seal.[3]

Calendared: Jeayes, *Select Charters*, p. 43, no. 111.

Marginal note: jlwyke.

[1] See no. 338, n. 1.

[2] Perhaps Rough Acre's Way.

[3] Endorsements are difficult to decipher.

340. *Charter of Henry Luvesceth to St Augustine's granting in free alms 11 acres of his meadow of the Stert in Sandford; they are to pay 2d annually to him and his heirs.(? Mid-thirteenth century.)*[1]

Omnibus Christi fidelibus ad quos presens scriptum pervenerit Henricus Luvesceth', salutem in domino. Noverit universitas vestra me pro salute anime mee patris mei matris mee et omnium antecessorum et successorum meorum, voluntate et ascensu heredum meorum dedisse concessisse et hac presenti carta mea confirmasse deo et ecclesie Sancti Augustini de Bristoll' et canonicis [f. 123][2] regularibus ibidem deo servientibus undecim acras prati mei de la Storte apud Sanford. Tenendas et habendas sibi inperpetuum de me et heredibus meis libere et quiete integre et pacifice sicut liberam puram et perpetuam elemosinam. Ita quod dicti canonici nec heredibus meis nec alicui hominum in aliquo inde respondeant inperpetuum nisi tamen in duobus denariis[3] michi vel heredibus meis annuatim in festo Sancti Michaelis pro omni servicio et exactione seculari persolvendis. Volo autem quod dicti canonici ad dictum pratum super terram meam liberum habeant ingressum cum bigis et gacariis[4] suis. Ita quod nec in ingressu nec in egressu per me vel per aliquem meorum aliquod sentiant inpedimentum aut gravamen. Ego etiam et heredes mei dictas undecim acras dictis canonicis contra omnes homines et feminas warantare[5] debebimus[6] etc. *Testibus* etc.

Marginal note: Sandeford'.

[1] Nos. 340–4 are difficult to date. Henry Luvesceth has not been traced. His name may be derived from OE *lufu* and *ceast*, and mean love-strife. It seems unlikely that the Thomas Multon with whom he is associated (nos. 343–4) is the royal justice, Thomas Moulton, who died in 1240. The form of his name in no. 342, Moeltone, may suggest a modern form, Meldon or Melton. The charters indicate that he was a local and modest sub-tenant.
[2] Rubric: *Sanforde*.
[3] MS. *duo den*.
[4] MS. *bigis et ga cariis*, presumably for wagons and servants.
[5] *warantare* is a reading which occurs occasionally.
[6] MS. *debimus*.

341. *Charter of Henry Luvesceth to St Augustine's granting and confirming to the almoner the payment of 2d which he has been receiving for 11 acres of meadow in the Stert, in Sandford.(? Mid-thirteenth century.)*

Omnibus Christi fidelibus ad quos presens scriptum pervenerit Henricus Levessech, salutem in domino. Noveritis me pro salute anime mee patris mei matris mee omnium antecessorum et successorum meorum dedisse concessisse et hac presenti carta mea confirmasse deo et elemosinarie Sancti Augustini de Bristoll' [redditum quam][1] percipere consuevi pro undecim acris prati de Lasturt' apud Sanford' pro ut in carta dictis canonicis super hoc confecta plenius continetur, libere et quiete integre et pacifice in liberam puram et perpetuam elemosinam. Ita ut nec michi nec alicui heredum meorum vel alicui alii in aliquo respondeant. Ego autem et heredes mei hanc donationem contra omnes homines et feminas warantizabimus inperpetuum, etc. *Testibus* etc.

---

¹ The scribe has omitted critical words here. The charter is not a grant of 11 acres of meadow, but the grant of the rent due for that land, the amount of which is given in no. 340.

342. *Charter of Henry Luvesceth. With the assent of his wife Eva he conveys to Thomas Moelton 3 quarter-virgates of land in Sandford, Bagley,* Citolforlunga, Sandiverd, *below the Knoll,*¹ *on the Hill, in Brockmead, the Drove, and the Stert, and land held by Richard son of Wlfric, Eustace de la Drova, Gilbert Draco, and Gilbert de Derviherste. From his demesne he also grants 13 acres of arable land and 3 acres of meadow.*² *Thomas is to render 1 pound of wax a year and has paid 4 marks in recognition. (? Mid-thirteenth century.)*

Sciant presentes et futuri quod ego Henricus Lovecheast assensu et concensu Eve uxoris mee confirmavi Thome Moeltone pro servicio suo et homagio duas ferdellas terre in Sandford, scilicet totum illud mesuagium quod Ricardus filius Wlfrici tenuit cum omnibus pertinenciis suis, scilicet terram illam que tendit apud montem sub via et super viam cum nemore, et duas acras et dimidiam in Bageleya, et duas [f. 123v.] dimidias acras in Citolforlunga, et quatuor dimidias acras que jacent super Hullam cum una acra prati in Sandiverd, et terram quam Gilebertus Draco tenuit juxta mesuagium predicti Ricardi cum omnibus pertinenciis suis, scilicet croftam illam que jacet desuper predictum mesuagium, et unam acram que tendit super viam cum nemore quod jacet ad capud predicte terre, et unam acram in Bageleya, et unam acram sub Cnolla, et unam acram et dimidiam que jacent super Hullam, et unam percatam terre que jacet in australi parte de Brokemed, et unam acram que jacet apud Drovam cum una acra prati in Brokemed. Preterea dedi et concessi predicto Thome et heredibus suis tres acras et dimidiam de dominio meo super Steartam, scilicet duas acras que jacent juxta terram quam Henricus de la Mara tenuit apud australem partem, et unam acram que jacet juxta terram predicti Gileberti, scilicet apud aquilonalem partem ad capud proximam preter unam, et duas acras prati de dominio meo que jacent juxta pratum Thome de Munford apud aquilonalem partem, et unam dimidiam acram terre que jacet super Steartam in australi parte terre predicti Gileberti, et sex acras in mara in forlongo medio per partem apud occidentalem partem de la Stearta juxta pratum Walteri prepositi, et terra quam Eustachius de la Drova tenuit cum omnibus pertinenciis suis, scilicet unam acram prati que jacet apud occidentalem partem de la Stearta juxta pratum Walteri prepositi apud occidentalem partem, cum tribus acris terre que jacent inter predictam terram Eustachii,³ et terram Galfridi de Dervihurste, scilicet de dominio meo. Tenendas et habendas sibi et heredibus suis de me et heredibus meis cum omnibus libertatibus et liberis consuetudinibus in bosco et plano in pratis et pasturis in viis et semitis et in omnibus rebus [et] locis ad predictas terras pertinentibus, bene et in pace libere et quiete integre et honorifice. Reddendo inde michi et heredibus meis singulis annis unam libram cere ad festum Sancti Michaelis pro omnibus serviciis et demandis ad me vel ad heredes meos pertinentibus, salvo tantum regalis servicio quantum scilicet ad tantam terram pertinebit. Ego vero et heredes mei totas has predictas terras debemus warantizare predicto Thome et heredibus suis contra [f. 124][4] omnes homines et feminas in hundredo et comitatu et in quolibet loco. Quando vero hanc donationem et concessionem sibi feci ipse Thomas dedit michi quatuor marcas argenti de recognitione. Et quia volo quod hec mea donatio etc. *Testibus* etc.

[1] The name may perhaps be Sandford below the Knoll.

[2] As this is one of the estates later grouped with Rowberrow for accounting, the presumption is that Sandford is Sandford in Winscombe or Sandford in Wembdon. In the Tithe Award for Winscombe, the names Broad Knowl, Sandfordwood, Droves, Longhill, and Brockmead occur. *La Storte* and *Derviherste* match later forms in Wembdon. I incline to the view that the holding lay in Winscombe.

[3] *MS. Eustachi.*

[4] Rubric: *Sanford'*.

343. *Charter of Thomas Multon to St Augustine's granting 3 quarter-virgates in Sandford which his lord, Henry Luvesceth, had given him, and the increment of land which Henry had given him there. The canons are to hold these lands of Henry, and pay him an annual render of 1 pound of wax. (? Mid-thirteenth century.)*

Omnibus Christi fidelibus ad quos presens scriptum pervenerit Thomas Multun, salutem in domino. Noverit universitas vestra me pro salute anime mee patris mei matris mee et omnium antecessorum meorum dedisse concessisse et hac presenti carta mea confirmasse deo et ecclesie Sancti Augustini de Bristoll' et canonicis regularibus ibidem deo servientibus tria ferendella terre in Sanford cum omnibus pertinenciis suis, quo quidem ferendella dominus meus Henricus Luvesceth michi pro homagio et servicio meo dedit et concessit et carta sua confirmavit. Dedi etiam et concessi dictis canonicis totum incrementum terre quam idem Henricus michi dedit et concessit de dominio suo, tam in prato quam in terra arrabili, prout carta ipsius michi super predictis confecta plenius et melius testatur. Ita quod dicti canonici omnia predicta habeant et teneant inperpetuum de dicto Henrico et heredibus ejus [libere et quiete integre et pacifice sicut liberam et perpetuam elemosinam. Reddendo inde unam libram cere dicto Henrico et heredibus ejus][1] in festo Sancti Michaelis annuatim solvendam pro omni exactione et servicio seculari ad eos pertinenti, salvo etiam regali servicio cum acciderit, quantum videlicet ad tria ferendella terre in predicta villa de Sanford pertinebit. Quod ut ratum perpetuo perseveret presens scriptum sigilli mei appositione duxi roborandum. *Testibus*.

[1] The scribe's omission is supplied from no. 344.

344. *Charter of Henry Luvesceth to St Augustine's confirming in free alms the grant made by Thomas Multon of 3 quarter-virgates in Sandford, and of the* *increment in land which Henry had given him there. They are to render to Henry and his heirs 1 pound of wax each year. (? Mid-thirteenth century.)*

Omnibus Christi fidelibus ad quos presens scriptum pervenerit Henricus Luvesceth, salutem in domino. Noverit universitas vestra me pro salute anime mee et omnium antecessorum meorum concessisse et hac presenti carta mea confirmasse deo et ecclesie Sancti Augustini de Bristoll' et canonicis regularibus ibidem deo servientibus illam donationem quam Thome Multun fecit eis de tribus ferendellis terre in Sanford cum omnibus pertinenciis suis, et cum incremento terre quam ego dicto Thome pro homagio et servicio suo una cum dictis ferendellis dedi [f. 124v.][1] et concessi et carta mea confirmavi. Ita quod dicti canonici totam predictam terram cum pertinenciis suis habeant et teneant inperpetuum de me et heredibus meis libere et quiete integre et pacifice sicut liberam et perpetuam elemosinam. Reddendo inde annuatim michi et heredibus meis unam libram cere in festo Sancti Michaelis [annuatim solvendam] pro omni exactione et servicio seculari ad nos pertinenti, prout carta mea dicto Thome super predictis confecta plenius et melius testatur, salvo etiam regali servicio cum acciderit, quantum videlicet ad tria ferendella in predicta villa de Sanford pertinebit. Ego autem et heredes mei totam predictam terram cum omnibus pertinenciis suis dictis canonicis contra omnes homines et feminas warantizabimus inperpetuum. Quod ne inposterum devocetur indubium presenti scripto sigillum meum duxi apponendum. T*estibus* etc.

[1] Rubric: *Sanford.*

345. *Charter of William son of Azo to St Augustine's granting in free alms a virgate in Weston super Mare. (1189 × 1 November 1191.)*[1]

Willelmus filius Azonis universis sancte ecclesie fidelibus ad quos hec carta pervenerit, salutem. Sciatis quod ego pro salute anime mee et patris et matris mee et aliorum antecessorum meorum et fratrum et heredum meorum dedi et concessi ecclesie Sancti Augustini de Bristoll' et canonicis ejusdem loci unam virgatam terre de mea hereditate, scilicet illam virgatam[2] quam habui apud Westonam totam inperpetuam liberam puram elemosinam. Ut predicti canonici illam virgatam habeant et teneant inperpetuum sicut puram elemosinam sine omni exactione consuetudine et seculari servicio quod heredibus meis vel alicui alii inde faciant. T*estibus.*

Marginal note: Weston super Mare juxta Worle.

[1] This grant was confirmed by John, as count of Mortain (no. 23).
[2] *terre de mea hereditate scilicet illam virgatam* repeated.

346. *Charter of Geoffrey son of Azo to St Augustine's confirming the grant of a virgate in Weston super Mare made by his brother William. (1189 × 1 November 1191.)*[1]

Galfridus filius Azair universis sancte ecclesie fidelibus ad quos presens carta pervenerit, salutem. Sciatis quod ego amore dei et salute anime mee et uxoris mee et pro salute Azonis patris mei et matris mee et omnium antecessorum meorum concessi et confirmavi ecclesie Sancti Augustini de Bristoll' et canonicis ibidem deo servientibus illam virgatam terre cum omnibus pertinenciis suis quas Willelmus filius Azonis frater meus eis dedit apud Westone et carta sua confirmavit. Quia volo quod predicti canonici illam virgatam habeant et teneant inperpetuum sicut puram et perpetuam elemosinam sine omni exactione consuetudine et servicio seculari quod heredibus meis [f. 125][2] vel alicui alii faciant. T*estibus.*

Marginal note: Weston'.

[1]   This grant was confirmed by John, as count of Mortain (no. 23).
[2]   Rubric: *Weston et Halberton.*

347. *Charter of R. de Burci to St Augustine's granting in free alms the virgate in Weston super Mare given by William son of Azo. (Late twelfth century.)*[1]

Universis sancte ecclesie fidelibus ad quos presens carta pervenerit R. de Burc',[2] salutem. Sciatis quod ego pro salute anime mee et uxoris mee et heredum meorum et omnium antecessorum nostrorum concessi et hac presenti carta mea confirmavi ecclesie Sancti Augustini Bristoll' et canonicis ibidem deo servientibus illam virgatam terre cum omnibus pertinenciis suis quam Willelmus filius Azonis eis dedit apud Westonam et carta sua quam inspeximus confirmavit. Quare volo et firmiter precipio quod predicti canonici illam virgatam habeant et teneant inperpetuum sicut puram et perpetuam elemosinam sine omni exactione et consuetudine et servicio seculari quod michi vel heredibus meis vel alicui alii inde faciant. T*estibus.*

[1]   This cannot be far removed in date from no. 345.
[2]   The name has been corrected from *Curc'*; *Burci* has been interlined.

348. *Charter of Philip de Burci to St Augustine's confirming in free alms 6 acres of arable land in Weston super Mare and an acre of meadow in the east part of the meadow towards Frogmead. (Temp. Henry II.)*[1]

Sciant omnes ad quos presens scriptum pervenerit quod ego Philippus de Burci pro salute anime mee et uxoris mee et liberorum meorum et pro salute anime patris mei et matris mee et omnium antecessorum et successorum meorum dedi et presenti carta confirmavi canonicis Sancti Augustini de Bristou vi acras terre arabilis apud Westone, scilicet tres ad occidentem partem ecclesie et tres in mora, et unam acram prati ad orientalem partem, prati erga Frogmed', in liberam et perpetuam elemosinam. Tenendas de me et de heredibus meis libere et quiete pacifice et honorifice solutas et quietas ab omni exactione et servicio seculari. Ego autem et heredes mei manutenebimus et acquietabimus jam dictis canonicis de predicta terra adversus omnes homines ab omni servicio seculari sicut liberam elemosinam. *Testibus*.

[1]   Philip de Burci was fined half a mark in 1174–5, and again for an offence against forest laws in 1175–6, a debt which he had paid in full by Michaelmas 1179 (*PR 21 Henry II*, PRS, 22, p. 26; *PR 22 Henry II*, PRS, 25, p. 159; *PR 24 Henry II*, PRS, 27, p. 41; *PR 25 Henry II*, PRS, 28, p. 69).

349. *Charter of William de Bosco addressed to Bartholomew, bishop of Exeter, recording that he has given the church of Halberton (Devon) to St Augustine's. (1161 × 84; probably 1161 × 66.)*[1]

Venerabili domino et patri suo B*artolomeo* dei gratia Exon' episcopo W*illelmus* de Bosco, salutem. Noverit dilectio vestra me pro salute mea meorumque omnium concessisse et dedisse ecclesiam de Halbertone quantum de jure advocationis mee competebat persone canonicis Sancti Augustini de Bristoll' inperpetuam elemosinam et eis hanc eandem hac mea carta [f. 125v.] confirmasse cum terris et decimis et omnimodis possessionibus et pertinenciis suis. Quare volo et quantum possim firmitate precipio quatinus predicti canonici hanc ecclesiam habeant et teneant libere integre et pacifice inperpetuum. *Testibus*.

Marginal note: (*Modern*) Ecclesia de Elburton.

[1]   Bartholomew was consecrated 18 April 1161 and died 15 December 1184. William's gift of his portion of Halberton church was presumably made at the same time as Gregory de Turri's gift (no. 352).

350. *Charter of Ralph de Bosco to St Augustine's confirming the gift in free alms of the church of Halberton (Devon) which his father William had made. He has placed his charter on the altar of St Augustine's. (Third quarter of the twelfth century; probably 1161 × 66.)*[1]

Omnibus sancte matris ecclesie fidelibus ad quos presens scriptum pervenerit Radulfus de Bosco, salutem. Sciatis me pro amore dei et pro salute anime patris mei et matris mee concessisse quantum ad me pertinet ecclesie Sancti Augustini de Bristou et canonicis regularibus ibidem deo servientibus ecclesiam de Haubertona cum omnibus ad eam pertinentibus in omnibus libertatibus et liberis consuetudinibus suis. Quam ecclesiam pater meus Willelmus predictis canonicis quantum ad eum pertinebat inperpetuam et puram elemosinam dedit et carta sua confirmavit. Quare volo ut ipsi canonici ecclesiam de Habertone plene et integre bene et in pace et honorifice inperpetuum habeant et possideant. Et ut hec mea concessio firma et in concussa semper permaneat eam sigilli mei inpressione corroboravi et presentis carte mee attestatione confirmavi, quam cartam propriis manibus super altare Sancti Augustini optuli. *Testibus*.

[1]   Ralph de Bosco attested a charter of William, earl of Gloucester, to the Augustinians at Canonsleigh (Devon), which cannot be dated more narrowly than *c.* 1161 × 83 (*EGC*, p. 59, no. 44).

EGC prefers the more cautious dating 1147 × 83, but the date of *c*. 1161 for the foundation of the abbey is sound.

351. *Charter of Ralph de Bosco. With the assent of his wife Agnes he has given 5 acres in* Puttestona *to the church of Halberton in free alms. (Third quarter of the twelfth century.)*

Omnibus sancte matris ecclesie filiis ad quos presens scriptum pervenerit Radulfus de Bosco, salutem. Noverit universitas vestra quod ego Radulfus de Bosco concensu et ascensu Agnetis uxoris mee et heredum meorum dedi et concessi in puram et perpetuam elemosinam deo et ecclesie de Haubertone quinque acras terre in Puttestona juxta viam directam versus Inmenam Clamle[1] ex parte orientali. Habendas et tenendas inperpetuum pro salute anime mee et predecessorum et successorum meorum. Et ut hec donatio mea et concessio inperpetuum rata et inconcussa permaneat presenti scripto sigillum meum apposui. T*estibus.*

[1]   The place-names *Puttestona* and *Inmenam Clamle* have not been identified. If *Puttestona* is local and lies to the east of Halberton, that might link *Inmenam Clamle* with Uffculme or, less probably, Culmstock.

352. *Charter of Gregory de Turri addressed to Bartholomew, bishop of Exeter. He has given St Augustine's in free alms the church of Halberton. (1161 × 66.)*[1]

Venerabili domino et patri B*artholomeo* dei gratia Exon' episcopo Gregorius de Turre, [f. 126][2] salutem. Sciatis quod ego pro salute mea et uxoris mee et omnium antecessorum et successorum et liberorum nostrorum concessi et dedi ecclesiam de Hauberto quam de jure advocationis mee petebat persone canonicis Sancti Augustini de Bristoll' inperpetuam elemosinam, et eam eis presenti carta confirmavi. T*estibus* etc.

[1]   See nos. 33, 35. Gregory appeared regularly in the entourage of William, earl of Gloucester, and was named in his *Carta* of 1166 (*RBE*, i, p. 291). His gift had been confirmed by Henry II in a charter probably issued before 1172 (no. 6). Since in the same charter Henry confirmed the gift made by Gregory's son William, Gregory had died before that date. *EGC* (no. 184) places his death soon after 1166. Gregory's sons had all grown to maturity and attested Earl William's charters.
[2]   Rubric: *Halberton.*

353. *Charter of William son of Gregory de Turri to St Augustine's confirming in free alms the grant of the church of Halberton made by his father, and has added the woodland of* Presechna[1] *to this grant. William has placed his charter on St Augustine's altar. (Before 1172.)*

Omnibus sancte ecclesie fidelibus ad quos presens scriptum pervenerit Willelmus filius Gregorii de Turri, salutem. Sciatis me pro amore dei et pro salute anime patris mei et matris mee concessisse quantum ad me pertinet ecclesie Sancti

Augustini de Bristoll' et canonicis regularibus ibidem deo servientibus ecclesiam de Hauberton' cum omnibus ad eam pertinentibus in omnibus libertatibus et liberis[2] consuetudinibus suis. Quam ecclesiam pater meus Gregorius predictis canonicis quantum ad eum pertinebat de jure advocationis integre cum omnibus pertinenciis suis inperpetuam et puram et liberam elemosinam dedit. Quare volo ut ipsi canonici ecclesiam de Haubertone plene et integre bene et in pace et honorifice cum bosco de Presechna subtus Holewei et super Holewei usque ad Pinkewei inperpetuum possideant et hanc cartam propriis manibus super altare Sancti Augustini de Bristou optuli. T*estibus* etc.

[1] Domesday Book recorded unnamed woodland 16 furlongs by 13 furlongs in Halberton (*Liber Exoniensis*, f. 110b; *DB*, I, f. 101b; H. C. Darby and R. Welldon Finn, *The Domesday Geography of South-West England*, Cambridge, 1967, p. 156).

[2] *et liberis* repeated.

354. *Charter of Gilbert son of William son of Gregory de Turri. He has inspected the charters and confirmations issued by his father and mother; he confirms their grants to St Augustine's, and specifically the grant of the churches of Halberton (Devon) and Finmere (Oxon). At Finmere he confirms half a hide which had been given to the canons, which he now quits of royal service and of geld, danegeld, hidage, and tallage. For this confirmation the canons have paid Gilbert 20s. (Late twelfth or early thirteenth century.)*[1]

Omnibus Christi fidelibus ad quos presens carta pervenerit Gilebertus filius Willelmi filii Gregorii de Turri, salutem. Sciatis me auditis et inspectis cartis et confirmationibus Willelmi patris mei et M. matris mee et omnium parentum meorum [dedisse] et concessisse et hac presenti carta mea confirmasse quantum ad me pertinet ecclesie Sancti Augustini de Bristoll' et canonicis regularibus ibidem deo servientibus concessionem[2] ecclesie de Haubertona quam fecit Willelmus pater meus predictis canonicis cum omnibus ad eam pertinentibus in omnibus libertatibus et liberis consuetudinibus suis, quam etiam avus meus Gregorius de Turri tenuit et predictis canonicis quantum ad eum pertinebat de jure advocationis [f. 126v.] integre cum omnibus pertinenciis suis inperpetuam et puram elemosinam dedit. Quare volo ut ipsi canonici ecclesiam de Haubertone plene et integre cum omnibus pertinenciis suis bene et in pace et honorifice, cum bosco de Prestechna subtus Holeweia et super Holeweia usque ad Pinkeweia, inperpetuum possideant sicut carta et confirmatio Willelmi patris mei quam predicti canonici inde habent testatur. Confirmo etiam predictis canonicis donationem quam fecit Willelmus pater meus de ecclesia de Finemer' cum omnibus ad eam pertinentibus in omnibus libertatibus et liberis consuetudinibus suis, quam ecclesiam pater meus Willelmus filius Gregorii predictis canonicis quantum ad eum pertinebat de jure advocationis integre cum omnibus pertinenciis suis inperpetuam et puram et liberam elemosinam dedit. Et confirmo eis dimidiam hydam terre quam ipsa ecclesia tenet de feudo meo de Finemere ut ipsa ecclesia habeat et teneat[3] predictam dimidiam hidam inperpetuum, ita liberam solutam et quietam ab omni servicio ut nec michi nec heredibus meis aliquo tempore de aliquo servicio respondeat. Preterea omne servicium regis quod illa dimidia hida facere consuevit remisit et pardonavit inperpetuum *Willelmus* pater meus ut scilicet libera sit inperpetuum et quieta de geldo de danegeldo de hidagio de taillagio, de vivariis et fossatis faciendo et emendando, de parco claudendo, de cartis et caretis ad quodcumque opus inveniendo, de omni consuetudine exactione et servicio quodcumque super manerio de Finemera evenerit. Et hanc remissionem et pardonationem quam fecit Willelmus pater meus predicte ecclesie inperpetuum confirmo, ita quod ego et heredes mei de omni servicio consuetudine et exactione pro illa dimidia hida respondebimus et adquietabimus, ut sit inperpetuum pro me et antecessoribus et successoribus meis omnino libera et pura elemosina, sicut carta et confirmatio *Willelmi* patris mei quam inde habent canonici testatur. Pro hac autem confirmatione dederunt predicti canonici michi Gileberto filio Willelmi viginti solidos argenti. *Testibus.*

[1] A precise date is not easily established. The episcopal deeds which follow, and which extend to a later limit of 1206, do not cover the later history of the benefice of Finmere. It is possible that Gilbert may be the cleric who was chaplain to Hawise, countess of Gloucester (d. 1197) (*EGC*, p. 101, no. 101); that would strengthen the case for a late twelfth-century date.

[2] MS. *concessione.*

[3] MS. *habeant et teneant.*

355. *Grant by Bartholomew, bishop of Exeter, to St Augustine's. He has inspected charters of Gregory de Turri and William de Bosco, lords of the fee of Halberton, to whom the right of presentation to the church belongs, and who have given the church to St Augustine's. He has also inspected a charter of confirmation of William, earl of Gloucester. He now grants the church to the canons, saving a life interest in one portion of the church for Osbert the clerk, who shall render 1 pound of wax a year to the canons on VII Kalends of June (26 May). After Osbert's death his portion shall revert to the canons and the whole church shall then be devoted to their maintenance and to the maintenance of hospitality in the abbey. To serve the parish, the canons are to provide two priests with an adequate stipend, defined in no. 358. This charter was recited in the inspeximus charter issued by Bishop Henry Marshal (no. 357) with a number of omissions. (1161 × 66.)*[1]

Omnibus fidelibus ad quos presens scriptura pervenerit Bartholomeus divina miseratione dictus episcopus Exon', salutem in domino. Noverit universitas vestra quod ego per inspectionem cartarum [f. 127][2] Gregorii de Turri et Willelmi de Bosco ad quos presentatio ecclesie de Haubertone[3] sicut[4] ad dominos fundi noscitur pertinere, inspectione etiam carte nobilis viri Willelmi comitis Gloucest' principalis domini de Halbertone certioratus, quod ipsi ecclesiam ejusdem loci quantum [ad] advocatos pertinet inperpetuam elemosinam concesserunt ecclesie Beati Confessoris Augustini de Bristoll' et canonicis regularibus ibidem deo servientibus. Eandem quoque ecclesiam caritatis intuitu sicut episcopus diocesanus eisdem canonicis concessi[5] et inperpetuam elemosinam donavi, salva Osberto clerico quoad vixerit possessione sua qui unam portionem ejusdem ecclesie tenet predictis canonicis unam libram cere annuatim inde solvendo septimo kalendas Junii. Post decessum vero Osberti, portio[6] ipsa ad canonicos libere et integre devolvetur, ita ut deinceps totam ecclesiam cum omnibus pertinenciis suis ad suam sustentationem et hospitum susceptionem libere possideant, salvo jure capitali et honesta ac sufficiente sustentatione duorum sacerdotum quos canonici ex tunc assiduos in ea habere debent, ut etiam ecclesie deserviant, et de capitalibus nomine canonicorum competenter respondeant. Quod[7] ut ratum semper et firmum permaneat presenti scripto sigilli mei appositione roboravi. T*estibus.*

[1] See nos. 33, 35.   [2] Rubric: *Halberton.*   [3] *Halbertun'*, no. 357.
[4] *sicut ad dominos . . . domini de Halbertone* omitted, no. 357.
[5] *concessi et inperpetuam . . . tenet predictis canonicis* omitted, no. 357.
[6] For *portio* no. 357 reads *predicto* (*sic*).   [7] *Quod ut ratum . . .* T[*estibus*] omitted, no. 357.

356. *John, bishop of Exeter, confirms the grant of the church of Halberton to St Augustine's, in terms laid down by bishop Bartholomew. (1186 × 91.)*[1]

Omnibus sancte matris ecclesie ad quorum audienciam presens scriptum pervenerit Johannes divina miseratione Exonien*cis* ecclesie minister,[2] eternam in domino salutem. Noverit universitas vestra quod ex inspectione carte B*artholomei* bone memorie quondam episcopi Exon' perpendimus ipsum tanquam diocesanum episcopum concessisse ecclesie Sancti Augustini de Bristoll' et canonicis ibidem deo servientibus ecclesiam de Albertuna cum omnibus libertatibus et pertinenciis suis, salva portione Osberti clerici quoad vixerit in eadem, sicut dicti episcopi carta testatur. Eandem quoque ecclesiam caritatis intuitu et auctoritate cartarum dominorum fundi memoratis canonicis in puram et perpetuam elemosinam possidendam donasse et confirmasse, salvo nostre episcopali, et honesta sustentatione duorum sacerdotum in jam dicta ecclesia ministrantium. Unde ut commendabiliter prenominati [f. 127v.] episcopi confirmatio prefatis canonicis ibidem deo servientibus pie indulta omni tempore rata et inconcussa permaneat, nos eandem ne decetero malignantium versuciis infirmari[3] vel temeraria cujusque presumpsione inirritum revocari possit inposterum presens scriptum auctoritate et sigilli nostri attestatione dignum duximus corroborare. T*estibus.*

[1] John, consecrated bishop of Exeter 5 October 1186, died 1 June 1191.
[2] MS. *minester.*
[3] i.e., lest it be weakened by changes of those evilly disposed.

357. *Henry Marshal, bishop of Exeter, has inspected, and confirms the grant by Bishop Bartholomew of the church of Halberton to St Augustine's. The earlier deed (no. 355) is recited, with a number of omissions. (1194 × 1206.)*[1]

Omnibus sancte matris ecclesie filiis ad quos presens scriptum pervenerit H*enricus* divina miseratione Exon' ecclesie episcopus, salutem in domino. Noverit universitas vestra nos cartis venerabilium predecessorum nostrorum

*B*artholomei et *Johannis* quondam Exon' episcoporum inspectis didicisse quod episcopi caritatis intuitu ecclesiam de Albertona cum omnibus pertinenciis suis canonicis regularibus Bristoll' Sancti Augustini dederunt et scriptis autenticis confirmaverunt. Nos vero hanc concessionem secundum cartam memorati *B*artholomei predecessoris nostri jam dictis canonicis confirmavimus quam in hec verba inspeximus.

Bishop Bartholomew's charter is recited.

Nos autem hanc concessionem ratam habentes eam presentis [f. 128][2] scripti testimonio et sigilli nostri appositione corroborandum dignum duximus.

  [1] Henry Marshal, consecrated bishop of Exeter 28 March 1194, died 1 November 1206.
  [2] Rubric: *Halberton*.

358. *Henry Marshal, bishop of Exeter, confirms to St Augustine's the church of Halberton, with the portion once held by Osbert the clerk, to be used for the maintenance of the canons, their hospitality, and the relief of the poor. In addition, he sets the stipend of each of the two priests serving in the church at 30s and states the canons' right to mortuary fees in the parish. (1194 × 1206.)*

Universis sancte matris ecclesie filiis ad quos presens scriptum pervenerit *H*enricus dei gratia Exon' episcopus, salutem in domino. Noverit universitas vestra quod nos pietatis affectu confirmavimus ecclesie Sancti Augustini de Bristoll' et canonicis regularibus ibidem deo servientibus ecclesiam de Halbertona, cum portione quam Osbertus clericus quandoque in ea dignoscitur habuisse, et cum omni jure et pertinenciis suis et libertatibus, inperpetuam et puram elemosinam ad usus proprios et hospitium susceptionem et piam pauperum sustentationem, quiete et pacifice possidendam; quam vero ecclesiam ipsos canonicos ad presentationem Gregorii de Turri et Willelmi de Bosco dominorum fundi, et concessionibus et confirmationibus venerabilium predecessorum nostrorum *B*artholomei et *J*ohannis quondam Exon' episcoporum, canonice cognovimus esse consecutos;[1] salva sustentatione duorum sacerdotum in ipsa ecclesia ministrantium, scilicet triginta solidos quos memorati canonici utrique sacerdoti annuatim persolverent, et salvis eorum concessionibus cum secundo legato, salva etiam libertate et consuetudine episcopali in omnibus. Quod ne pro cessu temporis alicui revocetur indubium presens scripti testimonio et sigilli nostri appositione duximus corroborandum. *T*estibus etc.[2]

  [1] A long dispositive clause is followed by an equally long dependant clause, beginning *quam vero*, which turns on the widely dispersed words *ipsos canonicos cognovimus esse consecutos*. The bishop knows the canons have obtained (from *consequor*) the church of Halberton.
  [2] Folio 128v. was left blank, and was later used for Add. Doc. 21.

359. *Charter of Richard Pauncefoot, lord of Hasfield, to St Augustine's. He grants in free alms common of pasture for 50 oxen after the first mowing and haymaking in the manor of Ashleworth, in the whole meadow and pasture of*

Widenham and Winnalls, extending from the vill of Hasfield to the Severn and from in the vill of Haw to Bracheburne. *(1248 × c. 1264.)*[1]

Rubric: [f. 129][2] Carta Ricardi Pansefoth' de pastura quinquaginta bovum.

Sciant presentes et futuri quod ego Ricardus Pansefoeth dominus de Hasfeld' pro salute anime mee et Ysabelle uxoris mee liberorum nostrorum et omnium antecessorum et successorum nostrorum dedi concessi et hac presenti carta mea confirmavi in liberam puram et perpetuam elemosinam deo et ecclesie Sancti Augustini de Bristoll' et canonicis regularibus ibidem deo servientibus liberam communam cum quinquaginta bobus existentibus in manerio suo de Esseleswinth, per tota prata et pascua de Wideham et Winhales a villa de Hasfeld usque ad Sabrinam et a villa de Haye usque ad Bracheburne,[3] usque a tempore quo dicta prata in parte vel in toto primo falcantur et levantur. Tenendam et habendam in liberam puram et perpetuam elemosinam de me et heredibus vel assignatis meis et sine inpedimento inperpetuum possidendam, cum libero introitu et exitu ad liberatum dictorum canonicorum absque nocumento vel contradictione aut vexatione mei vel heredum aut assignatorum meorum, sibi et successoribus suis, libere et quiete bene et pacifice. Ita quod nec michi nec heredibus nec assignatis meis nec alicui hominum inde in aliquo respondeant nisi soli deo in orationibus. Et si forte contingat fenum dictorum pratorum per boves dictorum canonicorum deteriorari per considerationem legalium virorum ex parte domini Ricardi et heredum aut assignatorum suorum et dictorum canonicorum electorum rationabiliter emendetur. Ego vero et heredes mei et assignati mei totam predictam communam cum libero introitu et exitu ut predictum est prefatis canonicis et eorum successoribus contra omnes mortales inperpetuum warantizabimus manu tenebimus defendemus et acquietabimus. Et quia volo etc. T*estibus*, etc.

Marginal note: (*Modern*) Paunsfoot.

[1]   The Pauncefoot connection with Hasfield can be traced from the reign of Henry I. Richard Pauncefoot, who was given the lordship of Hasfield in 1248–9, would appear to be the grantor of this charter. He and his wife Isabella were alive in 1263, but she was a widow by 1266 (*Excerpta e Rot. Fin.* ii, pp. 398, 440; J. N. Langston, 'Old Catholic Families in Gloucestershire: I The Pauncefotes of Hasfield', *TBGAS*, 71, 1952, p. 122). In March 1264, Richard's son Grimbald played an active part in the defence of Gloucester against royalist forces, and he may already have succeeded his father by then (*VCH Glos.* viii, p. 283).

[2]   Rubric: *Asselleswrth'*.

[3]   Widenham and Winnalls are lost place-names in Hasfield (*P-NG*, iii, p. 146); Haye is the Haw in Tirley (ibid. iii, p. 150); *Bracheburne* was the name of a stream near Ashleworth and Hasfield (ibid. iii, pp. 153–4; iv, p. 108).

360. *Charter of Richard Pauncefoot, lord of Hasfield, to St Augustine's confirming in free alms 10 acres of meadow which the canons held of him. Of these, 8 acres lie in 4 parcels of land in Fulhurste, and the rest in 2 parcels in Hamcroft. (1248 × c. 1264.)*

Rubric: Carta ejusdem Ricardi de decem acris prati.

Sciant presentes et futuri quod ego Ricardus Pancefoth dominus de Hasfeld pro salute anime mee et Ysabelle uxoris mee liberorum nostrorum et omnium antecessorum nostrorum dedi concessi et hac presenti carta mea confirmavi in liberam puram et perpetuam elemosinam deo et ecclesie Sancti Augustini de Bristoll' et canonicis regularibus ibidem deo servientibus decem acras prati cum omnibus suis pertinenciis quas[1] dicti canonici de me quondam tenuerunt; scilicet octo acras in Fulhurste que jacent in quatuor particulis, et duas partes illius prati quod vocatur la Hamcrofte. [f. 129v.] Tenendas et habendas de me et heredibus meis et assignatis meis quod habeant liberum[2] sibi et successoribus suis in liberam puram et perpetuam elemosinam, libere quiete bene integre et pacifice cum omnibus suis pertinenciis ut predictum est inperpetuum. Concessi etiam eisdem canonicis et successoribus suis pro me et heredibus et assignatis meis quod habeant liberum intereundi[3] et redeundi ad dicta prata falcanda levanda et carianda quandocumque voluerint absque ulla contradictione inpedimento vexatione mei aut heredum aut assignatorum meorum, pro ut sibi melius videntur expedire. Ita quod nec michi nec heredibus nec assignatis meis nec alicui omnino hominum inde in aliquo respondeant nisi soli deo in orationibus. Ego vero et heredes et assignati mei predictas decem acras cum omnibus suis pertinenciis dictis canonicis et suis successoribus contra omnes mortales warantizabimus et de omnimodis sectis sicut liberam puram et perpetuam elemosinam plenarie defendemus et acquietabimus. Et quia volo quod hec mea donatio etc. Testibus[4] etc.

[1] MS. *quod*; perhaps with *prati* in mind, though the key word throughout this section is *acras*.
[2] The phrase *quod habeant liberum* seems an intrusion at this point.
[3] MS. *inter eundi*.
[4] *Testibus* in full.

361. *Agreement between the abbot of St Augustine's and the men of Ashleworth, on the one part, and Richard Pauncefoot, on the other, about common of pasture in Ashleworth. Richard grants to all the men of Ashleworth living between the house of Ernald son of Ernald of Ashleworth and the vill of Hasfield, that they may have common of pasture with all their own animals. The agreement is completed with a detailed statement of the services due to Richard Pauncefoot: 1 ploughing with 7 plough-teams, with food provided by the lord; 1 hoeing or weeding with 32 men; 1 haymaking with 32 men. The lord can determine whether, for hoeing and haymaking, the men serve with or without food at his expense: if with food, all day, and if without food, until noon. If the number of tenants in the vill is increased, the service shall be augmented. (c. 1221 × c. 1266; probably 1248 × c. 1264.)[1]*

Notum sit universis quod ita convenit inter abbatem et conventum Sancti Augustini de Bristoll' et homines ville de Esselwrthe ex una parte, et Ricardus Pancefoth ex altera parte, de conventione communis pasture de Essefeld'. Videlicet quod predictus Ricardus Pancefot concessit omnibus hominibus de Esselewrth' manentibus a domo Ernaldi filii Ernaldi de Esseleswrth' usque ad villam de Esfeld' ut habeant liberam communam in tota communi pastura sua ubi homines de Hesfeld communicant cum universis omnibus animalium propriorum. Ita insimul quod postquam pratum falcatum fuerit et fenum levatum predicti homines de Esfeld' habeant communam in pratis et liberum introitum et exitum adeo libere in omnibus locis prati et pasture sicut homines de Hesfeld'. Pro hac autem concessione predicti abbas et homines predicti dederunt predicto Ricardo quinque marchas argenti, et insimul persolvent annuatim predicto Ricardo et heredibus suis pro omni illa communa integre habenda duos solidos ad festum Sancti Petri advincula, et annuatim unam arruram cum septem carucis apud Hesfeld ad seminationem frumenti [f. 130][2] ad poturam dicti Ricardi. Preterea annuatim unam sarculationem cum triginta duobus hominibus in electione ipsius Ricardi utrum velit cum potura vel sine potura. Si ad poturam, debent operari per totum diem; si sine potura, debent operari usque ad nonam. Preterea debent annuatim unam operationem per unum diem ad fenum levandum cum triginta duobus hominibus sine potura. Item debent unam messionem in autumpno cum triginta duobus hominibus in electione ipsius Ricardi utrum velit cum potura vel sine potura. Si cum potura, debent metere per totum diem; si sine potura, debent metere usque ad nonam. Preterea si ita contigerit quod aliqua augmento hominum tenencium terras fuerit in villa predicta a domo dicti Ernaldi usque ad villam de Esfeld' dicti homines augmentabunt servicium dicti Ricardi, scilicet in arruris in sarcularis fenis levandis et bladis metendis secundum quantitatem hominum qui fuerint augmentati. Si vero dicti homines de Esselleswrth' vel aliquis eorum cessaverit a solutione dicti redditus vel servicii licebit dicto Ricardo eosdem distringere per unum namium in predictis pascuis vel pratis inventum cujuscumque illorum fuerit. Et ut hec conventio firma et stabilis et sine dolo permaneant in presenti scripto in modo cyrographi confecto sigilla sua alternatione apposuerunt. *Testibus* etc.

[1] Ernald's house, a useful landmark in this agreement, does not appear to have left any mark on local place-names. The family's earliest holding lay in Ashmore, towards Wickridge (no. 379). Moor End, in Corse (*P-NG*, iii, 147) was part of Ashleworth. H. P. R. Finberg placed Ashmore in this northern section of the manor (*Early Charters of the West Midlands*, 1961, p. 82, no. 187). This may have some support from the use of the phrase *mora superior* to describe a holding in no. 385. In one deed the family's house was used to identify a boundary in the moor (no. 382), and that north-eastern part of the manor may be where the house was built. Bigland noted the services due from the men of Hasfield, and he also noted that Richard Pauncefoot received Hasfield in 33 Henry III which he wrongly identified as 1245 (*Historical . . . Collections relative to the County of Gloucester*, ii, p. 41; reprinted, ed. B. Frith, Bristol and Gloucestershire Archaeological Society, Gloucestershire Record Series, vol. 3, 1990, p. 684). The Pauncefoots were active in Hasfield in 1199 (*VCH Glos.* viii, p. 283), and in the summer of 1221, Richard Pauncefoot and Henry le Messer were involved in a case brought under an assize of novel disseisin against William Toky in Hasfield, and judgement was given for Richard (*Rolls of the Justices in Eyre for Gloucestershire, Warwickshire and Staffordshire, 1221, 1222*, ed. D. M. Stenton, Selden Society, 59, p. 38, no. 106). Richard died 1263 × 4 (See no. 359). For common of pastures in these manors see *VCH Glos.* viii, p. 286.

[2] Rubric: *Asshelworth.*

362. *Charter of Richard Pauncefoot to St Augustine's remitting and quitclaiming rights of common in Foscombe, and in other estates of the abbey. The canons have paid him 1 mark. (? 1248 × c. 1264.)*[1]

Omnibus Christi fidelibus ad quos presens scriptum pervenerit Ricardus Pancefot de Pancri,[2] salutem. Noveritis me inperpetuum remisisse et quietam clamasse pro me et heredibus meis abbati et conventui Sancti Augustini de Bristoll' communam in Voxcumbe apud Asseleford' quam dicebam habere et in omnibus aliis terris supradicti abbatis et conventus, ita quod nec michi nec heredibus meis in aliquo respondeant. Pro hac autem quieta clamatione et relaxatione dederunt michi dictus abbas et conventus i marcam argenti. Quare ego et heredes mei predictam clamationem warantizare debemus contra omnes homines et feminas. Et ut hec mea donatio [et] quieta clamatio rata et inconcussa inperpetuum permaneat huic scripto sigillum meum apposui. T*estibus.*

[1]   See no. 359. The quitclaim could be earlier if it belongs with the series of quitclaims issued *c.* 1240–1 (see nos. 365–370).

[2]   The Pauncefoots were tenants of the lordship of Brecknock. Pancri is probably Pencerrig (Herefs.).

363. *Agreement between William, abbot of St Augustine's, and Roger de Derneford, over rights of common in Ashleworth and in Roger's wood of Corse. They are to remain independent, with no rights of common in one another's land. The abbot and Roger have the right to make assarts, to enclose arable land, and to make meadows, with due regard for the rights of neighbours who claim rights of common. (1234 × 64.)*[1]

[f.130v.] Hec est conventio facta inter dominum Willelmum abbatem Sancti Augustini de Bristoll' et canonicos regulares[2] ibidem deo servientes[3] ex una parte et dominum Rogerum de Derneford ex altera super communa quam solebant habere ad invicem in terris suis scilicet ad Assellesword' cum pertinenciis suis que est villa abbatis et conventus Sancti Augustini de Bristoll', in bosco de Cors quod est boscum Rogeri de Derneford cum pertinenciis suis. Ita scilicet quod per se sint et nullam communam ad invicem habeant in nullo loco adjacente terris dictorum abbatis et conventus et dicti Rogeri, nec in boscho nec in plano nec in pratis nec in pascuis nec in terra arabili. Licebit etiam tam abbati et conventui Sancti Augustini quam dicto Rogero et heredibus suis in tota terra sua assartare, fossare, claudere terram arabilem, et pratum facere sine inpedimento et contradictione utrorum vel hominum suorum, salvo jure aliorum vicinorum qui in dictis terris communam clamant. Et si contingat quod liberi homines dictorum abbatis et conventus Sancti Augustini de Bristoll' et dicti Rogeri [vel] heredum suorum aliquam communam exigant super tenementum dictorum abbatis et conventus Sancti Augustini et dicti Rogeri de Derneford, dictus Rogerus et heredes sui dictum abbatem et conventum Sancti Augustini de petitione[4] et exigencia omnium hominum suorum tam liberorum quam aliorum acquietabit. Et hoc idem faciet[5] dictus abbas et conventus predicto Rogero et heredibus suis de hominibus ipsius abbatis et conventus. Et ut hec conventio fideliter etc. *Testibus* etc.

¹ The Abbot William could be William of Breadstone or William Long.
² MS. *canonicis regularibus.*
³ MS. *servientibus.*
⁴ MS. *petitionem.*
⁵ This depends upon treating 'abbot and convent' as a single unit; *facient* would be the normal usage.

364. *Charter of Philip of Coaley remitting and quitclaiming to St Augustine's all rights of common in the assart of Foscombe. He has raised the issue on a writ of novel disseisin before the justices itinerant at Gloucester, and judgement has gone against him. The abbot has paid him 1 mark. (July or August 1241.)*¹

Omnibus Christi fidelibus ad quos presens scriptum pervenerit Philippus de Couell', salutem. Noveritis me inperpetuum remisisse et quietam clamasse pro me et heredibus meis abbati et conventui Sancti Augustini de Bristouwe communam de assarto in Voxcumbe apud Esselleswrthe quam dicebam michi esse pertinentem. Unde portavi breve de nova desaisina coram justiciariis itinerantibus apud Glouc' anno regni regis Henrici filii Johannis regis vicesimo quinto. Ita quod nec michi nec heredibus meis in aliquo respondeant. Pro hac autem quieta clamatione et relaxatione dederunt michi dictus abbas et conventus unam marcam argenti. Quare ego et heredes mei non possumus nec debemus ullam communam in assarto predicto de Voxcumbe amplius exigere. Et ut hec mea donatio etc. *Testibus* etc.

¹ The case was heard in 25 Henry III, 1240–1. The justices itinerant were in Gloucester during July and August 1241.

365. *Charter of John de Stantone remitting and quitclaiming to St Augustine's his rights of common in Foscombe. The abbot has paid him 1 mark. (Mid-thirteenth century; perhaps c. 1240–1.)*¹

[f. 131]² Sciant presentes et futuri quod ego Johannes de Stantone remisi et quietum clamavi pro me et heredibus meis³ abbati Sancti Augustini de Bristoll' et conventui⁴ ejusdem loci totum jus quod habui de communa in Foxcumba. Pro hac autem quieta clamantia dedit michi predictus abbas unam marcam argenti premanibus. Et ut ista quieta clamancia rata et stabilis permaneat inperpetuum presenti scripto sigillum meum apposui. *Testibus.*

¹ The abbot seems to have pursued a policy of securing quitclaims from all those with rights of common in Foscombe, and this run of deeds may all belong to the same period.
² Rubric: *Assheleworth.*
³ *meis* omitted.
⁴ MS. *conventus.*

366. *Charter of William de Morcote son and heir of William de Morecote senior to St Augustine's remitting and quitclaiming his rights of common of pasture in Ashleworth. (Mid-thirteenth century; perhaps c. 1240–1.)*

Omnibus Christi fidelibus presens scriptum visuris vel audituris Willelmus de Morcote filius et heres Willelmi de Morcote senioris, salutem in domino. Noverit universitas vestra me remisisse et quietum clamasse inperpetuum pro me et heredibus meis et quibuscumque assignatis meis abbati et conventui Sancti Augustini de Bristoll' totum jus et clamium quod aliquando habui vel aliquo modo habere potui in manerio eorundem de Esselesworthe et in omnibus suis pertinenciis nomine commune pasture. Ita quod nec ego nec heredes mei seu quicumque assignati mei quicquam juris de cetero in dicto manerio et omnibus ejus pertinenciis aliquando casu vendicabimus aut[1] aliquando vendicare poterimus. Pro hac autem remissione et quieta clamatione mea dederunt michi dicti abbas et conventus quatuor marchas sterlingorum premanibus. In cujus rei testimonium etc. T*estibus* etc.

> [1]   *aliquando casu vendicabimus aut* repeated.

367. *Charter of Walter de Mariscis to St Augustine's remitting and quitclaiming all his right in common of pasture in Foscombe. (Mid-thirteenth century; perhaps c. 1240–1.)*

Universis Christi fidelibus ad quos presens scriptum pervenerit Walterus de Mariscis, salutem. Noverit universitas vestra me pro salute anime mee et omnium parentum meorum remisisse et inperpetuum pro me et heredibus meis quietum clamasse deo et ecclesie Sancti Augustini de Bristoll' totum jus et clamium in Foxcumbe apud Essellesworth' quod ad me vel heredes meos ratione commune vel alio quocumque modo pertinere potuit vel debuit. Ita quod predicti canonici habeant et teneant totam predictam terram de Foxcumbe bene et in pace inperpetuum sine omni vexatione vel inpedimento mei vel heredum meorum et quod nec ego nec heredes mei ullam communam in predicta terra [f. 131v.] de cetero exigere possimus vel juris aliquid vendicare. Et quia volo quod hec mea remissio et quieta clamatio etc. T*estibus* etc.

368. *Charter of Walter le Brutun to St Augustine's remitting and quitclaiming his right to common of pasture in Foscombe. (Mid-thirteenth century; perhaps c. 1240–1.)*

Universis Christi fidelibus ad quos presens scriptum pervenerit Walterus le Brutun, salutem. Noverit universitas vestra me pro salute anime mee et omnium parentum meorum remisisse et inperpetuum pro me et heredibus meis quietum clamasse deo et ecclesie Sancti Augustini de Bristoll' totum jus et clamium in Foxcumbe apud Esselesworth' quod ad me vel heredes meos ratione commune vel aliquo quocumque modo pertinere potuit vel debuit. Ita quod predicti canonici habeant et teneant totam predictam terram in Foxcumbe bene et in pace inperpetuum sine omni vexatione vel inpedimento mei vel heredum meorum. Et quod nec ego nec heredes mei ullam communam in predicta terra exigere possumus vel juris aliquid vendicare. Et quia volo quod hec mea remissio et quieta clamatio etc. *Testibus* etc.

369. *Charter of John de Paris to St Augustine's remitting and quitclaiming his right to common of pasture in Foscombe. The details are more explicit than in other quitclaims in this series; John accepts responsibility if his men, free or villein, exercise any right of common in Foscombe. (Mid-thirteenth century; perhaps c. 1240–1.)*

Omnibus Christi fidelibus ad quos presens scriptum pervenerit Johannes de Paris, salutem in domino. Noverit universitas vestra me pro salute anime mee et omnium antecessorum meorum remisisse inperpetuum pro me et heredibus meis et omnibus hominibus meis tam liberis quam villanis et quietum clamasse deo et ecclesie Sancti Augustini de Bristoll' et canonicis regularibus ibidem deo servientibus totum jus et clamium quod michi et heredibus meis et hominibus meis competiit vel competere potuit in communa de Foxcumbe apud Essellesworth'. Ita quod dicti canonici habeant et teneant totam predictam terram de Foxcumbe et ipsam pro voluntate sua haicio et fossato claudent et clausam teneant bene et in pace inperpetuo sine aliqua contradictione et inpedimento mei vel heredum meorum et omnium hominum meorum. Et si contingat quod liberi homines mei aut villani aliquam communam exigant in terra supradicta ego et heredes mei dictos abbatem et conventum plene acquietabimus. Quod ne inposterum devocetur indubium presenti scripto sigillum meum apposui. *Testibus.*

370. *Charter of Giles de Berkeley to St Augustine's remitting and quitclaiming his right of common of pasture in Foscombe. The canons have paid him 20s. (Mid-thirteenth century; perhaps c. 1240–1.)*

[f. 132][1] Omnibus Christi fidelibus ad quos presens scriptum pervenerit Egidius de Berkel', salutem in domino. Noverit universitas vestra me pro salute anime mee et omnium antecessorum meorum remisisse et inperpetuum pro me et pro omnibus heredibus meis[2] quietum clamasse deo et Sancti Augustini de Bristoll' et canonicis regularibus ibidem deo servientibus totum jus et clamium quod michi et heredibus meis competiit vel competere potuit in communa de Foxcumba apud Esselesworth'. Ita quod dicti canonici habeant et teneant totam predictam Foxcumbe bene et in pace inperpetuum sine aliqua contradictione et inpedimento mei vel heredum meorum. Et quod nec ego nec heredes mei ullam communam a predictis canonicis amplius exigere possimus inperpetuum. Pro hac autem relaxatione et quieta clamatione mea predicti canonici dederunt michi viginti solidorum sterlingorum. Et ut hec mea relaxio et quieta clamatio etc. *Testibus* etc.

Marginal note: (*Modern*) Egidius de Berk'.

[1]   Rubric: *Asshelworth.*

[2]   MS. adds *competiit vel competere potuit*, a phrase which occurs in its proper context in the second half of this sentence.

371. *Charter of Henry son of Alexander of Ashleworth to St Augustine's remitting and quitclaiming 6 selions in Lega in Ashleworth.*[1] *(? Mid-thirteenth century.)*[2]

Omnibus Christi fidelibus ad quos presens scriptum pervenerit Henricus filius Alexandri de Assellesworth', salutem in domino. Noverit universitas vestra me concessisse et quietos clamasse dominis meis abbati et conventui Sancti Augustini de Bristoll' sex seilones terre mee de Assellesworth' in campo qui vocatur Lega qui quidem jacent inter dominicum dictorum canonicorum. Tenendas et habendas sibi inperpetuum quiete et absolute. Ita quod nec michi nec alicui heredum meorum in aliquo inde respondeant. Quod ut ratum perpetuo perseveret presens scriptum sigilli mei appositione duxi roborandum. *Testibus.*

[1]   Lega may be linked with the place-name form Hasleghe which occurs as an alternative for Hasfield in the thirteenth century (*VCH Glos.* viii, p. 282).

[2]   This quitclaim may be part of the tightening of estate management in Ashleworth in the early 1240s.

372. *Charter of William of the Park to St Augustine's quitclaiming all matters of dispute and controversy which he raised against the abbey in the shire court in Gloucestershire about their fishery in Ashleworth which he had claimed to be damaging his free tenement of Brawn.*[1] *The abbey will provide that William should not incur excessive damage. (? Mid-thirteenth century.)*[2]

Sciant presentes et futuri quod ego Willelmus de Parco pro salute anime mee et antecessorum meorum remisi pro me et heredibus meis et quietos clamavi abbatem Sancti Augustini de Bristoll' et ejusdem loci conventum de omni querela et controversia quam ego Willelmus movi adversus eos in comitatu Gloucestr' de piscaria sua de Asselleswrd' que fuit ut dicebam in nocumento libero tenemento meo [f. 132v.] de Bruern' et predicti abbas et conventus providebunt rationabiliter per visum bonorum virorum ne ego Willelmus de cetero nimis magnum dampnum incurram[3] per piscariam suam de terra mea que est contra sepedictam piscariam. Quod ut ratum sit et stabile ego Willelmus pro me et heredibus meis presenti scripto et sigilli mei appositione corroboravi. *Testibus.*

[1]   Brawn Farm, in Sandhurst, is on the opposite side of the Severn from Ashleworth.

[2]   There is no indication of a secure date for this quitclaim. It may be another element in the abbey's estate management in the 1240s.

[3]   MS. *in curiam.*

373. *Charter of Henry son of Walter Humphrey to St Augustine's granting 2 acres in Harefold super* Hunfreishurste, *in Widenham, in Hasfield, for a rent of 1d. The canons have paid him 3 marks. Henry and his heirs accept the authority of the sheriff of Gloucestershire to distrain their goods if they are not able to warrant this land to the abbey.*[1]

Sciant presentes et futuri quod ego Henricus filius Walteri Hunfred dedi et concessi et hac presenti carta mea confirmavi deo et ecclesie Sancti Augustini de Bristoll' et canonicis regularibus ibidem deo servientibus duas acras prati apud Harefold super Hunfreishurste[2] in Wideham, que extendunt se in longitudine a parte occidentali super Smelepulle, in partem orientalem versus Herneshurste, et jacent inter pratum Johannis filii Baselie ex aquilonali parte et pratum prenominati Henrici ex australi parte. Tenendas et habendas de me et heredibus meis inperpetuum libere et quiete integre et pacifice. Reddendo inde michi et heredibus meis singulis annis ad Pascha unum sterelingum[3] pro omni servicio exactione et demanda seculari. Ego vero et heredes mei predictas duas acras cum omnibus pertinenciis suis dictis canonicis contra omnes homines et feminas warantizabimus inperpetuum et dictos canonicos de omni servicio exactione et demanda seculari ad predictas duas acras pertinentibus contra omnes mortales acquietabimus salvo tamen sterelingo supradicto. Et si forte ego et heredes mei dictas duas acras dictis canonicis warantizare non poterimus vicecomiti Gloucest' qui pro tempore fuerit pro me et heredibus meis plenam dedi potestatem compellendi me et heredes meos per omnia bona nostra mobilia et immobilia ad rationabile escambium in loco competenti dictis canonicis sine aliqua contradictione faciendum. Pro hac autem donatione et concessione dederunt michi dicti canonici tres marcas argenti premanibus. Et ut hec mea donatio et concessio rata et stabilis perpetuo perseveret eam presenti scripto sigilli mei inpressione confirmavi. T*estibus.*

[1]   There is nothing to suggest a date for this charter.

[2]   *Hunfreishurste* lies in the south-western sector of the manor; it must be linked with Humfrays croft, and perhaps with Hurst acre, both recorded as field-names in Hasfield. (*P-NG*, iii, pp. 148–9).

[3]   *sterelingus* is used for penny.

374. *Agreement reached in the shire court of Gloucester before William fitz Stephen, the sheriff, and a group of local knights and tenants. Roger de Boiville has impleaded the canons of St Augustine's on a writ of right over 2 virgates in Ashleworth. He quitclaims all his right in this land and undertakes to warrant it against any of his kindred. For this agreement, the canons gave Roger 9 marks, and Roger handed over to the sheriff the writ under which he had sued the canons, and swore, in the angel chamber, to maintain this agreement. The document has the elements of a final concord, but is not cast in the fully developed stereotyped form. Dated the Saturday (27 July 1185) before the feast of St Peter in chains, 31 Henry II.*

Hec est concordia facta in comitatu Gloucest' die Sabati proxima [f. 133][1] ante festum Sancti Petri advincula anno xxxi regis[2] Henrici regis secundi coram Willelmo filio Stephani tunc vicecomite et Rogero de Berkel' patre et Ricardo Descrupes et Rogero de Berkel' filio et Elya filio Roberti et Adam de Salsomarisco et Alexandro tunc pincerna et Willelmo de Eggewurd' et Rogero filio Alani et W*illelmo*[3] de la Mare et Willelmo de Berkel' et Roberto de Sloctres et multis aliis baronibus[4] et militibus et liberetenentibus qui tunc ibi aderant, inter canonicos de Sancto Augustino Bristoll' et Rogerum de Buuilla de duabus virgatis terre in Asselleswrth', scilicet de illa virgata terre que fuit Aluredi et de alia virgata terre que fuit[5] Baldewini que nunc est in domino predictorum canonicorum, unde placitum fuit inter eos in comitatu Glouc'. Scilicet quod predictus Rogerus clamavit quietum totum jus suum quod credebat se habere in predicta terra predictis canonicis pro se et pro heredibus suis. Ita quod idem Rogerus et heredes sui warantizabunt inperpetuum predictam terram sepedictis canonicis contra omnes qui nati sunt vel nasci poterunt de consanguinitate ipsius Rogeri. Et pro hac concordia canonici[6] dederunt predicto Rogero ix marcatas argenti, et Rogerus resignavit in manu predicti vicecomitis breve domini regis de recto super quod placitavit et tactis sacrosanctis c*ella* angel'[7] juravit hanc conventionem firmiter tenendam pro se et heredibus suis absque dolo et malo ingenio, etc.

Marginal note: (*Modern*) Roger de Berk.

[1] Rubric: *Asseleworth*.   [2] MS. *regem*.
[3] See no. 375.   [4] MS. *barones*.
[5] *Aluredi et de alia virgata terre que fuit* added in the hand of the rubricator in the margin.
[6] MS. *canonicis*.   [7] i.e. an oath given in the angel chamber, presumably in Gloucester castle.

375. *Charter of William de Mara recording that he had been present when, in full shire court, Roger de Boiville had surrendered 2 virgates in Ashleworth to St Augustine's. (On, or soon after, 27 July 1185.)*[1]

Willelmus de Mara universis tam presentibus quam futuris ad quos[2] presens scriptum pervenerit, salutem. Sciatis quod ego presens fui apud Glouc'[3] ubi Rogerus de Beovill' in pleno comitatu duas virgatas terre quas per breve[4] domini regis contra canonicos Sancti Augustini de Bristou clamavit [in] Esselleswrd' coram Willelmo filio Stephani tunc vicecomite Glouc' abjuravit et breve domini regis coram toto comitatu in manu predicti vicecomitis redditu[5] et omne rectum suum canonicis quietum clamavit per ix marcas argenti quas ei dederunt, ita quod ipse eis contra omnes de parentela sua hanc terram garentizabit siquis inde columpniam[6] contra eos moverit.

[1] See no. 374   [2] MS. *quas*.
[3] *presens fui apud Glouc'* added in a hand very similar to that of the rubricator.
[4] MS. *brave*.
[5]   Reading *breve redditu* as an ablative absolute. If *breve* is intended as nominative the verb would have to be amended to *reddidit*.
[6]   *Sic*. The writer of the charter appears to have used a number of eccentric phonetic forms.

376. *Charter of Roger of Pudbrook to St Augustine's granting in free alms a meadow in Ashleworth which lay in Hay meadow, extending towards* Bracheburne. *(Before 1264.)*[1]

Sciant presentes et futuri quod ego Rogerus de Pudebroh[2] dedi et concessi et hac presenti carta mea confirmavi deo et ecclesie Sancti [f. 133v.] Augustini de Bristoll' et canonicis regularibus ibidem deo servientibus unam acram prati in Esselleswor*þ*e que jacet in Hemmed[3] et extendit in longitudine a prato juxta pratum dictorum canonicorum versus Bracheburn'. Tenendam et habendam de me et heredibus meis sibi et successoribus suis in liberam puram et perpetuam elemosinam. Ita quod nec michi nec alicui hominum in aliquo inde respondeant inperpetuum. Ego vero predictus Rogerus et heredes mei predictis canonicis et eorum successoribus pratum predictum contra omnes homines warantizabimus inperpetuum. Et ut hec mea donatio etc. T*estibus* etc.

[1] See no. 379.
[2] The name, found in these charters in variant forms of *Pudebroch*, is recorded in the eleventh century as *Puddanbroce* (H. P. R. Finberg, *The Early Charters of the West Midlands*, 1961, p. 80). Finberg was content to use the literal translation 'Pudda's Brook' (ibid. p. 82). By 1540 it had become Podybroke (*P-NG*, iii, p. 154). The modern form, Pudbrook, was suggested by Professor Elrington.
[3] For Hay Meadow see *P-NG*, iii, p. 154. The combination of the names Pudbrook and *Bracheburne* places this meadow on the border of Hasfield and Ashleworth (ibid. p. 153).

377. *Charter of William of Pudbrook to St Augustine's confirming 3 perches of meadow in Winnalls.*[1] *The canons have given William 20s. (Before 1264.)*

Sciant presentes et futuri quod ego Willelmus de Pudebroch dedi et concessi et hac presenti carta mea confirmavi deo et ecclesie Sancti Augustini de Bristoll' et canonicis regularibus ibidem deo servientibus tres perticas prati in Wunhales que jacent inter pratum dictorum canonicorum et pratum Galfridi Marcel et extendunt se ex parte aquilonali a prato Ricardi Toki usque ad pratum domini Ricardi Pancefoth in partem australem. Tenendas et habendas sibi et successoribus suis inperpetuum libere et quiete integre et pacifice ita quod nec michi nec heredibus meis nec alicui hominum in aliquo inde respondeant. Sed ego et heredes mei dictas perticas dictis canonicis contra omnes homines et feminas warantizabimus et de omni servicio acquietabimus.[2] Pro hac autem mea donatione et concessione dederunt michi dicti canonici viginti solidos sterlingorum. Et ut hec mea donatio etc. T*estibus* etc.

Marginal note: pratum.

[1] Winnalls is a lost place-name in Hasfield (*P-NG*, iii, p. 148).
[2] MS. *acquietatbimus.*

378. *Agreement between William, abbot of St Augustine's, and Thomas of Ashleworth, son of John of Pudbrook. Thomas remits and quitclaims all right to rents, amounting to 17s 0½d, from land held by Andrew of Pudbrook, William of*

Pudbrook, Simon Breakspear, Margery daughter of Roger of Pudbrook, William son of Roger Adam of Pudbrook, and his sister Alice, Geoffrey clerk of Deerhurst, Thomas the smith of Herfold, and Walter of Ham. He also quitclaims rights over the meadow called Sunderhurst.[1] The abbey grants to Thomas the remainder of the land which he holds from the abbey at Pudbrook, rendering annually 8s 6½d and 2 ploughing services. (1234 × 64; probably 1242 × 64.)[2]

Hec est conventio facta inter Willelmum abbatem Sancti Augustini de Bristoll' et ejusdem loci conventum ex parte una et Thomam de Esselleswrth' filium Johannis de Pudibroch ex altera. Videlicet quod dictus Thomas pro se et heredibus suis et suis assignatis concessit remisit et inperpetuum quietum clamavit memoratis abbati et conventui et eorum successoribus annuum redditum subscriptum, scilicet de terra quam Andreas de Pudibroch tenuit decem solidos et quatuor denarios singulis annis, de terra quam Willelmus de Pudibroch tenuit viginti et duos denarios, de terra quam Simon [f. 134][3] Brekesp*er* tenuit septemdecim denarios, de terra quam Margeria filia Rogeri de Pudebrock tenuit viginti et duos denarios, de terra quam Willelmus filius Rogeri Ade de Pudebroc tenuit et Alicia soror ejus duodecim denarios, de terra quam Galfridus de Derhurste clericus tenuit unum denarium, de terra quam Thomas faber de Herfold tenuit sex denarios, de terra quam Walterus de Hamme tenuit obolum, cum omnibus serviciis gardis et releviis escaetis et omnibus aliis rebus ad predictas terras pertinentibus, cum toto jure quod dictus Thomas in supradictis terris et pastura que vocatur Sunderhurst' et earum pertinenciis habuit vel quocumque modo habere potuit. Et dicti abbas et conventus concesserunt predicto Thome et heredibus suis pro homagio et servicio suo residuum totius terre quam de dictis canonicis dictus Thomas apud Pudibroch aliquando tenuit. Reddendo singulis annis dictis abbati et conventui octo solidos et sex denarios et obolum sterlingorum duos anni terminos, medietatem unam ad Pascha et alteram medietatem in festo Sancti Michaelis. Preter hec dictus Thomas et heredes sui et sui assignati facient duas araturas singulis annis pro terre memorata. Et ad majorem utriusque partis securitatem presenti scripto in modum cyrographi confecto et inter partes diviso signa partium hinc inde sunt appensa. T*estibus.*

[1] *Sunderhurst'* is an area of pasture-land or an area in which Thomas has rights of pasturage. The name should probably be linked with the field-name Hurst acre (*P-NG*, iii, p. 148), perhaps with the element *sundor*, meaning private, or detached (ibid. iv, p. 176).

[2] The detail of the agreement, and especially the obligation to perform two ploughing services a year, suggest that this agreement belongs to the time of Abbot William Long rather than to the time of his predecessor, William of Breadstone.

[3] Rubric: *Asshelworth.*

379. *Charter of John, abbot of St Augustine's, granting to Ernald of Ashleworth, son of Hadewi Pinbert, for his lifetime, 9 acres of land in Ashmore,[1] towards Wickridge, and 3 acres in Foscombe for an annual render of 4s. At his death, they are to revert to the abbey's demesne land. (1186/7 × 1216.)[2]*

Sciant presentes et futuri quod ego Johannes dei gratia abbas Sancti Augustini de Bristoll' et ejusdem loci conventus concessimus Ernaldo de Assellesworth' filio Hadewi Pinbert novem acras terre in Aismora versus Wicrige et tres apud Voxcumbam de nostro dominio, tenendas et habendas de nobis in vita sua tantum. Reddendo inde nobis annuatim quatuor solidos ad quatuor anni terminos, scilicet duodecim denarios ad Pascha, duodecim denarios ad Nativitatem Beati Johannis, duodecim denarios ad festum Sancti Michaelis, duodecim denarios ad Nativitatem Domini, salvo regali servicio. Post obitum vero predicti Ernaldi prefate terre ad nostrum dominium quiete et libere revertentur. Hiis testibus, Johanne Lupo tunc temporis constabulario de Bristo', Ricardo Revel clerico, Willelmo de Radewia, Ricardo et Philippo de Haubert', Wyllelmo de Insula, Reginaldo de Pennard et Wyllelmo fratre suo, Ricardo de Cantel', et multis aliis.

[1] *Aismora* is a twelfth-century form of the eleventh-century *on aescmor* (*P-NG*, iii, p. 154).

[2] The dates are those of Abbot John's tenure of the abbacy. A later copy of this charter was added on f. 3 (see below, Add. Doc. 3) with these variations: *presentes et* replaced by *tam presentes quam*, *Asselesworth'* by *Asseleword'*, *Pinbert* by *Pinberd*, *Voxcumbam* by *Woxcumbam*, *et habendas* omitted, and *Testibus* by *Hiis testibus*. The list of witnesses is taken from Add. Doc. 3.

380. *Charter of Ernald of Ashleworth to St Augustine's granting in free alms 5 acres of meadow of his free tenement which he holds of the canons in Ashleworth. (? Late twelfth century.)*[1]

Sciant tam presentes quam futuri quod ego Ernaldus de Asselleswrth' [f. 134v.] de libero tenemento quod teneo apud Asselleswrth de monasterio[2] Sancti Augustini de Bristoll' pro salute anime mee et patris mei et matris et uxoris mee et heredum meorum dedi et concessi ecclesie Sancti Augustini de Bristoll' quinque acras prati inperpetuam liberam et puram elemosinam, scilicet illas quinque acras prati que jacent inter pratum Roberti Griffini et pratum Ernaldi filii Wiot cum terra que jacet super capite illarum quinque acrarum prati que dicitur vetus terra. Et ita has quinque acras prati cum predicta terra dedi ecclesie Sancti Augustini de Bristoll' liberas et quietas, habendas et tenendas inperpetuum, quod nec michi nec alicui heredum meorum de aliquo servicio inde respondeant. Et ut hec mea donatio etc. *Testibus* etc.

[1] The form of the charter is very simple, and suggests a twelfth-century date. The charter may fall within Abbot John's abbacy, 1186/7–1216 (cf. no. 379).

[2] MS. *mo*.

381. *Charter of Ernald of Ashleworth to St Augustine's granting a rent in Ashleworth, 3 acres of meadow in Longridge, 12 acres of arable land in Longriding by Stonyriding, and 1 acre of arable land called* Buracre. *In each case, he reserves for his wife Matilda daughter of James her dower lands – 1 of the 3 acres of meadow, 4 of the 12 acres of arable, and one third of the single acre called* Buracre. *He has assigned to the canons 4 acres of arable land in Broadriding to hold as long as Matilda is alive. The land is given in free alms,* *but is subject to an annual rent of 1d to be paid to Ernald and his heirs. (Early thirteenth century.)*[1]

Sciant presentes et futuri quod ego Ernaldus de Asselleswrth' dedi et concessi et hac presenti carta mea confirmavi deo et ecclesie Sancti Augustini de Bristoll' et canonicis regularibus ibidem deo servientibus sex solidatos redditus petrus duos denarios[2] quos annuatim percipere consuevi de terra quam aliquando tenuit Walterus Clepam cum toto jure quod in dicta terra unquam habui vel habere potui, nullo jure michi vel heredibus meis inde retento. Dedi etiam et concessi dictis canonicis tres acras prati in Longerecϸ, ita tamen quod una earum Matillidi filie Jacobi Weccheherin quoadvixerit remanebit; et duodecim acras terre arabilis in Longerudinge juxta Estennerudinge,[3] de quibus duodecim acris quatuor acre dicte Matillidi filie[4] Jacobi quoadvixerit remanebunt; pro quibus quatuor acris, dictis canonicis quatuor acras terre arabilis in Broderudinge juxta quamdiu dicta Matillis vixerit tenendas assignavi. Dedi etiam et concessi dictis canonicis unam acram terre arabilis que vocatur Buracre, cujus tertia pars supradicte Matillidi toto tempore vite sue remanebit. Et si de me humanitus contigerit et uxor mea me supervixerit et aliqua pars redditus prati vel terrarum supradictarum sibi fuerit assignata, vel per dotem seu alio modo recuperata, heredes mei pro tanta terra dictis canonicis plene satisfacient. Ita ut terra ad uxorem meam quocumque titulo devoluta post ejus obitum sine alicujus contradictione vel reclamatione in [f. 135][5] usus canonicorum cedat supradictorum. Volo autem quod dicti canonici redditum supradictum predictas tres acras prati et terras supradictas in liberam puram et perpetuam elemosinam adeo libere et quiete teneant inperpetuum, quod nec michi nec heredibus meis nec alicui hominum in aliquo inde respondeant nisi soli deo in orationibus, salvo uno denario singulis annis in festo Pasche michi et heredibus meis pro omni servicio et demanda seculari persolvendo. Ego vero et heredes mei redditum supradictum pratum et terras supradictas contra omnes homines et feminas warantizabimus inperpetuum. Et ne premissa inposterum devocetur indubium presens scriptum sigilli mei inpressione roboratum eisdem canonicis duxi confirmandum. T*estibus.*

[1] The date is suggested by the form and detail of the charter.
[2] The phrase is probably intended for *redditus preter duos denarios*, so that the land is valued at 6s less 2d. An alternative might be *redditus certus*, a fixed rent, but the second part of the phrase would need expansion.
[3] *Estenne* is from the element *staen* which occurs elsewhere in Gloucestershire as *staenen* and *staeniht* (*P-NG*, iv, p. 173).   [4] MS. *filii*.   [5] Rubric: *Asshelworth.*

382. *Charter of Ernald son of Ernald of Ashleworth to St Augustine's granting 2 parcels of land, 1 in his moor, and the other arable land lying between Middlefield and the land of William of New Hall* (Aula Nova), *for an annual rent of 1d. In his urgent necessity the canons have given him 20s in entry fee. (Probably early thirteenth century.)*

Sciant presentes et futuri quod ego Ernaldus filius Ernaldi de Essellesworthe dedi concessi et hac presenti carta mea confirmavi abbati et conventui Sancti

Augustini de Bristoll' unam parcellam de mora mea cum quadam parte terre arabilis que jacet inter terram que vocatur Middelfeld ex parte aquilonari et terram Willelmi de Nova Aula ex parte[1] australi, et extendunt se in longitudine a via subterius versus domum meam superius. Habendas et tenendas predictas parcellas terre cum omnibus pertinenciis suis de me et de heredibus meis sibi et successoribus suis vel assignatis libere quiete integre bene et in pace inperpetuum. Reddendo inde annuatim michi et heredibus meis ipse et successores sui vel assignati unum denarium ad festum Sancti Michaelis pro omni servicio exactione sectis curie et seculari demanda. Pro hac autem donatione concessione et carte mee confirmatione dederunt michi predicti abbas et conventus ad urgens negotium meum viginti solidos de introitu. Ego vero predictus Ernaldus et heredes mei predictis abbati et conventui et successoribus suis vel assignatis totas predictas parcellas terre cum pertinenciis suis ut predictum est contra omnes homines et feminas inperpetuum warantizabimus acquietabimus et defendemus. In cujus rei testimonium etc. *Testibus* etc.

[1] *terra arabilis . . . ex parte* has been added in the margin in a later hand.

383. *Charter of Ernald of Ashleworth to St Augustine's granting in free alms a parcel of meadow in Hamcroft. (? Early thirteenth century.)*

Noverit universi tam presentes quam futuri quod ego Ernaldus de Esselleswrth' dedi concessi et hac presenti carta mea confirmavi [f. 135v.] pro salute anime mee et omnium antecessorum et successorum meorum deo et ecclesie Beati Augustini de Bristoll' et canonicis regularibus ibidem deo servientibus in liberam puram et perpetuam elemosinam unam parcellam prati mei que jacet in Homcrofte inter pratum dictorum canonicorum ex una parte et pratum Willelmi de Nova Aula ex altera. Habendam et tenendam dictam parcellam prati mei cum omnibus suis pertinenciis de me et heredibus meis sibi et successoribus suis inperpetuum libere et quiete bene et in pace sicut liberam puram et perpetuam elemosinam. Ita quod nulli hominum inde in aliquo respondeant nisi soli deo in orationibus. Ego vero Ernaldus et heredes mei totam predictam puram et perpetuam elemosinam scilicet predictam parcellam prati cum omnibus suis pertinenciis contra omnes mortales predictis canonicis et eorum successoribus warantizabimus et eos acquietabimus et defendemus in omnibus inperpetuum. Et ut hec mea donatio etc. *Testibus* etc.

384. *Charter of Ernald son and heir of Ernald of Ashleworth to St Augustine's granting in free alms land in Ashleworth moor lying between the land of John ad Hayusl and Ernald's land, with its boundary marked by a ditch. (? Early thirteenth century.)*

Sciant presentes et futuri quod ego Ernaldus de Essleswrthe filius et heres Ernaldi de Esselswrthe dedi et concessi et hac presenti carta mea confirmavi deo et ecclesie Sancti Augustini de Bristoll' et canonicis regularibus ibidem deo servientibus et eorum successoribus inperpetuum quandam partem terre mee in la more apud Esselleswrthe, videlicet totam illam terram que jacet a terra quam Johannes ad Hayusl tenuit ex parte australi usque ad terram dicti Ernaldi ut dividitur per fossatum in predicta mora in liberam puram et perpetuam elemosinam inperpetuum. Ita quod nec michi nec alicui hominum in aliquo respondeant nisi soli in orationibus. Ego vero Ernaldus et heredes mei totam memoratam terram cum suis pertinenciis prefatis canonicis et eorum successoribus contra omnes mortales inperpetuum warantizabimus et in omnibus acquietabimus et defendemus. Quod ne inposterum devocetur indubium presenti scripto sigillum meum apposui. *Testibus.*

385. *Charter of Ernald son and heir of Ernald of Ashleworth to St Augustine's granting in free alms all his moor in Ashleworth called Upper Moor. (Probably early thirteenth century.)*

Noverit universi tam presentes quam futuri quod ego Ernaldus [f. 135 *bis*][1] filius et heres Ernaldi de Essellessewrth' dedi concessi et hac presenti carta mea confirmavi pro salute anime mee et omnium antecessorum meorum deo et ecclesie Sancti Augustini de Bristoll' et canonicis regularibus ibidem deo servientibus et eorum successoribus in liberam puram et perpetuam elemosinam totam moram meam in villa de Esselleswurth' que vocatur mora superior. Habendam et tenendam totam predictam moram cum omnibus pertinenciis suis de me et heredibus et assignatis meis sibi et successoribus suis inperpetuum libere et quiete bene et in pace sicut liberam puram et perpetuam elemosinam. Ita quod nulli hominum in aliquo respondeant nisi soli deo in orationibus. Ego vero Ernaldus et heredes mei et assignati totam predictam moram cum omnibus pertinenciis suis contra omnes mortales predictis canonicis et eorum omnibus successoribus warantizabimus acquietabimus et defendemus in omnibus inperpetuum. Et ut hec mea donatio etc. Testibus[2] etc.

Marginal note: Quere quedam scripta de Asshelworth' in principio huius libri.

[1]   The numbering of this last folio of the Ashleworth series is a duplicate. In the space following this charter a final concord of 2 Richard II has been written in a later hand (see below, Add. Doc. 22). The verso of f. 135 *bis* is blank.   [2] *Testibus* in full.

386. *Charter of Roger de Cantilupe to St Augustine's confirming a quarter of his holding in Codrington, and naming specifically a quarter of 7 fields, a quarter of the meadow land of the manor, and 16¼ acres of land. His grant is not identified as a gift in free alms, but the only service demanded is that of the canons' prayers. (Late twelfth century.)[1]*

[f. 136][2] Sciant presentes et futuri quod ego Rogerus de Cantolup' dedi et concessi et hac mea presenti carta confirmavi pro salute anime mee et uxoris mee et liberorum et antecessorum nostrorum deo et monasterio Sancti Augustini de Bristoll' et canonicis regularibus ibidem deo servientibus quartam partem totius terre mee in Cuderigton' de tenemento illo quod teneo de Willelmo de Ponte Arce. Scilicet quartam partem[3] illius culture que est juxta duitellum in parte meridiana. Item quartam partem illius culture que jacet juxta domum que fuit Willelmi prepositi, videlicet partem illam secundo proximam juxta fossam. Item quartam partem curte[4] culture juxta duitellum. Item quartam partem illius culture que dicitur Beaulond. Item quartam partem illius culture que jacet ex utraque parte vie que tendit versus ecclesiam. Item quartam partem illius culture que jacet juxta Hanme. Item quartam partem illius culture que jacet juxta longam croftam. Item acram illam que jacet juxta viam que dicitur Portwei. Item unam apud Walesford acram scilicet.[5] Item acram unam apud Hullimed. Item apud Puteswell' acram et dimidiam. Item Lungeshull' unam acram. Item apud Pontem Godefridi unam acram. Item apud Akchewelle dimidiam acram. Item apud Cueringehulle unam acram. Item in Langeforlong' unam acram. Item juxta quarreram unam acram. Item sub via ferrea unam acram. Item apud Peillesholl' unam acram. Item juxta Saltstret in parte occidentali unam acram. Item juxta pratum Edwardi apud Wincsmor unam acram. Item apud Bude unam acram. Item apud Siche unam acram. Item in bifforlong' unum ferendellum. Item quartam partem prati ad totale tenementum supramemoratum pertinentem.[6] Hec omnia dedi et concessi dictis canonicis habenda et tenenda de me et heredibus meis sibi inperpetuum libere et quiete plene et integre cum omnibus pertinenciis suis et libertatibus in pratis et pascuis et ceteris omnibus ad predictam terram pertinentibus. Ita quod dicti canonici nec michi nec alicui heredum meorum nec ulli hominum in aliquo respondeant nisi soli deo in orationibus, excepto regali servicio ad quartam partem dicti tenementi pertinenti. Et ut hec omnia perpetuo rata consistant predictam donationem et concessionem presenti scripto sigilli mei appositione roborato et juramento tam ex [f. 136v.] parte mea quam uxoris mee cujus assensu et bona voluntate hec omnia facta sunt et concessa interposito confirmavi. Testibus.

Marginal rubric: Cantilupe.

[1]   Roger occurs 1166 (*RBE*, i, p. 372) and 1185 (*Records of the Templars in England in the Twelfth Century*, ed. B. A. Lees, 1935, p. 61); he and his son Richard, who occurs 1230 (*VCH Glos.* x, p. 146), are mentioned. William de Pontedelarch occurs 1198, 1199 (*PR 10 Richard I*, PRS, NS, 9, p. 7; *PR 1 John*, PRS, NS, 10, p. 26), and 1200 (Jeayes, *Select Charters*, p. 29, no. 68).

[2]   Rubric: *Cuderington.*   [3]   *totius terre mee* repeated and expuncted for deletion.

[4]   The word could be *curce, curre* or *curte*; perhaps for short field?

[5]   perhaps incomplete: ? for *unam acram apud Walesford, acram scilicet que dicitur* [. . .].

[6]   MS. *cum pertinentis* (*sic*).

387. *Charter of Roger de Cantilupe son of Roger de Cantilupe to St Augustine's, confirming in free alms the grant of 6 acres in Codrington which his father had made. The canons are to have their barns on 1 acre, and the other 5 acres adjoin it. (First half of the thirteenth century.)*[1]

Omnibus sancte matris ecclesie fidelibus ad quos presens carta pervenerit Rogero de Cantelo filius Rogeri de Cantelo, salutem. Sciatis quod ego pro salute anime me et patris mei et matris mee et uxoris mee et omnium parentum meorum concessi et hac carta mea confirmavi donationem quam pater meus Rogerus de Cantelo pro salute anime sue[2] et suorum antecessorum fecit canonicis et ecclesie Sancti Augustini de Bristou, videlicet sex acras terre apud Cuderintona, unam acram ubi sunt horrea canonicorum et quinque acras ab orientali parte juxta eadem horrea quas pater meus dedit canonicis in puram et perpetuam elemosinam liberam et quietam ab omni seculari servicio. Quare volo quatinus predicti canonici has sex acras habeant et possideant libere et quiete sicut liberam et puram elemosinam inperpetuum quietam ab omni seculari consuetudine et servicio. *Testibus.*

[1] Roger occurs 1248 (Jeayes, *Select Charters*, p. 99, no. 298).
[2] MS. *suee*, the last *e* expuncted for deletion.

388. *Charter of Richard de Cantilupe son of Roger de Cantilupe to St Augustine's recording the exchange of all his land in Codrington in free alms for a variety of holdings in Arlingham. He provides, in elaborate terms, protection for the canons against demands, losses, and expenses which might occur as a result of the exchange. (Before 1248.)*[1]

Omnibus Christi fidelibus ad quos presens scriptum pervenerit Ricardus de Cantolup' filius et heres Rogeri de Cantolup', salutem in domino. Noverit universitas vestra me dedisse concessisse et hac presenti carta mea confirmasse deo et ecclesie Sancti Augustini de Bristoll' et canonicis regularibus ibidem deo servientibus in liberam puram et perpetuam elemosinam totam terram meam in Gutherinton' cum omnibus pertinenciis suis in excambium unius virgate terre in Erlingeham, illius scilicet virgate terre que vocatur Wodeiurd', et unius prati in Polesham que vocatur clausum pratum, et unius mesuagii cum una crofta ad predictum mesuagium pertinenti apud Andelton', et quatuor swathiorum prati juxta pratum Walteri Pride ad predictum mesuagium pertinent' que jacent in Westmarisco, et totius pasture que vocatur Eya. Tenendam et habendam de me et heredibus meis inperpetuum, integre libere et quiete, in pratis pascuis et pasturis in viis et semitis in aquis et aquarum cursibus, cum omnibus libertatibus et liberis consuetudinibus ad predictam terram pertinentibus [f. 137][2] ab omnibus servicio seculari exactione inquietudine et demanda sicut liberam elemosinam. Quam quidem terram similiter et omnes alias terras quas de Rogero de Cantolup' patre meo et Rogero de Cantelop' avo meo in predicto villa habuerunt a regali servicio et demanda et etiam omnibus aliis serviciis ego et heredes mei acquietabimus. Ita quod nec michi nec heredibus meis nec alicui hominum inde respondeant nisi soli deo in orationibus. Quod si tallagium scutagium hidagium vel aliqua alia hujusmodi exactio a prefatis canonicis nomine predicte terre fuit requisita, ego et heredes mei sepedictos canonicos plene acquietabimus similiter, et ab omni secta hundredorum ad quod me obligavi et totum tenementum meum quod habui vel habere potui. Ita quod predicti canonici a patratione vexatione et fora de capitali domino et omnibus hominibus immunes sint et quiete.[3] Ego vero Ricardus et heredes mei omnes predictas terras cum eorum[4] pertinenciis sepedictis canonicis contra omnes homines et feminas warantizabimus inperpetuum. Insuper supradictam terram cum omnibus pertinenciis suis ab omni servicio quod facere consuevit vel ei accidere poterit absque omni contradictione et dilatione acquietabimus. Ita quod si dicti canonici jacturam sustinuerint vel expensas fecerunt per desertum mei vel heredum meorum pro defentione libertatis terre memorate, ego et heredes mei ipsos in omnibus conservabimus indempnes,[5] tam penes capitales dominos et eorundem heredes quam ceteros universos, de laboribus dampnis et expensis eisdem satisfacturi. Ad premissa autem in omnibus fideliter conservanda juramento corporaliter prestito et tactis sacrosanctis ewangeliis me et heredes meos obligavi et ea presenti scripto sigilli mei appositione roboravi. *Testibus.*

[1]   Richard son of Roger occurs 1230 (*VCH Glos.* x, p. 146). He was party to a lease dated 24 June 1248 conveying rights over a fishery in Arlingham (Jeayes, *Select Charters*, p. 99, no. 298). The exchange recorded in this charter must have been made before that date.

[2]   Rubric: *Cuderington.*

[3]   Reading: The canons shall be free from performance of obligations, burdens, and external service demanded by the capital lord and all men.

[4]   MS. *edum.*   [5]   MS. *indepnes.*

389. *Charter of Richard de Cantilupe son of Roger de Cantilupe the younger to St Augustine's, confirming the grants made by his grandfather Roger de Cantilupe the elder and by his father. His confirmation adds some details omitted from no. 386. (Mid-thirteenth century.)*[1]

Omnibus Christi fidelibus ad quos presens scriptum pervenerit Ricardus de Cantolup' filius Rogeri de Cantolup' junioris, salutem in domino. Sciatis me pro salute anime mee patris mei et matris mee et omnium antecessorum meorum et successorum meorum dedisse et concessisse et hac presenti carta mea confirmasse deo et ecclesie Sancti Augustini de Brist' et canonicis regularibus ibidem deo servientibus omnes terras cum [f. 137v.] pertinenciis suis quas avus meus Rogerus de Cantolup' senior et pater meus Rogerus de Cantolup' junior eis dederunt apud Cuderinton'. Videlicet sex acras terre quas dictus avus meus Rogerus de Cantolup' dictis canonicis dedit et pater meus eisdem carta sua confirmavit; unam scilicet acram ubi sunt horrea dictorum canonicorum et quinque acras ab orientali parte juxta eadem horrea, in liberam puram et perpetuam elemosinam liberas et quietas ab omni seculari servicio. Et quartam partem totius terre mee in eadem villa quam memoratus pater meus canonicis memoratis dedit et carta sua confirmavit. Videlicet quartam partem illius culture que est juxta duitellum in parte meridiana. Item quartam partem illius culture que jacet juxta domum que fuit Willelmi prepositi, videlicet partem illam secundo proximam juxta fossam. Item quartam partem curte culture que est extra duitellum. Item quartam partem illius culture que dicitur Beuland. Item quartam partem illius culture que jacet ex utraque parte vie que extendit versus ecclesiam. Item quartam partem illius culture que jacet juxta Hamme. Item quartam partem illius culture que jacet juxta longam croftam. Item[2] acram illam que jacet juxta viam que dicitur Portwei. Item unam acram apud Walesford. Item acram unam apud Hullimed. Item apud Puthewelle acram et dimidiam. Item apud Kingeshulle unam acram. Item apud Pontem Godefridi unam acram. Item apud Switewelle dimidiam acram. Item apud Everingehulle unam acram. Item contra Brudeberg' quartam partem acre. Item in campo orientali predicte ville juxta croftam Willelmi filii prepositi unam acram. Item juxta Winesmor in parte aquilonis unam acram.[3] Item sub via ferrea unam acram. Item apud Peileshulle unam acram. Item juxta Saltstret unam acram in parte occidentali. Item juxta pratum Edwardi apud Winesmor unam acram. Item apud Bude unam acram. Item apud Siche tria ferendella.[4] Item in riforlong[5] unum ferendellum. Item quartam partem prati ad totale tenementum supermemoratum pertinentis. Hec omnia dedi et concessi dictis canonicis habenda et tenenda de me et de heredibus meis sibi inperpetuum libere et quiete plene et integre cum omnibus pertinenciis suis et libertatibus in pratis et pascuis et ceteris omnibus ad predictas terras[6] [f. 138][7] pertinentibus. Ita quod predicti canonici nec michi nec alicui heredum meorum nec ulli hominum in aliquo respondeant nisi soli deo in orationibus, excepto regali servicio pertinente ad quartam partem terre quam pater meus Rogerus de Cantolupo junior eisdem [dedit][8] et cartam suam confirmavit. Ego vero et heredes mei dictas terras cum omnibus pertinenciis suis et libertatibus prescriptis dictis canonicis contra omnes homines et feminas warantizabimus. Concessi etiam canonicis memoratis fide mediante quod residuum terre mee de Cuderinton' non alienabo nec vendam nec alicui locabo nisi ipsis canonicis dum modo ipsi pro eodem servicio dictam terram a me accipiant, pro quo alii eam de me tenere voluerunt. Et ut omnia predicta perpetua gaudeant stabilitate ea presenti scripto sigilli mei appositione roborato fide et mediante et juramento in capitulo dictorum canonicorum personaliter prestito confirmavi. *Testibus.*

[1]   This must be close in date to no. 388.   [2]   MS. *croftam inter*; cf. no. 386.
[3]   The land opposite *Brudeberg'*, and the east field next to the croft of William son of the reeve, and next to *Winesmor* are not mentioned in no. 386.
[4]   For *tria ferendella* no. 386 reads *unam acram*.   [5]   *bifforlong'*, no. 386.
[6]   For *predictas terras* no. 386 reads *predictam terram*.
[7]   Rubric: *Cuderington*.   [8]   MS. *tenuit*.

390. *Charter of Hugh le Petit to St Augustine's, confirming in free alms the grant of 6 acres on his fee made by Roger de Cantilupe the elder. (Mid-thirteenth century.)*

Omnibus sancte ecclesie fidelibus ad quos presens scriptum pervenerit Hugo le Petit, salutem. Noverit universitas vestra me concessisse et hac mea carta confirmasse donationem quam fecit Rogerus senior de Cantelo ecclesie et canonicis Sancti Augustini de Bristoll', scilicet sex acras terre apud Cuderinton' de feudo meo. Quare volo quatinus predicti canonici prenominatas[1] sex acras terre habeant et possideant libere et quiete sicut liberam elemosinam et quietam inperpetuum sicut carta Rogeri junioris de Cantelo inde facta testatur. *Testibus.*

[1]   MS. *prenominatis*.

391. *Charter of Ralph fitz Stephen, the king's chamberlain. When the church at Wapley was dedicated he gave it as an endowment land which the church had formerly held for 10d a year. Acting on his instructions, his man, Roger of Wapley, placed his gift on the altar of the church when Nicholas, bishop of Llandaff, dedicated it. (1157 × 83.)*[1]

Radulfus filius Stephani domini regis camerarius universis sancte ecclesie fidelibus ad quos presens scriptum pervenerit, salutem. Sciatis quod ego ad honorem dei dedi et concessi ecclesie de Wapelea in dotem quando dedicata fuit terram quandam in Wapel', quam terram ipsa ecclesia de antiquo tempore tenebat ad firmam pro decem denariis per annum. Ego vero pro salute anime mee predictam terram concessi predicte ecclesie[2] liberam et quietam ab omni seculari servicio cum decima feni de dominio et cum collecta denarii Sancti Petri. Et hec omnia obtulit super altare predicte ecclesie ex voluntate et precepto meo Rogerus de [Wap]pel' homo meus coram Nicholao Landavensis episcopi in dedicatione ipsius ecclesie. T*estibus*.

[1] Nicholas was bishop of Llandaff from 1148 to 1183. Ralph occurs as chamberlain between 1157 and 1189. The church was rebuilt, and the earliest surviving work dates from the thirteenth century (David Verey, *The Buildings of England: Gloucestershire*, 2, 1970, pp. 397–8).

[2] The phrase *ex voluntate et precepto meo Rogerus de Wapele*, which follows *predicte ecclesie*, has been copied in error at this point.

392. *Charter of Nicholas, abbot of Stanley. Prompted by Ralph fitz Stephen and other friends, he has granted to St Augustine's the tithes of corn from the abbey's demesne land at Wapley and Codrington. The canons, content with these tithes of corn, will not claim any further tithes from Stanley abbey unless the general chapter of the Cistercian order determines that more tithes should be paid. (Late twelfth century; probably c. 1190.)*[1]

[f. 138v.] Omnibus Christi fidelibus ad quos presens scriptum pervenerit frater Nicholaus dei gratia abbas de Stanleg' et totus ejusdem conventus, salutem in domino. Noverit universitas vestra quod licet a solutione decimarum indulgentia sedis apostolice nos absolverit. Canonicis tamen Sancti Augustini de Bristoll' decimas solvis[2] bladi de dominio nostro de Wapeleia et de Cuderinton', ad instantiam domini Radulfi filii Stephani et aliorum amicorum pacis obtentu, concessimus sub conditione tali quod decimis solvis bladi contenti nichil amplius a nobis nomine decimarum exigent nisi forte ex parte generalis capituli Cisterciensis amplius a nobis nomine decimarum aliquid acquirere potuerint nec ulterius super hac re nos inquietabunt.

[1] Abbot Nicholas occurs in 1180 (D. Knowles, C. N. L. Brooke, and V. C. M. London, *The Heads of Religious Houses England and Wales 940–1216*, 1972, p. 142). Ralph fitz Stephen occurs in Richard I's entourage as late as 1191, when the king issued charters to Ralph and to Stanley abbey (L. Landon, *The Itinerary of King Richard I*, PRS, NS, 13, p. 48).

[2] The precise force of this phrase, repeated with a minor variation later in the charter, is not easy to establish.

393. *Agreement between St Augustine's and Stanley abbey over the tithes of hay and the minor tithes of Wapley and Codrington. The canons remit and quitclaim the tithes of hay from Stanley's men in these manors, both free and servile, and the tithes of all Stanley's meadows there, in return for a rent of half a mark. They concede that the monks may celebrate divine services in the chapel in their court at Codrington, saving the rights of the parish church of Wapley, which shall also receive the minor tithes. Dated on the vigil (10 November) of St Martin the bishop, 1249.*

Noverit universi presens scriptum visuri vel audituri quod cum multiplices et diverse contentiones inter abbatem et conventum Sancti Augustini de Bristoll' Wigor' diocesis ex parte una et abbatem et conventum de Stanleh' Sisterciensis ordinis Sarum dio*cesis* ex altera[1] moverentur tam super decimis feni quam super minutis decimis de Wapele et de Cuderinton' similiter, et super erectione capelle dictorum abbatis et conventus de Stanlegh' apud Cuderintone, tandem post multis labores et altercationes omnes lites et contentiones inter memoratas partes bonis intermediantibus sopite sunt in hac forma. Videlicet quod predicti abbas et conventus Sancti Augustini de Bristoll' pro se et ecclesia sua et successoribus suis remiserunt et concesserunt supradictis abbati et conventui de Stanlegh' et eorum monasterio et successoribus suis inperpetuum omnes decimas feni provenientes de terris tam liberorum hominum eorumdem abbatis et conventus de Stanlegh' quam serviliter tenencium in Cuderintone et Wapell'. Et etiam omnes decimas provenientes de universis propriis pratis dictorum abbatis et conventus de Stanlegh' in prefatis villis. Reddendo nomine perpetue pacis annuatim dimidiam marcam argenti abbati et conventui Sancti Augustini de Bristoll' ad festum Sancti Michaelis, quam tradent apud Cuderintone eisdem [f. 139][2] que procuratori suo vel eorum certo nuntio. Preterea ex concensu et bona voluntate abbatis et conventus Sancti Augustini de Bristoll' dicti abbas[3] et conventus de Stanlegh' et alii supervenientes in memorata capella in curia sua de Cuderinton' erecta divina celebrabunt et audient sine alicujus inpedimento et contradictione, salvis matrici ecclesie de Wapel' omnibus oblationibus in eadem capella oblatis. Ita tamen quod nullum de parochianis de Wapele admittent ibidem ad divina nisi ex speciali vicarii de Wapel' licencia excepta propria familia sua. Ecclesia vero de Wapel' percipiet ex voluntate et concessione abbatis et conventus de Stanlegh' inperpetuum omnes minutas decimas omnium hominum suorum de Cuderintone et de Wapel' exceptis prefatis decimis feni sive inter minores decimas sive inter majores computari debeant non obstante aliquo processu, coram quocumque judice ordinario vel delegato habito aut instrumento ante tempus confectionis hujus compositionis inter prefatos abbates et conventus vel aliquos alios superdictis minutis decimis confecto, sed omnis vexatio et secularis exactio super omnibus premissis et eorum areragiis et quibuscumque rebus aliis prefatis aut dictis aliqua occasione ante tempus prenominate pacis inite[4] mota huic inde plenarie remissa est inperpetuum. Ut autem hec real*is*[5] compositio perpetue firmitatis robur optineat utraque pars eidem in modum cyrographi confecte sigilla sua huic inde apposuit. Datum anno domini milesimo ducentesimo quadragesimo nono, in vigilia Sancti Martini episcopi.

Marginal note: Inter nos et abbatem et conventum de Stan[le]gh' de minutis [d]ecimis.

¹ MS. adds *auctoritate apostolica.*   ² Rubric: *Cuderington et Wappeley.*   ³ MS. *abbatis.*
⁴ *aliqua occasione . . . pacis inite*: doubtful reading, perhaps for 'by any dispute before the time when this peace was first moved'.
⁵ This could be 'this binding agreement' or 'this agreement about property'.

394. *Charter of Ralph fitz Stephen, the king's chamberlain, to St Augustine's, granting in free alms the church of Wapley. (1157 × 83.)*¹

Radulfus filius Stephani domini regis camerarius universis sancte ecclesie fidelibus ad quos presens scriptum pervenerit, salutem. Sciatis quod ego ad honorem dei et pro salute anime mee et antecessorum meorum dedi et concessi ecclesie Sancti Augustini de Bristoll' et canonicis regularibus ibidem deo servientibus ecclesiam de Wapelea in quantum jus advocatum² pertinet inperpetuam et liberam elemosinam cum omnibus pertinenciis suis et liberis consuetudinibus. Et ideo volo quod predicti canonici habeant et teneant prenominatam ecclesiam bene et in pace libere et quiete et honorifice sicut liberam elemosinam. T*estibus.*

Marginal notes: (1) Wappelegh'. (2) (*Modern*) Ecclesia de Wapley.

¹ The canons received a hide of land in Wapley before the accession of Henry II (no. 1); the grant of the church came later. It was confirmed by Henry II (no. 15), and by Henry the young king between 1170 and 1183 (no. 19).   ² MS. *ad ad vocatum.*

395. *Charter of Ralph fitz Stephen, the king's chamberlain, recording that Nicholas son of Robert has, in his presence, quitclaimed to St Augustine's the payment of 20s which, at Ralph's request, the canons have been paying him. (1157 × 89.)*¹

[f. 139v.] Radulfus filius Stephani domini regis camerarius universis sancte ecclesie fidelibus ad quos presens scriptum pervenerit, salutem. Notum vobis facio quod Nicholaus filius Roberti de² dum³ in presentia mea quietos clamavit canonicos Sancti Augustini de Bristoud de xx solidis quos ipsi canonici mea petitione predicto Nicholao annuatim de kamera sua dabant. Ita quod idem Nicholaus nullam inperpetuum adversus predictos canonicos inperpetuum⁴ de hiis xx solidis querelam movebit. Et ego ex mea parte ipsos canonicos inperpetuum quietos clamavi de hiis xx solidis. Ita quod ego amodo de hoc redditu alicui demanda nullo modo requiram nec aliquis per me. T*estibus.*⁵

¹ Although Ralph survived until the early years of John's reign he did not serve as chamberlain after the death of Henry II.
² *de* has been written; it is smudged, and perhaps intended to be deleted.
³ The *dum* is clear. It looks as if the scribe intended to write *de* followed by a place-name, and instead wrote *dum in presentia mea* – while he was in my presence – and continued the charter.
⁴ This appears to be an inadvertent repetition.   ⁵ The remainder of f. 139v. is blank.

396. *Agreement between Matthew son of William, brother of Raher of Bristol, and Elias son of Ralph of Filton. Matthew grants to Elias 1 virgate of land and 1 villein, Godric, with his family and his holding, which William and Matthew held in pledge from Ralph of Filton, father of Elias, for 7 marks. Elias grants to Matthew for 8 marks and 10s 8d, the land which Goda held in Horfield and the meadow called* Medwell. *Matthew is to pay a rent of 5s, and to be responsible for relief on 3 virgates of land whenever Elias is called upon to pay relief. Goda's land was part of the dowry of Eufemia wife of Elias, and Matthew has given Eufemia 5s for her consent. Elias has also given Eufemia in exchange for her dower land 1 hide in Filton and the wood called* Walsache. *Matthew is to make a payment at 2 terms in the year but the cartulary scribe has omitted the details. Matthew has become Elias's man, has paid relief, and has given Elias's sons in recognition 2* fustanea, *i.e., either 2 lengths or 2 garments of fustian. (Before 1171.)*[1]

[f. 140][2] Noscant omnes tam presentes quam futuri hanc conventionem esse inter Mathiam filium Willelmi fratris Raeri de Bristou et Eliam filium Radulfi de Filtona. Mathias filius Willelmi fratris Raeri de Bristou dedit[3] Elie filio Radulfi de Filtona unam virgatam terre et unum villanum nomine Codricii cum liberis suis et cum sua tenementa quos Willelmus frater Raeri et ipsemet Mathias habebant apud Filtonam in vadio de Radulfo de Filtona patre ipsius Elie per vii marcas argenti. Et Elias dimisit eidem Mathie totam terram quam domina Goda tenebat apud Horefeldam que de suo feudo est, et pratum de Meduella quod apud Filtonam est, pro octo marcis argenti et x solidis et viii denariis. Tenenda in feudo et hereditate, hereditarie sibi et heredibus suis de ipso[4] [Elie] et heredibus suis per v solidos dandos[5] ipsi Elie singulis annis pro omni servicio excepto relevamine quod Mathias dabit quantum pertinebit tribus virgatis terre quando evenerit quod Elias dabit relevamen pro sua terra. Et quia hec predicta terra que fuit domine Gode fuit dos domine Eufeme uxoris predicti Elie dedit Mathias ipsi Eufeme v solidos pro suo ascensu et concessu hujus facti. Et ipse Elias dedit eidem Eufeme uxoris sue in excambio sue dotis unam hidam terre ad Filtonam et unum boscum nomine Walsache. Et pro ista terra predicta de Horefelda devenit Mathias homo ipsius Elie [reddendo . . .][6] medietatem ad Pascha Florid' et aliam[7] medietatem ad[8] festum Sancti Michaelis. Et quando Mathias[9] recepit hanc terram apud Horefeldam ipse ea relevavit erga ipsum Eliam et duobus filiis ipsius Elie dedit de recognitione duo fustancea. Et de hiis conventionibus predictis testibus.

---

[1] See no. 397.   [2] Rubric: *Ffylton et Horefeld.*   [3] *dedit* interlined.   [4] MS. *ipse.*
[5] MS. *dando.*   [6] There is an obvious lacuna here.   [7] MS. *alia.*
[8] *Pascha florida* repeated and expuncted for deletion.   [9] MS. *Mathiat.*

397. *Charter of Robert fitz Harding confirming the tenure of land in Horfield by Matthew son of William, in the general, but not detailed, terms of no. 396. Matthew is to hold his land by the same service as Elias of Filton had rendered, and this land is not to be distrained or disturbed for any penalty imposed on*

Elias. If Elias cannot acquit the service due to Robert for his land, Matthew shall be responsible for the deficit. (Before 1171.)[1]

Robertus[2] filius Harding' omnibus hominibus suis, salutem. Sciatis omnes tam Franci quam Anglici quod ego Robertus filius Harding dedi Mathie filio Willelmi fratris Raeri meum concessum et ascensum de terra Horefeldie quam ipse Mathias tenet ad Heliam filium Radulfi Filton' et de prato de Medewelle quod est apud Filtonem quatinus Mathias habeat eam terram cum prato predicto ita libere et quiete in feudo et hereditate hereditarie[3] cum omnibus tenaturis suis et pertinentibus et liberis consuetudinibus sicut melius et firmius diffinitum est in carta que est inde inter Mathiam et Heliam. Preterea ego *Robertus* dedi et concessi eidem Mathie [f. 140v.] hanc libertatem et quietantiam quod terra Mathie de Horefeld' non sit namiata nec disturbata pro terra Elie de Filton' [. . .]⁴ Willelmus pro aliquo forisfacto ipsius Elie sive alicujus sui heredis. Set ipse Mathias teneat eam in bono et pace sine omni querela per illud idem servicium quod debet Elie. Et si forte contigerit quod Elias terram suam de meo servicio non poterit adquietare Mathias ipse tantum servicii quantum [. . .].⁵ *Testibus.*

Marginal note: (*Modern*) Rob' fil' Hard'.

[1] This charter must have been issued before Robert fitz Harding became a canon of St Augustine's. The date of his death, 1171, is the outside limit.

[2] MS. *Radulfus*.   [3] MS. *heroditarie*.

[4] There is an omission here, indicated in the text, but not supplied. As it stands, *Willelmus* is an awkward intrusion, perhaps drawn from no. 398.

[5] The text is defective; it requires at least a verb, perhaps *fecerit*.

398. *Charter of Ralph of Filton to William son of Matthew, confirming the grant made by his father Elias to William's father Matthew, identified as 3 virgates in Horfield with the meadow in Filton called* Medwell. *William is to pay a rent of 5s, and has paid Ralph 7 marks. (Early thirteenth century.)*

Sciant presentes et futuri quod ego Radulfus de Filtuna concessi et hac presenti carta confirmavi Willelmo filio Matheo pro homagio suo et pro servicio suo illas tres virgatas terre in Horefelda cum omnibus pertinenciis suis et cum prato apud Filton' quod dicitur Medwlla, quas scilicet Helias de Filton' pater meus dederat Mathei patri predicti Willelmi pro servicio suo et pro homagio suo cum prenominato prato. Habendam et tenendam prefato Willelmo et heredibus ejus libere et quiete in bene et in pace plene et integre finabiliter et hereditarie de me et de heredibus meis, in bosco in plano in pratis in pascuis in viis in semitis in hominibus in redditibus in placitis in querelis in donis et auxiliis in omnibus exitibus in omnibus libertatibus et liberis consuetudinibus et in omnibus rebus prefato terre pertinentibus. Reddendo inde annuatim ad festum Sancti Michaelis michi et heredibus meis post me quinque solidos pro omnibus serviciis et omnibus exactionibus salvo regali servicio cum evenerit. Pro hac autem confirmatione et concessione prefatus Willelmus dedit michi septem marcas argenti, unde ego et heredes mei debemus warantizare eidem Willelmo et heredibus ejus totam prenominatam terram cum predicto prato. *Testibus.*

399. *Charter of Elias of Filton to St Augustine's, confirming the grant made by Matthew son of Richard de Briwes. It consisted of the 3 virgates in Horfield and the meadow in Filton called* Medwell *which Elias of Filton father of Ralph of Filton had given to Matthew father of William. The canons are to pay Elias 3d as Peter's pence and a rent of 5s. (c. 1235 × c. 1258.)*[1]

Sciant presentes et futuri quod ego Elias de Filton' concessi et hac presenti carta mea confirmavi deo et ecclesie Sancti Augustini de Bristoll' et canonicis regularibus ibidem deo servientibus in liberam et perpetuam elemosinam illas tres virgatas terre in Horefeld' cum omnibus pertinenciis suis et cum prato apud Filton' quod dicitur Medewelle, illas scilicet quas Elias de Filton' pater Radulfi de Filton' dedit Mathie patri Willelmi filii Mathie pro servicio et homagio suo cum prenominato prato, quas habuerunt de dono Mathei filii Ricardi de Briwes. Habendam et tenendam [f. 141][2] prefate ecclesie et ejusdem loci canonicis libere et quiete bene et in pace integre et pacifice de dicto Matheo et heredibus suis et assignatis suis inperpetuum in bosco et plano in pratis et pascuis in viis et semitis in hominibus et redditibus in placitis et querelis in donis et auxiliis in euntibus et exitibus et hesiamentis in omnibus libertatibus et liberis consuetudinibus et in omnibus rebus et locis prefate terre et prato pertinentibus. Reddendo inde singulis annis michi et heredibus meis vel meis assignatis in festo Sancti Petro quod dicitur ad vincula tres denarios Sancti Petri, quinque solidos argenti in festo Sancti Michaelis pro omnibus serviciis exactionibus sectis curie et omnibus secularibus demandis salvo regali servicio cum evenerit, scilicet quantum pertinet ad tres virgatas terre in manerio de Horefeld'. Ego vero et heredes mei et assignati mei prefatam supradicti Mathei donationem cum omnibus suis pertinenciis ratam habentes et gratam presenti scripto eandem memoratis canonicis et eorum successoribus concedimus et confirmavimus. Et quia volo quod hec mea concessio et confirmatio rata et stabilis perpetuo perseveret eam presenti scripto sigilli mei appositione roborato duxi confirmandum. T*estibus.*

[1]   This sequence of charters does not establish how Matthew son of Richard de Briwes acquired an interest in this holding. A marriage between Richard and an heiress (perhaps a daughter or sister) of William son of Matthew may be the explanation. Luke de Briwes quitclaimed all right which he had in land in Horfield by gift of his father or mother (no. 401). That phrase would be significant if he were the son of such a marriage. A payment due to the heirs of Richard de Briwes was recorded in a charter assigned to *c*. 1235 × 45 (*St Mark's Cartulary*, p. 86, no. 118). Luke de Briwes occurs in 1258–9 (ibid. p. 87, no. 121); Elias of Filton occurs frequently in 1234, 1248, 1250, and in a charter assigned to 1255 × 68 (ibid. pp. 180–5, 188, 194–6, 209, nos. 279, 281–4, 286–8, 293, 302–7, 335).   [2] Rubric: *Ffylton' et Horefeld.*

400. *Charter of Matthew son of Richard de Briwes to St Augustine's confirming in free alms 3 virgates in Horfield with a meadow in Filton called* Medwell *which Elias of Filton gave to Matthew, the father of William. (Second half of the thirteenth century.)*[1]

Sciant presentes et futuri quod ego Matheus filius Ricardi de Briwes pro salute anime mee patris mei et matris mee et omnium antecessorum et successorum meorum dedi et concessi et hac mea presenti carta confirmavi deo et ecclesie Sancti Augustini de Bristoll' et canonicis regularibus ibidem deo servientibus in liberam puram et perpetuam elemosinam illas tres virgatas terre in Horefeld cum omnibus pertinenciis suis et cum prato apud Filton' quod dicitur Medewelle, quas scilicet Elias de Filton' pater Radulfi de Filton' dedit Mathei patri Willelmi filii Mathie pro servicio et homagio suo cum prenominato prato. Habendam et tenendam prefate ecclesie et ejusdem loci canonicis libere et quiete bene et in pace integre et pacifice de dicto Matheo et heredibus et assignatis suis inperpetuum in bosco et plano in pratis et pascuis in viis et semitis in hominibus et redditibus in placitis et querelis in donis et auxiliis in omnibus exitibus et hesiamentis in omnibus libertatibus et liberis consuetudinibus et in omnibus rebus et locis prefate terre et prato pertinentibus. Reddendo inde singulis [f. 141v.] annis Elie de Filton' et heredibus suis vel suis assignatis quinque solidos argenti in festo Sancti Michaelis pro omnibus serviciis exactionibus secta curie et omnibus secularibus demandis salvo regali servicio cum evenerit, scilicet quantum pertinet ad tres virgatas terre in manerio de Horefeld'. Ego vero et heredes mei et assignati mei totam predictam terram cum omnibus suis pertinenciis et cum prato supradicto memoratis canonicis et eorum successoribus contra omnes gentes warantizare debemus inperpetuum et eosdem versus omnes mortales acquietare et defendere. Et quia volo quod hec mea donatio et concessio rata et stabilis permaneat eam presenti scripto sigilli mei appositione roborato duxi[2] confirmandam. Testibus.

[1] This must be later than the decade 1235–45 (no. 399). A Matthew de Briwes issued two charters in Ireland (probably at Waterford) granting land in Ireland to St Mark's hospital in 1284; he appears to be a later member of the family (*St Mark's Cartulary*, p. 263, no. 443). [2] MS. *dux*.

401. *Charter of Luke de Briwes to St Augustine's, quitclaiming all right which he might have in land in Horfield given to the canons by his predecessors. The phrasing suggests that he includes other lands in the borough of Bristol and outside it. (Second half of the thirteenth century.)*[1]

Omnibus Christi fidelibus presens scriptum visuris vel audituris[2] Lucas de Brewes, salutem in domino. Noverit universitas vestra me pro me et meis omnibus heredibus vel assignatis meis remisisse et quietum clamasse venerabilibus viris abbati et conventui Sancti Augustini de Bristoll' et eorum successoribus inperpetuum totum jus et clamium quod ex dono patris mei vel matris mee seu quocumque modo vel titulo habui vel habere potui in terra illa de Horefeld' vel ejus pertinenciis quam idem abbas et conventus tempore confectionis presentium extra burgum Bristoll' vel intra possederunt. Ita quod ego vel aliquis meorum heredum vel assignatorum meorum nichil juris inposterum in supranominatis terris redditibus et possessionibus vel aliqua earum parte seu pertinenciis vendicare vel super eisdem dictis abbati et conventui questionem aliquo tempore vel calumpniam movere poterimus. Set omnes[3] dictas terras redditus et possessiones cum omnibus earum pertinenciis memorati abbas et conventus et eorum successores inperpetuum habeant et integre possideant libere et quiete bene et in pace sine aliqua contradictione vel inpedimento mei aliquorum meorum heredum vel assignatorum. Quod ne in posterum devocetur in dubium presenti scripto sigillum meum apposui. *Testibus.*

¹ This was presumably part of the process of clearing the land from family claims made necessary by the grant to St Augustine's by Matthew son of Richard de Briwes recorded in no. 400.
² MS. *ad quos presens*, confusing the two forms of address, *ad quos presens scriptum pervenerit* and *presens scriptum visuris vel audituris*.   ³ MS. *omnis.*

402. *Charter of Adam of Saltmarsh to St Augustine's, granting a rent of 7s and his mill with 5 acres of land at Westbury. (Mid-twelfth century.)*¹

[f. 142]² Omnibus sancte matris ecclesie ad quos presens scriptum pervenerit Adam de Salso Marisco, salutem. Sciatis quod ego ad honorem dei et sancte religionis et pro salute anime mee et patris mei et matris mee et uxoris mee et liberorum et parentum meorum dedi et concessi deo et ecclesie Beati Augustini de Bristou et canonicis ibidem deo servientibus septem solidatas redditus scilicet et molendinum meum cum quinque acris terre apud Westburi in puram et perpetuam elemosinam liberam et quietam ab omni consuetudine seculari excepto servicio domini regis quod cum evenerit. Quicumque predictum molendinum cum terra tenuerit illud adquietabit. Et ut hec mea donatio rata et firma permaneat eam presenti carta mea et sigilli mei inpressione confirmavi. *Testibus.*

¹ Adam appears regularly in the entourage of Robert fitz Harding, attesting charters for which the earliest limit of date is 1148. One was issued after the accession of Henry II (no. 67). Others can be assigned to 1186 × 90 (Jeayes, *Select Charters*, pp. 14–15, nos. 23, 28).
² Rubric: *Westbury et Stanley.*

403. *Charter of Laurence of Stanley to St Augustine's granting in free alms, with the assent of his wife Cetaia and his son and heir Nicholas, his land in Stanley and half a hide in* Berkham *belonging to his wife's inheritance. (? Mid-thirteenth century.)*¹

Sciant presentes et futuri quod ego Laurencius de Stanlag' ascensu et voluntate Cetaie uxoris mee et Nicholai filii et heredis² mei pro salute anime mee et omnium antecessorum et successorum meorum dedi et concessi et hac presenti carta mea confirmavi deo et ecclesie Sancti Augustini de Bristoll' et canonicis regularibus ibidem deo servientibus totam terram meam de Stanlag' cum omnibus pertinenciis suis et dimidiam virgatam terre cum omnibus pertinenciis suis in Berkham³ que est de hereditate dicte Cetaie de omnibus terris et tenementis eam nomine hereditatis contingentibus. Habenda⁴ et tenenda omnia premissa eisdem canonicis et eorum successoribus in liberam et perpetuam elemosinam, faciendo inde capitalibus dominis feodi⁵ servicia debita et consueta. Ego vero et heredes mei omnia premissa cum omnibus pertinenciis suis dictis canonicis et eorum successoribus contra omnes homines et feminas warantizabimus. Et ut hec mea donatio et concessio perpetue stabilitatis robur obtineat presenti scripto sigillum meum duxi apponendum. *Testibus.*

[1] Nos. 403–6 stand in isolation. Neither personal nor place-names offer any evidence for the date.

[2] MS. *heredes*.

[3] *Berkham*, in different forms, appears in the name of a number of reeves and mayors of Bristol, but it does not appear to have survived in a place-name in or near the city. It occurs as *Bertham*, which might suggest Barton. (*St Mark's Cartulary*, pp. 59, 78–9, 81–2, nos. 63–5, 103–6, 109, 111).   [4] MS. *herenda*.   [5] MS. *feoudis*.

404. *Charter of Laurence of Stanley to St Augustine's. He acknowledges that until the abbot and canons have been given seisin of half a virgate in* Berhham *they can claim from him 1 service of mowing, and from his wife 1 stone of wool in a hanging as it had been agreed in the chirograph drawn up betwen them. They can also claim provision for 1 servant or 1 handmaid. Everything else in the chirograph shall be confirmed. (? Mid-thirteenth century.)*

Omnibus presens scriptum visuris vel audituris Laurencius de Stanlahe, salutem in domino. Noverit universitas vestra me concessisse abbati et conventui Sancti Augustini de Bristoll' quod fiat michi de falcatione[1] et vxori mee de una petra lane cortina que in cyrographo inter nos confecto continetur simul cum tota libatione unius servientis vel vnius [f. 142v.] ancille donec idem abbas et conventus de una dimidia virgata terre in Berhham[2] in plena et pacifica fuerint possessione et seisina. Ceteris vero omnibus que in cyrographo continetur robur firmitatis obtineant. In cujus rei testimonium presenti scripto sigillum meum apposui. T*estibus.*

[1] MS. *defalcatio*.   [2] The scribe wrote *Berlham* and altered the *l*.

405. *Charter of Nicholas of Stanley to St Augustine's confirming the land given by Laurence of Stanley. (? Mid-thirteenth century.)*

Omnibus Christi fidelibus ad quos presens scriptum pervenerit Nicholaus de Stanlah', salutem. Noverit universitas vestra me pro salute anime mee et omnium antecessorum et successorum meorum dedisse concessisse et hac mea presenti carta confirmasse deo et ecclesie Sancti Augustini de Bristoll' et canonicis regularibus ibidem deo servientibus totam illam terram cum omnibus pertinenciis suis quam habuerunt de dono Laurencii de Stanlagh'. Tenendam et habendam sibi et successoribus suis de me et heredibus meis [reddendo] duos solidos sterelinguorum in festo Sancti Michaelis pro omnibus serviciis sectis exactionibus et secularibus demandis que ad me vel heredes meos poterint pertinere salvo scutagio quando evenerit quantum pertinet ad unam dimidiam virgatam terre in eadem villa. Et quia volo quod hec mea donatio et concessio rata et stabilis permaneat inperpetuum eam presenti scripto sigilli mei appositione roborato duxi confirmandam.

406. *Charter of Nicholas son of Laurence of Stanley to St Augustine's confirming the land in Stanley which Laurence his father gave them. (? Mid-thirteenth century.)*

Sciant presentes et futuri quod ego Nicholaus filius Laurencii de Stanlagh' pro salute anime mee et omnium antecessorum et successorum meorum concessi et hac presenti carta mea confirmavi deo et ecclesie Sancti Augustini de Bristoll' et canonicis regularibus ibidem deo servientibus totam donationem illam quam Laurencius pater meus eis fecit de tota terra sua de Stanlag' cum omnibus pertinenciis suis. Et concedo pro me et heredibus meis inperpetuum quod dicti canonici et eorum successores totam dictam terram cum omnibus pertinenciis suis habeant et plenarie possideant in liberam et perpetuam elemosinam faciendo inde capitalibus dominis feudi servicia debita et consueta [ut in carta dicti Laurencii] plenius et melius continetur. Et quia volo quod hec mea concessio et confirmatio [f. 143][1] rata et stabilis permaneat inperpetuum presenti scripto sigillum meum duxi apponendum. Test*ibus.*

1 Rubric: *Stanley.* The remainder of ff. 143 and 143v. are unused.

407. *Charter of Ralph Gansel son of Robert Hunte to Simon Gansel his nephew granting him his land belonging to Hunt House* (Hunteus) *for his service, to be held by him and his heirs in hereditary right for an annual render of half a mark. Ralph does this with the assent of his lord, Robert Gansel son of Richard Gansel, and his heirs. (Probably twelfth century.)*

[f. 144][1] Radulfus Gansel filius Roberti Hunte universis fidelibus tam presentibus quam futuris ad quos presens scriptum pervenerit, salutem. Sciatis me concessisse totam terram meam que pertinet ad Hunteus cum ipso mesagio et cum omnibus pertinenciis suis in bosco in plano pratis et pascuis et pasturis, et in aliis rebus, assensu domini viri Roberti Gansel filii Ricardi Gansel et heredum suorum Simoni Gansel nepoti meo pro suo servicio ipsi et heredibus ejus hereditabiliter habendam et tenendam inperpetuum de me et de heredibus meis. Reddendo michi et heredibus meis dimidiam marcam argenti annuatim pro omni servicio quod ad me pertinet et heredes meos, excepto regali servicio, ad duos terminos, scilicet[2] medietatem ad Pascha et medietatem ad festum Sancti Michaelis. Test*ibus.*

1 Rubric: *Almondesbury.*
2 A short word, either *ad* or *in*, has been written and erased.

408. *Charter of Thomas Gansel to Henry of Whaddon conveying to him all the land which he holds of the fee of Richard the Huntsman; this land called Hunt House* (Hundhus) *had belonged to Thomas's grandfather Simon Gansel. Henry is to render to him 1 pair of gloves each year and to pay half a mark annually to the abbot of St Augustine's. For this conveyance Henry has paid Thomas 8 marks so that he can fulfil his vow to journey to the Holy Land. (Before 1258.)[1]*

Sciant presentes et futuri quod ego Thomas Gansel dedi et concessi et hac presenti carta mea confirmavi Hanrico[2] de Waaddon' pro homagio et servicio suo totam terram meam quam habui vel habere potui de feudo Ricardi Venatoris que terra fuit Simonis Gansel avi mei et vocatur Hundhus. Tenendam et habendam cum omnibus pertinenciis suis dicto Hanrico et heredibus suis vel ejus assignatis de me et heredibus meis inperpetuum libere et quiete in pace et integre, in terris cultis in mesuagiis curtillagiis gardinis virgultis in boscis et planis in pratis et pascuis in viis et semitis in aquis et stangnis in rivis et piscariis in releviis et eschaetis in serviciis liberorum hominum et in omnibus aliis rebus et locis cum omnibus libertatibus et liberis consuetudinibus ad predictam terram pertinentibus. Reddendo inde annuatim dictus Hanricus et heredes sui michi et heredibus meis unam param[3] cirothecarum die Pentecostes et abbati de Sancto Augustino Bristoll' dimidiam marcham argenti ad duos terminos anni, scilicet [ad festum Sancti Michaelis quadraginta denarios et][4] ad Pascha quadraginta denarios pro omni servicio demanda et querela et omnibus secularibus exactionibus, salvo servicio domini regis quantum ad tantam terram pertinet de eodem feodo. Ego vero et heredes mei debemus warantizare et aquietare totam predictam terram cum pertinenciis contra omnes gentes per predictum servicium. Pro hac autem [f. 144v.] donatione et concessione dedit michi dictus Hanricus octo marchas sterelinguorum premanibus ad voti mei executionem in Terram Sanctam perficiendam. Et ut hec mea donatio et concessio et carte confirmatio stabilis et rata et in concussa sine dolo inperpetuum perseveret cum majori securitate sigilli mei inpressione presentem cartam confirmavi. *Testibus.*

Marginal note: ij.

[1] Swanilda, wife of Thomas, was a widow by 9 January 1258 (no. 422).

[2] This spelling of Henry is a feature of this charter; it may be matched by the slightly different forms of *stangnis* and *aquietare*.

[3] MS. *panam*.   [4] Cf. no. 409.

409. *Charter of Henry of Whaddon confirming to Richard son of William of Draycott in free marriage with his daughter Leticia his land in Almondsbury. They are to pay the abbot of St Augustine's half a mark annually. Henry warrants the land to Richard and Leticia and to their heirs born of Leticia; if they have no children the land is to revert to Henry and his heirs. (Mid-thirteenth century.)[1]*

Sciant presentes et futuri quod ego Henricus de Waddon' concessi et dedi et hac presenti carta mea confirmavi Ricardo filio Willelmi de Draicote in liberum maritagium cum Leticia filia mea totam terram meam quam habui in Almodesburi cum omnibus pertinenciis suis, illam scilicet terram quam Simon Gansel aliquando tenuit in eadem villa. Habendam et tenendam ipsi Ricardo et Leticie et heredibus eorum de eadem Leticia procreatis libere quiete pacifice et integre. Reddendo inde annuatim abbati Sancti Augustini Bristoll' dimidiam marcam argenti ad duos anni terminos videlicet ad festum Sancti Michaelis quadraginta denarios et ad Pascha quadraginta denarios pro omni servicio exactione et demanda salvo regali servicio, scilicet quantum pertinet ad tantum tenementum de eodem feudo. Ego vero Henricus et heredes mei totam predictam terram cum pertinenciis suis warantizabimus predicto Ricardo [et] Leticie et heredibus eorum de eadem Leticia procreatis contra omnes gentes inperpetuum.

Et si forte contigit quod ego Henricus vel heredes mei dictam terram cum pertinenciis suis dictis Ricardo Leticie vel heredibus eorum de eadem Leticia procreatis warantizare non possimus ego Henricus vel heredes mei qui pro tempore fuerint dictis Ricardo Leticie vel heredibus eorum de eadem Leticie procreatis totam eandem terram cum pertinenciis suis plene et integre in loco certo et competenti rationabiliter excambiabimus. Si vero predicta Leticia absque herede de corpore suo infata decesserit tota predicta terra cum pertinenciis suis ad me sive ad heredes meos qui pro tempore fuerint plenarie et integre revertet soluta et quieta a predicto Ricardo et aliis omnibus qui eam nomine ipsius possit vendicare. Ut autem hec mea concessio et donatio et hujus carte mee confirmatio ratam [f. 145]² et perpetuam obtineant firmitatem hoc presenti scriptum sigilli mei appositione roboravi. *Testibus.*

¹ See no. 408.   ² Rubric: *Almondesbury.*

410. *Charter of Richard of Draycott son of William of Draycott¹ to St Augustine's, quitclaiming with the assent of his wife Leticia his land in Almondsbury. This is defined as the land he received from Henry of Whaddon, which had belonged to Thomas Gansel, called Hunt House. The abbot has paid him 20 marks. (Mid-thirteenth century.)²*

Omnibus Christi fidelibus ad quos presens scriptum pervenerit Ricardus de Drayton' filius Willelmi de Draiton', salutem in domino. Noverit universitas vestra me pro salute anime mee et Leticie uxoris mee et omnium antecessorum et successorum nostrorum assensu et mera voluntate ejusdem Leticie concessisse remisisse et quietam³ clamasse abbati et conventui Sancti Augustini de Bristoll' totam terram meam de Almodesburi quam de eo tenui in eadem villa, que quidem terra fuit Thome Gansel, quam habui de Henrico de Waddon' in maritagium cum predicta Leticia uxore mea filia ejusdem Henrici, et vocatur Hundhus, una cum toto jure et clamio quod ego vel predicta Leticia vel heredibus nostris in eadem terra habuimus vel aliquo modo habere potuimus. Ita scilicet quod predictus abbas et conventus et eorum successores habeant et possideant totam predictam terram cum omnibus pertinenciis suis solute et quiete de me et de predicta Leticia et heredibus nostris inperpetuum tanquam jus ecclesie sue predicte, faciendo inde consuetudines et servicia debita et consueta capitali domino feodi. Pro hac autem concessione et remissione et quieta clamatione mea dedit michi predictus abbas et conventus viginti marcas argenti premanibus. Et⁴ ut hec eadem concessio remissio et quieta clamatio rata et inconcussa inperpetuum perseveret hoc presens scriptum tam sigilli mei quam sigilli dicte Leticie uxoris mee munimine roboravi. *Testibus.*

¹ The name appears here as *Drayton'* and *Draiton'*; Richard appears as Richard of Draycott in nos. 409 and 431.
² Perhaps 1250 × 60.
³ MS. *quiete.* Throughout the charter the normal cases of *quieta* are used.
⁴ *Et ut hec eadem concessio remissio et quieta clamatione mea dedit michi predictus abbas et conventus viginti marcas argenti premanibus* written and deleted.

411. *Charter of Richard the Huntsman and Idonia his wife to St Augustine's granting in free alms the land which Thomas Gansel holds of them in Almondsbury. Thomas is to hold it of the abbot and canons as he has held it of Richard and Idonia, for an annual payment of half a mark. The abbey is to enjoy all the services which the donors could claim. Thomas and his heirs are to be responsible for tallage and scutage; Richard and Idonia will be responsible for claims made by the capital lords of the fee. They also arrange that their bodies shall be taken to the abbey for burial; for their funerals and memorial the canons shall be recompensed by a deodand levied on their land and goods. They have placed their charter on the altar of St Augustine. (Before February 1234.)*[1]

Omnibus Christi fidelibus ad quos presens carta pervenerit Ricardus Venator et uxor ejus Ydonia, salutem in domino. Noveritis nos pro salute anime mee et animarum nostrarum antecessorum et successorum nostrorum dedisse concessisse et hac presenti carta nostra confirmasse deo et monasterio Sancti Augustini de Bristoll' et [f. 145v.] canonicis regularibus ibidem deo servientibus totam terram nostram cum pertinenciis suis et libertatibus quam Thomas Gansel de nobis tenuit in Almodesburiam. Ita ut dicti[2] Thomas et heredes sui dictam terram de dictis canonicis teneant sicut de nobis tenere consueverunt. Reddendo inde dictis canonicis dimidiam marcam argenti duobus terminis anni percipiendam, medietatem videlicet ad Pascha et medietatem in festo Sancti Michaelis. Concessimus etiam dictis canonicis totum servicium quod nobis fieri solet de terra supradicta, videlicet in homagiis in reveliis in custodiis in maritagiis et omnibus aliis que nos nomine dicte terre contingunt. Ita ut supradicti canonici predicta omnia habeant et teneant in liberam puram et perpetuam elemosinam in nullo ulli hominum respondentes de premissis nisi soli deo in orationibus. Quod si forte tallagium vel scutagium vel aliqua secularis demanda dicte terre acciderit dictus Thomas Gansel et heredes sui dictis canonicis inde respondebunt pro ut nobis respondere consueverunt et nos et heredes nostri dictos canonicos versus capitales dominos ex aliis terris nostris acquietabimus de premissis, ita ut dictum tenementum ab omni seculari servicio eis liberum sit et quietum. Nos autem et heredes nostri premissa omnia dictis canonicis contra omnes feminas et homines warantizabimus inperpetuum. Insuper concessimus dicto monasterio ut cum viam universe carnis fuerimus ingressa corpora nostra ibidem sepeliantur ad quorum funerationem et nostri memoriam de terris et bonis nostris dictum locum respiciemus deo dante. Et ut hec nostra donatio et concessio rata et stabilis perseveret eam presenti scripto sigillorum nostrorum appositione munito confirmavimus et presentem cartam super altare beati Augustini sollempniter obtulimus. T*estibus*.

[1] Idonia was widowed by 23 February 1234 (*St Mark's Cartulary*, p. 183, no. 283).
[2] The scribe was confused at this point. He wrote *dictis canonicis Thom' et heredes sui*, expuncted *canonicis*, but did not alter *dictis* to the nominative case.

412. *Charter of Idonia widow of Richard the Huntsman, lady of Earthcott, to St Augustine's confirming in the terms of no. 411   the grant of land held by Thomas Gansel. (c. 1234 × c. 1250.)*[1]

Omnibus Christi fidelibus ad quos presens carta pervenerit Ydonea Gansel relicta Ricardi Venatoris domina de Erdecote, salutem in domino. Noveritis me pro salute anime mee patris mei matris mee omnium antecessorum et successorum meorum dedisse concessisse [f. 146][2] et hac presenti carta mea confirmasse deo et monasterio Sancti Augustini de Bristoll' et canonicis regularibus ibidem deo servientibus totam terram meam cum pertinenciis suis et libertatibus quam Thomas Gansel de me tenuit juxta Almodesbur' ita ut dictus Thomas et heredes sui dictam terram de dictis canonicis teneant sicut de me tenere consueverunt. Reddendo inde dictis canonicis dimidiam marcam argenti duobus terminis anni percipiendam, medietatem videlicet ad Pascha et medietatem in festo Sancti Michaelis. Concessi etiam dictis canonicis totum servicium quod michi fieri solet de terra supradicta, videlicet in homagiis in releviis in custodiis in maritagiis et omnibus que me vel heredes meos nomine dicte terre contingunt. Ita ut supradicti canonici predicta omnia habeant et teneant in liberam puram et perpetuam elemosinam in nullo ulli hominum respondentes de premissis nisi soli deo in orationibus. Quod si forte tallagium vel scutagium vel aliqua secularis demanda dicte terre acciderit dictus Thomas Gansel et heredes sui dictis canonicis inde respondebunt pro ut michi respondere consueverunt. Et ego et heredes mei dictos canonicos versus capitales dominos ex aliis terris meis acquietabo de premissis ita ut dictum tenementum ab omni servicio seculari eis liberum sit et quietum. Ego autem et heredes mei premissa omnia dictis canonicis contra omnes homines et feminas warantizabimus inperpetuum. Insuper concessi dicto monasterio cum viam universe carnis fuero ingressa ut[3] corpus meum ibidem sepeliatur ad cujus funerationem et mei memoriam de terris et bonis meis dictum locum respiciam deo dante. Et ut hec mei donatio et concessio rata et stabilis perseveret eam presenti scripto sigilli mei appositione munito confirmavi et presentem cartam super altare beati Augustini sollempniter optuli. T*estibus*.

[1]   Confirmations suggest that Idonia, widowed by 23 February 1234 (no. 411), was dead by 1250, and possibly by 1241 (*St Mark's Cartulary*, pp. 183–4, nos. 285, 286).
[2]   Rubric: *Almondesbury*.   [3]   *ut* interlined.

413. *Charter of Idonia Gansel, lady of Earthcott, to St Augustine's, granting in free alms 5 acres in Westfield called Long furlong, with access across her demesne. (c. 1234 × c. 1250.)*

Omnibus Christi fidelibus ad quos presens scriptum pervenerit Odoina Gansel domina de Erdecote, salutem. Noveritis me pro salute anime mee Ricardi Venatoris quondam viri mei antecessorum et successorum nostrorum et omnium parentum nostrorum dedisse et concessisse et hac presenti carta confirmasse deo et ecclesie Sancti Augustini de Bristoll' et canonicis regularibus [f. 146v.] ibidem deo servientibus quinque acras terre in campo que dicitur Westfeld' que jacet juxta viam que tendit de villa de Erdecote versus boscum domini abbatis Sancti Augustini que quidem terra vocatur langefurlunge et liberum transitum per dominium meum ad predictam terram cum libero ingressu et egressu in liberam puram et perpetuam elemosinam cum omnibus pertinenciis suis libertatibus et liberis consuetudinibus ad eandem pertinentibus. Ita quod nec michi nec alicui hominum in aliquo inde respondeant nisi soli deo in orationibus. Ego vero et heredes mei dictam terram cum ejusdem pertinenciis dictis canonicis contra omnes homines et feminas warantizabimus inperpetuum. Et ne premissa in posterum devocentur in dubium presenti scripto sigillum meum est appensum. T*estibus*.

Marginal note: Langfurl'.

414. *Charter of Idonia of Earthcott to St Augustine's conveying in free alms all her land in Calfham except the land of Gilbert Dun. The* pro salute *clause includes the name of her son Robert. The canons pay her 12 marks and a palfrey, which may be near a full market price for the land. (c. 1234 × c. 1250.)*[1]

Omnibus Christi fidelibus ad quos presens scriptum pervenerit Ydonia de Erdecote, salutem in domino. Noverit universitas vestra [me] pro salute anime mee patris mei matris mee et omnium antecessorum meorum et Roberti filii mei dedisse et concessisse et hac presenti carta mea confirmasse deo et ecclesie Sancti Augustini de Bristoll' et canonicis regularibus ibidem deo servientibus totam terram meam de Chalham[2] excepta terra Gileberti Dun. Tenendam et habendam sibi inperpetuum libere et quiete integre et pacifice in viis et semitis in aquis et aquarum cursibus in pratis et pascuis cum omnibus pertinenciis libertatibus et liberis consuetudinibus suis sicut liberam puram et perpetuam elemosinam. Ita quod nec michi nec alicui heredum meorum in aliquo respondeant nisi soli deo in orationibus. Preterea dictam terram contra omnes homines et feminas warantizare debemus ego et heredes mei predictis canonicis inperpetuum. Pro hac autem donatione et concessione mea dederunt michi memorati canonici duodecim marcas argenti et unum palefridum. Et ut hec mea donatio et concessio rata et illibata perpetuo perseveret eam tam fide et juramenti interpositione quam presenti scripto sigilli mei appositione roborato confirmavi. T*estibus*.

[1] See no. 411.
[2] The place-name, in its various forms, must be linked with the field-name *Calfeheys*, in Almondsbury (*P-NG*, iii, p. 111). The modern form would be Calfham (*P-NG*, iv, p. 109), but that does not appear to have survived in Almondsbury.

415. *Charter of Richard the Huntsman to Peter Gansel granting him, for his homage, 7 acres and a house in Calfham, 1 acre in* Soldmere, *half a virgate which Baldwin le Crockere held in Earthcott, and 1 acre in Middlefield. This he does with the assent of his wife Idonia. Peter is to render annually one pound of cumin, and is to have common of pasture for 4 oxen and access to Richard's wood for housebote and haybote.*[1] *(Before 1234.)*

[f. 147]² Sciant presentes et futuri quod ego Ricardus le Venur ascensu et concensu Ydonie uxoris mee et heredum meorum dedi concessi et hac presenti carta mea confirmavi Petro Gancel pro homagio suo et servicio septem acras terre mee et quandam domum in Chafham, et unam acram terre mee in Soldmere, et unam dimidiam virgatam terre mee in Erdinggecote quam Baldwinus le Crockere tenuit, et unam acram terre mee in Middelfeld de dominico meo. Habendam et tenendam totam illam predictam terram de me et de heredibus meis sibi et heredibus suis vel suis assignatis cum omnibus pertinenciis suis, libere et quiete pacifice et integre inperpetuum. Reddendo inde annuatim michi et heredibus meis ipse et heredes sui vel sui assignati unam libram cimini scilicet ad festum Sancti Michaelis pro omnibus serviciis sectis querelis et demandis ad me et ad heredes meos pertinentibus, salvo tamen regali servicio de predicta dimidia virgata terre quantum spectat ad tantum liberum tenementum in eodem feodo. Licet etiam eodem³ Petro et heredibus suis vel suis assignatis in communa pastura mea iiii^or boves habere et de bosco meo sumere husbote et heibote ad sufficientiam. Ego vero Ricardus et heredes mei totam predictam terram cum omnibus pertinenciis suis ipsi Petro et heredibus suis vel suis assignatis contra omnes homines et feminas warantizare debemus inperpetuum. Et ut hec mea donatio et concessio et presens carte mee confirmatio rata et inconcussa permaneat presens scriptum cum sigilli mei inpressione confirmavi. *Testibus*.

¹ Idonia made a grant to Peter after she was widowed in which Baldwin's half-virgate figured prominently (*St Mark's Cartulary*, p. 186, no. 290).

² Rubric: *Almondesbury*.

³ MS. *eadem*.

416. *Charter of Peter Gansel of Earthcott to the church of St Mary of Almondsbury, confirming the gift of half a pound of wax, or 2d, for the high altar on the feast of the Assumption of the Blessed Virgin Mary. This is the half a pound of wax, or 2d, which William de Claro Fonte, sometime chaplain of Almondsbury, or his assigns owed Peter for the annual rent of land in Calfham. (After 1241.)*¹

Universis sancte matris ecclesie filiis ad quos hec presens carta pervenerit Petrus Gansel de Erdicote, salutem. Noverit universitas vestra me intuitu caritatis et pro anime Roberti Gansel patris mei et Ricardi Venatoris et Ydonie Gansel et omnium antecessorum meorum dedisse et hac presenti carta mea confimasse deo et ecclesie Beate Marie de Almodesbur' dimidiam libram cere vel duos denarios super majus altare in die Assumptionis Beate Marie, scilicet illam dimidiam libram cere vel duos denarios quos Willelmus de Claro Fonte quondam capellanus de Almodesbur' vel ejus assignati michi tenebantur in annuali redditu de terra de Chalpham quam ei dedi pro homagio et servicio suo. Et quia volo quod [f. 147v.] hec mea donatio et concessio rata et stabilis inperpetuum permaneat sigillum munimine roboravi. *Testibus*.

¹ Peter's brother Richard conceded this land to William after litigation in 1241 (no. 417).

417. *Charter of Richard Gansel quitclaiming to William de Claro Fonte, vicar of Almondsbury, his right in 7 acres in Calfham. He had impleaded William on a writ of mort d'ancestor before the king's itinerant justices at Gloucester. William paid him 1 mark as a premium* (in gersuma). *Richard issued this little charter* (carticula) *on the feast of the Translation of St Benedict, 25 Henry III (11 July 1241) at Gloucester in the presence of the itinerant justices.*

Sciant presentes et futuri quod ego Ricardus Gansel concessi et quietum clamavi pro me et heredibus meis Willelmo de Claro Fonte tunc vicario de Almodesbur' et assignatis suis totum jus meum quod habui vel habere potui in septem acris terre in Chafaham cum pertinenciis suis, unde eundem Willelmum implacitavi coram justiciis itinerantibus domini regis per breve de morte antecessoris tenendum et habendum sibi vel cuicumque assignare voluerit inperpetuum. Et ego et heredes mei dictas septem acras terre cum pertinenciis predicto Willelmo et assignatis suis contra omnes homines et feminas inperpetuum warantizabimus. Pro hac autem concessione et quieta clamatione et warantizatione dedit michi dictus Willelmus unam marcam argenti in gersuma. In cujus rei testimonium presenti scripto sigillum meum duxi apponendum. Facta autem fuit hec carticula die Translationis Sancti Benedicti coram dominis Roberto de Lexinton', Radulfo de Sulleya, Juell*ano* de Nouill', Willelmo de Colewrche,[1] Roberto de Haye justic*iis* domini regis itinerantibus apud Gloucest' anno regni regis Henrici filii regis *Johannis* vicesimo quinto. T*estibus.*

[1]   There are slight misreadings in the names of two of the justices, either in the original quitclaim or in the cartulary copy: *Novill'* for *Nevill'* and *Colewrche* (where the *c* is very clear) for *Culewrthe.*

418. *Charter of Peter Gansel of Earthcott to William de Claro Fonte, chaplain of Almondsbury, confirming to him 7 acres in Calfham, with half an acre of meadow above* Cheleshustre, *in the marsh of Lee which Gilbert Dun*[1] *held of him. Idonia, lady of Earthcott, had granted these 7½ acres to Peter. William is to render half a pound of wax or 2d; he has paid Peter 6 marks. (Before 1241.)*[2]

Sciant presentes et futuri quod ego Petrus Gansel de Erdicote dedi et concessi et hac presenti carta mea confirmavi Willelmo de Claro Fonte tunc capellano de Almodesbury pro homagio et servicio suo septem acras terre in Chalfham et dimidiam acram prati super Cheleshustr'[3] in mora de Lega quam Gilebertus Dum de me tenuit quas quidem septem acras terre et dimidiam prati Ydonia Gansel domina de Erdecote michi et heredibus meis vel assignatis meis pro homagio et servicio meo dedit et carta sua confirmavit. Tenendam et habendam de me et heredibus meis dicto Willelmo de Claro Fonte vel cuicumque vel quibuscumque assignare voluerit libere et quiete integre et pacifice cum omnibus pertinenciis suis libertatibus et liberis consuetudinibus ad predictam terram pertinentibus. Reddendo inde annuatim michi et heredibus meis vel assignatis meis unam [f. 148][4] dimidiam[5] libram cere vel ii denarios in die Assumptionis Beate Marie pro omnibus serviciis et demandis ad me vel ad heredes meos vel assignatos meos pertinentibus. Pro hac autem donatione et concessione dedit michi predictus Willelmus vi marcas argenti. Ego vero et heredes mei vel assignati mei predictam terram cum omnibus pertinenciis suis dicto Willelmo vel assignatis suis warantizabimus inperpetuum. Et ut hec mea donatio et concessio rata[6] et stabilis perpetuo perseveret presentem cartam sigilli mei inpressione confirmavi. T*estibus*.

1   Gilbert's name appears as *Dum* in this charter.

2   The charters dealing with this land in Calfham were not entered in the cartulary in chronological order. The earliest is no. 415, Richard the Huntsman's grant to Peter Gansel, issued before 1234. This was followed by no. 414, Idonia of Earthcott's grant to St Augustine's of all her land in Calfham except the land held by Gilbert Dun (*c.* 1234 × *c.* 1250). No. 418 marks the transfer of Gilbert's land to William de Claro Fonte, described variously as chaplain and vicar of Almondsbury; before 1241, Peter Gansel conveyed the land to him for a render of half a pound of wax or 2d. After litigation, settled at Gloucester in 1241, William's title was confirmed (no. 417). He was then able to convey the land to Nicholas of Strigoil (no. 420), who granted the land to St Augustine's (no. 421). An odd charter in the sequence is no. 416, a confirmation by Peter Gansel to the church of St Mary of Almondsbury of the render of half a pound of wax or 2d. William de Claro Fonte is identified as sometime chaplain of Almondsbury. That implies a date later than 1241. Since it is a confirmation, it also implies an earlier grant made to Almondsbury, presumably by William. The render remained an obligation on this land which the canons of St Augustine's continued to pay. A curious feature in no. 420 is the statement that Nicholas of Strigoil is to pay the render to Henry de Gaunt or his assigns (a phrase which recurs in other grants to Henry de Gaunt). The render of wax remained due to Almondsbury, and St Mark's hospital does not appear to have made any claim to it.

3   *Cheleshustr*' must be connected with the field-name Chestles (*P-NG*, iii, p. 110).

4   Rubric: *Almondesbury.*   5   MS. *dimiam.*   6   MS. *facta.*

419. *Charter of Idonia of Earthcott to St Augustine's, conveying in free alms all her land in Calfham except the land of Gilbert Dun. The cartulary scribe has entered here a second copy of no. 414.*

420. *Charter of William de Claro Fonte, chaplain, to Nicholas of Strigoil, granting him 7 acres in Calfham and half an acre of meadow in* Cheleshustre *in the marsh of Lee which Peter Gansel of Earthcott granted to William. Nicholas is to pay 2d annually to Henry de Gaunt. (1241 × 69.)*[1]

Sciant presentes et futuri quod ego Willelmus de Claro Fonte capellanus dedi et concessi et hac presenti carta mea confirmavi Nicholao de Striguil pro servicio suo septem acras terre in Chalham et dimidiam [f. 148v.] acram prati super Chelehustre in mora de Lega quam Gilebertus Dun aliquando tenuit, quas quidem septem acras terre et dimidiam acram prati Petrus Gansel de Erdecote michi et assignatis meis pro homagio et servicio meo[2] dedit et carta sua confirmavit. Tenendas et habendas dicto Nicholao de Striguil vel cuicumque vel quibuscumque illas assignare voluerit, libere et quiete integre et pacifice cum omnibus pertinenciis suis libertatibus et liberis consuetudinibus ad predictam terram pertinentibus. Reddendo inde annuatim Henrico de Gaunt vel assignatis suis duas denarios argenti[3] ad festum Assumptionis Beate Marie pro omnibus serviciis et demandis ad dictam terram pertinentibus. Et ut hec mea donatio et concessio et presenti carte mee confirmatio rata sit et stabilis perpetuo perseveret presentem cartam sigilli mei inpressione confirmavi. T*estibus.*

¹ The earlier limit of date is taken from the decision that the land was legally held by William de Claro Fonte (no. 417), and the later limit from the resignation of Henry de Gaunt in 1269 (*St Mark's Cartulary*, p. xliii).

² The scribe has written *suo* and added an abbreviation mark, perhaps to make it *meo*.

³ The phrase *unam dimidiam libram cere vel* has, almost certainly, been omitted.

421. *Charter of Nicholas of Strigoil, cleric, to St Augustine's granting in free alms 7 acres in Calfham and half an acre of meadow in* Cheleshustre *in the marsh of Lee. The canons are free of all service except the render of half a pound of wax to the church of Almondsbury. (1241 × 59.)*

Omnibus Christi fidelibus presens scriptum visuris vel audituris Nicholaus de Strogul clericus, salutem in domino. Noverit universitas vestra me dedisse concessisse et hac presenti carta mea confirmasse deo et ecclesie Beati Augustini de Bristoll' et canonicis regularibus ibidem deo servientibus et eorum successoribus in perpetuum in liberam puram et perpetuam elemosinam septem acras terre in Chalfham et dimidiam acram prati super Cheleshull' in mora de Lega quam Gilebertus Dun aliquando tenuit, quas quidem septem acras terre et dimidiam acram prati dominus meus Willelmus vicarius ecclesie de Almod' michi dedit et carta sua confirmavit. Tenendam et habendam libere quiete bene et in pace sicut liberam puram et perpetuam elemosinam inperpetuum sibi et successoribus suis.   Ita quod inde nulli omnino hominum in aliquo respondeant nisi soli deo in orationibus, excepta dimidia libra cere vel ii denariis ecclesie de Almod' die Assumptionis Beate Marie super majus altare annuatim solvenda. In cujus rei testimonium presentibus sigillum meum apposui. T*estibus.*

422. *Charter of Swanilda widow of Thomas Gansel to St Augustine's quitclaiming the land which she could claim as dower in the name of Thomas Gansel. Dated at Bristol, Tuesday next (8 January) after the feast of the Epiphany, 1258.*¹

Omnibus Christi fidelibus ad quos presens scriptum pervenerit Swanilda quondam uxor Thome Gansel, salutem in domino. Noverit universitas vestra [me] pro deo et salute anime mee remisisse et inperpetuum quietam clamasse abbati et conventui Sancti Augustini de Bristoll' totam terram illam [f. 149]² cum omnibus suis pertinenciis in qua michi jus et clamium competere dicebam vel quocumque modo competere³ potuit ratione dotis et nomine dicti Thome Gansel quondam viri mei. In cujus rei testimonium presenti scripto sigillum meum apposui. Datum apud Bristoll' die Martis proxima post Epiphaniam Domini anno incarnationis dominice milesimo [ducentesimo] quinquagesimo octavo.⁴

¹ This quitclaim, and nos. 423–5 appear to have been issued at the same time; the formal dating of this document suggests that it is the product of litigation. In nos. 424 and 425, Gunnilda and Alice, daughters of Thomas Gansel, establish that the documents were issued after a decision in a case brought on a writ of right.   ² Rubric: *Almondesbury.*

³ MS. *compete.*   ⁴ MS. *milesimo quinquagesimo ducentesimo octavo.*

423. *Charter of Simon Gansel son of Thomas Gansel to St Augustine's quitclaiming the right which he can claim in the land which his father Thomas held in Almondsbury. (1258.)*

Universis Christi fidelibus presens scriptum visuris vel audituris Simon Gansel filius Thome Gansel, salutem. Universitatem vestram scire volo me sponte et bona voluntate mea remisisse et inperpetuum pro me et heredibus meis quietum clamasse abbati et conventui Sancti Augustini de Bristoll' omne jus et clamium quod michi competere dicebam vel quocumque modo michi competere potuit vel debuit nomine dicti Thome patris mei in tota terra cum suis pertinenciis vel ejusdem parte quam memoratus Thomas aliquando juxta Almodesbur' tenuit. Et quia volo quod prefati canonici predictam terram cum omnibus suis pertinenciis bene et in pace absque omni placito et calumpnia pro me et heredibus meis habeant et teneant inperpetuum presens scriptum sigilli mei inpressione duxi confirmandum. Testibus.[1]

[1] *Testibus* in full.

424. *Charter of Gunnilda daughter of Thomas Gansel to St Augustine's quitclaiming the rights which she and her sister Alice could claim in two thirds of a virgate in Almondsbury. (1258.)*

Omnibus Christi fidelibus presens scriptum visuris vel audituris Gonnilda filia Thome Gansel, salutem. Universitatem vestram scire volo me sponte et bona voluntate mea remisisse et inperpetuum pro me et heredibus meis quietum clamasse abbati et conventui Sancti Augustini de Bristoll' omne jus et clamium quod michi competere dicebam et Alicie sorori mee in duabus partibus unius virgate terre cum pertinenciis in Almodesbur' vel quocumque modo competere potuit unde placitum motum fuit in curia domini regis per breve de recto. Et quia volo quod dicti canonici predictam terram cum omnibus suis pertinenciis bene et in pace absque omni placito et calumpnia pro me et heredibus meis possideant inperpetuum presens scriptum sigilli mei inpressione duxi confirmandum. T*estibus*.

425. *Charter of Alice daughter of Thomas Gansel to St Augustine's quitclaiming the rights which she and her sister Gunnilda could claim in two thirds of a virgate in Almondsbury. (1258.)*

Omnibus Christi fidelibus presens scriptum visuris vel audituris Alicia filia Thome Gaunsel, salutem. Universitatem vestram scire volo me sponte [f. 149v.] et bona voluntate mea remisisse et inperpetuum pro me et heredibus meis quietum clamasse abbati et conventui Sancti Augustini de Bristoll' omne jus et clamium quod michi competere dicebam et Gunnild[1] sorori mee in duabus partibus unius virgate terre cum pertinenciis in Almodesbur' vel quocumque modo competere potuit, unde placitum motum fuit in curia domini regis per breve de recto. Et quia volo dicti canonici predictam terram cum omnibus suis pertinenciis bene et in pace absque omni placito et calumpnia pro me et heredibus meis possideant inperpetuum presens scriptum sigilli mei inpressione duxi confirmandum. *Testibus.*

[1] Gunnilde might be expected here.

426. *Charter of Juliana widow of Thomas Gansel to St Augustine's quitclaiming all her rights in dower in the fee of Winterbourne, in the parish of Almondsbury.*[1]

Omnibus Christi fidelibus presens scriptum visuris vel audituris Juliana quondam uxor Thome Gaunsel, salutem in domino. Noverit universitas vestra me pro me et heredibus meis vel assignatis meis remisisse et quietum clamasse inperpetuum venerabilibus viris abbati et conventui Sancti Augustini de Bristoll' totum jus et clamium quod habui ratione dotis vel aliqua modo habere potui in terra illa de feodo de Winterburn' in parochia de Almodesbur' que fuit aliquando dicti Thome Gaunsel. Ita quod nec ego nec aliquis heredum vel assignatorum meorum seu aliquis aliis per me vel pro me quicquam juris in dicta terra aliquo tempore in posterum vendicare poterimus. In cujus rei testimonium presenti scripto sigillum meum apposui. *Testibus.*

[1]   This is a difficult deed to fit into the series of documents. Two explanations are possible. One is that the scribe has written the wrong christian name for the donor, and that this is a charter of Swanilda widow of Thomas Gansel, dealing with a different holding. The other is that the name Juliana is correct, and that this deed belongs to a later generation of the family. There is nothing in this cartulary, or in the cartulary of St Mark's hospital, to support this view.

427. *Charter of Reginald le Waleys to Walter the weaver granting him 4 acres in Ashridge, between the land of John Pessun and the land of Walter's lord, and extending from the* idaginem *in the south to the clearing in the north.*[1] *Walter is to pay an annual rent of 16d and has paid Reginald 16s. (Before 1256.)*[2]

Sciant presentes et futuri quod ego Reginaldus Walensis dedi et concessi et hac presenti carta mea confirmavi Waltero textori quatuor acras terre de dominio meo pro homagio et servicio suo scilicet in Asserug juxta terram Johannis Pessun in occidentali parte et terram domini sui in orientali parte que extendunt se in longitudine ex una parte versus idaginem que jacet in australi parte, et in altera parte versus ruding que jacet in aquilonali parte. Tenendam et habendam de me et heredibus meis sibi et heredibus suis libere et quiete integre et pacifice in feudo hereditarie in viis et in semitis in boscis et in planis in pascuis cum omnibus libertatibus et liberis consuetudinibus ad predictam terram pertinentibus. Reddendo inde annuatim michi et heredibus [f. 150][3] meis predictus Walterus et heredes sui sexdecim denarios annuatim scilicet ad quatuor terminos anni, ad festum Sancti Michaelis iiii denarios et ad festum Sancti Johannis Baptiste iiii denarios[4] pro omnibus serviciis querelis et demandis michi vel heredibus meis pertinentibus, salvo regali servicio. Pro hac autem mea donatione et confirmatione dedit michi predictus Walterus sexdecim solidos premanibus. Quare ego et heredes mei predictam terram predicto Waltero et heredibus suis debemus warantizare contra omnes homines et feminas. Et ut hec mea donatio et concessio et confirmatio rata et stabilis inperpetuum permaneat sigilli mei inpressione hanc cartam roboravi. *Testibus.*

[1] The place-name occurs as Ashridges (*P-NG*, iii, p. 110), and is presumably linked with Ridge Plat or Ridge Wood (ibid. p. 109). The abutment on the southern boundary of this land, *idaginem*, suggests hidage but it is matched by *boscum* in no. 428. The second boundary is *terram domini sui*, with *domini* abbreviated; it could perhaps be intended for *dominici*.

[2] Reginald was dead by 24 September 1256 (*St Mark's Cartulary*, p. 208, no. 333).

[3] Rubric: *Almondesbury.*

[4] The scribe has omitted the payments due at two other terms, 4d at St Andrew's and 4d at the Annunciation (cf. no. 428).

428. *Charter of Walter the weaver to St Augustine's granting in free alms 4 acres which he held in Ashridge from the lord, Reginald le Waleys, and Richard his son. The canons are to pay 16d a year to Richard. The boundaries are described in terms which differ slightly from those used in no. 427: the land lies between the lands of John Pessun and Adam Atwood, and from Richard's wood in the south to the clearing in the north. (Mid-thirteenth century.)*[1]

Sciant presentes et futuri quod ego Walterus textor pro salute anime mee dedi et concessi et hac presenti carta mea confirmavi deo et ecclesie Sancti Augustini de Bristoll' et canonicis regularibus ibidem deo servientibus in liberam puram et perpetuam elemosinam quatuor acras terre quas aliquando tenui de domino Reginaldo Walensi[2] et Ricardo filio ejusdem in Asserugge, que quidem jacent juxta terram Johannis Pessun in occidentali parte et terram Ade attewde in orientali parte, et extendunt se in longitudine versus boscum dicti Ricardi Walensi in australi parte et versus la rudinge que jacet in aquilonali parte. Tenendas et habendas sibi et successoribus suis inperpetuum libere et quiete integre et pacifice in viis et in semitis in boscis et in planis in pascuis et pasturis cum omnibus libertatibus et liberis consuetudinibus ad predictam terram pertinentibus sicut liberam et perpetuam elemosinam. Ita quod nec michi nec heredibus meis nec alicui hominum inde in aliquo respondeant nisi soli deo in orationibus, salvis Ricardo Walensi et heredibus suis sexdecim denarios ad quatuor anni terminos de dictis canonicis percipiendis annuatim, videlicet ad festum Sancti Michaelis iiii denarios, ad festum Sancti Andree iiii denarios, ad festum Annunciationis Beate Marie iiii denarios, in Nativitate Sancti Johannis Baptiste iiii denarios pro omnibus serviciis querelis et demandis dicto Ricardo vel heredibus suis pertinentibus, salvo tamen regali servicio cum evenerit quantum pertinebit ad iiii acras terre [f. 150v.] in eodem tenemento. Ego vero et heredes mei dictam terram memoratis canonicis contra omnes feminas[3] warantizabimus inperpetuum. Et ut hec mea donatio et concessio perpetue stabilitatis robur obtineant presentem cartam sigilli mei inpressione roboravi. *Testibus.*

[1]   The scribe has added *et Reginaldo Walensi* which appears to be a repetition of the donor's name. That gives more point to the reservation of an annual payment due to Richard and his heirs.
[2]   This charter is later than no. 427.
[3]   *homines et feminas* would be expected here.

429. *Charter of Richard le Waleys son of Reginald le Waleys to St Augustine's confirming the grant of 4 acres in Ashridge made by Walter the weaver. (Mid-thirteenth century.)*[1]

Universi Christi fidelibus presens scriptum visuris vel audituris Ricardus le Waleis filius Reginaldi le Waleis, salutem. Notum vobis facio quod ego pro deo et pro salute anime mee concessi et presenti carta confirmavi deo et ecclesie Sancti Augustini de Bristoll' et canonicis regularibus ibidem deo servientibus illas quatuor acras terre in Esrugge quas habuerunt de dono Walteri textoris. Tenendas et habendas sibi et successoribus suis inperpetuum de me et heredibus meis vel[2] meis assignatis adeo libere et quiete sicut melius et plenius in carta quam habent inde de dicto Waltero continetur. In cujus rei testimonium presenti scripto sigillum meum apposui. T*estibus.*

[1]   Reginald was dead before 1156. The precise date for the transfer of his inheritance to his son has not been established.
[2]   The scribe has used an eccentric abbreviation here.

430. *Charter of Richard le Waleys son of Reginald le Waleys to St Augustine's, granting the canons in free alms a rent of 10s 6d from the vill of Woodlands, which John Pessun formerly paid for the land he held of Richard. The canons are to receive their rent in five instalments; only one term is identified. The canons are to pay Richard 1d at Easter, and Richard owes them an annual payment of one halfpenny, also at Easter. The canons are given the right to distrain for non-payment of their rent. (Mid-thirteenth century.)*[1]

Sciant presentes et futuri quod ego Ricardus le Waleis filius Reginaldi le Waleis pro salute anime mee et omnium parentum meorum dedi concessi et hac presenti carta mea confirmavi deo et ecclesie Beati Augustini de Bristoll' et canonicis regularibus ibidem deo servientibus in liberam et perpetuam elemosinam decem solidatos et vi denarios annui redditus in villa de la Wudelonde quos Johannes Pessun michi reddere consuevit pro terra quam de me tenuit in eadem villa. Habendam et tenendam de me et heredibus meis inperpetuum libere et quiete bene et in pace integre et honorifice cum omnibus libertatibus et liberis consuetudinibus suis. Reddendo inde annuatim michi et heredibus meis unum denarium ad Pascha. Et ego et heredes mei et assignati mei prefatis canonicis singulis annis unum obolum in Pascha solvere debemus inperpetuum. Volo autem quod predicti canonici per predictum servicium de omnibus secularibus serviciis sectis curiarum exactionibus et omnibus demandis que aliquo casu contingente accidere possint inperpetuum quieti sunt [et] immunes. Recipient autem dicti canonici redditus supradictum decem solidorum et vi denariorum quinque terminis anni videlicet in festo Sancti Michaelis viginti et octo denarios et obolum.[2] Ego vero et heredes mei et mei assignati [f. 151][3] totum predictum redditum memoratis canonicis warantizabimus [et] contra omnes mortales acquietabimus et defendemus. Licebit autem libere memoratis canonicis terram quam dictus Johannes Pessun tenuit si necesse fuerit pro redditu supradicto namia capiendo quandocumque voluerint distringere. Et ut hec mea donatio et concessio perpetue firmitatis robur obtineat presenti scripto sigillum meum apposui. *Testibus.*

---

[1] See no. 427. There are several indications that this charter was carelessly transcribed; the omission of four of the five rent-days and of the instalments due is the most serious.

[2] The amount due on different rent-days must have varied. To multiply this instalment by five will not produce the correct total; if the one payment specified is deducted from the total, the balance cannot be divided into four equal parts.

[3] Rubric: *Almondesbury.*

431. *Charter of Reginald le Waleys to St Augustine's confirming in free alms 4½ acres of his wood of Ashridge. He quitclaims his right in the wood which they have of his lordship as in the wood which they have by gift of Richard of Draycott, with licence to assart, inclose, and convert to agriculture. (Before 1256.)*[1]

Omnibus Christi fidelibus ad quos presens scriptum pervenerit Reginaldus Walensis, salutem. Noverit universitas vestra me pro salute anime mee et omnium antecessorum et successorum meorum dedisse concessisse et hac presenti carta mea confirmasse deo et ecclesie Sancti Augustini de Bristoll' et canonicis regularibus ibidem deo servientibus in liberam puram et perpetuam elemosinam quatuor acras et dimidiam de bosco meo de Esrugg' que jacent juxta terram quam memorati abbas et conventus habuerunt de dominio Ricardi de Draicote [et] extenduntur in longitudine inter pratum quod vocatur Mergham et culturam dictorum abbatis et conventus que vocatur la Ruding'. Tenendam et habendam de me et heredibus meis inperpetuum libere et quiete integre et pacifice. Ita quod nec michi nec heredibus meis nec alicui hominum inde respondeant nisi soli deo in orationibus. Ego vero et heredes mei totum predictum boscum cum terra prenominatis canonicis perpetuo contra omnes homines et feminas warantizabimus sicut liberam puram et perpetuam elemosinam plenius decet warantizare. Insuper remisi et quiete clamavi memoratis abbati et conventui pro me et heredibus meis totum jus et clamium quod habui vel habere potui tam in bosco quem habuerunt de dominio meo quam de bosco quem habuerunt de dono Ricardi de Draicote. Ita quod de cetero liceat eis de predictis boscis quandocumque et ubicumque voluerint essartare claudere et in agriculturam convertere vel aliter pro voluntatis sue arbitrio de eis disponere sine contradictione aliqua. Et quia volo quod hec mea donatio et concessio rata et stabilis inperpetuum perseveret eam presenti scripto sigilli mei appositione roborato confirmavi. *Testibus.*

---

[1] See no. 427.

432. *Charter of Ralph le Waleys, lord of Winterbourne, to St Augustine's confirming in free alms all his land in Middleshaw, which was once wooded, lying between Bagwood and Middleshaw and between the stream which divides Earthcott from the abbot's land and Apsleys (Abbot's Leigh). The donor reserves the right of those who enjoy common pasture. (Before 1253.)*[1]

Sciant presentes et futuri quod ego Radulfus Walensis dominus de Winterburn' pro me et heredibus meis et assignatis meis dedi et concessi et [f. 151v.] hac presenti carta mea confirmavi deo et ecclesie Sancti Augustini de Bristoll' et canonicis regularibus ibidem deo servientibus in liberam puram et perpetuam elemosinam totam terram meam de Middelsag'[2] que aliquo tempore nemus fuit; que quidem terram jacet inter Bagwode[3] ex aquilonali parte et Middelsag' que est terra dictorum abbatis et conventus ex parte australi et inter cursum aque que[4] dividit terram de Erdicot' et terram dictorum canonicorum ex parte orientali et terram que dicitur Abbedes Leg'[5] ex parte orientali. Tenendam et habendam de me et heredibus meis vel assignatis meis inperpetuum libere et quiete integre et pacifice cum omnibus libertatibus et liberis consuetudinibus sicut liberam puram et perpetuam elemosinam. Ita quod nec michi nec heredibus meis vel assignatis meis nec alicui hominum in aliquo inde respondeant nisi soli deo in orationibus. Set ego et heredes mei seu assignati mei dictis canonicis et eorum successoribus totam predictam terram cum omnibus pertinenciis suis contra omnes gentes warantizabimus et de omni servicio et demanda seculari, salva communa liberorum hominum, acquietabimus et defendemus. Et ut hec mea donatio et concessio rata et stabilis permaneat inperpetuum presenti scripto sigillum meum duxi apponendum. T*estibus*.

[1] This charter was issued earlier than no. 437, the donor of which, Gilbert de Reus, was dead by 1253. After this grant had been made the abbey secured the series of quitclaims which follow. They had all been issued before 1253. The le Waleys genealogy suggests that a number of different branches of the family were active in this period. How early before 1253 Ralph made his gift to the abbey has not been established.

[2] The name, which occurs as *Middelscawe* in a number of charters, has the element *sceaga* which occurs also in Frenchay, in Winterbourne.

[3] *Bagewode* is preserved in Bagwood Farm (*P-NG*, iii, p. 109).   [4] *que* interlined.

[5] Abbot's Leigh does not occur in that modern form but it survived as Apsleys (*P-NG*, iii, p. 110).

433. *Charter of Richard le Waleys, son and heir of Richard le Waleys, of Winterbourne, to St Augustine's, quitclaiming his right in Middleshaw. (Before 1253.)*

Omnibus ad quos presens scriptum pervenerit Ricardus Walensis filius et heres Ricardi Walensis de Winterburn', salutem in domino. Noveritis me remisisse abbati et conventui Sancti Augustini de Bristoll' omne clamium meum et totum jus quod michi competere dicebam vel competere potuit quocumque titulo in terra sua que dicitur Middelscowe pro me et heredibus meis et hominibus meis inperpetuum. Ita quod nec per[1] me nec per[1] heredes meos nec per[1] homines meos aliquam inposterum sustinebunt inquietationem. Quod ut ratum perpetuo perseveret presenti scripto sigillum meum est appensum. T*estibus*.

[1] MS. *pro*.

434. *Charter of Gerarda widow of Richard le Waleys to St Augustine's quitclaiming her right, whether in dower or by any other title, in Middelshaw. The abbot and canons will pay her a rent of 2s a year for her lifetime, within the fortnight after the feast of St Michael. (Before 1253.)*[1]

Universis Christi fidelibus presens scriptum visuris vel audituris Gerarda quondam uxor Ricardi Walensis, salutem. Noverit universitas vestra me remisisse pro me et heredibus meis inperpetuum abbati et conventui Sancti Augustini de Bristoll' omne jus et clamium quod habui vel quocumque titulo habere potui sive ratione dotis sive aliomodo in tota [f. 152][2] terra sua que dicitur Middelscawe pro duobus solidis annui redditus quos memorati abbas et conventus michi quamdiu vixero singulis annis infra quindenam post festum Sancti Michaelis solvere debebunt. Et quia volo quod hec mea donatio et concessio rata et stabilis [permaneat] presens scriptum sigilli mei inpressione roboravi. *Testibus.*

[1]   This quitclaim is linked with the series issued before 1253.   [2]   Rubric: *Almondesbury.*

435. *Charter of Geoffrey Heese and Gerarda his wife to St Augustine's quitclaiming their right in Middleshaw in return for an annual payment of 2s for their lives. (Before 1253.)*

Universis Christi fidelibus ad quos presens scriptum visuris vel audituris[1] Galfridus Heese et Gerarda uxor ejusdem, salutem. Noverit universitas vestra nos remisisse pro nobis et heredibus nostris abbati et conventui Sancti Augustini de Bristoll' omne jus et clamium quod habuimus vel quocumque titulo habere potuimus in tota terra sua que vocatur Middelscawe pro duobus solidis annui[2] redditus quod memorati abbas et conventus nobis quam diu vixerimus singulis annis infra quindenam post festum Sancti Michaelis solvere debebunt. Et quia volumus quod hec mea[3] donatio et concessio rata sit et stabilis presenti scripto sigilla nostra apponi fecimus. *Testibus.*

[1]   Two forms of address have been muddled here. Either *Universis Christi fidelibus presens scriptum visuris vel audituris* or *Universis Christi fidelibus ad quos presens scriptum pervenerit.*
[2]   MS. *anni.*   [3]   *nostra* would be more appropriate.

436. *Charter of Fulk fitz Warin to St Augustine's quitclaiming his right in Middleshaw. (Before 1253.)*

Omnibus ad quos presens scriptum pervenerit dominus Fulco filius Warini, salutem in domino. Noveritis me remisisse abbati et conventui Sancti Augustini de Bristoll' omne clamium meum et totum jus quod michi competere dicebam vel competere potui quocumque titulo in terra sua que dicitur Middelscawe pro me et heredibus meis et hominibus meis inperpetuum. Itaque nec per me nec per heredes meis nec per homines meos aliquam in posterum sustinebunt inquietationem. Quod ut ratum perpetuo perseveret presenti scripto sigillum meum est appensum. *Testibus.*

437. *Charter of Gilbert de Reus to St Augustine's quitclaiming his right in Middleshaw, which belongs to the fee of Winterbourne, and which the canons have by gift of Ralph le Waleys. He reserves for himself and his heirs the right of access to this land when fallow and after harvest. He also quitclaims the parcel of land which lies between the land of the abbot and canons, called Hortham, and the land called Newerleigh, reserving for himself and his heirs direct access to that land. (Before 1253.)*[1]

Universis Christi fidelibus ad quos presens scriptum pervenerit Guybertus de Reus, salutem. Notum vobis facio quod ego pro me et heredibus meis remisi et quietum clamavi abbati et conventui de Bristoll' Sancti Augustini totum jus et clamium quod habui vel quocumque modo habere potui in tota illa terra cum suis pertinenciis que vocatur Middelscawe que est de feudo[2] de Winterburne quam habuerunt dicti canonici de dono Radulfo Walensis inperpetuum salvo michi et heredibus meis libero ingressu et egressu in dictam terram que non fuerit exculta [f. 152v.] et quando in vestitura dicte terre fuerit asporta. Item pro me et heredibus meis remisi et quietum clamavi memoratis abbati et conventui totam illam particulam terre cum suis pertinenciis que jacet inter terram prefati abbatis et conventus que vocatur Hurtham[3] et terram que vocatur inter Lege. Ita pro de cetero nec per me nec per heredes meos nec homines meos aliquam sustinebunt vexationem vel dampnum nec aliquod juris in prenominatis terris inperpetuum vendicare valebimus. Liceat autem predictis canonicis supradictas terras tensare fossare et claudere et clausas tenere pro ut sibi melius viderint expedire, salvo michi et heredibus meis itinere competenti per medium illam particulam terre prenominatam. Et quia volo quod hec mea concessio remissio et quieta clamatio perpetuo perseveret presens scripto sigilli mei inpressione roboravi. T*estibus*.

[1] Gilbert was dead by 1253 (*Cal. Inq. Misc.*, i, p. 57; *St Mark's Cartulary*, p. 227, no. 370 n.).

[2] MS. *feude*.

[3] *Hurtham* survives in Hortham Farm, between Gaunt's Earthcott and Almondsbury.

438. *Charter of Gilbert de Reus to St Augustine's quitclaiming his right in Middleshaw. This document has none of the detail given in no. 437. (Before 1253.)*

Omnibus ad quos presens scriptum pervenerit Gilebertus de Reus, salutem in domino. Noverit me remisisse abbati et conventui Sancti Augustini de Bristoll' omne clamium meum et totum jus quod michi competere dicebam vel competere potuit quocumque titulo in terra sua que dicitur Middelscawe pro me et heredibus meis et hominibus meis inperpetuum. Ita quod nec per me nec per heredes meos nec per homines meos aliquam inposterum sustinebunt inquietationem. Quod ut ratum perpetuo perseveret presenti scripto sigillum meum est appensum. T*estibus*.

439. *Charter of Roger Dodde of Tockington to St Augustine's quitclaiming his right in the common pasture called Kingsmarsh and in Middleshaw and Hortham and Newerleigh and in the field below the Edge. (c. 1255.)*[1]

Sciant presentes et futuri quod ego Robertus Dodde de Tokkinton' pro salute anime mee patris mei et matris mee et omnium parentum meorum pro me et heredibus meis remisi et quietum clamavi deo et ecclesie Sancti Augustini de Bristoll' et canonicis regularibus ibidem deo servientibus omne jus et clamium quod habui vel quocumque titulo habere potui contra eosdem in communa pasture que vocatur Kingesmers et in eorum fossatis, et in tota illa terra eorum que vocatur Middelscao et Herham et Newerleye, et in cultura[2] illa que est subtus gravam que vocatur le Egge, et in omnibus aliis terris quas ipsi memorati canonici et eorum successores [f. 153][3] quocumque modo assartare poterunt inperpetuum plene renunciavi et expresse. Ita quod dicti canonici et eorum successores possint omnes supradictas terras meliorare claudere fossare et in agriculturam[4] reducere et seminare sine contradictione vel perturbatione mei vel heredum meorum inperpetuum. Quod ne inposterum devocetur indubium presenti scripto sigillum meum duxi apponendum. *Testibus.*

[1]   This quitclaim is linked with the series dealing with four areas in Almondsbury (nos. 444–6), rather than with Middleshaw alone.
[2]   MS. *incultura.*   [3]   Rubric: *Almondesbury.*   [4]   MS. *inagriculturam.*

440. *Charter of Reginald le Waleys to St Augustine's quitclaiming his right in Middleshaw. (Before 1253.)*[1]

Omnibus ad quos presens scriptum pervenerit Reginaldus Walensis, salutem in domino. Noveritis me remisisse abbati et conventui Sancti Augustini de Bristoll' omne clamium meum et totum jus quod michi competere dicebam vel competere potuit quocumque titulo in terra sua que dicitur Middelscae pro me et heredibus meis et hominibus meis inperpetuum. Ita quod nec per me nec per heredes meos nec per homines meos aliquam inposterum sustinebunt inquietationem. Quod ut ratum perpetuo perseveret presenti scripto sigillum meum est appensum. *Testibus.*

[1]   See no. 437.

441. *Charter of William of Frampton to St Augustine's quitclaiming his right in Middleshaw. (Before 1253.)*[1]

Omnibus ad quos presens scriptum pervenerit Willelmus[2] de Fromton', salutem in domino. Noveritis me remisisse abbati et conventui Sancti Augustini de Bristoll' omne clamium meum et totum jus quod michi competere potuit quocumque titulo in terra sua que dicitur Middelschao pro me et heredibus meis et hominibus meis inperpetuum. Ita quod nec per me nec per heredes meos nec per homines meos aliquam in posterum sustinebunt inquietationem. Quod ut ratum perpetuo perseveret presenti scripto sigillum meum est appensum. *Testibus.*

[1]   This seems to be linked with the series dealing only with Middleshaw (nos. 432–7).
[2]   The scribe has written *Wellensis*, and in a different hand this has been deleted and *Willelmus* interlined.

442. *Charter of Galiena widow of Ralph le Waleys to St Augustine's quitclaiming her right in Middleshaw. (Mid- thirteenth century.)*[1]

Omnibus Christi fidelibus ad quos presens scriptum pervenerit Galiena quondam uxor Radulfi Walensis, salutem. Noverit universitas vestra me remisisse abbati et conventui Sancti Augustini de Bristoll' omne clamium meum et totum jus quod michi competere dicebam vel competere potuit quocumque titulo in terra sua que dicitur Middelscawe pro me et hominibus meis inperpetuum. Ita quod nec per me nec per homines meos aliquam in posterum sustinebunt inquietationem. Quod ut ratum perpetuo perseveret presenti scripto sigillum meum apposui. *Testibus*.

[1] This quitclaim was probably issued before 1253, but since it was issued by a widow, it could be later than others in the series.

443. *Charter of William of Frampton to St Augustine's quitclaiming his right in Middleshaw. (Before 1253.)*[1]

[f. 153v.] Omnibus Christi fidelibus ad quem presens scriptum pervenerit Willelmus de Fromton', salutem. Noveritis me remisisse abbati et conventui Sancti Augustini de Bristoll' omne clamium meum et totum jus quod michi competere dicebam vel competere potuit quocumque titulo in terra sua que dicitur Middelscawe pro me et heredibus meis inperpetuum. Ita quod nec per me nec per heredes meos nec per homines meos aliquam inposterum sustinebunt inquietationem. Quod ut ratum perpetuo perseveret presenti scripto sigillum meum est appensum. *Testibus*.

[1] William of Frampton was associated with the series of documents issued in 1255, but this quitclaim seems to belong to the series dealing with Middleshaw alone.

444. *Charter of Reginald de la Pulle of Tockington to St Augustine's quitclaiming his rights in the dikes and common pasture of Kingsmarsh in Almondsbury, and in Newerleigh, Middleshaw, Hortham, and in the field below the grove called the Edge. He specifies in detail the canons' sluices and their use of marshland. He reserves his right in two sluices in Kingsmarsh, and accepts that the canons can level dikes or make new dikes in the marsh so long as they are not detrimental to his land.*[1] *(c. 1255.)*[2]

Sciant presentes et futuri quod ego Reginaldus de la Pulle de Tokkinton' pro salute anime mee patris mei et matris mee et omnium parentum meorum remisi et quietum clamavi deo et ecclesie Sancti Augustini de Bristoll' et canonicis regularibus ibidem deo servientibus omne jus et clamium meum quod habui contra eosdem de fossato eorum et communa pasture que vocatur Kingesmers apud Almodesbur', et etiam omne jus et clamium quod habui vel quocumque modo habere potui in tota illa terra que vocatur Newerleg' et Middelschae et Hertham, et in cultura illa que est subtus gravam que vocatur le Egge, pro me et heredibus meis plene renuntiavi et expresse. Ita tamen[3] quod dicti canonici tenebunt duas breckas apertas in predicto fossato de Kingesmers utramque viginti pedum in longitudine et in profundo[4] ad equationem terre interioris et exterioris proxime eidem fossato in quantum fieri potest, unam videlicet breckam apud australem partem de Bulesham et aliam apud aquilonalem partem que vocatur Pudipol. Ego vero vel heredes mei in tota terra illa que vocatur inkerlege et Middelscae et Hertham et in cultura que est subtus gravam que vocatur la Egge de cetero nichil vendicare poterimus nec etiam infra predictum fossatum aliquid amplius nisi predictas duas breckas apertas ut predictum est in Kingesmers. Concessi autem dicti canonicis pro me et heredibus meis ut omnia alia fossata predicti marisci pro voluntate sua prosternere possint et obturare et etiam infra predictum fossatum nova et plura construere dum tamen in nostri liberi tenementi non sint detrimentum. Quod ne inposterum devocetur indubium presenti scripto sigillum meum [f. 154][5] duxi apponendum. *Testibus.*

---

[1]   The use of *brecca* to mean an assart, and also a breach, and of *fossatum* to mean a ditch or moat, and also a dike or embankment, may cause some confusion. So, too, may the use of dike to describe a waterway or an embankment. In a marshland economy, a *brecca* is a controlled break in the bank of a water channel. No. 466 refers specifically to the use of stone to repair and build a *brecca*, and the English equivalent is clearly a sluice. The word dike rather than ditch has been retained for the waterways. The identification of *Bulesham*, now Bilsham Farm (no. 444), and of *Blakeford*, the black ford (no. 457), helps to place the pastures of Kingsmarsh in the north-western sector of the manor.

[2]   This quitclaim is linked with the series issued in 1255.   [3]   MS. *cum.*

[4]   MS. *inprofundi*; no. 445 has the correct form.   [5]   Rubric: *Almondesbury.*

445. *Charter of Robert son of Laurence of Tockington to St Augustine's quitclaiming his rights in the dikes and common pasture of Kingsmarsh in Almondsbury, following in principle, though not in detail, the pattern of no. 444. (c. 1255.)*

Sciant presentes et futuri quod ego Robertus filius Laurencii[1] de Thonkinton' pro salute anime mee patris mei et matris mee et omnium parentum meorum remisi et quietum clamavi deo et ecclesie Sancti Augustini de Bristoll' et canonicis regularibus ibidem deo servientibus omne clamium meum quod habui contra eosdem de fossatorum et communa pasture que vocatur Kingesmers apud Almodesburi et omni juri quod michi in dicto fossato et dicta communa pasture competere dicebam pro me et heredibus meis plene renuntiavi et expresse. Ita tamen quod dicti canonici tenebunt duas breckas apertas in predicto fossato[2] utramque viginti pedum in longitudine et in profundo ad equationem terre interioris et exterioris proxime eidem fossato in quantum fieri potest, unam scilicet breckam apud australem partem de Bulesham et aliud apud aquilonalem partem que vocatur Pudipol. Ego vero et heredes mei nichil amplius exigere poterimus inperpetuum infra predictum fossatum de Kingesmers nisi predictas duas breckas competas. Concessi autem dictis canonicis pro me et heredibus meis ut omnia alia[3] fossata predicti marisci pro voluntate sua prosternere possint et obturare et etiam infra predictum fossatum nova et plura construere dum tamen in nostri liberi tenementi non sit detrimentum. Quod ne in posterum devocetur indubium presenti scripto sigillum meum duxi apponendum. *Testibus.*

446. *Charter of William Campe of Winterbourne to St Augustine's quitclaiming his rights in land in Almondsbury and Winterbourne. Dated the feast of St Kenelm the Martyr 39 Henry III (17 July, 1255).*

Universis Christi fidelibus presens scriptum visuris vel audituris Willelmus Campe de Winteburn', salutem. Notum vobis facio quod ego pro salute anime mee et omnium antecessorum et successorum meorum remisi et quietum clamavi pro me et heredibus meis inperpetuum abbati et conventui Sancti Augustini de Bristoll' totum jus et clamium quod habui vel quocumque modo habere potui in omnibus terris suis de Almodesbur' et de Winteburn' tam assartis quam aliis in quibus aliquando ratione commune pasture jus michi competere dicebam vel quocumque titulo pertinere potuit vel debuit. Et quia nolo quod prefati canonici per [f. 154v.] me vel per heredes meos aut assignatos[1] aliquam calumpniam inpedimentum vexationem sustineant aut molestiam vel nos aliquid juris in locis prenominatis de cetero vendicare valeamus presens scriptum eisdem fieri[2] volui et sigillo meo signavi. Datum anno regni regis Henrici filii regis Johannis xxxix° in festo Beati Kenelmi martiris. T*estibus.*

[1]   MS. *assignatis.*   [2]   MS. *feri.*

447. *Agreement between William Long, abbot of St Augustine's, and Osbert Laurence, who quitclaims his rights in Middleshaw and Hortham and the field below the wood called the Edge. The abbot and canons may enclose and improve this land, reserving to Osbert and his heirs access when the harvest has been reaped. They will also provide an open road across the foreland on the east of that field when it lies fallow. Osbert and his heirs shall have common of pasture in the field below Almondsbury which their servile tenants hold when it is fallow, and it should be fallow every third year. Dated the feast of St Augustine the Apostle of the English 39 Henry III (26 May, 1255).[1]*

Hec est conventio facta anno regni regis Henrici filii regis Johannis xxxix° in festo Beati Augustini Anglorum apostoli inter Willelmum abbatem Sancti Augustini de Bristoll' et ejusdem loci conventus ex parte una et Osbertum Lauren' ex altera. Videlicet quod dictus Osbertus pro se et heredibus suis inperpetuum remisit et quietum clamavit memoratis abbati et conventui et eorum successores totum jus et clamium quod habuit vel quocumque habere potuit in tota terra illa que vocatur Middelscawe et Hertham et in cultura illa que est subtus depanam[2] que vocatur le Egge. Ita quod dictus abbas et conventus possint predictas terras meliorare claudere et fossare cum in agriculturam[3] fuerint reducte vel seminare salvo dicto Osberto et heredibus suis libero ingressu et egressu in eisdem cum fructus eorum fuerint asportati. Invenient autem dicti canonici supradictis Osberto et heredibus suis viam sufficientem et apertam ultra forerdam ejusdem culture ad capud versus occidentem de tertio anno in terminum.

Concessurunt insuper dicti canonici dicto Osberto et heredibus suis [communam]⁴ in campo illo qui est subtus villam de Almodesburi quem eorum homines serviles tenent cum ad warectum jacuerit et quando in vestitura dicte terre fuerit asportata. Et sciendum quod tota terra quam serviles homines predicti tenent in campo illo qui est subtus villam⁵ predictam de Almodesburi tertio anno jacebit ad warectum. In cujus rei testimonium mutuis scriptis mutua signa sunt appensa. *Testibus.*

¹ Osbert son of Laurence occurs in Earthcott in a charter dated *c.* 1279 (*St Mark's Cartulary*, p. 227, no. 371).

² This appears as *gravam* in nos. 444 and 448; *depanam* may be intended for spinney.

³ MS. *inagriculturam.*

⁴ MS. *annuatim*; the sense requires *communam*, as in no. 448.   ⁵ MS. *viam.*

448. *Agreement between William Long, abbot of St Augustine's, and Robert Bousse. Robert quitclaims his rights in Middleshaw and Hortham and the field below the grove called the Edge. The abbot and canons can enclose their land, reserving to Robert access when the harvest has been reaped. They will also provide an open road across the foreland on the east of that field when it lies fallow. Robert and his heirs shall have common of pasture in the field which their servile tenants hold when it lies fallow, and it should be fallow every third year. Dated the feast of St Augustine the Apostle of the English 39 Henry III (26 May 1255).*

Hec est conventio facta anno regni regis¹ Henrici filii regis Johannis xxxix in festo Beati Augustini Anglorum apostoli inter dominum Willelmum abbatem Sancti Augustini de Bristoll' et ejusdem loci conventum ex parte una et Robertum Bousse ex altera. Videlicet quod dictus Robertus pro se et heredibus suis in perpetuum remisit et quietum clamavit memoratis abbati et conventui [f. 155]² et eorum successoribus totum jus et clamium quod habuit vel quocumque modo habere potuit in tota terra illa que vocatur Middelscae et Hertham et in cultura illa que est subtus gravam que vocatur Laegge. Ita quod dicti abbas et conventus possint predictas terras inchorare claudere et fossare cum in agriculturam fuerint reducte vel seminate, salvo dicto Roberto et heredibus suis libero ingressu et egressu in eisdem cum fructus eorum fuerint asportati. Invenient autem dicti canonici supradictis Roberto et heredibus suis viam sufficientem et apertam ultra forerdam ejusdem culture ad capud versus occidentem de tertio anno in terminum. Concesserunt insuper dicti canonici dicto Roberto et heredibus suis communam in campo illo qui³ est subtus villam de Almodesbur' quem eorum homines serviles tenent cum ad warectum⁴ jacuerit et quando in vestitura dicte terre fuerit asportata. Et sciendum quod tota terra in cultura illa predicta quam serviles homines predicti tenent [tertio anno]⁵ jacebit ad warectum. In cujus rei testimonium mutuis scriptis mutua signa sunt appensa. *Testibus.*

¹ *Johannis* written and expuncted for deletion.   ² Rubric: *Almondesbury.*

³ MS. *que.*   ⁴ *In cujus rei testimonium* written and expuncted for deletion.

⁵ MS. *et in campo illo.*

449. *Charter issued by John Giffard, Gilbert of Stoke, William son of William of Frampton, Richard de Bremel', and Simon Wimund, to St Augustine's recognising the abbey's claims in Almondsbury and Winterbourne, and asserting their own rights, belonging to the manor of Stoke Gifford, of common of pasture with the abbey's beasts after the harvest has been reaped. (1255.)*[1]

Omnibus Christi fidelibus ad quos presens scriptum pervenerit Johannes Giffard, Gilebertus de Stokes, Willelmus filius Willelmi de Fromtone, Ricardus de Bremele, Simon Wimund, salutem in domino. Noverit universitas vestra nos pro nobis et heredibus et assignatis nostris concessisse domino abbati Sancti Augustini de Bristoll' et ejusdem loci conventui et successoribus suis quod terras quos habent apud Almodesbur' et Winterburn' infra communem pasturam nostram pertinentem ad terras nostras infra manerium de Stoke valeant libere absque contradictione et reclamatione nostra et heredum et assignatorum nostrorum assartare claudere fossare et pro libero sue voluntatis arbitrio meliorare. Ita tamen quod nec nos nec heredes vel assignati nostri eis aliquod nocumentum de cetero facere possimus, et quando fructus dictarum terrarum fuerint maturi et asportati quod tam averia nostra et hominum nostrorum quam averia dictorum abbatis et conventus et hominum suorum possint pascere sicut ante consueverant. In cujus rei testimonium presenti scripto sigilla nostra fecimus apponi. T*estibus.*

[1] See no. 446.

450. *Charter issued by Robert Walerond, Sybil Cotele, and Eleanor Cotele to St Augustine's recognising the abbey's claims in Almondsbury, Winterbourne, and Tockington, and asserting their own rights, belonging to the manor of Frampton Cotterell, of common of pasture for their beasts with the abbey's beasts after the harvest has been reaped. (1255.)*

[f. 155v.] Omnibus Christi fidelibus ad quos presens scriptum pervenerit Robertus Walerand, Sibilla Cotele, Elyanora Cotele, salutem in domino. Noverit universitas vestra nos pro nobis et heredibus nostris concessisse domino abbati Sancti Augustini et ejusdem loci conventui et successoribus suis inperpetuum quod terras quas habent apud Almodesbur' et Winterburn' et Tokkinton' infra communem pasturam nostram pertinent ad terras nostras infra manerium de Fromtona valeant libere et absque contradictione et reclamatione nostra et heredum nostrorum vel assignatorum nostrorum assartare claudere fossare et pro libero suo voluntatis arbitrio meliorare. Ita tamen quod nec nos nec heredes nostri nec assignati nostri eis aliquod nocumentum de cetero facere possimus et quando fructus predicte terre fuerint maturi et asportati quod tam averia nostra et hominum nostrorum quam averia dictorum abbatis et conventus et hominum suorum possint pascere sicut ante consueverant. In cujus rei testimonium huic presenti scripto sigilla nostra apposuimus. T*estibus.*

451. *Charter issued by John Giffard, Gilbert of Stoke, William son of William of Frampton, Richard de Bremel' and Simon Wimund' to William, abbot of St Augustine's. The terms are similar to those of no. 449. (1255.)*[1]

Omnibus Christi fidelibus ad quos presens scriptum pervenerit Johannes Giffard, Gilebertus de Stok', Willelmus filius Willelmi de Fromton', Ricardus de Bremel', et Simon Wimund, salutem in domino. Noverit universitas vestra nos pro nobis et heredibus nostris ac assignatis nostris concessisse Willelmo permissione divina abbati Sancti Augustini Bristoll' et ejusdem loci conventui quod terras quas habuit apud Almodesbur' et Winterburn' infra communem pasturam nostram valeant libere absque contradictione et reclamatione nostra et heredum nostrorum seu nostrorum assignatorum assartare claudere fossare et pro libero sue voluntatis arbitrio meliorare. Ita quod nec nos nec heredes seu[2] assignati nostri eis aliquando nocumentum de cetero facere possimus. Et quando fructus predicte terre fuerint maturi et asportati quod tunc tam averia nostri et hominum nostrorum quam averia dictorum abbatis et conventus et hominum[3] suorum possint pascere sicut ante consueverant. In cujus rei testimonium hanc presenti scripto sigilla nostra apposuimus. T*estibus.*

[1] The addition of the abbot's name, though without a surname, indicates that this charter belongs to the series of quitclaims issued in 1255.   [2] MS. *siu.*

[3] MS. *hominibus,* with the ending crudely erased and replaced by an abbreviation sign for *hominum*; *domino Roberto Walerand* written and expuncted for deletion.

452. *Charter of Osbert de Abbetot to St Augustine's, confirming in free alms, at the request of his kinswoman, Cecilia wife of Alan de Warnest', the gift which she made from her marriage portion in Compton Greenfield, consisting of 25 acres called Newland, next to the cow-pasture of the church and the house of Siward Ape. This land was part of her demesne when she gave it to the canons and it never rendered service, nor ought to render service.*[1]

Osbert de Abbetot omnibus hominibus et amicis suis et universis sancte ecclesie fidelibus ad quos presens carta pervenerit, salutem. Sciatis [f. 156][2] me petitione et assensu Cecilie uxoris Alani de Warnest' amice mee et pro salute anime mee patris et matris mee et liberorum et antecessorum meorum concessisse et presenti carta confirmasse deo et canonicis regularibus ecclesie Sancti Augustini de Bristoll' donationem quam eis fecit predicta Cecilia apud Cumtonam de libero maritagio suo; scilicet xxv acras que dicitur Newelande que jacet juxta vacariam ipsius[3] ecclesie et domum Siwardi Ape. Hec vero terra de dominico predicte Cecilie fuit cum eam canonicis dedit et ipsa terra servicium nunquam fecit nec facere debet. Et ideo volo quod predicti canonici habeant et teneant prenominatam terram bene et in pace libere et quiete inperpetuum et liberam puram et perpetuam elemosinam, ut scilicet ipsi canonici de nullo servicio seculari predicte Cecilie aut heredibus ejus respondeant, et Cecilia et heredes ejus versus me et heredes meos de omni servicio quieti sint inperpetuum. Quia sicut predictum est ad illam terram nullum servicium pertinet. T*estibus.*

[1] *Vacariam* can be used for the cow-shed or the pasture of a dairy farm.

[2] Rubric: *Almondesbury.*   [3] MS. *ipsi.*

453. *Charter of Nicholas Poyntz to St Augustine's granting the abbey in free alms extensive lands and rights in Almondsbury: all his demesne in the arable land in* Sadebrok; *half his meadow land; the half-virgates and other land which the canons hold. In addition he grants 9 men with their families and holdings, 2 in Cattybrook and 7 in Compton Greenfield, and a third part of the pasture in the common of Cattybrook. If he converts any of his pasture into arable land or meadow, they may do the same. The 9 men named in the charter shall do suit of court to the hundred at Tockington; their amercements shall go to the canons and Nicholas gives up any claims upon the men. For these concessions the canons have paid him 152 marks. (c. 1250 × 73.)*[1]

Omnibus Christi fidelibus ad quos presens scriptum pervenerit Nicholaus Poinz, salutem in domino. Noverit universitas vestra me pro salute anime mee et uxoris mee liberorum et antecessorum nostrorum concessisse et dedisse deo et monasterio Sancti Augustini de Bristoll' et canonicis regularibus ibidem deo servientibus totum dominicum meum terre arabilis de Sadebrok, ita tamen ut dicti canonici dimidium totius prati mei[2] habeant pro ut diviso inter nos facta distinguit. Sic scilicet in cultura de Rodwrlang medietatem versus austrum; in cultura de Lodwrlong' medietatem versus aquilonem; in cultura de Wiforlang medietatem versus austrum; item goram juxta pontem. Insuper dedi et concessi dictis canonicis[3] novem homines cum tota eorum sequela et catallis et tenementis que[4] de me tenere consueverunt et tenuerunt ea die qua dictam concessionem feci dictis canonicis, videlicet tam[5] de dimidiis virgatis terre quam de aliis terris quas tunc ad pabulum[6] tenuerunt. De predictis vero novem hominibus sciendum quod duo sunt apud Cadebroc, scilicet Algarus et Willelmus Pinc, apud [f. 156v.] Cumton' Ricardus, Osbertus, Walterus, Bernardus, Willelmus, Bernardus et Ricardus. Dedi etiam et concessi dictis canonicis tertiam partem pasture mee quam habeo in communa de Cadibroc. Et si aliquam partem dicte pasture in terram arabilem aut pratum convertero ipsi eodem modo partem suam si velint convertant. Volo itaque ut predicta omnia dicti canonici libere et quiete integre et pacifice in pratis et pascuis et aquis viis et semitis et omnibus pertinenciis libertatibus et liberis consuetudinibus suis habeant inperpetuum et possideant sicut liberam puram et perpetuam elemosinam. Ita quod nec michi nec heredibus meis in aliquo respondeant preter qua de regali servicio ad quatuor virgatas terre et dimidiam pertinenti. Supramemorati vero homines bis in anno sequelam facient ad hundredum de Thokent'.[7] Ita quod si in merciamentum insidiunt merciamentum erit dictorum canonicorum omnino; de aliis autem omnibus sequelis demandis querelis et querimoniis et prestationibus et omnibus aliis rebus erunt dicti homines immunes versus me et heredes meos inperpetuum. Pro hac autem donatione et concessione dederunt michi dicti canonici centum quinquaginta et duas marcas argenti. Quare ego et heredes mei dictis canonicis dictam terram cum ejusdem pertinenciis et libertatibus dictos etiam homines et eorum tenementa contra omnes homines warantizare debemus[8] inperpetuum. Et ut hec mea donatio et concessio rata permaneat et stabilis inperpetuum eam presenti scripto sigilli mei appositione roborato confirmavi. T*estibus.*

[1]   Nicholas Poyntz lived until the autumn of 1273 (*St Mark's Cartulary*, p. 203. no. 323n.).

[2]   MS. adds *et haruncluus*. It may be intended for *harunculus*, a young heron, and it may imply that Nicholas has given the canons a heronry, but that has no place in the definition of the demesne he holds in the arable land. A word indicating that the division between the canons' land and that retained by Nicholas had been clearly marked would seem to be more appropriate.

[3]   At this point the scribe has written the words *videlicet tam de dimidiis virgatis terre quam de aliis terris quas tunc ad babulum tenuerunt*, which, with *non* instead of *tam*, occur following *dictis canonicis* a few lines later.

[4]   MS. *quod*.   [5]   MS. *non*; cf. n. 3 above.

[6]   MS. *babulum*, i.e. for their sustenance.

[7]   The scribe wrote *Khokent'* and altered it to *Thokent'*.   [8]   MS. *debimus*.

454. *Charter of Hugh Poyntz, inspecting and confirming the charter issued by his father, Nicholas Poyntz (no. 453). (c. 1250 × 73.)*[1]

Omnibus Christi fidelibus ad quos presens scriptum pervenerit Hugo Poinz, salutem in domino. Noverit universitas vestra me cartam domini mei et patris sub hac forma inspexisse:

Omnibus Christi fidelibus ad quos presens scriptum pervenerit Nicholaus Poinz, salutem in domino. Noverit universitas vestra.

Hanc itaque donationem et concessionem ratam habens et gratam predicta omnia dictis canonicis sicut filius et heres dicti domini mei et patris dedi et concessi pro ut in carta ipsius eisdem canonicis confecta continetur. Quod ut ratum et stabile perpetuo perseveret presens scriptum sigilli mei appositione roborato confirmavi. *Testibus*.

[1]   The language of this inspeximus charter is compatible with a date before the death of Nicholas Poyntz. Hugh does not make a bequest for the safety of his father's soul.

455. *Agreement, drawn up in the form of a final concord, between St Augustine's and the church of Almondsbury on one part and the chapel of Tockington and Nicholas Poyntz, its patron, and Richard, rector of the chapel, on the other part, over half of the villeins' tithes of corn of Cattybrook. The rector of the chapel has had, and is to have, these tithes, and is to pay 6s a year to the church of Almondsbury. The other half of the tithes, and all the minor tithes and oblations, belong to the church of Almondsbury. (Before 1273.)*

[f. 157][1] Hec est finalis concordia inter abbatem et canonicos Sancti Augustini de Bristoll' et ecclesiam de Almodesburi ex una parte et capellam de Tokkinton' et Nicholaum Poinz ejusdem patronum et Ricardum ejusdem capelle rectorem ex altera super medietatem decimarum garbarum de feudo predicti Nicholai in vilenagio de Cattybrook, quas rectores capelle de Tokkintone percipere consueverunt. Videlicet quod quicumque rector fuerit capelle de Tokintone prefatas decimationes inperpetuum possidebit. Reddendo inde annuatim inperpetuum ecclesie de Almodesbur' ad duos terminos anni sex solidos, videlicet tres solidos ad Pascha et tres solidos ad festum Sancti Michaelis. Ecclesia vero de Almodesburi reliquam medietatem decimarum et omnes minores decimas et obventiones ejusdem loci percipiet. Et ut hec compositio[2] inter ecclesiam de Almodesburi et capellam de Tokkintone perpetue firmitatis robur obtineat, utraque partium eam sigilli sui appositione confirmavit. *Testibus.*

¹ Rubric: *Almondesbury.*   ² MS. *compotio.*

456. *Charter of Richard the Huntsman, son of Edwin the Huntsman, and Idonia his wife, to St Augustine's confirming in free alms their land in Calfham, except the land of Gilbert Dun. They include in the pro salute clause their son, Robert. For this grant the canons give them 12 marks and a palfrey. The terms are similar to those of Idonia's charter, no. 414. (Before February 1234.)*[1]

Omnibus Christi fidelibus ad quos presens scriptum pervenerit Ricardus Venator filius Edwini Venatoris et ejusdem uxor Idonia, salutem in domino. Noverit universitas vestra nos pro salute animarum nostrorum patrum et matrum et omnium antecessorum nostrarum et Roberti filii nostri dedisse et concessisse et hac presenti carta nostra confirmasse deo et ecclesie Sancti Augustini de Bristoll' et canonicis regularibus ibidem deo servientibus totam terram nostram de Chalpham excepta terra Gileberti Dun. Tenendam et habendam sibi inperpetuum libere et quiete integre et pacifice in viis et semitis in aquis et aquarum cursibus in pratis et pascuis cum omnibus pertinenciis libertatibus et liberis consuetudinibus suis sicut liberam puram et perpetuam elemosinam. Ita quod nec nobis nec alicui heredum nostrorum in aliquo respondeant nisi soli deo in orationibus. Preterea dictam terram contra omnes homines et feminas nos et heredes nostri dictis canonicis warantizare debemus[2] inperpetuum. Pro hac autem donatione et concessione nostra dederunt nobis memorati canonici duodecim marcas argenti et unum palefridum. Et ut hec nostra donatio et concessio rata et illibata perpetuo perseveret eam tam fidei et juramenti interpositione quam presenti scripto sigillorum nostrorum appositione roborato confirmavimus. *Testibus.*

¹ See no. 411.   ² MS. *debimus.*

457. *Agreement, drawn up as a chirograph, between St Augustine's and Nicholas Poyntz, who quitclaims all his rights in the dike which divides their land and common pasture of Kingsmarsh in Almondsbury. Their mutual responsibility for maintaining the dike and regulating the flow of water in it is defined in detail. Nicholas retains the right of access of his wagons across the canons' land between Almondsbury and Kingsmarsh. The boundaries described in this charter do not provide an easy identification of the land in question. Blakeford, named in this agreement, lies less than a mile south of Bilsham (see nos. 444, 445). (Before the end of 1273.)*[1]

[f. 157v.] Hec[2] est conventio facta inter abbatem et conventum Sancti Augustini de Bristoll' ex una parte et dominum Nicholaum Poinz ex altera. Videlicet quod idem Nicholaus pro salute anime sue patris sui matris sue et omnium antecessorum et successorum suorum remisit dictis canonicis clamium suum quod habuit contra eosdem de fossato eorum et communa pasture que vocatur

Kingesmers[3] apud Almondsb' et omni juri quod sibi in dicta pastura competere dicebat pro se et heredibus suis et libertatibus tenentibus suis plene renuntiavit et expresse. Ita quod dicti canonici nec a dicto Nicholao nec ab heredibus suis nec aliquo hominum suorum aliquam inde sustineant vexationem. Et ut omnes cessent[4] molestia et querela que dictis poscit obici canonicis fossatum eorum sicut extensum est inter terram domini[5] Nicholai Poinz de Tokinton' et terram eorundem canonicorum de Almodesb' integrum durare debebit inperpetuum. Quod quidem fossatum facere debent predicti canonici a Semham usque ad domum Ade de Pulla, et etiam per medium curie ipsius Ade; et a curia Ade dictus Nicholaus idem fossatum ducere debit usque ad Blakeford.[6] Cursus autem aque descendentis in dictum fossatum ex orientali parte de Kingesmers sicut dirigendum est de Scernham sumptibus dictorum canonicorum dirigi debet usque ad Brakrespull'; deinde usque ad Flodbrig' usque ad Haysdich medietatem fossati facere debent dicti canonici, et dictus Nicholaus aliam medietatem facere debet. De Haisdich autem idem Nicholaus fossatum facere debet per medium terre sue usque ad domum Baldewini Stok. Ex parte vero occidentali cursus aque predicte dirigi debet sumptibus canonicorum a terra que vocatur Levesgore usque ad domum Hugonis Mulg', [et][7] a domo Hugonis usque ad terram Ricardi Venatoris. Et deinde sumptibus domini Nicholai usque ad domum Seberni filii Geraldi. Dictus etiam Nicholaus aquam predictam ducere debet a fossato quod dicitur fossatum abbatis per medium nove terre usque ad domum Osberti Swift,[8] et a domo Osberti Swift usque ad domum Roberti Pil. Preterea dictus Nicholaus concessit et quietam clamavit dictis canonicis illam particulam terre que ad ipsum pertinebat de illis quatuor acras terre quas dominus Mauricius de Gant et Ricardus Venator eisdem canonicis dederunt et concesserunt infra purpresturam de Longehurst in liberam puram et perpetuam elemosinam perpetuo possidendam. Quam quidem purpresturam dicti[9] canonici de dicto Nicholao tenent. Idem vero canonici dictam pasturam [f. 158][10] de Kingesmers una cum fossatis predictis et omnibus aliis ad predictam pasturam pertinentibus teneant et habeant inperpetuum libere et quiete integre et pacifice. Ita quod nec dicto Nicholao nec alicui heredum vel hominum suorum in aliquo inde respondeant salvo tamen domino Nicholao et heredibus suis libero transitu plaustrorum suorum per pratum dictorum canonicorum quod jacet inter villam de Almodesb' et Kingesmers absque detrimento feni et fossatorum eorumdem canonicorum sicut eundem transitum rationabiliter habere consuevit. Hanc autem conventionem fideliter inperpetuum observandam dictus Nicholaus propriis manibus affidavit. Et dominus Mauricius prior Sancti Augustini pro abbate et conventu suo in verbo veritatis eandem conventionem fideliter observandam repromisit. Et ut hec omnia predicta perpetue stabilitatis robur obtineat presens scriptum in modum cyrographi confectum utrius partis sigillis est consignatum. *Testibus.*

---

[1] See no. 453. [2] The scribe left a space for the capital *H*, but the letter was never supplied. [3] MS. *Ringesmers*. [4] MS. *cesset*. [5] MS. *Sancti*.

[6] The black ford, used as a boundary mark in a tenth-century charter, was identified by G. B. Grundy (*Saxon Charters and Field Names of Gloucestershire*, Part II, pp. 184, 192; *P-NG*, iii, p. 123).

[7] The scribe noted the need for a connection between these two clauses by using a punctuation mark. [8] MS. *Switf.* [9] MS. *Sancti.* [10] Rubric: *Almondesbury.*

458. *Charter of Joan de Trailly, widow of Nicholas Poyntz, to St Augustine's quitclaiming her rights in the dike and common pasture of Kingsmarsh. The canons are to have 2 sluices to control the flow of water, 1 in the south at Bilsham and 1 in the north at* Pudipol. *(After the autumn of 1273.)*[1]

Sciant presentes et futuri quod ego Johanna de Trahily uxor quondam Nicolai Poinz remisi et quietum clamavi deo et ecclesie Sancti Augustini de Bristoll' et canonicis regularibus ibidem deo servientibus omne clamium meum quod habui contra eosdem de fossato eorum et communa pasture que vocatur Kingesmers apud Almodesbur' et omni juri quod michi in dicto fossato et dicta communa pasture competere dicebam pro me et hominibus meis plene renuntiavi et expresse. Ita tamen quod dicti canonici tenebunt duas breckas apertas[2] in predicto fossato de Kingesmers utramque viginti pedum in longitudine et inprofundo ad equationem[3] terre interioris proxime eodem fossato, unam videlicet breccam apud australem partem de Bulesham et aliam apud aquilonarem partem, scilicet Pudipol. Quod ne in posterum devocetur indubium presenti scripto sigillum meum est appensum. T*estibus.*

[1] See no. 453.
[2] MS. *aptas.*
[3] MS. *equinationem.*

459. *Charter of Baldwin de Bethune and Joan de Trailly his wife to St Augustine's quitclaiming their right in the dike and pasture of Kingsmarsh in Almondsbury. The canons are to keep 2 sluices in the dike at Bilsham and* Pudipol. *(After 1273.)*[1]

Sciant presentes et futuri quod ego Baldwinus de Bethum' et Johanna de Traily uxor mea remisimus et quietum clamavimus deo et ecclesie Sancti Augustini de Bristoll' et canonicis regularibus ibidem deo servientibus omne clamium nostrum quod habuimus contra eosdem de fossato eorum et communa pasture que vocatur Kingesmers apud Almodesbur' et omni juri quod nobis in dicto fossato et dicta communa pasture competere dicebamus pro nobis et hominibus nostris plene renuntiavimus [f. 158v.] et expresse. Ita tamen quod dicti canonici tenebunt duas breckas apertas in predicto fossato de Kingesmers utramque viginti pedum in longitudine et in profundo ad equationem partem terre interioris proxime eidem fossato; unam videlicet breccam apud australem partem de Bulesham et aliud apud aquilonarem partem que vocatur Pudipol. Quod ne inposterum devocetur indubium presenti scripti duximus sigilla nostra appendenda. T*estibus.*

[1] See no. 453.

460. *Charter of Peter of Tockington, seneschal, to St Augustine's quitclaiming his right in the dike and common pasture of Kingsmarsh. The canons are to keep 2 sluices in the dike at Bilsham and* Pudipol. *They may level their other dikes and build new dikes, provided that they do no harm to Peter's free tenement there. (Before the end of 1273.)*[1]

Sciant presentes et futuri quod ego Petrus de Tokinton' dictus senescallus pro salute anime mee et omnium parentum meorum remisi et quietum clamavi deo et ecclesie Sancti Augustini de Brist' et canonicis regularibus ibidem deo servientibus omne clamium meum quod habui contra eosdem de fossato eorum et communa pasture que vocatur Kingesmers apud Almodesbur' et omni juri quod michi in dicto fossato et dicta communa pasture competere[2] dicebam pro me et heredibus meis plene renuntiavi et expresse. Ita tamen quod dicti canonici tenebunt duas breccas apertas in predicto fossato de Kingesmers utramque viginti pedum in longitudine et in profundo ad equationem terre interioris proxime eidem fossato, unam videlicet breckam apud australem partem de Bilesham et aliam apud aquilonarem partem que vocatur Pudipol. Ego vero vel heredes mei nichil amplius exigere poterimus inperpetuum versus predictum fossatum de Kingesmers nisi tantum predictas duas breccas apertas. Concessi autem dictis canonicis pro me et heredibus meis ut omnia alia fossata predicti marisci pro voluntate sua prosternere possint et obturare et etiam infra dictum fossatum nova et plura si voluerint construere dum tamen in nostri liberi tenementi non fuerint detrimentum. Quod ne in posterum devocetur indubium presenti scripto sigillum meum duxi appendendum. *Testibus.*

[1]   This charter and the series of quitclaims which follow appear to be similar in date to the quitclaim issued by Nicholas Poyntz, no. 457.   [2] MS. *compete.*

461. *Charter of Elias Aki son and heir of Henry Aki of Bristol to St Augustine's quitclaiming his right in the dike and common pasture of Kingsmarsh. The canons are to keep 2 sluices in the dike at Bilsham and* Pudipol.[1] *(Before the end of 1273.)*

Sciant presentes et futuri quod ego Elyas Aki filius et heres Henrici Aki de Bristoll' pro salute anime mee patris mei matris mee et omnium parentum meorum remisi et quietum clamavi deo [f. 159][2] et ecclesie Sancti Augustini de Bristoll' et canonicis regularibus ibidem deo servientibus omne clamium meum quod habui contra eosdem de fossato eorum et communa pasture que vocatur Kingesmers apud Almodesb' et omni juri quod michi in dicto fossato et dicta communa pasture competere dicebam pro me et heredibus meis et hominibus plene renuntiavi et expresse. Ita tamen quod dicti canonici tenebunt duas breckas apertas in predicto fossato de Kingesmers utramque viginti pedum in latitudine et inprofundo ad equationem terre interioris proxime eidem fossato, unam videlicet breccam apud australem partem de Bulesham et aliud apud aquilonalem partem que vocatur Pudipol. Ego vero vel heredes mei nichil amplius exigere poterimus inperpetuum infra predictum fossatum de Kingesmers nisi tantum predictas duas breckas. Quod ne in posterum devocetur indubium presenti scripto sigillum meum duxi apponendum. *Testibus.*

¹   This charter has no clause safeguarding the grantor's free tenement.   ²   Rubric: *Almondesbury.*

462. *Charter of Osbert Bosse of Tockington to St Augustine's quitclaiming his right in their dike and common of pasture in Kingsmarsh. The canons are to keep 2 sluices in the dike at Bilsham and* Pudipol. *They may level their other dikes and build new dikes there, provided that they do no harm to Osbert's free tenement there. (Before the end of 1273.)*

Sciant presentes et futuri quod ego Osbertus Bosse de Tokinton' pro salute anime mee patris mei et matris mee et omnium parentum meorum remisi et quietum clamavi deo et ecclesie Sancti Augustini de Bristoll' et canonicis regularibus ibidem deo servientibus omne clamium meum quod habui contra eosdem de fossato eorum et communa pasture que vocatur Kingesmers apud Almodesbur', et omni juri quod michi in dicto fossato et dicta communa pasture competere dicebam pro me et heredibus meis plene renuntiavi et expresse. Ita tamen quod dicti canonici tenebunt duas breckas apertas in predicto fossato de Kingesmers, utramque viginti pedum in longitudine et inprofundo ad equationem terre interioris et exterioris proxime ejusdem fossato in quantum fieri potest, unam videlicet breckam apud australem partem de Bulesham et aliam apud aquilonarem partem que vocatur Pudipol. Ego vero vel heredes mei nichil amplius exigere poterimus inperpetuum infra predictum fossatum de Kingesmers nisi predictas duas breckas apertas. Concessi autem dictis canonicis pro me et heredibus meis ut omnia alia fossata [f. 159v.] predicti marisci pro voluntate sua prosternere possint et obturare et etiam infra predictum fossatum nova et plura construere dum tamen in nostri liberi tenementi non fuerint¹ detrimentum. Quod ne inposterum devocetur indubium presenti scripto sigillum meum duxi apponendum. *Testibus.*

¹   MS. *sint.*

463. *Charter of John of Tockington, the skinner, to St Augustine's quitclaiming his right in their dike and common of pasture in Kingsmarsh. The canons are to keep 2 sluices in the dike at Bilsham and* Pudipol. *They may level their other dikes and build new dikes, provided they do no harm to John's free tenement there. (Before the end of 1273.)*

Sciant presentes et futuri quod ego Johannes de Tokinton' dictus pelliparius pro salute anime mee et omnium parentum meorum remisi et quietum clamavi deo et ecclesie Sancti Augustini de Bristoll' et canonicis regularibus ibidem deo servientibus omne clamium meum quod habui contra eosdem de fossato eorum et communa pasture que vocatur Kingesmers apud Almondsbury et omni juri quod michi in dicto fossato et dicta communa pasture competere dicebam pro me et heredibus meis plene renuntiavi et expresse. Ita tamen quod dicti canonici tenebunt duas breckas apertas in predicto fossato de Kingesmers utramque viginti pedum in longitudine et inprofundo ad equationem terre interioris et exterioris proxime eidem fossato in quantum fieri potest, unam videlicet breckam apud australem partem de Bulesham et aliam apud aquilonarem partem que vocatur Pudipol. Ego vero et heredes mei nichil amplius exigere possimus nec debemus inperpetuum infra predictum fossatum de Kingesmers nisi predictas duas breccas apertas. Concessi autem pro me et heredes meis dictis canonicis ut omnia alia fossata predicti marisci pro voluntate sua prosternere possint et obturare et etiam infra predictum fossatum nova et plura si voluerint construere dum tamen in nostri liberi tenementi non fuerint detrimentum. Quod ne inposterum devocetur indubium presenti scripto sigillum meum duxi apponendum. *Testibus.*

464. *Charter of Joan of Tockington, widow of Hamelin Blund, to St Augustine's quitclaiming her right in the dike and common pasture of Kingsmarsh. The canons are to keep 2 sluices in the dike at Bilsham and* Pudipol. *They may level their other dikes and build new dikes, provided that they do no harm to Joan's free tenement there. (Before the end of 1273.)*

Sciant presentes et futuri quod ego Johanna de Tokinton' uxor quondam Hamelini Blundi pro salute anime mee domini mei dicti Hamelini patris mei matris mee et omnium parentum meorum remisi et quietum clamavi deo et ecclesie Sancti Augustini de Bristoll' et canonicis regularibus ibidem deo servientibus omne clamium meum quod habui contra eosdem de fossato eorum et communa pasture que vocatur Kingesmers apud Almodesbur' et omni juri quod michi in dicto [f. 160][1] fossato et dicta communa pasture competere dicebam pro me et heredibus meis plene renuntiavi et expresse. Ita tamen quod dicti canonici tenebunt duas breccas apertas in predicto fossato de Kingesmers utramque viginti pedum in longitudine et inprofundo ad equationem terre interioris proxime eidem fossato, unam videlicet breckam apud australem partem de Bulesham et aliam apud aquilonarem[2] partem que vocatur Pudipol. Ego vero vel heredes mei nichil amplius exigere poterimus inperpetuum infra predictum fossatum de Kingesmers nisi tantum predictas duas breccas apertas. Concessi autem dictis canonicis pro me et heredibus meis ut omnia alia fossata predicti marisci pro voluntate sua prosternere possint et obturare et etiam infra predictum fossatum nova et pura si voluerint construere, dum tamen in nostri liberi tenementi non fuerint detrimentum. Quod ne inposterum devocetur indubium presenti scripto sigillum meum duxi apponendum. *Testibus.*

[1]   Rubric: *Almondesbury.*   [2]   MS. *aquilonalem.*

465. *Agreement between John de Felda, abbot of St Peter's, Gloucester, and William Long, abbot of St Augustine's. St Peter's grants to St Augustine's in fee farm its land in Patchway, with all the men and their families holding land there. St Augustine's pays annually 10 marks to the sacristy of St Peter's and 3¼ yards of black cloth to Amice de Columbars for secular service. Elaborate* *arrangements are made for distraint if the payment to St Peter's falls into arrears. (8 April 1246–27 May 1250.)*[1]

Hec est conventio facta inter dominum abbatem Johannem Sancti Petri Gloucest' et ejusdem loci conventum ex parte una et dominum Willelmum abbatem Sancti Augustini de Bristoll' et ejusdem loci conventum ex altera. Videlicet quod predictus abbas et conventus Sancti Petri Glouc' concesserunt et in feudi firmam tradiderunt dictis abbati et conventui Sancti Augustini totam terram suam quam habuerunt apud Petscawe[2] cum omnibus pertinenciis suis, et etiam omnes homines cum eorum sequelis dictam terram tenentes secundum hoc quod eos habuerunt et tenuerunt. Habendam et tenendam sibi et successoribus suis de supradictis abbate et conventu Sancti Petri et eorum successoribus libere pacifice quiete et integre in boscis et planis in viis et semitis in pratis et pasturis in frussatis[3] et assartis et in omnibus rebus et locis cum omnibus libertatibus et liberis consuetudinibus. Reddendo inde annuatim predictis abbati et conventui Sancti Petri et eorum successoribus in abbatia Sancti Petri Glouc' decem marcas argenti deputatas sacristarie ejusdem ecclesie ad quatuor anni terminos, scilicet in Nativitate Sancti Johannis Baptiste duas marcas et dimidiam, in festo Sancti Michaelis duas marcas et dimidiam, ad Nathale domini duas marcas et dimidiam, ad Pascha duas marchas et dimidiam; et domine Amicie[4] de Columbariis et heredibus [f. 160v.] ejus singulis annis tres virgas et quartam partem unius virge nigri panni et unum par botarum in festo Beati Martini pro omnibus secularibus serviciis exactionibus et demandis ad dictam terram pertinentibus inperpetuum. Et si dictis abbati et conventui Sancti Petri loco et terminis prenominatis de dicto redditu plene satisfactum non fuerit, quotienscumque hoc contigerit ex tunc certa conventione hinc inde concessa, liceat memoratis abbati et conventui Sancti Petri et eorum successoribus predictos abbatem et conventum Sancti Augustini et eorum successores tam apud Esselesworth'[5] quam apud Petschae per quascumque inde viderint sibi expedire districtiones sine contradictione continue tam diu distringere et districtiones tenere donec tam de arreragiis dicti redditus quam tediis dampnis et laboribus occasione dilationis solutionis ejusdem eis plene fuerit satisfactum. Dicti autem abbas et conventus Sancti Petri totam predictam terram cum omnibus suis pertinenciis prefatis abbati et conventui Sancti Augustini et eorum successoribus contra omnes gentes warantizabunt. In cujus rei testimonium presens scriptum in modo cyrographi confectum est, cujus unam partem sigillo abbatis et conventus Sancti Augustini munitam dicti abbas et conventus Sancti Petri Glouc' sibi reservarunt, alteram vero partem sigillo dictorum abbatis et conventus Sancti Petri Glouc' dicti abbas et conventus Sancti Augustini sibi retinuerunt roboratam. [Hiis testibus, domino Roberto Walerand tunc vicecomite Gloucestrie, domino Nicolao Poinz, domino Ricardo de Cromhale, domino Johanne de Salso Marisco, et aliis.][6]

[1] The limits of date are from Robert Walerand's tenure of the shrievalty. Copies of this agreement were entered in the main cartulary of St Peter's, Gloucester, and in Register B (*Historia et Cartularium Monasterii S. Petri Gloucestriae*, ed. W. H. Hart, 1863–5, ii, p. 91, no. DLXXV). Hart's collation with Register B shows that the text in the register matches the St Augustine's text

closely; the main cartulary of Gloucester has a number of variant readings. I have noted only the differences of personal names and one unusual reading.

[2] MS. has abbreviated form of *Per*.

[3] The Gloucester cartulary has *fossatis*; Register B has *fursatis*. That, and the spelling *frussatis* here, suggest land newly opened up for use.

[4] Register B has *Avicie*.

[5] Register B has *Esselesworthe*; Gloucester Cartulary has *Asselworthe*.

[6] MS. *T*[*estibus*]. Witnesses are from Register B. Hart presumably extended the place-names. Folios 161–163v. were left blank and the cartulary text was resumed on f. 164.

466. *Charter of Richard of Cromhall to St Augustine's confirming in free alms a sluice in his marsh, below the spring called Ankers Well. The canons can take from his demesne adjoining the sluice stones necessary for repairing and building it up and for maintaining the water-level in the pond of the mill called* Dunatone. *(Perhaps c. 1243–c. 1261.)*[1]

[f. 164v.][2] Sciant presentes et futuri quod ego Ricardus de Cromhale pro salute anime mee et uxoris mee [et] antecessorum et successorum meorum dedi concessi et hac presenti carta mea confirmavi deo et ecclesie Beati Augustini de Bristollo et canonicis regularibus ibidem deo servientibus in liberam puram et perpetuam elemosinam unam breckam[3] que jacet in mora mea sub fonte qui vocatur Ancrewelle. Ita scilicet quod dicti canonici de dominico meo juxta breccham libere capere possint pro ut necesse habuerint terram et lapides ad dicte brecke reparationem et exaltationem[4] ad stagni molendini quod vocatur Dunatone coequationem sine aliqua contradictione vel reclamatione mei vel heredum meorum vel assignatorum meorum. Ego autem et heredes mei et assignati mei dictam donationem et concessionem memoratis canonicis contra omnes mortales warantizabimus defendemus et acquietabimus inperpetuum. Et ut hec mea donatio et concessio perpetuo perseverent presenti scripto sigillum meum apposui. *Testibus*.

[1] The dating is provisional. The name Richard of Cromhall occurs 1204 × 17, and again to 1261, and perhaps as late as 1269 (Jeayes, *Select Charters*, pp. 31, 33, 61, 94–6, 110, 136, nos. 73, 75, 79, 176, 282, 283, 288, 338, 431). It seems likely that there were two men of that name during this period.

[2] Rubric: *Crumhal'*.

[3] MS. *brekcam*.

[4] The use of stones for repairing and building a breach is a clear indication that it was a sluice.

467. *Charter of Philip of Cromhall to Master Hugh of Hinton* (de Acherdene) *granting him, for his homage and the service due from half a virgate, the messuage which Clarice of Bibstone formerly held in Cromhall, and various lands in Cromhall.*[1] *Hugh is to pay a rent of 2s a year, and has paid 11 marks as an entry fine* (in gersuma). *(Second quarter of the thirteenth century.)*[2]

Sciant presentes et futuri quod ego Philippus de Cromhale dedi et concessi et hac presenti carta mea confirmavi magistro Hugoni de Acherdene[3] pro homagio et servicio suo totum illud mesuagium cum pertinenciis suis quod Claricia de Bilestone aliquando tenuit in villa de Cromhale, et totum dominicum meum super Leye cum pertinenciis, et totum pratum meum de Thalewelle cum pertinenciis,[4] et totam terram meam quam habui in Brokereshull' cum pertinenciis, et totam gravam meam que vocatur Henleyhull' cum pertinenciis, et unam acram terre arrabilis que jacet in eadem cultura, et totam terram que vocatur la Wartecrofte cum pertinenciis suis, et unam acram in Stonleye que jacet inter terram Simonis filii Jordanis, et tres acras que jacent apud Asholte qui se extendunt versus aquilonarem,[5] et unam acram que vocatur Guayacre, et unam acram que vocatur Cocsirte, et totam terram meam in Langeleye que jacet inter terram Jordanis de Pubelestone, et terram que fuit Ade de la Wudeende sicut terre arrabilis longior illius loci longius extendit. Habendam et tenendam de me et de heredibus meis sibi et heredibus suis in feudo et hereditate et suis assignatis et cuicumque eam vendere dare et legare voluerit, libere et quiete [f. 164v.] bene et pacifice, in boscho in plano in viis in semitis in pratis in paschuis in aquis et in molendinis, cum omnibus libertatibus et liberis consuetudinibus in omnibus rebus et locis sine omni contradictione et inpedimento mei vel heredum meorum inperpetuum. Reddendo inde annuatim michi et heredibus meis ipse et heredes sui vel assignati duos solidos duobus terminis anni, scilicet in festo Pasche duodecim denarios et in festo Sancti Michaelis proximo sequente duodecim denarios pro omni servicio exactione consuetudine curie sequela et demanda et pro omnibus serviciis secularibus que de terra exeant vel exire possunt salvo regali servicio pertinente ad dimidiam virgatam terre. Pro hac autem donatione et concessione dedit michi predictus magister Hugo undecim marchas argenti pre manibus in gersuma. Ego vero dictus Philippus et heredes mei predicto magistro Hugoni et heredibus suis et suis assignatis omnes predictas terras cum omnibus pertinenciis suis contra omnes gentes inperpetuum warantizabimus et de omnibus sectis et aliis secularibus serviciis acquietabimus et defendemus. Et quia volo quod hec mea donatio et concessio firma et stabilis inperpetuum permaneat presentem cartam sigilli mei munimine roboravi. *Testibus.*

[1] Of the place-names mentioned in this deed, *Bilestone* and *Pubelestone* survived as Bibstone (as in no. 468), *Leye* as Leyhill, *Stonleye* as Stanley Wood, *la Wudeende* as Woodend, and *Langeleye* as Longley (*P-NG*, iii, pp. 4, 5). *Brinkereshull'* is an early form of Brinketts Hill. *Cocsirte* is Cockshot; *Guayacre* is probably intended for Grayacre.

[2] Philip of Cromhall was in mercy in 1221 for disseising Elias the goldsmith of land in Cromhall (*Rolls of the Justices in Eyre for Gloucestershire Warwickshire and Staffordshire*, ed. D. M. Stenton, Selden Society, vol. LIX, 1940, p. 39, no. 108, and p. 141 (List of amercements). The form of Hugh of Hinton's name (see below, n. 3) derives from the Carthusian monastery at Hinton to which monks from Hatherop migrated between 1227 and 1232. Ela, countess of Salisbury, provided them with an adequate endowment, and formal monastic life was inaugurated in their church in 1235.

[3] Hinton was later distinguished as Hinton Charterhouse. Hugh's name was taken from the second element; it appears as *de Atrio Dei* (no. 468), and *de Acherdene* is either a corruption or a misreading.

[4] *et totam pratum meum de Thalewelle* repeated, with the minor variation in the place-name.

[5] MS. *aquilonalem.*

468. *Charter of William of Cromhall son of Philip of Cromhall to St Augustine's confirming in free alms the grant which Philip had made to Master Hugh of Hinton* (de Atrio Dei). *The land is described in the terms of no. 467, though the details of the conditions of tenure show variant readings. William retains for himself and his heirs the render of 2s a year due from this land. (Probably second quarter of the thirteenth century.)*[1]

Omnibus Christi fidelibus ad quos presens scriptum pervenerit Willelmus de Cromhale filius Philippi de Cromhale, salutem in domino. Noverit universitas vestra me pro salute anime mee et omnium parentum meorum concessisse et hac presenti carta mea confirmasse deo et ecclesie Sancti Augustini de Bristoll' et canonicis regularibus ibidem deo servientibus in liberam puram et perpetuam elemosinam omnem illam donationem quam Philippus pater meus fecit magistro Hugoni de Atrio Dei, videlicet illud mesuagium cum pertinenciis quod Claricia de Bibeleston' aliquando tenuit in villa de Cromhale, et totum dominicum meum supra Leye cum pertinenciis, et totum pratum meum de Talewelle cum pertinenciis, et totam terram meam quam habui in Brungereshulle cum pertinenciis, et totam gravam meam que vocatur Henleychull' cum pertinenciis, et unam acram terre arabilis que jacet in eadem cultura, et totam terram que vocatur la Wartecrofte cum pertinenciis, [f. 165][2] et unam acram in Stonleye que jacet juxta terram Simonis filii Jordani cum pertinenciis, et tres acras que jacent apud Eshalte que se extendunt versus aquilonarem[3] cum pertinenciis, et unam acram que vocatur Guayacra cum pertinenciis, et unam acram que vocatur Cocsute cum pertinenciis, et totam terram meam in Langeleye que jacet inter terram Jordani de Bibelestone et terram que fuit Ade de la Wodeende sicut terra arabilis longior illius loci se extendit longius cum omnibus pertinenciis suis. Tenendam et habendam de me et heredibus meis sibi et successoribus suis inperpetuum libere quiete integre et pacifice in bosco et plano in viis et semitis in pratis et pasturis in aquis et aquarum cursibus cum omnibus libertatibus et liberis consuetudinibus in omnibus rebus et locis ad predictas terras pertinentibus absque omni contradictione et inpedimento mei vel heredum meorum inperpetuum. Reddendo inde annuatim michi et heredibus meis duos solidos sterelingorum duobus terminis, scilicet in Pascha duodecim denarios et in festo Sancti Michaelis duodecim denarios pro omni servicio exactione consuetudine curie sequelis et demandis et pro omnibus serviciis secularibus que de dictis terris exeunt vel exire possunt. Ego vero Willelmus et heredes mei supradictis abbati et conventui omnia predicta cum suis pertinenciis contra omnes gentes warantizabimus et de omnibus sectis curie et secularibus serviciis acquietabimus et defendemus inperpetuum. Et quia volo quod hec mea donatio et concessio firma et stabilis inperpetuum maneat presentem cartam sigilli mei inpressione confirmavi. *Testibus.*

[1]   Philip was a man of mature age by 1221 (no. 467).
[2]   Rubric: *Cromehal.*
[3]   MS. *aquilonalem.*

469. *Charter of Master Hugh of Hinton* (de Atrio Dei), *canon of Wells, to St Augustine's granting in free alms all the land which he held in Cromhall of Philip of Cromhall, saving the annual rent of 2s due from the land to Philip of Cromhall. Hugh has handed over to the canons the charter he received from Philip. (Second quarter of the thirteenth century.)*

Sciant tam presentes quam futuri quod ego Hugo de Atrio Dei canonicus Wellensis dedi et concessi et hac presenti carta mea confirmavi pro anima mea [et] omnium benefactorum meorum deo et ecclesie Beati Augustini de Bristoll' et canonicis ibidem deo servientibus in liberam puram et perpetuam elemosinam totam terram meam cum omnibus pertinenciis suis quam tenui in villa de Cromhale de Philippo de Cromhale cum omnibus suis libertatibus et liberis consuetudinibus, salvo annuo redditu duorum solidorum [f. 165v.] dicto Philippo et heredibus suis solvendo pro ut in carta michi ab eodem Philippo et heredibus suis continetur. Tenendam et habendam dictis canonicis et eorum successoribus in puram et perpetuam elemosinam. Et si contingat dictos canonicos pro dicta terra vel parte ejusdem querelari vel aliquam sustinere vexationem ut si contingat dictam terram vel partem ejusdem ab e[is] [. . .]¹ ego vel heredes mei vel aliquis assignatorum meorum aliquid hominis dampnum vel molestiam pro eadem terra non sustinebimus nec in aliquo tenebuntur dictis canonicis dictam terram warantizare, salva eisdem warantizatione a Philippo de Cromhale et ejusdem heredibus facienda eisdem, secundum quod in carta quam ab eodem Philippo habui quam dictis canonicis resignavi plenius continetur. Et ut hec mea donatio et concessio rata et stabilis inperpetuum permaneat hanc cartam sigilli mei inpressione roboravi. T*estibus*.

¹ An insecure reading at the end and beginning of two lines, with the key verb heavily smudged. It clearly means 'is taken from them', but the scribe's choice of word cannot be recovered. Perhaps it is *curtici*.

470. *Charter of Philippa daughter of Philip of Cromhall to St Augustine's granting in free alms the virgate of land which Philip gave her in free marriage in Cromhall, except for one small meadow and 2 acres of land which Alfred the chaplain held. (Mid-thirteenth century.)*¹

Universis Christi fidelibus presens scriptum visuris vel audituris Philippa filia Philippi de Cromhale, salutem. Noverit universitas vestra me pro salute anime mee et omnium parentum meorum dedisse concessisse et hac presenti carta mea confirmasse deo et ecclesie Sancti Augustini de Bristoll' et canonicis regularibus ibidem deo servientibus in liberam puram et perpetuam elemosinam totam illam virgatam terre cum omnibus suis pertinenciis quam Philippus pater meus michi dedit in liberum maritagium in villa de Cromhale, excepto uno parvo prato et duabus acris terre quas Aluredus capellanus tenuit. Tenendam² et habendam de me et heredibus meis et attornatis meis sibi et successoribus suis inperpetuum, libere quiete integre et pacifice, in bosco et plano in viis et semitis in pratis et pasturis in aquis et aquarum cursibus cum omnibus libertatibus et liberis consuetudinibus in omnibus rebus et locis ad predictam virgatam terre pertinentibus, absque omni contradictione et inpedimento mei et heredum meorum vel attornatorum meorum. Ita quod dicti canonici nec michi nec heredibus meis nec attornatis meis nec alicui alii de aliqua re seculari inde respondeant inperpetuum nisi soli deo in orationibus. Ego vero Philippa et heredes mei et assignati mei supradictis abbati [f. 166][3] et conventui totam predictam virgatam terre cum omnibus suis pertinenciis contra omnes gentes warantizabimus et de omnibus sectis curie serviciis et exactionibus et secularibus demandis plene et per omnia acquietabimus et defendemus inperpetuum. Et quia volo quod hec mea donatio et concessio firma et stabilis maneat inperpetuum presentem cartam sigilli mei inpressione confirmavi. *Testibus.*

[1]   Nos. 470 and 471 appear to be later than nos. 466–8.
[2]   MS. *tendam.*
[3]   Rubric: *Cromehal.*

471. *Charter of William of Cromhall son of Philip of Cromhall to St Augustine's confirming in free alms the grant made by his sister Philippa of land in Cromhall. (Mid-thirteenth century.)*

Omnibus Christi fidelibus ad quos presens scriptum pervenerit Willelmus de Cromhale filius Philippi de Cromhale, salutem in domino. Noverit universitas vestra me pro salute anime mee et omnium parentum meorum concessisse et hac presenti carta mea confirmasse deo et ecclesie Sancti Augustini de Bristoll' et canonicis regularibus ibidem deo servientibus in liberam puram et perpetuam elemosinam omnem illam donationem quam Philippa soror mea eisdem canonicis fecit in villa de Cromhale. Tenendam et habendam de me et de heredibus meis et assignatis meis sibi et successoribus suis inperpetuum libere et quiete integre et pacifice in bosco et plano in viis et semitis in pratis et pasturis in aquis et aquarum cursibus[1] cum omnibus libertatibus et liberis consuetudinibus in omnibus rebus et locis eidem pertinentibus, absque omni contradictione et inpedimento mei et heredum et assignatorum meorum. Ita quod dicti canonici nec michi nec heredibus meis nec assignatis meis nec alicui alii de aliqua re seculari inde respondeant inperpetuum nisi soli deo in orationibus. Ego vero Willelmus et heredes mei supradictam donationem abbati et conventui cum omnibus suis pertinenciis pro ut melius et plenius in carta supradicte Philippe sororis mee continetur contra omnes gentes warantizabimus et de omnibus sectis curie exactionibus serviciis et secularibus demandis acquietabimus et defendemus inperpetuum. Et quia volo quod hec mea concessio et confirmatio firma et stabilis maneat inperpetuum presens scriptum sigilli mei inpressione confirmavi. *Testibus.*

[1]   MS. *et aquarum et cursibus.*

472. *Charter of William, abbot of Tintern, to St Augustine's recording the sale of land by the river Frome in Bristol, in the parish of St Augustine the Less. The* *monks have the land by gift of Bouch and Serona his wife, and the abbot sells the land with the assent of his sister Serona. (1169 × 88.)*[1]

Rubric [f. 168]:[2] Carta abbatis et conventus de Tinterna de terra super aquam de Froma.

Omnibus sancte ecclesie fidelibus ad quos presens scriptum pervenerit Willelmus dictus abbas de Tinterna et ejusdem loci conventus, salutem. Universitati vestre ex scripto presenti notum volumus haberi nos ascensu unanimi et assensu Serone sororis nostre vendidisse canonicis Sancti Augustini de Bristoll' totam terram quam apud Bristoll' habuimus super aquam de Frome in parochia ecclesie Sancti Augustini minoris ex donatione Bouch et Serone uxoris sue, pro duodecim marcis argenti. Ut predicti canonici prenominatam terram habeant et teneant inperpetuum sicut liberam et absolutam venditionem nostram. Quam et nos eis contra omnes homines warantizare debemus. *Testibus.*

Marginal note: terram super From.

[1] For the dates of Abbot William see D. Knowles, C. N. L. Brooke, and V. C. M. London, *Heads of Religious Houses England and Wales* 940–1216, 1972, p. 145.
[2] Rubric: *Bristoll'*; ff. 166v.–167v. *blank.*

473. *Charter of Gilbert de Costentin to St Augustine's granting in free alms his property in Bristol: the house of Walter the mercer, houses and land in Castle Street from Walter's house to the new gate of the mill near the castle, and the house of Luke the gardener in Bristol market. (Before 1230.)*[1]

Rubric: Carta Gileberti Costentin de redditu precentoris nostri in feiria.[2]

Omnibus Christi fidelibus ad quos presens scriptum pervenerit Gilebertus de Costentin, salutem in domino. Noverit universitas vestra me pro salute anime mee uxoris mee liberorum et antecessorum nostrorum dedisse et concessisse et hac mea carta confirmasse deo et ecclesie Sancti Augustini de Bristoll' et canonicis regularibus ibidem deo servientibus totam terram meam et redditum in Bristoll', domum videlicet et terram quam Walterus mercerius de me tenuit, domos etiam et terras in vico castelli, a domo dicti Walteri usque ad novam portam molendini juxta castellum. Dedi etiam dictis canonicis terram et domum quam Lucas ortolanus de me tenuit in feiria Bristolli. Ita ut omnes predictas terras et[3] domos habeant et teneant in liberam puram et perpetuam elemosinam, nulli hominum in aliquo seculari servicio respondentes, set soli deo in orationibus. Dictas vero terras et domos ego et heredes mei contra omnes homines et feminas warantizare debemus canonicis supradictis. Quod ut ratum perpetuo perseveret presenti scripto sigillum meum duxi apponendum. *Testibus.*

Marginal notes: (1) Redditus pertinens ad precentorem. (2) terr' juxt' vill'. (3) feria.

[1] No precise dating is possible, but some indication of the date may be given by no. 52.
[2] The rubricator wrote *feria* and interlined the *i*.
[3] MS. *etiam.*

474. *Charter of John the clerk, son and heir of Hugh the cordwainer to St Augustine's quitclaiming his rights in the shop bequeathed to the canons by his father near All Saints' church, between the land of Henry of Hambrook and the street which leads to the church. The abbey has full right to dispose of the land, subject to an annual payment of 4s to the priory of St James, Bristol. (Early thirteenth century.)* [1]

Rubric: Quieta clamatio Johannis Cordewan' de terra juxta ecclesiam Omnium Sanctorum.

Omnibus Christi fidelibus presens scriptum inspecturis vel audituris Johannes clericus filius et heres Hugonis Cordewanarii, salutem in domino. Noverit universitas vestra me pro salute anime mee et omnium [f. 168v.] [2] parentum meorum remisse clamium quod habui contra abbatem et conventum Sancti Augustini de Bristoll' de selda quam predictus Hugo pater meus eis legavit in villa Bristoll', de illa videlicet que est juxta ecclesiam Omnium Sanctorum inter terram Henrici de Hambroc et iter quo itur ad prefatam ecclesiam, et omni juri quod michi in dicta selda competere dicebam, pro me et heredibus meis plene renuntiasse et expresse inperpetuum. Unde volo et concedo ut liceat dictis abbati et conventui absque omni reclamatione mei vel heredum meorum de predicta selda in omnibus pro voluntate sua disponere pro ut sibi magis viderit expedire, salvis tamen domino priori et monachis Sancti Jacobi de Bristoll' quatuor solidis annuis de predicta selda annuatim percipiendis ad quatuor terminos anni, scilicet ad festum Sancti Johannis Baptiste duodecim denarios, ad festum Sancti Michaelis duodecim denarios, ad Nathale Domini duodecim denarios. [3] Et si predictus tenens [4] predictum redditum statutis terminis non solverit liceat priori dictum tenentem namiare ad valentiam dicti redditus. Quod ne in posterum devocetur indubium presenti scripto sigillum meum est appensum. T*estibus*.

[1] Henry of Hambrook attested a charter to St Mark's hospital, assigned tentatively to *c.* 1250 (*St Mark's Cartulary*, p. 91, no. 126), in which Jordan Germunde was named as the former holder of a tenement. He occurs in 1207 and 1208 (*PR 9 John*, PRS, NS, 22, p. 218; *PR 10 John*, PRS, NS, 23, p. 21). A date (equally tentative) of *c.* 1230 might be appropriate for the St Mark's deed, and for this charter. The street is probably High Street, or possibly Corn Street.
[2] Rubric (ff. 168v., 169): *Bris/toll'*; the word divided between the folios.
[3] The fourth term, Easter, has been omitted.
[4] i.e. the tenant of the shop, whoever he may be.

475. *Charter of Thomas son of William of Harptree to the church of St Nicholas, Bristol, granting in free alms for the salvation of himself and Eve his wife and their kindred a rent of 14d from the land which Roger the goldsmith held from him. For this grant, confirming the sale of the land by Roger for the enlargement of the church, the canons of St Augustine's paid him 20s in recognition.* [1]

Rubric: Carta Thome de Harpetre de redditu concesso ecclesie Sancti Nicholai.

Universis sancte matris ecclesie filiis ad quos presens carta pervenerit Thomas filius Willelmi de Herpetre, salutem. Vestra noverit universitas me dedisse et hac presenti carta mea confirmasse deo et ecclesie Beati Nicholai de Bristoll' pro salute mea et Eve uxoris mee et heredibus meorum et omnium antecessorum et successorum meorum redditum quatuordecim denariorum quos percepi in villa Bristollie de terra quam Rogerus aurifaber de me tenuit, que terra proxima est predicte ecclesie Sancti Nicholai ex parte occidentali, ratam habens ejusdem terre venditionem quam jam dictus Rogerus aurifaber fecit sepedicte ecclesie Beati Nicholai ad ipsam ecclesiam amplandam. Volo siquidem ut jam dicta ecclesia Sancti Nicholai predictam terram cum predicto redditu, scilicet xiiii denariorum predictorum habeat et teneat in puram et perpetuam elemosinam ab omni servicio seculari liberam et quietam quantum ad me pertineat [f. 169] vel ad heredes meos. Quando igitur ego hanc concessionem feci ecclesie sepedicte Sancti Nicholai de Bristoll' canonici de Sancto Augustino dederunt michi viginti solidos in recognitione hujus mee donationis. *Testibus*.

¹   There is very little evidence for dating this charter. William of Harptree, who held half a knight's fee in Harptree, was succeeded by his grandson, Robert de Gurney, who was given seisin in September, 1232 (*Excerpta e Rot. Fin.* i, p. 226). Thomas was presumably not linked with that family.

476. *Charter of Richard la Warre son of John la Warre to St Augustine's. For building the church of St Leonard he grants in free alms his land outside St Leonard's gate at Bristol, lying between the land of Maurice Tike and the land which had belonged to Osbert Richild'. (First half of the thirteenth century.)*¹

Rubric: Carta Ricardi le Warre de redditu concesso ecclesie Sancti Leonardi.

Sciant presentes et futuri quod ego Ricardus le Werr' filius Johannis le Warr' pro salute anime mee patris mei et matris mee et omnium antecessorum [et] successorum nostrorum dedi et concessi et hac presenti carta mea confirmavi deo et ecclesie Sancti Augustini de Bristoll' et canonicis regularibus ibidem deo servientibus in liberam puram et perpetuam elemosinam ad edificationem ecclesie Sancti Leonardi totam terram meam extra portam Sancti Leonardi apud Bristoll' cum omnibus pertinenciis suis libertatibus et exitibus liberis. Que quidem terra jacet inter² terram Mauricii Tike ex una parte et terram que fuit Osberti Richild' ex altera. Ita quod dicti canonici nec michi nec heredibus meis nec alicui hominum in aliquo respondeant nisi soli deo in orationibus. Ego vero et heredes mei predictam terram cum pertinenciis suis memoratis canonicis contra omnes homines et feminas warantizare debemus³ inperpetuum. Quod ut ratum perpetuo perseveret presenti scripto sigillum meum duxi⁴ apponendum. *Testibus*.

Marginal note: (*Modern*) La Warre.

¹   John la Warre occurs in the reigns of Richard I and John (*The Great Roll of the Pipe for the first year of the reign of King Richard the First*, ed. Joseph Hunter, 1844, p. 166; *PR 9 John*, PRS, NS, 22, p. 215). Richard son of John la Warre occurs before 1248 (*St Mark's Cartulary*, pp. 106–7, no. 153).
²   MS. *interram*; a later amendment interlines *ter* to complete *inter*.
³   MS. *debimus*.   ⁴   MS. *dux*.

477. *Charter of John la Warre to St Augustine's confirming the rent of 5s which Laurence son of Robert the mercer and his heirs owed to John for land which lies to the west of the church of St Nicholas, Bristol, within and outside the borough wall. Of this money, 12d are to be given for the maintenance of the lights in the abbey's Lady Chapel, and the remainder is to provide for an anniversary for the donor's father and mother. On any succession his heirs shall render the relief of 1 pound of pepper. (Mid-thirteenth century; before 1259.)*[1]

Rubric: Carta Johannis la Warre de redditu anniversarii et capelle beate Marie.

Omnibus Christi fidelibus ad quos presens scriptum pervenerit Johannes Warr', salutem in domino. Noverit universitas vestra me pro salute anime mee et omnium parentum meorum dedisse concessisse et hac presenti karta mea confirmasse deo et ecclesie Sancti Augustini de Bristoll' et canonicis regularibus ibidem deo servientibus redditum quinque solidorum quem Laurencius filius Roberti mercerii et heredes sui michi et heredibus meis annuatim reddere consueverunt ad duos terminos anni, scilicet ad Pascha duos solidos et ad festum Sancti Michaelis iii solidos de quadam terra que jacet juxta ecclesiam Sancti Nicholai de Bristoll' in parte occidentali extra murum urbis et infra murum. Ita quod de dictis quinque solidis capella gloriose virginis penes dictos canonicos constructa in auxilium luminis duodecim denarios annuatim percipiat, et de residuo [f. 169v.][2] unum anniversarium semel in anno pro patre meo et matre et omnibus fidelibus in conventu dictorum canonicorum perpetuo celebretur. Volo etiam ut una libra piperis que de relevio michi et heredibus meis in mutatione singulorum heredum dicti Laurencii debeatur nulli hominum unquam solvatur nisi dictis canonicis. Quod ne in posterum devocetur indubium in hujus rei testimonium presenti scripto signum meum duxi apponendum. *Testibus*.

Marginal note: Nota de quinque solidis et una libra piperis.

[1]   Alice, widow of Laurence the mercer, issued a charter while Roger de Berkham was mayor (*St Mark's Cartulary*, p. 92, no. 128). The likely dates of his terms of office are 1252–3, 1256–8, and perhaps on another occasion within this period (ibid. p. 283).

[2]   Rubric [ff. 169v., 170]: *Bris/toll'*.

478. *Charter of Thomas son of Jordan son of James to St Augustine's granting in free alms land in Bristol and Bath. The land in Bristol is in Wine Street*[1] *between the tenements of Gilbert la Warre and Jocelin son of Payn. Luke Parmesbotes and his heirs are to hold it of the canons for a rent of half a mark and a payment on change of tenant of 1 pound of pepper. The land in Bath is outside the north gate which was formerly held by Hathulph, and which Thomas's father held. Roger Sewi and his heirs are to hold it of the canons for an annual rent of 5s and a payment on change of tenant of a gold coin or 2s. If Luke or Roger wish to sell their land or put it in pledge, they must first offer it to the canons, and if the land in Bath, having been built on, is surrendered it is to be surrendered to the canons in the condition in which Roger's father Sewi received it. (Late twelfth or early thirteenth century.)*[2]

Rubric: Carta Thome filii Jordani [filii] Jacobi de terra in Winchestret.

Omnibus Christi fidelibus ad quos presens scriptum pervenerit Thomas filius Jordani filii Jacobi, salutem in domino. Universitatem vestram scire volo me divine pietatis intuitu et anime mee remedio dedisse et concessisse et hac mea presenti carta confirmasse monasterio Sancti Augustini de Bristoll' et canonicis ibidem deo servientibus terram meam in villa Bristoll' in vico de Winchestret, que terra est inter terram que fuit Gileberti la Warre et terram que fuit Jocelini filii Pain. Habendam et tenendam libere et quiete in puram et perpetuam elemosinam, ita tamen ut eandem terram Lucas Parmesbotes et heredes sui teneant de predictis canonicis. Reddendo inde annuatim dimidiam marcam argenti ad duos terminos anni, scilicet quadraginta denarios ad festum Sancti Michaelis et quadraginta denarios ad Pasche et in mutatione[3] singulorum[4] heredum unam libram piperis. Prenominati[5] vero Lucas et heredes sui sustinebunt omnia [onera] eidem terre adjacentia et evenientia. Licet etiam predicto Luce et heredibus suis predictam terram dare vel vendere vel invadiare quibuscumque voluerint salvo predicto redditu, ita tamen quod supradictis[6] canonicis prius offeratur. Preterea terram meam extra portam aquilonem in Bathonia que fuit Hathulphi quam pater meus tenuit dedi et concessi et[iam] supradictis canonicis in puram et perpetuam elemosinam libere et quiete possidendam. Ita tamen ut Rogerus Sewi et heredes ejus illam terram de predictis canonicis teneant, reddendo inde quinque solidos annuatim predictis canonicis ad duos terminos anni, scilicet triginta denarios ad Pascha et triginta denarios in festo Sancti Michaelis, et in mutatione[7] singulorum heredum unum aureum [f. 170] vel duos solidos argenti. Insuper omnia onera eidem terre adjacentia et evenientia ipse et heredes sui sustinebunt. Si autem predictus Rogerus Sewi vel heredes ejus voluerint predictam terram vendere vel invadiare prenominati canonici omnibus aliis erunt propinquiores, vel si predictus Rogerus Sewi vel heredes ejus prefatam terram voluerint resignare ipsam edificatam predictis canonicis resignabunt quemadmodum illam recepit Sewi pater prenominati Rogeri. Et ut hee mee donationes et concessiones rate inperpetuum et illibate consistant eas presenti scripto sigilli mei appositione roborato confirmavi. *Testibus*.

Marginal notes: (1) Nota de redditu vi s' viij d'. (2) Nota de quinque solidis in Bathon'.

[1] Winch Street is the common form of the name in the cartulary. The change to Wine Street appears late in the fifteenth century; the derivation of Winch Street in *P-NG*, iii, pp. 91–2 is highly suspect.
[2] Jocelin son of Payn occurs in 1197 (*PR 9 Richard I*, PRS, NS, 8, p. 127); Luke Parmesbotes occurs in 1207 and 1208 (*PR 9 John*, PRS, NS, 22, p. 218; *PR 10 John*, PRS, NS, 23, p. 21). That suggests that the donor may be Jordan Skirewit who occurs 1186 × 1216 (no. 490).
[3] MS. *inmutatione*.
[4] *singulorum* repeated.   [5] MS. *prenominatus* altered to *prenominati*.
[6] MS. *supradictus*; one digit of the second *u* expuncted for deletion.   [7] MS. *inmutatione*.

479. *Charter of Thomas Scot to St Augustine's. He has charged all his land with the annual payment of 18s for which he is bound for the land he holds in*

Alanham juxta Pullam. *If he or his heirs fail to pay the rent, the canons may attach his lands and so have full security. (Mid-thirteenth century.)*[1]

Rubric: Carta Thome Scoti de namie sue captione cum necesse fuerit.

Omnibus Christi fidelibus ad quos presens scriptum pervenerit Thoma Scotus, salutem in domino. Noverit [universitas vestra] me totam terram cum edificiis abbati et conventui Sancti Augustini de Bristoll' obligasse pro annuo redditu decem et octo solidorum quo eis teneor nomine terre quam de eis teneo ultra Alanham juxta Pullam. Ita ut quandocumque in dicti redditus solutione cessavero vel heredes mei ad totum tenementum meum et heredum meorum recursum habeant inperpetuum. Et si necesse fuerit namia capiant et omnimodam habeant securitatem. Quod ut ratum perpetuo perseveret presenti scripto sigillum meum duxi apponendum. T*estibus.*

Marginal note: Nota de redditu [x]viij s'.

[1]   Thomas Scot attested a charter assigned to 1260–9 (*St Mark's Cartulary*, pp. 106–7, no. 151), but the date is very insecure.

480. *Charter of Jordan Leveske and John, his brother, to St Augustine's granting in free alms their land below St Brendan's Hill next to the land of Cecilia, sister of the archbishop, which had belonged to their grandmother Agnes. The grant is to celebrate an anniversary for their mother Helen on the feast of St James the apostle (25 July), and on that day the canons are to draw on the income from that land to provide their wine. (? Early thirteenth century.)*

Rubric: Carta Jordani le Veske et Johannis fratris ejus de terra locricis.[1]

Universis sancte matris filiis ad quos presens scriptum pervenerit Jordanus le Veske[2] et Johannes frater ejus, salutem. Noverit universitas vestra nos pro animabus parentum nostrorum dedisse et concessisse ecclesie Sancti Augustini de Bristoll' et canonicis ibidem deo servientibus totam terram sub monte Sancti Brendani proximam terre Cecilie sororis archiepiscopi que fuit Agnetis avie nostre. Habendam et tenendam sicut puram et perpetuam elemosinam ad faciendum inde anniversarium matris nostre Helene annuatim in festo Sancti Jacobi apostoli mense Julio, ita quod predicti canonici de exitibus et provenientibus ejusdem terre eodem die vinum habeant. Ut autem hec donatio stabilis et firma permaneat eam presenti scripto et sigillorum nostrorum appositione [f. 170v.][3] corroboravimus. T*estibus.*

[1]   Reading clear; sense obscure. It may be linked with *lotrix*, washerwoman, and mean 'the washerwoman's ground'.

[2]   The name le Veske, Leveske, l'Eveque, (Bishop), is familiar in Jewish names, where it means archpriest. As that is the family surname it may imply conversion to Christianity at an earlier date. Cecilia the sister of the archbishop may be from the same name and mean the sister of the archpriest.

[3]   Rubric [ff. 170v., 171]: *Bris/toll'*.

481. *Charter of John of Warminster, son of Ralph of Warminster, dyer, to St Augustine's confirming in free alms his land, with buildings and appurtenances, in Redcliffe Street, which lies between the land of Richard Ailard to the south and Thomas Mathias to the north. The canons are to pay Maurice de Berkeley and his heirs 9d in landgavel. (1171 × 90.)*[1]

Rubric: Carta Johannis de Werministr' de terra in vico de Radecliva.[2]

Universis Christi fidelibus presens scriptum visuris vel audituris Johannes de Werministr' filius Radulfi de Werministr' tinctoris, salutem in domino. Noverit universitas vestra me pro salute anime mee patris mei matris mee et omnium antecessorum et successorum meorum concessisse[3] dedisse et hac mea presenti carta confirmasse deo et ecclesie Beati Augustini de Bristoll' et canonicis regularibus ibidem deo servientibus in liberam puram et perpetuam elemosinam totam terram meam cum edificiis et ceteris omnibus pertinenciis in vico de Redecliva nullo michi vel heredibus meis in eadem terra jure retento. Que quidem terra jacet inter terram que fuit Ricardi Ailard ex parte australi et terram que fuit Thome Mathias in aquilonali et extendit a vico de Redecliva anterius usque ad la ghedich' posterius. Habendam et tenendam sibi et successoribus suis de me et heredibus meis inperpetuum libere et quiete integre et pacifice. Reddendo singulis annis Mauricio de Berkel' et heredibus suis novem denarios pro londgabulo ad duos anni terminos, scilicet ad festum Sancti Michaelis quatuor denarios et obolum et ad Hockeday quatuor denarios et obolum pro omnibus serviciis et secularibus demandis. Ego vero et heredes mei totam predictam terram cum suis pertinenciis memoratis canonicis contra omnes mortales warantizabimus inperpetuum. Ut autem hec mea donatio et concessio et presentis[4] carte mee confirmatio perpetue stabilitatis robur obtineat eam sigilli mei inpressione duxi roborandum. *Testibus*.

[1] The limits of date are provided by the succession and death of Maurice de Berkeley.
[2] The rubric is very badly faded.   [3] MS. *concesse*.   [4] MS. *presenti*.

482. *Charter of Henry son of John Ailward to St Augustine's granting in free alms a rent of 12d from the land close to St Augustine's which Nicholas Cok held of him. The land lies between that of William the tailor and John the glassmaker. (c. 1248 × 68.)*[1]

Rubric: Carta Henrici Ailward de terra sub monte versus Sanctum Augustinum.

Sciant presentes et futuri quod ego Henricus filius Johannis Ailward dedi concessi et hac presenti carta mea confirmavi deo et ecclesie Sancti Augustini de Bristoll' et canonicis regularibus ibidem deo servientibus et eorum successoribus inperpetuum duodecim denarios redditus assisi in liberam puram et perpetuam elemosinam annuatim percipiendos de terra quam Nicholaus Cok de me tenuit versus Sanctum Augustinum ad duos anni terminos, videlicet ad Pascha sex denarios et ad festum Sancti Michaelis sex denarios. Que quidem [f. 171] terra jacet inter terram Willelmi le tailur ex parte una et terram Johannis vitrearii ex parte altera. Volo igitur quod dicti canonici et eorum successores habeant et inperpetuum possideant supradictum redditum assisum una cum toto jure quod in prefata[2] terra habui vel quocumque modo habere potui, libere et pacifice sicut liberam puram et perpetuam elemosinam. Ita quod nulli hominum inde in aliquo respondeant nisi soli deo in orationibus. Ego autem Henricus et heredes mei vel assignati mei totum prenominatum redditum assisum memoratis canonicis et eorum successoribus contra omnes mortales inperpetuum warantizabimus acquietabimus et defendemus. Quod ne in posterum devocetur indubium presenti scripto sigillum meum apposui. T*estibus*.

Marginal note: Nota de redditu xij d' super [?terram] Sancti Augustini.[3]

[1]   Henry son of John Aillard occurs in 1248 (*TBGAS*, 58, p. 240), and 1267–8 (ibid. p. 219). A charter which he issued to St Mark's hospital cannot be dated with precision (*St Mark's Cartulary*, p. 85, no. 115).   [2] MS. *inprefata*.

[3] The note is a clumsy attempt to match the *versus Sanctum Augustinum*, 'opposite St Augustine's', of the text.

483. *Charter of Nicholas Viel to Richard Corteis conveying the land lying between the tenements held by Jordan Germund and Walter of Gloucester, and extending back from the street to the house of Thomas Cheche. Richard is to pay annually 2s to St Augustine's, 3¾d to the king, and 6d to Nicholas. He has also paid a substantial sum, suggesting that the land has been sold. The name of the street in which the land lies, and the number of pounds paid for it have been omitted. (First half of the thirteenth century.)*[1]

Rubric: Carta Nicholai Viel facta Ricardo Corteis [. . .].[2]

Sciant presentes et futuri quod ego Nicholaus Viel dedi et concessi et hac presenti carta mea confirmavi Ricardo[3] Corteis illam terram que jacet inter terram que fuit Jordani Germund et terram que fuit Walteri de Glovernia que extendit se a vico anteriori usque ad domum Thome Cheche. Habendam et tenendam sibi et heredibus suis de me et de heredibus meis libere et quiete. Reddendo inde annuatim ad domum Sancti Augustini de Bristollo duos solidos, et domino regi tres denarios et tres quadrantes,[4] et michi sex denarios pro omni servicio et querela ad me vel ad heredes meos pertinentibus. Licet vero dicto Ricardo Corteis et heredibus suis dictam terram dare vendere invadiare et excambire cuicumque voluerint salvo predicto redditu. Pro hac etiam donatione et concessione dedit michi predictus R*icardus* Corteis et heredes sui [. . .][5] libras argenti premanibus. Quare ego Nicholaus Viel et heredes mei warantizabimus predictam terram predicto Ricardo Corteis et heredibus suis contra omnes homines et feminas. Et ut hec mea donatio et concessio firma et stabilis inperpetuum perseveret presenti scripto sigillum meum apposui. T*estibus*.

Marginal notes: (1) Nota de ij s' redditus. (2) (*Modern*) Veel.

[1]   Jordan Germund was alive in 1208 (see no. 474, n. 1); Richard Corteis occurs as late as 1248 (*St Mark's Cartulary*, p. 252, no. 420). The earlier limit could be considerably later than 1208.

[2]   The last part of the rubric is illegible; there is not sufficient space for a description of the land in question.   [3] MS. has abbreviation for *Ricardus*.   [4] MS. *quadrantes*.

[5]   MS. has *heredibus suis* and omits the number of pounds.

484. *Charter of Richard Corteis to St Augustine's granting in free alms the land which he had from Nicholas Viel lying between the tenements of Jordan Germund and Walter of Gloucester, and extending back from the street to the house of Thomas Cheke. The canons are to be responsible for 3¼d for landgavel. (First half of the thirteenth century.)*[1]

Rubric: Carta ejusdem Ricardi Corteis nobis facta de eadem terra.

Sciant presentes et futuri quod ego Ricardus Corteis burgensis Bristoll' pro salute anime mee uxoris mee patris mei et [f. 171v.][2] matris mee et omnium parentum meorum dedi concessi et hac presenti carta mea confirmavi deo et ecclesie Sancti Augustini de Bristoll' et canonicis regularibus ibidem deo servientibus in liberam puram et perpetuam elemosinam totam illam terram meam cum edificiis et aliis pertinenciis suis quam habui de Nicholao Viel. Que quidem jacet inter terram que fuit Jordani Germund et terram que fuit Walteri de Glovern', que etiam extendit se a vico anteriori usque ad domum Thome Cheke. Tenendam et habendam de me et heredibus meis sibi et successoribus suis inperpetuum libere quiete integre et pacifice sicut liberam puram et perpetuam elemosinam, nulli hominum in aliquo inde responsurus nisi soli deo in orationibus, excepto langabulo trium denarios et unum quadrantum[3] domino regi annuatim solvendo pro omni servicio et secularis demandis. Ego vero Ricardus et heredes mei totam predictam terram cum edificiis et omnibus pertinenciis suis contra omnes mortales dictis canonicis warantizabimus acquietabimus de omnibus et defendemus inperpetuum. In cujus rei testimonium presenti scripto sigillum meum apposui. *Testibus*.

[1] Dated on the assumption that the Richard Corteis of this charter is the donor of no. 483.
[2] Rubric [ff. 171v., 172]: *Bris/toll'*.   [3] In no. 483 3¾d are due to the king.

485. *Agreement drawn up in the form of a chirograph between St Augustine's and the hospital of St Lawrence, Bristol. The abbot confirms the gift of land made to the hospital by Robert of London, goldsmith. The brethren are to pay the abbey 12d a year for escheats, castle-guard, and relief. If the brethren wish to sell the land, the abbey shall have an advantage in price of 1 bezant. (1234 × 64.)*[1]

Rubric: Cirographum hospitalis Sancti Laurencii de terra Roberti de Lond'.

Hec est conventio facta inter dominum Willelmum abbatem Sancti Augustini de Bristoll' et ejusdem loci conventum ex parte una et fratres hospitalis Sancti Laurencii[2] juxta Bristoll' ex altera. Videlicet quod supradicti abbas et conventus concesserunt et confirmaverunt fratribus dicte domus Sancti Laurencii totam terram illam cum omnibus pertinenciis suis quam habuerunt de dono Roberto de London' aurifabri. Tenendam et habendam sibi et successoribus suis libere et quiete integre et pacifice inperpetuum. Reddendo inde singulis annis domui[3] Sancti Augustini supradicte duodecim denarios duobus anni terminis, scilicet ad Pascha sex denarios et ad festum Sancti Michaelis sex denarios pro escaeta garda et relevio et pro omnibus serviciis et demandis ad dictos abbatem et conventum spectantibus. Et si dictam terram dicti fratres vendere voluerint memorati canonici omnibus aliis de uno bisantio erunt propinquiores et eisdem prius o*fferri* [f. 172] debebit. Et ad majorem hujus conventionis securitatem presenti scripto in modum cyrographi confecto partes diviso signa partium hinc inde sunt appensa. T*estibus*.

Marginal note: Indentata inter dominum abbatem et magistrum Sancti Laurencii de redditus xij denariis.

¹ This agreement could have been made by Abbot William of Breadstone (1234 × 42) or Abbot William Long (1242 × 64).

² *totam terram illam cum omnibus pertinenciis suis* written and expuncted for deletion.

³ MS. *domum*; *conventui* might be expected.

486. *Charter of David, abbot of St Augustine's, to Richard Urri granting him the land in St Augustine's parish held by Everard the draper, lying between the lands held by Nicholas the draper. Richard is to pay 4s to St Augustine's annually. On any succession his heirs shall pay 1 bezant in relief. (1216 × 34.)*¹

Rubric: Carta nostra facta Ricardo Urri de terra Everardi Draparii.

Omnibus Christi fidelibus ad quos presens scriptum pervenerit David dei gratia abbas Sancti Augustini de Bristoll' et ejusdem loci conventus, salutem in domino. Noveritis nos unanimi voluntate et assensu dedisse concessisse et hac presenti carta mea confirmasse Ricardo Urri terram nostram in parochia Sancti Augustini, illam videlicet quam Everardus draparius de nobis tenuit. Que quidem terra jacet inter terras Nicholai draparii in eadem parochia. Tenendam et habendam sibi et heredibus suis libere et quiete integre et honorifice. Reddendo ecclesie nostre annuatim quatuor solidos sterelinguorum ad duos terminos anni, scilicet duos solidos ad Pascha et duos solidos in festo Sancti Michaelis pro omni servicio quod ad nos pertinet salvo landgabulo capitali domino. In mutatione autem singulorum heredum quicum² successerit unum bisantium nobis exsolvet pro relevio. Quod ne in posterum devocetur indubium presens scripto signum capituli nostri duximus appendendum. T*estibus*.

¹ The limits of date are from the abbacy of Abbot David.

² No. 487 has *quicumque*.

487. *Charter of Richard Urri and his wife Felicia to Maurice Blund conveying to him their land in the suburb of Bristol, in St Augustine's parish, between land formerly held by Nicholas the draper. Maurice is to pay 4s to St Augustine's annually. He has paid them 16s 10d in their urgent necessity. On any succession his heirs shall pay 1 bezant in relief. (Mid-thirteenth century.)*¹

Rubric: Carta Ricardi Urri facta Mauricio Blundo de eadem terra.

Sciant presentes et futuri quod ego Ricardus Urri et Felicia uxor mea unanimi voluntate et assensu nostro dedimus et concessimus et hac presenti carta nostra confirmavimus Mauricio Blundo totam illam terram nostram cum pertinenciis in suburbio Bristoll', illam scilicet in parochia Sancti Augustini que jacet inter terras que fuerunt Nicholai draparii. Habendam et tenendam totam illam predictam terram cum omnibus edificiis et pertinenciis suis et cum omni jure et clamio quod in illa terra habuimus vel habere potuimus predicto Mauricio et heredibus suis vel suis assignatis libere quiete et integre ad faciendum inde totum libitum eorum in omnibus inperpetuum. Reddendo inde annuatim ecclesie Sancti Augustini de Bristoll' quatuor solidos sterelinguorum ad duos anni terminos, scilicet ad Pascha duos solidos et in festo [f. 172v.][2] Sancti Michaelis duos solidos pro omni servicio [et] exactione et pro omnibus querelis et demandis ad dictam terram pertinentibus. In mutatione autem singulorum heredum quicumque successerit unum bisantium dicte ecclesie exsolvet pro relevio. Pro hac autem donatione et concessione et presentis carte nostre confirmatione dedit nobis predictus Mauricius sexdecim solidos et decem denarios sterelingorum premanibus in urgenti negotio nostro. Quare nos et heredes nostri warantizabimus dicto Mauricio Blundo et heredibus suis vel assignatis suis totam predictam terram cum omnibus edificiis et pertinenciis suis, et cum omni jure et clamio predicto, contra omnes homines et feminas inperpetuum. Quod ut factum et stabile permaneat huic carte signa nostra apposuimus. *Testibus.*

Marginal note: Nota redditus iiij s'.

[1] Richard Urri was active while David was abbot of St Augustine's (no. 486); he attests a charter issued while Simon the clerk was mayor, probably in 1244–5 (*St Mark's Cartulary*, pp. 56–7, no. 58).   [2] Rubric [ff. 172v., 173]: *Bris/toll'*.

488. *Charter of Hawise widow of Maurice Blund to St Augustine's confirming in free alms the land which she and her husband had from Richard Urri and his wife Felicia of the fee of St Augustine's. If she is not able to warrant this land to the abbey she will give in exchange the land in Steep Street which she had from Matthew, rector of Bleadon, lying between the land of Amand the clerk and Randulph the goldsmith. (c. 1216 × 45.)*[1]

Rubric: Carta Hawise Blundi nobis facta de eadem terra.

Omnibus Christi fidelibus ad quos presens scriptum pervenerit Hawisa relicta Mauricii Blundi, salutem. Noverit universitas vestra me pro salute anime mee et Mauricii quondam viri mei et omnium antecessorum meorum et successorum dedisse concessisse et hac mea presenti carta[2] confirmasse deo et ecclesie Sancti Augustini de Bristoll' et canonicis regularibus ibidem deo servientibus totam terram illam quam habuimus de Ricardo Urri et Felicia uxore sua que est de feudo Sancti Augustini cum omnibus suis pertinenciis in liberam puram et perpetuam elemosinam et cum omni jure et clamio quod [in] supradicta terra habuimus vel habere potuimus, pro ut in carta dicti Ricardi nobis inde confecta plenius continetur. Tenendam et habendam sibi et successoribus suis inperpetuum sicut liberam puram et perpetuam elemosinam. Ego vero et heredes mei totam predictam terram cum omnibus suis pertinenciis memoratis abbati et conventui contra omnes mortales warantizabimus inperpetuum. Et si forte quod abscit memoratam terram warantizare non poterimus totam terram quam habui de dono

Mathei rectoris ecclesie de Bleadon' que jacet in Stepestret inter terram Amandi clerici et terram quam aliquando tenuit Randulfus aurifaber sine aliqua contradictione et reclamatione dabo in excambium. [f. 173] Et ut hec mea donatio et concessio perpetue stabilitatis robur obtineat eam presenti scripto sigilli mei inpressione roborato duxi confirmandum. *Testibus*.

¹ See no. 487. ² MS. repeats *mea*.

489. *Charter of Thomas Ledbert son of Alfred Ledbert to St Augustine's granting in free alms his land in Lewins Mead, lying between the land formerly held by Robert Sever' and Beiste, to establish an anniversary for his father. The canons are to pay to Walter Cumin 12d annually for all service. (Probably early thirteenth century.)*¹

Rubric: Carta Thome Ledbricti de anniversario patris sui. De terra de Loeuenesmed'.²

Omnibus Christi fidelibus ad quos presens scriptum pervenerit Thomas Ledbert' filius Aluredi Ledbert', salutem in domino. Universitatem vestram scire volo me pro salute anime mee patris mei et matris mee et omnium parentum meorum dedisse et concessisse et hac presenti carta mea confirmasse deo et monasterio Sancti Augustini de Bristollo et canonicis regularibus ibidem deo servientibus ad faciendum singulis annis anniversarium patris mei totam illam terram meam in Loeuenesmed' que jacet juxta terram que fuit Roberti Sever' et terram que [fuit] Beiste.³ Tenendam et habendam sibi⁴ in puram et perpetuam elemosinam libere quiete integre et pacifice. Reddendo inde annuatim Waltero Cumin duodecim denarios pro omni servicio ad me et heredes meos pertinenti. Et ut hec mea donatio et concessio firma et stabilis inperpetuum perseveret eam presenti scripto sigilli mei appositione roborato [confirmavi].⁵ *Testibus*.

¹ Alfred occurs 1171 × 95 (no. 85); Walter Cumin occurs *c.* 1179 × *c.* 1208 (no. 583). Ledbert and Ledbrict are alternative forms for a combination of *leod* – a man – and *beorht* or *breht* – bright. Thomas Ledbert was still alive in 1221 (*Rolls of the Justices in Eyre for Gloucestershire Warwickshire and Staffordshire, 1221, 1222*, ed. D. M. Stenton, Selden Soc., 59, pp. 130–1, no. 285.
² The last four words are written in a different hand, contemporary with the rubricator's.
³ A personal name is clearly intended.
⁴ The normal phrase would be *sibi et successoribus suis*. ⁵ A verb is required here.

490. *Charter of Thomas son and heir of Jordan Skirewit to St Augustine's granting in free alms his house and land and garden in Bristol, which lie next to the land which Juliana of the Hospital holds of the canons. With the assent of his mother Matilda, and with her, he offers his gift on the altar of St Augustine's, in the presence of Abbot John, and acknowledges the gift in the hundred court of Bristol. (c. 1186/7 × 1216.)*¹

Rubric: Carta Thome Skirewit de terra sua nobis concessa apud Bristoll'.

Sciant presentes et futuri quod ego Thomas filius et heres Jordani Skirewit dedi in liberam et puram et perpetuam elemosinam ecclesie Sancti Augustini de

Bristoll' et canonicis regularibus ibidem deo servientibus domum meum cum terra et gardino que est juxta terram quam Juliana de Ospitali tenet de eisdem canonicis, pro salute anime mee et patris mei et matris mee et omnium parentum meorum vivorum et defunctorum quietam ab omni servicio quantum ad me vel ad heredes meos pertinet. Et hanc elemosinam optuli super altare Sancti Augustini propriis manibus meis presente Matilde matre mea et assentiente et eam mecum offerente coram Johanne abbate et conventu ejusdem ecclesie. Ut autem hec mea donatio prefatis canonicis inperpetuum rata permaneat eam in pleno hundredo Bristolli nullo contradicente vel reclamante recognovi una cum Matilde matre mee et sigilli mei inpressione roboravi. Testibus.

[1] The limits of date are from the abbacy of Abbot John (D. Knowles, C. N. L. Brooke, and V. C. M. London, *Heads of Religious Houses England and Wales 940–1216*, 1972, p. 155).

491. *Charter of Thomas the ropemaker (*cordarius) *to St Augustine's charging the land which he had bought from Cecilia Eggard with a rent due to the canons. The land lies in the suburb of Bristol on Frome Bridge Street between the land formerly held by Geoffrey of Dunster (?) (*de Donerster') *and Osbert Grey. The canons formerly received a rent of 18d which came from the land which the burgesses purchased from Thomas to enlarge the house of the Friars Minor. This rent Thomas and his heirs will pay, but if they default the canons may distrain on the land bought from Cecilia. (c. 1230.)*[1]

Rubric [f. 173v.]:[2] Carta Thome Cordarii de terra versus Sanctum Augustinum.

Omnibus Christi fidelibus ad quos presens scriptum pervenerit Thomas Cordarius, salutem in domino. Noverit me [obligavi][3] domino abbati et conventui Sancti Augustini de Bristoll' totam terram meam quam emi de Cecilia Eggard cum omnibus pertinenciis suis inperpetuum, que quidem terra jacet in vico que se tendit a ponte Frome versus Sanctum Augustinum in suburbio Bristoll' inter terram que fuit Galfridi de Donerster' et terram que fuit Osberti Grey pro annuo redditu decem et octo denariorum quos percipere consueverunt singulis annis de terra quam burgenses Bristoll' de me emerunt in eodem vico et fratribus ordinis minoris ad dilatandum locum suum contulerunt. Ita quod si in solutione predicti redditus cessavero vel heredes mei liceat predictis canonicis in dicta terra quam de predicta Cecilia emi namium capere et me et heredes meos sicut capitales domini ad plenam solutionem per eundem namium sine contradictione compellere. Et ne premissa in posterum devocetur indubium presenti scripto sigillum meum duxi appendendum.

Marginal note: Nota redditus xviii d'.

[1] The Franciscans were established in Bristol before 1230 (D. Knowles and R. N. Hadcock, *Medieval Religious Houses England and Wales*, 1953, p. 189). In 1234 Henry III granted them wood for fuel. In the sixteenth century their house was said to have been founded and built by the burgesses at their own cost (*VCH Glos.* ii, p. 110).
[2] Rubric [ff. 173v., 174]: *Bris/toll'*.
[3] The verb missing from the text cannot be *dedi* which implies a simpler transaction than that recorded in this charter.

492. *Charter of the hospital of St Mary Magdalene of Bristol to Stephen de Tornacho granting him in fee and heredity as a free burgage the land which Richard, the clerk of Thornbury, held next to the cemetery of St Michael's for an annual rent of 12d. On any succession Stephen's heirs shall render 1 pound of cumin. (Late twelfth or early thirteenth century.)*[1]

Rubric: Carta hospitalis Sancte Marie Magdalene facta Stephano de Tornacho de terra Ricardi de Thornburi.

Fratres et sorores hospitalis Sancte Marie Magdalene de Bristoll' omnibus ad quos presens carta pervenerit, salutem in domino. Sciatis quod concessimus et hac presenti carta confirmavimus Stephano de Tornaco totam terram illam quam Ricardus clericus de Torneburi tenuit juxta cymiterium Sancti Michaelis. Tenendam et habendam de nobis in feudo et hereditate sibi et heredibus suis libere et quiete sicut liberum burgagium. Reddendo inde nobis singulis annis xii denariis ad duos terminos anni, scilicet ad festum Sancti Michaelis vi denarios et ad Hockedai vi denarios pro omni servicio et seculari exactione, et in mutatione heredum heredes sui dabunt nobis unam libram cimini. Nos vero prefatam terram prescripto Stephano et heredibus suis warantizare debemus. T*estibus*.

[1]   The foundation which became the hospital of St Mary Magdalene was established as early as 1173 (*St Mark's Cartulary*, p. 206, no. 328 n.). Since the charter records a second change of tenant it could be later than a generation after the foundation of the hospital.

493. *Charter of the hospital of St Mary Magdalene, Bristol, to Richard, the clerk of Thornbury, granting him as a free burgage the land next to the cemetery of St Michael's held by Richard, priest of St Michael's, and the land which Mark Fleming held on the hill next to St Michael's Hill for an annual rent of 4s 6d. On any succession his heirs shall render 1 pound of cumin. (Late twelfth or early thirteenth century.)*[1]

Rubric: Confirmatio ejusdem hospitalis facta eidem Ricardo de eadem terra.

Fratres et sorores hospitalis Sancte Marie Magdalene de Bristoll' omnibus ad quos presens carta pervenerit, salutem in domino. Sciatis [f. 174] quod concessimus et hac presenti carta confirmavimus Ricardo clerico de Torneburi totam illam terram quam Ricardus presbiter de Sancto Michaele de nobis tenuit juxta cymiterium Sancti Michaelis et totam illam terram quam Marcius Flandrensis de nobis tenuit supra montem juxta montem Sancti Michaelis. Tenendas et habendas de nobis in feudo et hereditate sibi et heredibus suis libere et quiete sicut liberum burgagium. Reddendo inde nobis singulis annis iiii[or] solidos et vi denarios ad duos terminos anni, scilicet ad festum Sancti Michaelis xxvii denarios [et] ad Hockedei xxvii[2] d*enarios* pro omni servicio et seculari exactione. Et in mutatione[3] heredum heredes sui dabunt nobis unam libram cimini. T*estibus*.

[1]   This is earlier in date than no. 492. As it records a single change of tenant in two tenements it may belong to the first generation after the foundation of the hospital.

[2]   MS. *xvii*.   [3]   MS. *inmutatione*.

494. *Charter of Stephen de Tornaco to Clarice, his ward or foster-child, granting her the land and houses next to the cemetery of St Michael's which he holds of the hospital of St Mary Magdalene, Bristol. She is to pay 12d to the hospital annually. On any succession her heirs shall render 1 pound of cumin. (Late twelfth or early thirteenth century.)*

Rubric: Carta Stephani de Tornaco facta Claricie de eadem terra.

Omnibus Christi fidelibus ad quos presens scriptum pervenerit Stephanus de Tornaco, salutem. Noverit universitas vestra me dedisse concessisse et hac presenti carta mea confirmasse Claricie alumpne mee terram meam et domos meos de Bristoll' juxta cimiterium Sancti Michaelis quas tenui de hospitali Sancte Marie Magdalene ejusdem ville sicut carta mea quam de ipsis habui testatur. Tenendas et habendas sibi et heredibus suis vel cuicumque illas quocumque modo assignare voluerit libere et quiete sicut liberum burgagium. Reddendo inde annuatim dicto hospitali xii denarios ad duos terminos anni, scilicet ad festum Sancti Michaelis vi denarios et ad Hockedai vi denarios pro omni servicio et seculari exactione, salva tamen j libra cimini in mutatione heredum semper solvenda predicto hospitali. Quod ut ratum sit et firmum presentem cartam sigilli mei munimine roboravi. T*estibus*.

495. *Charter of Gerin son of Coli to Roger, the baker of St Augustine's, and Geoffrey Friday, granting with the assent of his heirs his land in Redcliffe Street, lying between the land of William the priest and William Hundekins. They may dispose of it as they please, except that they may not give it to a religious house or church. They pay an annual rent of 4s, and 6d to the capital lord in landgavel, and they have paid a gold coin (*aureus*) in recognition. On any succession his heirs shall pay 1 bezant or 2s.*

Rubric: Carta Gerini filii Coli facta R*ogero* pistori et G*alfrido* Fridei de terra de Radeclive.

Sciant presentes et futuri quod ego Gerinenus filius Coli dedi et concessi concessione heredum meorum Rogero pistori de Sancto Augustino de Bristollo et Galfrido Fridai quandam meam terram Bristolli in vico de Radeclive, illam scilicet que est inter terram Willelmi sacerdotis et Willelmi Hundekins. Habendam et tenendam predictis scilicet Rogero et Galfrido et eorum heredibus libere et quiete plene integre inconcusse hereditabiliter de me et de heredibus meis ad [f. 174v.]¹ faciendum de predicta terra quicquid eis placuerit, vendere scilicet vel dare cuicumque voluerint, salvo servicio domini capitalis; hoc tamen uno excepto quod nullo modo religioni detur vel datur. Reddendo inde annuatim ipsi et heredes eorum michi et heredibus meis quatuor solidos argenti pro omni servicio quod ad me vel heredes meos pertinent duobus scilicet terminis anni, scilicet ad Pascha duos solidos et ad festum Sancti Michaelis duos solidos, domino autem capitali sex denarios de landgabulo ad duos terminos, scilicet ad festum Sancti Michaelis² tres denarios et ad Hockedai tres denarios. Preterea dabunt predicti Rogerus et Galfridus vel eorum heredes michi vel heredes meos unum bisantium vel duos solidos argenti de relevamine in mutatione heredum. Pro hac autem donatione et concessione sepe dicti Rogerus et Galfridus dederunt michi unum aureum de recognitione. Et ut concessio ista [rata] et inconcussa permaneat eam presenti carta sigilli mei appositione roboratam confirmavi. *Testibus*.

¹ Rubric [ff. 174v., 175]: *Bris/toll'*.   ² *duas solidos* written and deleted.

496. *Charter of Roger, the baker of St Augustine's, to William of Winchelsea granting him as a free burgage the land which Roger's father had given Roger close to the mill of Trivel and the stone cross. William owes a rent of 2s 6d and landgavel to the capital lord. If he alienates the land to a religious house or to a Jew they must pay a larger entry fine. On any succession his heirs shall pay 12d.*

Rubric: Carta Rogeri pistoris facta Willelmo de Winchelse de terra versus Trivele.

Sciant presentes et futuri quod ego Rogerus filius Rogeri pistoris de Sancto Augustino concessi et hac presenti carta mea confirmavi Willelmo de Winkelese terram illam cum pertinenciis suis quam Rogerus pater meus michi dedit que est versus molendinum de Trivele citra crucem lapideam, illam scilicet terram que jacet proxima terre que fuit Matildis filie Galfridi Fridei ex parte meridionali. Tenendam et habendam eidem Willelmo et heredibus suis de me et heredibus meis libere et quiete plene et integre et hereditario jure inperpetuum, sicut liberum burgagium. Reddendo inde annuatim michi et heredibus meis post me duos solidos sterelinguorum et sex denarios ad duos terminos anni, videlicet ad festum Sancti Michaelis quindecim denarios et ad Hockedai quindecim denarios pro omni servicio et exactione ad me et ad heredes meos pertinente, salvo langabulo capitalis domini, salvis etiam omnibus consuetudinibus eidem terre adjacentibus. Licet autem prefato *Willelmo* et heredibus suis predictam terram dare vel vendere invadiare vel excambire cuicumque voluerint, preter quam religioni et judaissimo decem denariis proximiores [f. 175] admittantur. Pro hanc siquidem concessione ac confirmatione memoratus Willelmus dedit michi duodecim denarios de introitu. Et in mutatione singulorum heredum suorum heredes sui dabunt michi vel heredibus meis duodecim denarios de recognitione. Quare ego et heredes mei sepedictam terram sepe dictis Willelmo et heredibus suis contra omnes mortales warantizabimus. *Testibus*.

497. *Charter of John le Waleys to St Augustine's, granting in free alms, with the assent of Matilda his wife, his land lying between the land which was Nicholas Scakel's and the land of Adam Halferding, near the stone cross in the suburb of Bristol. The canons are to do the service due to the capital lord. (Second quarter of thirteenth century.)*[1]

Rubric: Carta Johannis le Waleis de terra juxta crucem lapideam de Radeclive.

Sciant presentes et futuri quod ego Johannes le Waleis assensu et voluntate Matildis uxoris mee dedi concessi et hac presenti carta mea confirmavi deo et ecclesie Sancti Augustini Bristoll' et canonicis regularibus ibidem deo servientibus in liberam puram et perpetuam elemosinam medietatem totius terre cum suis pertinenciis que jacet inter terram que fuit Nicholai Scakel et terram Ade Alferding juxta crucem lapideam in suburbio Bristoll'. Tenendam et habendam sibi et heredibus suis de me et heredibus meis inperpetuum, faciendo inde capitali domino servicium debitum et consuetum. Ego vero et heredes mei memoratis canonicis et eorum successoribus totam predictam terram cum omnibus suis pertinenciis contra omnes mortales warantizabimus acquietabimus et defendemus. Et quia volo quod hec mea donatio et concessio perpetue stabilitatis robur optineat presens scriptum sigilli mei inpressione quam dicte Matildis uxoris mee duxi muniendum. *Testibus.*

[1] John le Waleys occurs before 1257–8 (no. 589).

498. *Charter of Alice daughter of William Devenish to St Augustine's confirming in free alms half of her land lying between the land which was Nicholas Scakel's and the land of Adam Halferding near the stone cross in the suburb of Bristol. The canons are to do the service due to the capital lord. (c. 1234 × c. 1250.)*[1]

Rubric: Carta Alicie Devoniensis de eadem terra.

Sciant presentes et futuri quod ego Alicia filia Willelmi Devoniensis dedi concessi et presenti carta mea confirmavi deo et ecclesie Sancti Augustini Bristoll' et canonicis regularibus ibidem deo servientibus in liberam puram et perpetuam elemosinam medietatem totius terre cum suis pertinenciis que jacet inter terram que fuit Nicholai[2] Scakel et terram Ade Halferding juxta crucem lapideam in suburbio Bristoll'. Tenendam et habendam sibi et heredibus suis de me et heredibus meis inperpetuum, faciendo inde capitali domino servicium debitum et consuetum. Ego vero et heredes mei memoratis canonicis et eorum successoribus [f. 175v.][3] totam predictam terram cum omnibus suis pertinenciis contra omnes mortales warantizabimus acquietabimus et defendemus. Et quia volo quod hec mea donatio et concessio perpetue stabilitatis robur optineat presenti scripto sigillum meum apposui. *Testibus.*

[1] Alice was dead before 1258 (no. 589). William Devenish occurs in a charter issued by an Abbot William, some time after 1234 (*St Mark's Cartulary*, pp. 43–4, no. 40). One witness of that deed, Roger Devenish, was certainly dead before 1250 (ibid. pp. 53–4, no. 50). How long before 1250 he died cannot be established, nor can the later limit suggested for that deed (c. 1245) be confirmed.
[2] MS. *Nichola*; no. 497 has *Nicholai*.   [3] Rubric [ff. 175v., 176]: *Bris/toll'*.

499. *Charter of Thomas Scakel son of Nicholas Scakel to St Augustine's confirming in free alms all the land which his father had held near the stone cross in the suburb of Bristol. The canons are to pay 2d annually to the heirs or assigns of Walter Cumin as landgavel. (Early thirteenth century.)*[1]

Rubric: Carta Thome Scakel de terra Nicholai Scakel in vico de Radeclive.

Sciant presentes et futuri quod ego Thomas Scakel filius Nicholai Scakel dedi concessi et hac presenti carta mea confirmavi deo et ecclesie Beati Augustini Bristoll' et canonicis regularibus ibidem deo servientibus in liberam puram et perpetuam elemosinam totam illam terram cum omnibus suis pertinenciis quam dictus Nicholaus pater meus tenuit in suburbio Bristoll' juxta crucem lapideam in parte aquiloni. Tenendam et habendam sibi et successoribus [suis] de me et heredibus meis inperpetuum. Reddendo inde singulis annis et heredibus aut assignatis Walteri Cumin duos denarios pro landgabulo. Ego vero Thomas et heredes mei memoratis canonicis et eorum successoribus totam predictam terram cum omnibus suis pertinenciis contra omnes mortales warantizabimus acquietabimus et defendemus. Et quia volo quod hec mea donatio et concessio perpetue stabilitatis robur obtineat presenti scripto sigillum meum apposui. *Testibus*.

¹   William Cumin occurs before 1183 and in 1208 (no. 583).

500. *Charter of Peter la Warre son of John la Warre to St Augustine's granting in free alms a rent of 32s from the house in Redcliffe Street between land which was held by William the chaplain of Redcliffe and by Matthew Long. The money is to maintain four anniversaries, for Geoffrey of Kenfig his grandfather, Isabella of Kenfig his grandmother, Loretta his mother, and for himself. On each occasion 13 paupers are to be admitted to the abbey's guesthouse and fed. The canons are to pay 9d in landgavel. (c. 1200 × c. 1232.)*¹

Rubric: Carta Petri la Warre de domo Ysabelle de Kenefeg in vico de Radeclive.

Omnibus Christi fidelibus ad quos presens scriptum pervenerit Petrus la Warre filius Johannis la Warre, salutem in domino. Noverit universitas vestra me pro salute anime mee et matris mee et omnium antecessorum et successorum meorum dedisse et concessisse et hac presenti carta mea confirmasse deo et monasterio Sancti Augustini de Bristoll' et canonicis regularibus ibidem deo servientibus in liberam puram et perpetuam elemosinam redditum triginta duorum solidorum de domo in vico de Redeclive que est inter terram que fuit Willelmi² capellani de Redeclive et terram que fuit³ Mathei Longi cum omni jure quod in domo [habui]⁴ vel habere potui. Tenendam et habendam de me et heredibus meis libere et quiete integre et pacifice inperpetuum. Ita quod post decessum meum nulli omnino hominum in aliquo inde respondeant nisi soli deo in orationibus et quatuor anniversariis singulis annis faciendis videlicet pro [f. 176] Galfrido de Kenefeg' avo meo et pro domina Ysabella de Kenefeg avia⁵ mea et pro Loretta matre mea et pro me, salvo langabulo novem videlicet denarios. Ita videlicet quod in quolibet anniversario tresdecim pauperes in domo hospitium suscipiantur et pascantur. Ego vero et heredes mei totum predictum redditum cum omnibus pertinenciis suis dictis canonicis contra omnes gentes warantizabimus. Et ut premissa donatio et concessio rata sit et stabilis inperpetuum presenti scripto sigillum meum apposui. *Testibus*.

Marginal note: redditus xxxij s'.

¹ The cartulary scribe repeated this charter in no. 503, with minor variations. There is no trace of this grant in the cartulary of St Mark's hospital. The following series of charters makes it clear that the arrangement was made by earlier members of the family, and that it must be dated before the formal establishment of St Mark's by Robert de Gurney, i.e. before 1230. Peter was apparently dead by 1232 (no. 501). That suggests a provisional dating for the succession: Geoffrey of Kenfig *c.* 1170; John la Warre and Loretta, before 1200; Peter la Warre, *c.* 1200 × *c.* 1232. Isabella survived to bring up her grandson, *c.* 1170 × *c.* 1200.

² MS. *abbati*; *Willelmi* in no. 503.

³ *que est inter* in no. 503.   ⁴ *habui* in no. 503.   ⁵ *domina* in no. 503.

501. *Charter of Peter la Warre to St Augustine's granting in free alms land and buildings in the Drapery and Wine Street, Bristol, and an annual rent of 1 mark which Elias Long used to pay for land which he held of Peter in Corn Street. The canons are to pay to Richard de Grenville an annual rent of 1 mark and 4½d in landgavel. The land and buildings are charged with an annual payment of 15s to Peter's sister Joan for as long as she lives, but Peter grants to the canons an annual rent of 16s from the large house in St John's parish where his grandfather Geoffrey of Kenfig once lived; Joan may choose to have the rent instead of the allowance of 15s; on her death the rent is to revert to Peter and his heirs and assigns. (c. 1200 × c. 1232.)*[1]

Rubric: Carta Petri la Warre de terra in draperia in Winchestret'.

Sciant presentes et futuri quod ego Petrus la Warre filius et heres Johannis la Warre filii Petri la Warre de Bristoll' pro salute anime mee patris mei et matris mee [et] Galfridi de Kenefeg et Ysabelle quondam ejusdem uxoris et omnium antecessorum et successorum meorum dedi et concessi et hac mea presenti carta confirmavi deo et ecclesie Beati Augustini de Bristoll' et canonicis regularibus ibidem deo ministrantibus in liberam puram et perpetuam elemosinam totam terram meam cum edificiis et ceteris pertinenciis suis in draparia et Winchestret' apud Bristoll', exceptis quindecim solidis annui[2] redditus quos Johanne sorori mee singulis annis de duabus seldis[3] in Winchestret' quamdiu vixerit concessi recipiendos. Tenendam et habendam totam dictam terram cum omnibus suis pertinenciis de me et heredibus meis sibi et successoribus suis inperpetuum libere et quiete integre et pacifice. Reddendo inde singulis annis Ricardo de Greinevile et heredibus suis sibi et successoribus suis unam marcam argenti in festo Sancti Michaelis pro omnibus serviciis et secularibus demandis et quatuor denarios et obolum pro langabulo. Dedi etiam prefatis[4] canonicis unam marcam argenti redditus quam michi Elyas Longus pro terra quam de me tenuit in Cornstret singulis annis reddere consuevit. Ad hec dedi memoratis canonicis sexdecim solidos annui[5] redditus de magna domo in parochia Sancti Johannis ubi Galfridus de Kenefeg aliquando mansit singulis annis percipiendos, si forte prenominata Johanna soror mea ipsos sexdecim solidos in excambium supradictorum quindecim solidorum retinere contempserit. Post decessum vero prefate Johanne, redditus supradictus quem eidem omnibus diebus vite sue ad suam sustentationem percipiendum [f. 176v.][6] concessi [pro] michi et heredibus meis vel assignatis meis absque omni contradictione vel reclamatione heredum suorum vel aliquorum aliorum cum omni sui integritate restituetur. Hec omnia predicta cum omnibus suis pertinenciis prenominatis canonicis dedi [et] concessi inperpetuum possidenda cum omni jure et clamio quod ego vel heredes mei habuimus vel quocumque modo habere potuimus vel debuimus in eisdem, salvo redditu supradicto sorori mee assignato. Ego vero et heredes mei memoratis canonicis omnia prescripta contra omnes mortales warantizabimus acquietabimus et defendemus.[7] Et quia volo quod hec mea donatio et concessio rata et stabilis permaneat inperpetuum presentem cartam sigilli mei inpressione duxi confirmandum. Testibus.

Marginal notes: (1) xiij s' iiij d' in Cornestrete. (2) xvj s' in parochia Sancti Johannis.

[1] The donor is presumably the Peter la Warre who occurs in John's reign from 1200 (*PR 2 John*, PRS, NS, 12, p. 124) and at intervals into the early years of Henry III's reign (e.g. *PR 3 Henry III*, PRS, NS, 42, p. 8). Before August 1232 a gift to St Mark's had been noted and land in Bristol was identified as having formerly been in his possession (*St Mark's Cartulary*, pp. 2, 50–1, nos. 2, 45).

[2] MS. *anni*.

[3] MS. *geldis*.   [4] MS. *prepfatis*.   [5] MS. *anni*.

[6] Rubric [ff. 176v., 177]: *Bris/toll'*.   [7] *et defendemus* repeated and expuncted for deletion.

502. *Charter of Isabella of Kenfig to St Augustine's granting in free alms her land in Redcliffe Street held by Matilda de Mora, widow of Adam de Kerswelle, which lay between the street and St Thomas's cemetery, and between the land which was held by William the priest of Redcliffe and by Matthew Long. The canons are to pay 9d to the capital lord in landgavel. She establishes four anniversaries, for Geoffrey of Kenfig her husband, for herself, for her daughter Loretta, and for Peter la Warre. On each occasion 13 paupers are to be fed by the canons. (c. 1200 × c. 1232.)*[1]

Rubric: Carta Ysabelle de Kenefeg de terra in vico de Redeclive.

Omnibus Christi fidelibus ad quos [presens] scriptum pervenerit Ysabella de Kenefeg, salutem in domino. Universitatem vestram scire volo me pro salute anime mee patris mei et matris mee liberorum meorum et antecessorum meorum et successorum dedisse concessisse et hac presenti carta mea confirmasse deo et ecclesie Beati Augustini de Bristoll' et canonicis regularibus ibidem deo servientibus totam terram meam in vico de Redeclive que fuit Matildis de Mora relicte Ade de Kerswelle, cum universo edificio suo quod se extendit a strata Redeclive usque ad cimiterium Sancti Thome, que quidem terra inter terram que fuit Willelmi presbiteri de Redecliva et terram que fuit Mathie Long. Habendam et tenendam libere plene et integre quietam ab omni exactione seculari sicut liberam puram et perpetuam elemosinam, salvo capitali domino langabulo novem videlicet denariis duobus terminis anni persolvendis, medietate videlicet ad festum Sancti Michaelis et ad Hockedai. Dicti etiam canonici quatuor anniversaria annuatim facient videlicet domini Galfridi de Kenefeg quondam viri mei et mee et Lorette filie mee et Petri filii Johannis la Warre, ita quod singulis anniversariis tresdecim pauperes reficiantur penes canonicos[2] supradictos. Ego autem et heredes mei predicta omnia dictis canonicis contra omnes homines et feminas warantizabimus [f. 177] inperpetuum. Et ne premissa convelli valeant ea presenti scripto sigilli mei appositione munito roboravi. *Testibus.*

[1]   The developed form of the charter suggests a thirteenth-century date, but it is possible that Isabella made her grant before Peter la Warre reached his majority, and that it belongs to the late twelfth century.

[2]   MS. *canonicis*; the *i* expuncted and the *o* interlined.

503. *Charter of Peter la Warre to St Augustine's, marked by the scribe* va-cat, *for deletion; a duplicate of no. 500.*

Rubric: Carta Petri la Warre de eadem terra.

Marginal note: bis st' br'.[1]

[1]   The note cannot be expanded from the charter.

504. *Agreement between William, abbot of St Augustine's, and Adam Snell, burgess of Bristol. The entry has been marked* va-cat *for deletion. The abbot has granted Adam the messuage, with its buildings, in the Drapery of Bristol which the abbey had by gift of Peter la Warre son of John la Warre (no. 501), subject to a charge of 15s payable to Peter's sister Joan for her lifetime. Adam is to pay a rent of 7 marks and 40d and to acquit all service due to the capital lord. On any succession his heirs shall pay 2 bezants or 4s. He may not alienate the tenement to the Jews or to a religious house. If he or his heirs seek to sell the messuage, the abbey shall have first refusal for fifteen days. (1234 × 64.)*[1]

Rubric: Cyrographum Ade Snel de terra in draparia in Winchestret'.

Hec est conventio facta inter dominum Willelmum abbatem Sancti Augustini de Bristoll' et ejusdem loci conventum ex parte una et Adam Snel burgensem Bristoll' ex altera. Videlicet quod abbas et conventus pro se et successoribus suis concesserunt prefate Ade totum illud mesuagium cum omnibus edificiis et ceteris pertinenciis suis in draparia Bristoll' quod habuerunt de dono[2] Petri la Warre filii Johannis la [f. 177v.][3] Warre quondam burgensis ejusdem ville exceptis quindecim solidis[4] annui[5] redditus quos Johanna soror dicti Petri singulis annis de duabus seldis in Winchestrete quamdiu vixerit percipiet et post ejus decessum ad prefatis canonicis sine aliqua diminutione revertetur. Habendum et tenendum totum dictum mesuagium cum omnibus suis pertinenciis sicut predictum est dicto Ade et heredibus suis et suis assignatis de dictis abbate et conventu Sancti Augustini pro se et successoribus suis inperpetuum, libere et quiete integre et pacifice. Reddendo inde singulis annis dictis canonicis et eorum successoribus ipse et heredes sui vel sui assignati septem marcas et quadraginta denarios bone et legalis monete ad quatuor anni terminos, videlicet ad Nathale domini viginti [quatuor] solidos et duos denarios, et ad Pascha viginti quatuor solidos et duos denarios, et ad Nativitatem Sancti Johannis Baptiste viginti quatuor solidos et duos denarios, et ad festum Sancti Michaelis viginti et quatuor solidos [et duos denarios] pro omnibus serviciis et demandis ad prenominatos canonicos[6] pertinentibus. In mutatione[7] vero singulorum heredum vel dicti mesuagii tenentium duos bisantes aut[8] quatuor solidos de supradicto mesuagio pro relevio percipient canonici supradicti. Dictus autem Adam et heredes sui vel sui assignati totum prenominatum mesuagium cum omnibus suis pertinenciis versus capitales dominos pro omnia plene acquietabunt. Dicti abbas et conventus pro se et successores ejus concesserunt dicto Ade et heredibus suis vel suis assignatis licentiam dictum mesuagium cum omnibus suis pertinenciis vendendi invadendi et conferendi cuicumque voluerint preter quam Judeis et viris religiosis aliis quam prefatis sibi ipsis salvis tamen redditibus supradictis. Et si illud vendere voluerint vel aliquam ejus partem memorati abbas et conventus et eorum successores prefato Ade et heredibus suis vel suis assignatis totum predictum mesuagium cum suis pertinenciis warantizare debent contra omnes homines et feminas inperpetuum. Memorati abbas et conventus seu eorum successores[9] omnibus aliis erunt propinquiores, nec tamen venditionem illam impedire possunt ultra quindecim dies postquam eisdem fuerit oblata. Et ut hec concessio rata et stabilis inperpetuum [f. 178] perseveret presenti scripto in modum cyrographi confecto et inter partes diviso signa partium alternatim huic inde sunt appensa. *Testibus.*

Marginal note: reddebatur nobis pro xl s'.

[1]   This agreement was made by William of Breadstone or William Long.
[2]   MS. *donio*, with the *i* expuncted.   [3]   Rubric [ff. 177v., 178]: *Bris/toll'*.
[4]   MS. *solidos*.   [5]   MS. *anni*.
[6]   MS. *ad prenominatorum canonicis*.   [7]   MS. *Inmutatione*.
[8]   *iii* written and expuncted for deletion.
[9]   *prefato Ade et heredibus suis* written and expuncted for deletion.

505. *Charter of Peter la Warre son of John la Warre to St Augustine's. For the salvation of his soul and for Isabella of Kenfig (his grandmother), who brought him up, he grants the abbey a rent once due from William Adrian for the land held by John Turkild in Wine Street, to be used to maintain the work of the precentor. The canons are to pay Peter 16s annually. The amount of rent given to the abbey is not stated. (c. 1200 × c. 1232.)*[1]

Rubric: Carta Petri la Warre de redditu precentoris nostri in Winchestret.

Sciant tam presentes quam futuri quod ego Petrus la Warre filius et heres Johannis la Warre burgensis Bristoll' ad honorem dei et Beate Marie pro salute anime mee et domine Ysabelle de Kenefeg que me nutrivit dedi concessi et hac presenti carta mea confirmavi ecclesie Beati Augustini de Bristoll' ad incrementum et sustentationem cantare dicti loci annuatim redditum meum quem singulis annis de Willelmo Adrian[2] percipere consuetam pro terra quam Johannes Turkild aliquando tenuit in Winchestret, cum toto jure quod habui vel quocumque modo habere potui in terra supradicta. Ita quod dicte ecclesie cantor supramemoratum redditum habeat [et] inperpetuum possideat libere et quiete absque calumpnia vel inpedimento mei aut heredum vel assignatorum meorum. Reddendo singulis annis michi et heredibus meis vel meis assignatis sexdecim solidos sterelinguorum ad quatuor anni terminos, scilicet ad Nathale domini quatuor solidos, ad Pascha quatuor solidos et ad festum Sancti[3] Johannis Baptiste quatuor solidos, et ad festum Sancti Michaelis quatuor solidos pro omnibus serviciis et demandis ad me vel ad heredes meos aut assignatos meos pertinentibus. Ego vero et heredes et assignati mei dicto cantori et successoribus suis predictum redditum cum omnibus suis pertinenciis contra omnes mortales inperpetuum warantizabimus. Et quia volo quod hec mea donatio et concessio perpetue stabilitatis robur optineat presens scriptum sigilli mei inpressione duxi muniendum. *Testibus.*

1   See no. 500.
2   MS. *Adriam*, with one digit of the *m* expuncted for deletion.
3   *Michaelis* written and expuncted for deletion.

506. *Charter of Robert the ropemaker and his wife Isabella to St Augustine's granting in free alms, for the salvation of their souls and that of Petronilla daughter of William Walerand, their land which William Walerand formerly held on St Michael's Hill, in the suburb of Bristol, to maintain the work of the precentor. (c. 1238 × 69.)*[1]

Rubric: Carta Roberti Cordarius et Ysabelle uxoris ejus de redditus ejusdem precentoris supra montem Sancti Michaelis.

Omnibus Christi fidelibus presens scriptum visuris vel audituris Robertus Cordarius et Ysabella uxor ejus, salutem in domino. Noverit universitas vestra nos ascensu et voluntate communi pro salute anime mee et Petronille filie Willelmi Walerand[2] et omnium antecessorum et successorum nostrorum dedisse et concessisse et hac presenti carta nostra confirmasse deo et ecclesie Beati Augustini de Bristollo et canonicis regularibus ibidem deo servientibus in liberam puram et perpetuam [f. 178v.][3] elemosinam totam illam terram nostram cum omnibus edificiis et pertinenciis suis quam aliquando Willelmus Walerand tenuit supra montem Sancti Michaelis in suburbio Bristoll'. Tenendam et habendam sibi et successoribus suis sustentatione cantarie dicti loci inperpetuum sicut liberam puram et perpetuam elemosinam. Ita quod nec nobis [nec] alicui hominum inde in aliquo respondeant excepto langabulo nisi soli deo in orationibus. Nos vero memoratis canonicis omnia predicta contra omnes mortales warantizabimus acquietabimus et defendemus inperpetuum. In cujus rei robur et testimonium presenti scripto sigilla nostra apponi fecimus. *Testibus.*

1   William Walerand occurs before 27 May 1238 (no. 529). A Robert the ropemaker occurs between 1234 and a date near 1245, and again between 1260 × 69 (*St Mark's Cartulary*, p. 43, no. 39; p. 82, no. 112).
2   *tenuit supra montem* written and expuncted for deletion.
3   Rubric [ff. 178v., 179]: *Bris/toll'*.

507. *Charter of William of Canterbury to St Augustine's granting, with the assent of his wife Margery, to Geoffrey the tanner a messuage east of Bristol mill, lying between the land of John of Wells and Robert son of Yvo the cook.*

Geoffrey is to pay an annual rent of 21d to St Augustine's; he is to send to
William, at Canterbury, the annual payment of 15d which he owes him for this
messuage. As an entry fine he has paid to William 3s, and to Margery 1 bezant.
(? Late twelfth century.)[1]

Rubric: Carta Willelmi de Cantuar facta Galfrido tannario de terra juxta molendinum
Bristolli.

Sciant presentes et futuri quod ego Willelmus de Cantuaria per assensum uxoris
mee Margerie dedi concessi et hac mea presenti carta confirmavi Galfrido
tannario et heredibus suis quoddam mesuagium[2] cum pertinenciis in orientali
parte molendini de Bristollo, illud videlicet mesuagium quod jacet inter terram
que fuit Johannis de Welles et[3] terram que fuit Roberti filii[4] Yvonis coci.
Tenendum et habendum predicto *Galfrido* tannario et heredibus suis de me et
heredibus meis libere et quiete integre et plene inperpetuum. Reddendo inde
annuatim domui de Sancto Augustino xxi d*enarios* ad duos terminos anni,
scilicet ad Hockedai x d*enarios* et obolum et ad festum Sancti Michaelis x
d*enarios* et obolum. Reddendo etiam michi et heredibus meis de prefato
mesuagio xv d*enarios* quos idem Galfridus et heredes sui singulis annis michi et
heredibus meis mittent ad Cantuariam, scilicet ad Hockedai pro omni servicio ad
predictam domum de Sancto Augustino et ad me et ad heredes meos pertinente.
Licet etiam prefato *Galfrido* et heredibus suis prescriptum mesuagium cum
pertinenciis dare vel vendere vel cui voluerint assignare salvis redditibus
prenominatis. Pro hac autem donatione et concessione mea prefatus *Galfridus*
dedit michi iii solidos de introitu et uxori mee Margirie unum bisantium. Quod ut
firmus sit et stabilis presenti scripto cum sigilli mei [inpressione] munimine
corroboravi. T*estibus*.

Marginal note: redditus xxj d'.

[1]   There is very little to indicate a date for this charter and nos. 508–10. Three generations are
involved, though perhaps over a short rather than a long period of time.
[2]   MS. *mesuagii*.   [3]   MS. adds *inter*.   [4]   MS. *filius*.

508. *Charter of Roger of Wells son of John of Wells, the tanner. In his urgent*
necessity he has sold to William Barun the messuage east of the mill at Bristol,
lying between his late father's land and the land formerly held by Robert son of
Yvo the cook. This is the messuage which William of Canterbury granted by
charter to Geoffrey the tanner; Geoffrey gave it to Roger's wife Elicia who
bequeathed it to Roger. William Barun owes an annual rent of 21d to St
Augustine's, and he owes William of Canterbury and his assigns an annual
payment of 15d, to be sent to Canterbury, as the old charter of William of
Canterbury makes clear. William Barun has paid 44s in recognition. (?Late
twelfth or early thirteenth century.)

Rubric [f. 178v.]: Carta Rogerii de Well' facta Willelmo Barun de eadem terra.

[f. 179] Sciant presentes et futuri quod ego Rogerus de Welles filius Johannis de
Welles tannarii pro urgenti necessitate mea vendidi et quietam clamavi Willelmo

Barun et heredibus suis illud mesuagium meum quod est in orientali parte molendini de Bristoll' inter terram que fuit dicti Johannis patris mei et terram que fuit Roberti filii Yvonis coci. Quod vero mesuagium Willelmus de Cantuaria Galfrido tannario incartavit et quod idem Galfridus dedit Elicie uxori[1] mee, et Elicia illud michi in testamento reliquit.[2] Habendum et possidendum cum omnibus pertinenciis suis predicto Willelmo Barun et heredibus suis quibuscumque voluerit solute et quiete ab omni servicio et exactione que ad me vel ad meos possint pertinere inperpetuum. Reddendo inde tamen singulis annis ecclesie Sancti Augustini de Bristoll' viginti et unum denarios[3] ad duos terminos anni, scilicet ad Hockedai x denarios et obolum [et] ad festum Sancti Michaelis x denarios et obolum, et predicto Willelmo Cantuariensi vel assignatis suis xv denarios per annum ad Cantuariam mittendos, sicut in veteri carta ipsius Willelmi melius et plenius continetur pro omnibus serviciis et demandis. Pro hac autem venditione et mea quieta clamancia dedit michi predictus Willelmus Barunt quadraginta[4] et quatuor solidos sterelingorum de recognitione. Quare ego Rogerus de Welles predictum mesuagium cum omnibus pertinenciis suis prefato Willelmo et heredibus suis reliqui, ipsumque de cetero cum omni jure quod ad me vel ad meos inde posset pertinere, sibi resignavi inperpetuum contra omnes homines et feminas warantizandum. Quod vero totum sicut melius et securius predictum est sine dolo et malo ingenio ex parte mea tenendum ego Rogerus manu mea dextra affidavi et presenti carta mea sigillo meo munita totum confirmavi. Testibus.

[1] MS. uxoris. [2] MS. reliquid. [3] MS. denarium.
[4] denar' written and expuncted for deletion.

509. *Charter of William of Bristol to Alice Barun, widow of William Barun, granting her a rent of 15d from the house between the land of Robert Yvo and John the tanner. She is to render a pair of white gloves for all service, and has paid half a mark as an entry fine. (? Late twelfth or early thirteenth century.)*

Rubric: Carta Willelmi de Bristoll' facta Alicie Barun de eadem terra.

Sciant presentes et futuri quod ego Willelmus de Bristoll' consensu et assensu heredum meorum dedi et concessi et hac presenti carta mea confirmavi Aliz relicte Willelmi Baron et heredibus suis quendam redditum meum quindecim denariorum de domo que est inter domum Roberti Yvonis et Johannis tannatoris. Habendam et tenendam de me [f. 179v.][1] et heredibus meis sibi et heredibus suis libere et quiete inperpetuum. Reddendo inde annuatim michi et heredibus meis quasdam albas[2] cirotecas ad Pentecost' pro omni servicio et demandis. Pro hac autem donatione dedit michi predicta Aliz dimidiam marcam de introitu. Et ut hec carta mea rata permaneat et stabilis sigilli mei inpressione confirmavi. Testibus.

[1] Rubric [ff. 179v., 180]: Bris/toll'. [2] MS. abbas.

510. *Charter of Alice Barun, widow of William Barun, to the monks of Dore granting the land east of the mill at Bristol, between the land of Robert Yvo and*

John the tanner, which William of Canterbury granted to Geoffrey the tanner. The monks are to render to William of Canterbury a pair of white gloves annually. They have paid 3½ marks as an entry fine. (? Early thirteenth century.)

Rubric: Carta Alicie Barun facta monachis de Dora de eadem terra.

Sciant omnes sancte matris ecclesie filii presentes et futuri quod ego Aliz relicta Willelmi Barun concessu et assensu heredum meorum dedi et concessi et hac presenti carta mea confirmavi domui de Dora totam illam terram in orientali parte molendini de Bristoll' que est inter terram Roberti Yvonis et Johannis tannatoris, scilicet illam terram quam Willelmus de Cantuar' Galfrido tannario incartavit. Tenendam et habendam de me et heredibus meis libere et quiete inperpetuum. Reddendo inde annuatim predicto Willelmo de Cant' quasdam albas[1] cyrothecas ad Pentecosten per manum meam et successorum meorum pro omni servicio et demandis que ad domum pertinent vel pertinere possint, salvo quidem redditu viginti et unius denariorum qui inde debetur ecclesie Sancti Augustini de Bristoll' ad duos terminos anni, scilicet ad Hockeda decem denarios et obolum et ad festum Sancti Michaelis decem denarios et obolum. Pro hac autem donatione et concessione dedit michi celarius de predicta domo de Dora tres marcas argenti et dimidiam in introitu. Quod quia ratum et inconcussum volo permanere presentis scripti attestatione et sigilli mei inpressione confirmavi. *Testibus*.

[1] MS. *abbas*.

511. *Charter of Ailric the draper to John of Wells, granting his land, with the house built on it, to the east of the mill of Bristol castle which he held of the fee of Safred, between the land of William, chaplain of St Augustine's, and Geoffrey the archer, to be held for a rent of 12s. John may alienate the land but Ailric and his heirs are to have the first refusal. John has paid an entry fine of 1 bezant to Ailric and another bezant to Ailric's daughter Christine when she was married and given that land. On any succession their heirs will render 1 pound of pepper as relief. (Late twelfth century or early thirteenth century.)[1]*

Rubric: Carta Hellirici draparii facta Johanni de Well' de eadem terra.

Sciant tam presentes quam futuri quod ego Ailricus draparius assensu uxoris mee Giliane et heredum meorum dedi et concessi et hac mea carta confirmavi Johanni Wellensis et heredibus suis terram meam cum edificio superposito parum a molendino castelli in orientali parte distantem, illam scilicet terram quam ego de feudo Safredi tenui cujus etiam terre latitudo a terra que fuit Willelmi de Sancto Augustino capellani usque ad terram que fuit Galfridi sagittarii continetur, et longitudo a placea usque ad aquam retrorsum extenditur. [f. 180] Hanc vero terram cum toto edificio super edificato pro ut melius supradixi predicto Johanni concessi, tenendam et habendam sibi et heredibus suis de me et heredibus meis libere et quiete plene et integre jure hereditario. Reddendo michi inde annuatim et heredibus meis post me xii solidos ad iiii[or] terminos, scilicet ad festum Sancti

Michaelis iii solidos, ad Natale iii solidos, ad Pascha iii solidos, et ad Nativitatem Sancti Johannis Baptiste iii solidos, pro omni servicio et exactione ad me et ad heredes meos pertinente. Et licet prefato *Johanni* et heredibus suis prescriptam terram cum jam dicto edificio dare vel vendere inpignorare vel excambire cuicumque voluerint, salvo redditu nostro supradicto edificio, dare ita inquam quod illa nobis priusquam omnibus aliis offeratur. Pro hac autem donatione et concessione fideliter tenenda dedit idem *Johannes* Wellensis michi i bisantium de introitu et filie mee Cristine cum quam maritanda terra illa data illa fuit[2] aliud bisantium de recognitione, et in mutatione[3] heredum unam libram piperis de relevio. Quare ego et heredes mei eandem terram eidem Johanni et heredibus suis contra omnes homines natos et innatos warantizabimus. Et ad hanc donationem melius corroborandum presenti carte sigilli mei munimen apposui. T*estibus*.

[1] Safred occurs *c*. 1172 × *c*. 1199 (no. 576). The charter is a fully developed deed, which suggests a thirteenth-century date, but it may be late twelfth century in date.

[2] The reading is clearly *cum quam*; the second *illa* appears to be an unintentional repetition.

[3] MS. *inmutatione*.

512. *Charter of Henry the chaplain, son of John of Wells, to the monks of Dore confirming in free alms the land east of the mill of Bristol which John his father held of Ailric the draper of the fee of Safred. The monks are to pay Ailric's daughter Christine 12s annually. (Early thirteenth century.)*[1]

Rubric: Carta Henrici capellani filii Johanis de Welles facta dictis monachis de eadem terra.

Universis Christi fidelibus ad quos presens scriptum pervenerit Henricus capellanus filius Johannis de Welles, salutem. Sciat universitas vestra me dedisse concessisse et hac mea carta confirmasse[2] Beate Marie et monachis de Dora in puram et perpetuam elemosinam totam terram meam que est in orientali parte molendini de Bristollo quam Johannes pater meus tenuit de Ailrico drapario, scilicet de feudo Saffredi. Habendam et tenendam cum omnibus pertinenciis suis predictis monachis libere et quiete inperpetuum pro animabus patris et matris et omnium predecessorum meorum. Reddendo inde singulis annis Cristine filie predicti Ailrici draparii vel heredibus suis duodecim solidos sterelinguorum, sicut et pater meus inde reddere consuevit ad quatuor terminos anni qui in veteri carta nominantur pro omnibus serviciis et demandis. Quod quia ratum et inconcussum fieri volo, presentis scripti attestatione et sigilli mei inpressione corroboravi. T*estibus*.

[1] The people involved are a generation later than those involved in no. 511.

[2] MS. adds *et*.

513. *Charter of Stephen, abbot of Dore, to Robert of Bicknor (?) son of Adam of Bicknor (?) granting him in fee 2 messuages in Bristol next to the house which belonged to Robert son of Yvo the cook in the street leading from the market to the mill below the castle. (? Early thirteenth century.)*

Rubric [f. 180v.]:[1] Carta abbatis et conventus de Dora facta Roberto de Bochoint de eadem terra.

Notum sit omnibus sancte matris ecclesie filiis presentibus et futuris quod ego frater Stephanus abbas de Dora et ejusdem loci conventus dedimus et concessimus Roberto de Bokenere filio Ade de Bokenere duo mesuagia nostra que habuimus in Bristoll' cum omnibus pertinenciis suis, videlicet illa duo mesuagia que sunt juxta domum que fuit Roberti filii Yvonis coci in vico qui tendit a nundinis usque ad molendinum sub castello. Totam itaque predictam terram cum pertinenciis concessimus et inperpetuum quietam clamavimus dicto Rogero [*sic*] de Bokenere et heredibus suis vel assignatis. Tenendam et habendam in feudo et hereditate de nobis et successoribus nostris libere integre et quiete scilicet ut eam habeant [et] teneant vel vendant cuicumque voluerint inde faciant. Et nos eis ad predictam terram warantizandum cum pertinenciis [debemuset] sex cartas nostras quas inde habuimus dicto Roberto de Bokenere tradidimus et inperpetuum ipsas quietas clamavimus. In hujus rei testimonium presenti carte sigillum nostrum apposuimus. T*estibus*.

---

[1]   Folio 180v. has no rubric.

---

514. *Charter of Robert of Bicknor (?) son of Adam of Bicknor (?) to St Augustine's granting the 2 messuages next to the house of Robert son of Yvo the cook, in the street leading from the market to the castle mill. The canons have given 6 marks to Robert. (? Early thirteenth century.)*

Rubric: Carta dicti Roberti nobis facta de eadem terra.

Sciant presentes et futuri quod ego Robertus de Bokenere filius Ade de Bokenere dedi et concessi et hac presenti carta mea confirmavi deo et ecclesie Beati Augustini de Bristoll' et canonicis regularibus ibidem deo servientibus duo mesuagia mea cum omnibus pertinenciis suis que habui in Bristollo videlicet illa duo mesuagia [que] sunt juxta domum que fuit Roberti filii Yvonis coci in vico que tendit a nundinis usque ad molendinum de castello. Tenenda et habenda de me et heredibus meis inperpetuum, libere et quiete integre et pacifice. Et liceat prenominatis canonicis predicta duo mesuagia dare vendere invadiare vel excambire cuicumque voluerint et quicquid voluerint inde facere. Pro hac autem donatione et concessione dederunt michi predicti canonici sex marcas argenti. Et ut hec mea donatio et concessio perpetue stabilitatis robur obtineat eam presenti scripto sigilli mei inpressione roborato duxi confirmandum. T*estibus*.

---

515. *Charter of Robert son of Sevarus to William Fader granting him in fee and inheritance, with the assent of his lord W. de Norhai, prior of St James, and of his wife Margery and his heirs, the land in Earls Mead which was held by Richard Carbunel. It lay between the two streets crossing the Mead, and between the land held by David the porter and the land which Cecily of Bicknor (?) gave for the lights of St Mary in the priory of St James. William is to pay half a mark* *annually, and to pay the lord of the fee 15d at Lammas (1 August). On any succession his heirs are to render to St James's priory 1 pound of cumin as relief. William may alienate the land, except to a religious house or to Jews; if the land is sold, Robert and his heirs have, for 15 days, first refusal at a price lower by 1 bezant than other prospective buyers. As recognition William has paid 2 marks to Robert and a gold coin* (obolum de Muz) *to Margery. (? Mid-thirteenth century.)*[1]

Rubric: Carta Roberti Sevare facta Willelmo Fader de terra in prati comitis.

Sciant presentes et futuri quod ego Robertus filius Sevari concessu et assensu domini mei W. de Norhai tunc prioris de [f. 181][2] Sancto Jacobo et Margerie uxoris mee et heredum meorum dedi concessi et hac mea carta confirmavi Willelmo Fader illam terram meam in prato comitis que fuit Ricardi Carbunel inter terram quam David portitor tenuit et terram quam Cecilia de Bokenere dedit ad luminare Sancte Marie de Sancto Jacobo. Que predicta terra extendit a vico anterius usque ad vicum posterius. Habendam et tenendam cum pertinenciis suis ipso Willelmi et heredibus suis in feudo et hereditate de me et heredibus meis libere et quiete inperpetuum. Reddendo inde singulis annis [michi] et heredibus meis dimidiam marcam argenti ad iiii terminos anni, scilicet ad Nativitatem Sancti Johannis Baptiste xx d*enarios*, ad festum Sancti Michaelis xx d*enarios*, ad Natale Domini xx d*enarios*, ad Pascha xx d*enarios*, et domino fundi xv d*enarios* ad Gulam autumpni, et ecclesie Sancti Jacobi i libram cimini nobis de relevio quotiens heredes ipsius Willelmi se mutaverint pro omnibus serviciis et demandis ad nos pertinentibus. Et si idem W*illelmus* vel heredes sui predictam terram dare vel invadiare aut excambire alicui voluerint bene eis concedimus, preterquam genti religionis aut Judeis, salvo nobis redditu nostro, salvis etiam redditibus aliis per annum quibus assignantur. Et si eam vendere voluerint erimus nos inde propinquiores de primo bizantio quam omnes alii, nosque venditionem illam impedire non possimus ultra xv dies postquam nobis oblata fuerit. Pro hac autem donatione et concessione mea dedit michi predictus Willelmus duas marcas argenti de introitu et Margerie uxori mee unum obolum de muz[3] de recognitione. Quare nos et heredes nostri warantizabimus totam predictam terram, sepedicti Willelmi et heredibus suis contra omnes homines et feminas. Unde ego R*obertus* cartam presentem sigillo meo signatam in testimonium hujus rei sibi commisi. T*estibus.*

[1] The succession of priors at St James in the thirteenth century is poorly recorded (*VCH Glos.* i, p. 74). One, identified only by the initial W, occurs between 1186 and 1202 (D. Knowles, C. N. L. Brooke, and V. C. M. London, *Heads of Religious Houses England and Wales 940–1216*, 1272, p. 86). The mature form of the document suggests a date later in the thirteenth century.

[2] Rubric: *Bristoll'*.

[3] A small gold coin, perhaps of Murcia.

516. *Charter of William Fader to St Augustine's granting in free alms his land in Earls Mead which was held by Richard Carbunel, between the land of David the porter and the land which Cecily of Bicknor (?) gave for the lights of St Mary*

in the priory of St James (as in no. 515). The canons shall pay annually half a
mark to Robert son of Sevarus, and 15d to the lord of the fee on the feast of St
Peter in chains (1 August). They shall also pay to the priory of St James 1 pound
of cumin at Michaelmas. (Probably mid-thirteenth century.)

Rubric: Carta dicti Willelmi nobis facta de eadem terra.

Omnibus Christi fidelibus presens scriptum visuris vel audituris Willelmus Fader,
salutem in domino. Noverit universitas vestra me dedisse concessisse et hac
presenti carta mea confirmasse deo et ecclesie Sancti Augustini de Bristoll' et
canonicis regularibus ibidem deo [f. 181v.] servientibus in liberam puram et
perpetuam elemosinam totam illam terram meam cum edificiis et aliis
pertinenciis suis omnibus in prato comitis que fuit Ricardi Carbunel inter terram
quam David portitor tenuit et terram quam Cecilia de Bokenere dedit ad luminare
Sancte Marie de Sancto Jacobo, que predicta terra extendit se a vico anterius
usque ad vicum posterius. Volo igitur quod dicti canonici et eorum successores
inperpetuum dictam terram cum omnibus edificiis et pertinenciis suis habeant et
teneant libere et quiete integre et pacifice nulli omnino hominum inde in aliquo
respondentes nisi soli deo in orationibus, exceptis dimidia marca annuatim
solvenda heredibus Roberti filii Sevari ad quatuor anni terminos, scilicet in festo
Sancti Michaelis viginti denarios, in Nathale Domini viginti denarios, in Pascha
viginti denarios, et in Nativitate Sancti Johannis Baptiste viginti denarios, et
domino fundi quindecim denarios in festo Sancti Petri quod dicitur ad vincula
Sancti Petri, et ecclesie Sancti Jacobi unam libram cimini annuatim solvenda ad
festum Sancti Michaelis, pro omnibus serviciis et secularibus demandis.[1] Ego
vero Willelmus et heredes mei totam prenominatam terram cum omnibus
edificiis et pertinenciis suis dictis canonicis et eorum successoribus contra omnes
mortales warantizabimus acquietabimus et defendemus inperpetuum. In cujus rei
testimonium presenti scripto sigilli mei apposui. *Testibus.*

[1] The nature of this render is expressed in different terms in no. 515 and in this charter.

517. *Charter of Richard de Frise to Roger foster-son of Godfrey the priest of*
Bristol granting, with the assent of his wife Matilda, part of his land on St
Michael's Hill, near St Augustine's, and lying between the land of William son
of Sevarus the draper, brother of Matilda, and the land which Roger holds of
Jordan la Warre. Roger owes a rent of 1d for all service, and he has paid
Richard 8s. Dated 1224.

Rubric: Carta Ricardi de Frise facta Rogero filio presbiteri de terra supra montem Sancti
Michaelis.

Sciant presentes et futuri quod ego Ricardus de Frise unanimi concensu Matildis
uxoris mee et heredum meorum dedi concessi et hac presenti carta mea
confirmavi Rogero alumpno Godefridi sacerdotis de Bristollo quandam terre
partem mee supra montem Sancti Michaelis versus Sanctum Augustinum,
jacentem inter terram Willelmi filii Sewari draperii fratris scilicet nominate
Matildis uxoris mee et terram dicti Rogeri quam tenet de Jordano la Warre,

continentem in longitudine quadraginta duos pedes, et in latitudine triginta duo pedes. Habendam et tenendam de me et de heredibus meis ipsi et heredibus suis[1] libere et quiete honorifice et pacifice. Reddendo inde annuatim michi et heredibus meis ipse et heredes [f. 182][2] sui pro omni servicio et exactione ad festum Sancti Michaelis scilicet infra nundinas de Bristollo unum denarium sterelinguorum. Et pro hac mea donatione et concessione dedit michi et heredibus meis dictus Rogerus octo solidos sterelinguorum. Hanc autem donationem et concessionem et presentem cartam ego Ricardus et heredes mei fide media contra omnes homines et feminas warantizare debemus predicto Rogero et heredibus suis [quando] ipse et heredes sui pro omni servicio et unquam huic pacto inter nos composito causam derogantem [volent] inquirere. Concedo etiam quod sepedictus Rogerus et heredes sui prenominatam terram cuicumque voluerint sine aliqua contradictione mea et heredum meorum dare vendere vel inpingnorare possint, salvo tamen annuali redditu meo nominato. Et ut hec mea donatio firma sit et stabilis eam presenti scripto sigilli mei munimine roboravi. Facta est autem hec mea donatio anno incarnationis domini millesimo ducentisimo vicesimo quarto. *Testibus.*

[1] MS. *ipse et heredes sui.*   [2] Rubric: *Bristoll'.*

518. *Charter of Jordan la Warre son of Thomas la Warre to Roger son of the priest confirming the messuage which William son of Aldred held on St Michael's Hill, between the land held by Master Jocelin and the great open place. Roger is to pay 2s annually for all service, and his heirs shall render 1 pound of cumin as relief. For this grant Roger has paid 2s. (Mid-thirteenth century.)*[1]

Rubric: Carta Jordani la Warre facta eidem[2] R*ogero* de terra supra montem etc.

Sciant presentes et futuri quod ego Jordanus la Warre filius Thome la Warre dedi concessi et hac presenti carta mea confirmavi Rogero filio sacerdotis illud mesuagium cum pertinenciis quod Willelmus filius Aldredi tenuit super montem Sancti Michaelis in villa Bristolli, scilicet illud quod est inter terram quam magister Jocelinus tenuit et magnam plateam. Tenendam sibi et heredibus suis de me et de heredibus meis jure hereditario, libere quiete plenarie integre et honorifice. Reddendo inde annuatim michi vel heredibus meis duos solidos sterelinguorum pro omni servicio et exactione ad iiii[or] terminos, ad Natale Domini sex denarios, ad Pascha sex denarios, ad Nativitatem Beati Johannis Baptiste sex denarios, ad festum Sancti Michaelis sex denarios, et in relevatione successorum unam libram cimini de recognitione. Autem hujus donationis dedit michi predictus Rogerus filius sacerdotis duos solidos. Ut igitur mea donatio rata sit et stabilis presenti scripto sigilli mei munimine corroborato eam sibi et heredibus suis confirmavi. *Testibus.*

[1] A Roger son of the priest occurs in a charter issued before 1240 (*St Mark's Cartulary*, p. 205, no. 326) and in a second charter assigned to the mid-thirteenth century (ibid. p. 80, no. 108). Dr Ross also placed a Thomas de la Warre c. 1250–1 (ibid. pp. 73–4, nos. 94–6).

[2] MS. *idem*; the *e* has been interlined.

519. *Charter of Agnes, widow of Roger son of the priest, to St Augustine's confirming in free alms the messuage which she and her husband held on St Michael's Hill of Jordan la Warre son of Thomas la Warre. The grant is to maintain their anniversary. The canons owe 2s annually to Jordan's heirs for landgavel. (Mid-thirteenth century.)*

Rubric: Carta Agnetis relicte dicti Rogeri de terra supra montem nobis facta.

[f. 182v.] Omnibus Christi fidelibus ad quos presens scriptum pervenerit Agnes relicta Rogeri filii sacerdotis, salutem in domino. Noverit universitas vestra me pro salute anime mee domini mei et omnium fidelium defunctorum dedisse concessisse et hac presenti carta mea confirmasse deo et ecclesie Sancti Augustini de Bristoll' et canonicis regularibus ibidem deo servientibus in puram et perpetuam elemosinam mesuagium illud cum omnibus pertinenciis suis quod dictus Rogerus dominus meus et ego tenuimus supra montem Sancti Michaelis in villa Bristolli de Jordani la Werr' filio Thome la Warr' et heredibus suis. Tenendum et habendum dictis canonicis inperpetuum libere et quiete integre et pacifice. Ita quod nulli hominum in aliquo inde respondeant nisi soli deo in anniversariis dicti Rogeri domini mei et mei singulis annis cum evenerint in ecclesia sua specialiter celebrandis, et duobus solidis heredibus prefati Jordani la Warre annuatim pro langabulo ad quatuor terminos anni persolvendis, videlicet ad Natale Domini sex d*enarios*, ad Pascha sex d*enarios*, et ad festum Sancti Johannis Baptiste sex d*enarios* et ad festum Sancti Michaelis sex denarios pro omni servicio et exactione seculari. Quod ne in posterum devocetur indubium presenti scripto sigillum meum est appensum. T*estibus*.

520. *Charter of Roger son of the priest to St Augustine's confirming a rent of 8s 4d for the anniversaries of his father and mother from the land which he held of Bondinus on St Michael's Hill. Geoffrey Bulernung', Roger of Priddelod', and Henry of Portbury are responsible to the custodian of anniversaries for this payment. Of this rent, 2s will provide anniversaries for Roger and for his wife Agnes. (Mid-thirteenth century.)*

Rubric: Carta Rogeri filii presbiteri de terra supra montem Sancti Michaelis.

Omnibus Christi fidelibus presens scriptum [visuris vel] audituris Rogerus filius sacerdotis, salutem in domino. Noverit universitas vestra me divine charitatis[1] instinctu dedisse et hac presenti carta mea confirmasse deo et canonicis Sancti Augustini de Bristoll' ad anniversaria patris mei et matris mee annuatim facienda redditum octo solidos et quatuor denarios de terra quam tenui de Bondino super montem Sancti Michaelis in suburbio de Bristoll', de quo redditu Galfridus Bulernung', Rogerus de Priddelod', Henricus de Portebyr' et eorum heredes custodi anniversariorum dictorum canonicorum singulis annis perpetuo respondere debebunt. Ita videlicet quod custos dictorum anniversariorum qui pro tempore fuerit duos solidos de dicto redditu quolibet anno ad anniversarium [f. 183][2] meum et anniversarium Agnetis uxoris mee faciendum cum redditu ad hoc allibi assignato exponat. Quod ne in posterum devocetur indubium presenti scripto sigillum meum est appensum. T*estibus.*

Marginal notes: (1) redditus viij s' iv d'. (2) (*Modern*) anniversary.

[1]   MS. *claritatis*. That would mean 'inspired by divine glory', but 'charity' seems a more likely reading.   [2]   Rubric: *Bristoll'*.

521. *Charter in the form of a chirograph issued by William, abbot of St Augustine's, to William of Evesham granting him the house in the street of the cobblers (Worship Street) in Bristol, with the shop next to it. William of Evesham owes a rent of 36s for the house, 18s for the shop, and an annual payment of 2s to John Bishop for landgavel. William and his heirs or assigns may alienate the house and shop except to men of religion or Jews. The canons shall have an advantage in price of 1 bezant; they may not delay a sale by more than fifteen days. William has paid an entry fine of half a mark. On any succession his heirs shall pay 1 bezant or 2s in relief. (1234 × 64.)*[1]

Rubric: Carta a nobis facta Willelmo de Evesham de domo in vico sutorum.

Universis Christi fidelibus presentem cartam visuris vel audituris Willelmus dei gratia abbas Sancti Augustini de Bristoll' et ejusdem loci conventus, salutem in domino. Noverit universitas vestra nos unanimi voluntate et ascensu dedisse concessisse et hac presenti carta nostra confirmasse Willelmo de Evesham domum illam in vico sutorum apud Bristoll' ubi quondam mansit Ricardus de Monumutha, et unam seldam que dicte domui est proxima in aquilonali parte. Habendam et tenendam sibi et heredibus suis et suis assignatis de nobis et successoribus nostris inperpetuum, libere et quiete integre et pacifice. Reddendo inde nobis et successoribus nostris singulis annis pro predicta domo triginta et sex solidos sterelinguorum ad quatuor anni terminos, videlicet in Nativitate Domini novem solidos, in Pascha novem solidos, in Nativitate Sancti Johannis Baptiste novem solidos, in festo Sancti Michaelis novem solidos; et domino Johanni Biscop et ejusdem heredibus duos solidos per annum de langabulo; et pro supradicta selda decem et octo solidos quatuor terminis supradictis; et in mutatione singulorum heredum vel dominorum unum bisantium vel duos solidos pro relevio, pro omnibus serviciis et demandis ad nos et successores nostros pertinentibus. Licet vero predicto Willelmo de Evesham et heredibus suis et eorum assignatis predictam domum et seldam dare vendere assignare vel excambire quibuscumque voluerint, preterquam Judeis aut viris religiosis aliis, nobis salvis reddltibus supradictis. Ita quod nos inde erimus propinquiores quam aliqui alii de uno bisantio, et non possumus venditionem impedire ultra proximam quindenam postquam nobis fuerit oblata. Pro hac autem donatione et concessione et presenti carte nostre confirmatione dedit nobis predictus Willelmus de Evesham unam dimidiam marcam argenti de introitu. Quare nos et successores nostri predicto Willelmo et heredibus suis et eorum assignatis domum predictam et seldam contra omnes mortales inperpetuum [f. 183v.][2] warantizabimus. Et ut hec nostri donatio et concessio rata et stabilis inperpetuum perseveret presenti scripto in modum cirographi confecto et inter partes diviso tam supradicti abbas et conventus quam supradictus Willelmus de Evesham sigilla sua apposuerunt. T*estibus*.

Marginal notes: (1) redditus xxxvj s'. (2) Et xviij s'.

[1] The limits of date depend on which of the two abbots entered into this agreement, William of Breadstone or William Long. The identification of the street of the cobblers with Worship Street is made in no. 525.   [2] Rubric [ff. 183v., 184]: *Bris/toll'*.

522. *Charter of Mary de Curtelone to St Augustine's confirming in free alms the messuage which she had in Lewins Mead in the suburb of Bristol. The canons are responsible for services due to the capital lord. She also remits and quitclaims her rights in lands in Winchester and in her dower land in Abbotstone (in Winchester) from the land which her husband Walter held there. (1254–5.)*[1]

Rubric: Carta Marie Curtelune de eadem terra.

Sciant presentes et futuri quod ego Maria de Curtelune pro salute anime mee et omnium antecessorum et successorum meorum dedi concessi et presenti carta mea confirmavi deo et ecclesie Sancti Augustini de Bristoll' et canonicis ibidem deo servientibus in liberam puram et perpetuam elemosinam totum illud mesuagium cum omnibus suis pertinenciis quod habui in suburbio Bristoll' in vico que dicitur Leofwynesmed'. Tenendam et habendam sibi et successoribus suis de me et heredibus meis inperpetuum, libere quiete integre et pacifice, ita quod inde nulli unquam respondentes nisi capitali domino de servicio debito et consueto. Ego vero et heredes mei memoratis canonicis totum illud mesuagium cum suis omnibus pertinenciis contra omnes mortales warantizabimus acquietabimus et defendemus inperpetuum. Insuper concessi remisi et quietum clamavi pro me et heredibus meis supradictis canonicis totum jus et clamium quod habui jure hereditario vel alio quocumque modo habere potui in omnibus illis terris cum pertinenciis quas michi in Winton' competere dicebam. Similiter et totam illam terram cum omnibus suis pertinenciis in Albedestone quam ad me pertinere dicebam nomine dotis, de terra illa quam Walterus quondam vir meus tenuit in eadem villa. Et quia volo quod hec mea donatio et concessio remissio et quieta clamatio rata et stabilis inperpetuum perseveret presens scriptum sigilli mei inpressione roboravi. T*estibus*.

[1] See no. 523.

523. *Charter of William Long, abbot of St Augustine's, recording in the form of a chirograph, an agreement with Mary Curtelone. She quitclaims all her right in various tenements: land in the street of the cobblers in Bristol which her husband John Curtelone once held; the messuage which she had in Lewins Mead in the suburb of Bristol; her property in Winchester, and the land she held in dower from land which her husband Walter had held there. In return the* *abbot agrees that, for their lifetime, she and her eldest son William may hold the messuage in Lewins Mead for an annual render of a pair of white gloves and 1d for all service. The abbot also grants Mary a corrody within the abbey, specifying in detail her allowance of food, wine, ale, firewood for her hearth, and half a mark a year to buy a robe. Dated 39 Henry III (28 October 1254–27 October 1255.)*

Rubric: Cirographum inter nos et dictam Mariam.

Hec est conventio facta inter dominum Willelmum abbatem Sancti Augustini de Bristoll' et ejusdem loci conventum ex parte una et Mariam Curtelone ex altera. Videlicet quod dicta Maria mere et sponte in libera voluntate sua remisit concessit et inperpetuum quietum clamavit supradictis abbati et conventui totum [f. 184][1] jus suum et clamium quod habuit vel quocumque modo habere potuit in tota illa terra cum suis pertinenciis in vico sutorum Bristoll' quam Johannes Curtelone quondam vir ejusdem Marie tenuit aliquando. Ita quod de cetero dicta Maria vel heredes sui aut aliquis alius[2] eorum nomine nichil juris in predicta terra aut ejus parte sibi vendicare valebunt inperpetuum. Concessit insuper predicta Maria et remisit et quietum clamavit pro se et heredibus suis inperpetuum prefatis canonicis totum jus et clamium quod habuit vel quocumque titulo habere potuit aut debuit in omnibus illas terras cum earum pertinenciis quas in Winton' jure hereditario sibi competere dicebat, una cum tota illa terra cum suis pertinenciis in Abbedeston' quam ad se pertinebat nomine dotis de terra illa quam Walterus quondam vir suus tenuit in eadem villa. Ad hec prefata Maria in ligia potestate sua concessit et dedit supradictis canonicis totum mesuagium cum edificiis et ceteris pertinenciis suis omnibus quod habuit in suburbio Bristoll' in vico qui dicitur Leofwinesmed in liberam elemosinam inperpetuum possidendum. Ita tamen quod quam diu dicta Maria et Willelmus filius suus primogenitus vixerint dictum mesuagium cum suis pertinenciis habeant et teneant de prenominatis canonicis, reddendo eis singulis annis in festo Sancti Michaelis unum par cyrotecarum albarum aut unum denarium pro omnibus serviciis et demandis ad dictos canonicos pertinentibus. Post decessum vero dictorum Marie et Willelmi, dictum mesuagium cum omnibus suis pertinenciis absque contradictione aut diminutione aliqua memorati canonici habeant et possideant inperpetuum facientes capitali domino debitum servicium et consuetum aut que omnia et singula ad opus dictorum canonicorum evincenda et adquirenda cum eisdem canonicis aut eorum actorum, dictorum tamen canonicorum, sumptibus propriis et dicte Marie laboribus, quandocumque et quotiens super hoc fuerit requisita, dicta Maria fideliter et viriliter elaborabit. Ad quos fideliter observandum sacramento corporaliter prestito adjecta fidei datione coram viris fide dignis se obligavit. Pro hac autem remissione concessione et quieta clamatione supradicti abbas et conventus unanimi [f. 184v.][3] voluntate et assensu predicte Marie concesserunt ut quam diu vixerit singulis diebus percipiat de cellario Sancti Augustini unam michiam canonicalem et unam mesuram cervise canonicalis, et de coquina unum ferculum cum una pitancia et potagium si voluerit. Et sciendum est quod ferculum illud tribus diebus in ebdomada erit de carnibus si eis vesci liceat, videlicet Dominica et Die Martis et Die Jovis, et pitancia pro ut hospitibus solet apponi vel conventui. Preterea prenominata Maria omnibus diebus vite sue singulis septimanis unam summam busce ad focum suum, et singulis annis dimidiam marcam argenti in Nativitate Domini ad robam suam percipiet. Data sunt hec anno regni regis Henrici filii regis Johannis tricesimo nono.

[1]   The rubricator has written *Bristoll'* and deleted *Bris.*
[2]   MS. *aliis.*   [3]   Rubric [ff. 184v., 185]: *Bris/toll'.*

524. *Charter of William, eldest son of Mary Curtelone, to St Augustine's confirming her grant of a messuage in Lewins Mead in the suburb of Bristol and quitclaiming his right in the land which his father held in the street of the cobblers in Bristol, and in his mother's land in Winchester. (28 October 1254 × 27 October 1255.)*

Rubric: Confirmatio Willelmi Cortelone donationis matris sue.

Willelmus Curtelune filius Marie Curtelune de Bristoll' primogenitus universis Christi fidelibus presens scriptum visuris vel audituris, salutem. Universitati vestre significo quod ego pro salute anime mee et omnibus antecessorum et successorum meorum concessi et presenti scripto confirmavi abbati et conventui Sancti Augustini de Bristoll' donationem quam eis fecit Maria Curtelune mater mea de illo mesuagio cum edificiis et ceteris omnibus pertinenciis suis quod habuit in suburbio Bristolli in vico que dicitur Leofwinesmed, sicut ejus carta melius distinguit. Insuper ego Willelmus sponte et in ligia potestate mea remisi concessi et inperpetuum quietum clamavi pro me et heredibus meis et assignatis meis memoratis abbati et conventui Sancti Augustini de Bristoll' totum jus et clamium quod habui jure hereditario vel in alio quocumque titulo in omnibus illis terris cum suis pertinenciis quas pater meus apud Bristoll' in vico sutorum aliquando tenuit, et in omnibus aliis terris cum suis pertinenciis in quas Maria Curtelune mater mea apud Winton' jus hereditare sibi vendicabat. Et quia volo quod prefati canonici de prenominatis terris vel earum pertinenciis nullam per me vel heredes meos aut assignatos meos sustineant calumpniam inquietationem vel molestiam presens scriptum eisdem fieri concessi et sigillo meo signavi. *Testibus.*

525. *Charter of William Curtelone to William the clerk of Bristol granting him land in the street of the cobblers (Worship Street) in Bristol. It is situated below the Shambles (which lay behind Mary-le-Port Street) between the land held by Thomas the cordwainer and William Walerand and extending at the rear to St Mary's cemetery. William the clerk is to hold it for a render of a pair of white gloves or ½d to William Curtelone and 2s to John le Veske and 38s to St Augustine's. William had freedom to alienate the land. For this grant he has paid 100s and a robe as an entry fee. (1254–5.)*[1]

Rubric [f. 185]: Carta Willelmi Curtelone facta Willelmo clerico de terra in vico sutorum.

Sciant presentes et futuri quod ego Willelmus Curtelone dedi et concessi et hac mea presenti carta confirmavi Willemo clerico de Bristoll' totam illam terram meam cum edificiis et cum omnibus aliis pertinenciis suis in Bristoll' que jacet in vico sutorum subtus macecrariam inter terram que fuit Thome le cordiwan' et terram que fuit Willelmi Walerand, que quidem terra extendit a vico anterius usque ad cimiterium Beate Marie posterius. Habendam et tenendam sibi et heredibus suis et assignatis suis quibuscumque voluerint de me et de heredibus meis libere quiete integre inperpetuum. Reddendo inde annuatim michi et heredibus meis quasdam albas cyrotecas vel unum obolum utrum ipse maluerint ad festum Sancti Michaelis, et Johanni le Veske et heredibus suis annuatim duos solidos, et abbatie Sancti Augustini de Bristoll' annuatim triginta et octo solidos, pro omnibus serviciis exactionibus et demandis ad me et ad heredes meos pertinentibus. Et licet predicto Willelmo et heredibus suis et assignatis suis de predicta terra cum pertinenciis totum libitum suum in omnibus facere, salvis predictis redditibus. Pro hac autem donatione mea et concessione dedit michi predictus Willelmus centum solidos et unam robam de introitu. Quare ego et heredes mei warantizabimus sibi et heredibus suis contra omnes homines et feminas inperpetuum per servicium predictum. Quod ut ratum et stabile permaneat presens scriptum sigilli mei inpressione corroboravi. Testibus.

Marginal note: redditus xxxviij s'.

[1] This charter is closely linked with the preceding deeds.

526. *Charter of William Curtelone son of John Curtelone to William the clerk of Bristol confirming to him the land where Nicholas Miparty once lived in the street of the cobblers, with the shops on the street, near the land held by William the cordwainer and extending in the rear to St Mary's cemetery. William is to hold the land of John le Veske for a rent of 40s. He is free to alienate the holding, but William Curtelone and his heirs shall have the right to buy back the land at a price 1 bezant less than to others. On any succession his heirs shall pay John le Veske 1 pound of pepper as relief. For this grant William has paid 100s and one robe. (First half of thirteenth century.)*[1]

Rubric: Carta ejusdem W*illelmi* facta eidem W*illelmo* de terra in eodem vico.

Sciant presentes et futuri quod ego Willelmus Curtelone filius Johannis Curtelone dedi et concessi et hac presenti carta mea confirmavi Willelmo clerico de Bristoll' quandam terram cum pertinenciis in Bristoll' in vico sutorum, scilicet proximum terre que fuit Willelmi Cordewanarii, scilicet totam terram cum seldis in fronte, in qua terra Nicholaus Miparti aliquando mansit, et extendit retro usque ad cimiterium ecclese Beate Marie posterius. Habendam et tenendam predicto Willelmo et heredibus suis vel assignatis suis de Johanne le Veske et de heredibus suis. Reddendo inde annuatim eidem Johannis et heredibus suis vel assignatis suis quadraginta solidos pro omni servicio ad quatuor [f. 185v.][2] terminos anni, videlicet decem solidos in festo Sancti Michaelis, decem solidos in Natale Domini, decem solidos in Pascha, et decem solidos in Nathale Sancti

Johannis Baptiste. Pro hac autem donatione mea et concessione dedit michi predictus Willelmus centum solidos et unam robam. In mutatione vero dominorum heredes ipsius Willelmi vel assignati sui dabunt heredibus[3] predicti Johannis le Veske unam libram piperis de relevamine. Licet siquidem predicto Willelmo clerico et heredibus suis et assignatis suis predictam terram cum pertinenciis dare vendere inpignorare vel excambire cuicumque voluerint salvo predicto redditu. Ita tamen quod dicto Johanni et heredibus vel assignatis suis primo offeratur pro minore precio quam aliquis aliis scilicet de uno bizantio. Quod ut magis ratum et stabile permaneat et inconcussum presentem cartam sigilli mei inpressione dignum duxi corroborandum. *Testibus.*

[1]   This appears to be linked with the series of charters issued in 1254–5. Nicholas occurs as early as 1194 (*PR 6 Richard I*, PRS, NS, 5, p. 240), and the charter may have been issued earlier in the thirteenth century.
[2]   Rubric [ff. 185v., 186]: *Bris/toll'*.   [3]   *suis* written and expuncted for deletion.

527. *Charter of John le Veske to William the clerk of Bristol confirming the land in the street of the cobblers which belonged to William the cordwainer, where Nicholas Miparty once lived, and extending to the rear to St Mary's cemetery, for an annual rent of 40s. as granted by William Curtelone's charter. On any succession his heirs shall pay 1 pound of pepper as relief. (Mid-thirteenth century.)*[1]

Sciant presentes et futuri quod ego Johannes le Veske concessi et presenti scripto confirmavi Willelmo clerico de Bristoll' totam illam terram cum pertinenciis in Bristoll' que jacet in vico sutorum proxima terre que fuit Willelmi le cordiwaner in qua Nicholaus Miperty aliquando mansit, que quidem extendit a vico anterius usque ad cymiterium ecclesie Beate Marie posterius. Habendam et tenendam eidem[2] Willelmo clerico et heredibus suis vel assignatis suis inperpetuum, sicut carta Willelmi Cortelone quam inde habet melius et plenius et liberius testatur, salvis michi et heredibus meis vel assignatis annuatim quadraginta solidos, et una libra piperis in mutatione dominorum de relevio. Unde ut hec mea concessio et confirmatio rata et stabilis permaneat presens scriptum sigilli mei inpressione corroboravi. *Testibus.*

[1]   John le Veske occurs 1234 × 64 (no. 521), and is certainly alive in 1238 (no. 529).
[2]   MS. *eadem.*

528. *Charter of John Curtelone son of John Curtelone to William the clerk of Bristol confirming to him the land in the street of the cobblers below the Shambles (which lay behind Mary-le-Port Street) lying between the land held by Thomas the cordwainer and William Walerand, extending at the rear to St Mary's cemetery. His grandfather, William Curtelone, had held this land. William the clerk is to hold this land freely as the charters issued to him by Mary Curtelone, William's mother, and William Curtelone, his elder brother, attest, and he has given 1 robe in recognition. (Mid-thirteenth century; ? after 1254.)*[1]

Sciant presentes et futuri quod ego Johannes Curtulune filius Johannis Curtelune concessi et hac presenti carta confirmavi Willelmo clerico de Bristoll' et heredibus vel assignatis suis pro me et heredibus meis inperpetuum totam illam terram cum pertinenciis [suis] in Bristoll' [f. 186] que jacet in vico sutorum [subtus] macecrariam inter terram que fuit Thome le cordiwanarii et terram que fuit Willelmi Walerand et extenditur a vico anterius usque ad cimiterium ecclesie Beate Marie posterius, que quidem terra fuit Willelmi Curtelone avi mei, possidendam libere et quiete et integre inperpetuum sicut carte Marie matris mee et Willelmi fratris mei primogeniti quas predicto Willelmo inde fecerunt plenius testantur. Pro hac siquidem concessione mea et confirmatione dedit michi predictus Willelmus unam robam de recognitione. Unde ut hec mea concessio et confirmatio rata et stabilis permaneat presens scriptum sigilli mei inpressione confirmavi. *Testibus.*

¹ This charter is probably later in date than no. 525.

529. *Charter of Margery, widow of John Curtelone, to William clerk of Duireham granting him the land which her husband John held and gave her in dower, lying in the street of the cobblers, between the land held by Thomas the cordwainer and William Walerand. It belongs to the fee of John le Veske, to whom William owes a rent of 40s, 2s for John's use, and 38s for St Augustine's. He also owes one pair of gloves or ½d to Margery's eldest son William. For this grant William the clerk has paid 100s to Margery and half a mark to buy a cloak, and has given robes worth half a mark to her sons William and John. Dated Monday (24 May 1238) before the feast of St Augustine, 22 Henry III.*

Sciant presentes et futuri quod ego Margeria[1] relicta Johannis Curtelune concessi et inperpetuum quietam clamavi Willelmo clerico de Duireham[2] totam terram cum edificiis et pertinenciis suis ante et retro quam Johannes vir meus quondam tenuit et quam michi dedit in dotem. Que quidem terra jacet in vico sutorum in Bristoll' de feudo Johannis le Veske, que terra jacet inter terram que fuit Thome le cordiwan' ex una parte et terram que fuit Willelmi Walerand. Habendam et tenendam ipsi Willelmo[3] et heredibus suis sive attornatis suis, libere et quiete integre bene et in pace inperpetuum. Reddendo inde annuatim dicto Johanni le Veske quadraginta solidos sterelinguorum, scilicet ad opus suum proprium duos solidos, et abbati Sancti Augustini triginta octo solidos ad quatuor terminos annis, videlicet ad festum Sancti Michaelis decem solidos et ad Nathale [Domini] decem solidos et ad Pascha decem solidos et ad festum Sancti Johannis Baptiste decem solidos, et Willelmo filio meo primogenito unum par cyrotecarum vel obolum, videlicet ad festum Sancti Michaelis, pro omni servicio et exactione[4] ad nos pertinente. Pro hac autem concessione et quieta clamatione dedit michi predictus Willelmus centum solidos sterelinguorum et Willelmo filio meo et Johanni fratri suo duas robas de dimidia marca, et michi insuper dedit dimidiam marcam ad unum pallium emendum. Quod ut ratum et stabile [f. 186v.][5] perseveret inperpetuum hec cartam sigilli mei inpressione corroboravi. Facta autem hec carta et solutio de dicto pallio die lune proxima ante festum Sancti Augustini anno regni regis Henrici filii regis *Johannis* xxii.[6] *Testibus.*

Marginal note: redditus xxxviij s'.

[1] Margery seems to be the Mary of earlier charters (nos. 522–4).

[2] The place-name form suggests Dyrham; for Durdham, in Redland, a spelling with a *d* would seem more likely. But he is the same man as William the clerk of Bristol.

[3] MS. *Willelmus.*

[4] MS. *actione.*

[5] Rubric: *Bris'*. The rubricator has adopted a different form of rubric, with *Bris'* on the verso, followed by *Bristoll'* on the following recto. This continues from f. 186v. to f. 200v.

[6] The dating clause is inverted. MS. has *anno regni regis filii Henrici regis J. xxii.*

530. *Charter of Mary, widow of John Curtelone, confirming to William the clerk of Bristol all her rights in the land in the street of the cobblers, lying between the land held by Thomas the cordwainer and William Walerand. This property had come to her husband by hereditary right from his father William Curtelone. It is free of any claim except 2s to John le Veske and 38s to St Augustine's which she and her husband's predecessors had paid. For this grant William has paid her 100s and a cloak. (c. 1238 × 55.)*[1]

Sciant presentes et futuri quod ego Maria relicta Johannis Curtelone de Bristoll' in libera viduitate mea dedi et concessi et hac mea carta confirmavi Willelmo clerico de Bristoll' totum jus et clamium quod habui vel habere potui in terra mea cum pertinenciis in Bristoll' que jacet inter terram que fuit Thome cordiwan' in vico sutorum subtus macecrariam Bristolli [et terram] que fuit Willelmi Walerand, que quidem terra descendit predicto Johanni quondam viro meo jure hereditario ex parte Willelmi Curtelone patris sui. Que quidem terra extenditur a vico anteriori usque ad cimiterium Beate Marie posterius. Habendam sibi et heredibus vel assignatis suis quibuscumque voluerint absque omni reclamatione mei et omnium meorum inperpetuum, salvis annuatim Johanni le Veske et heredibus suis quibuscumque voluerit absque omni reclamatione mei et omnium meorum duobus solidis, salvis etiam abbatie Sancti Augustini de Bristoll' annuatim triginta et octo solidis, sicut ego et predecessores predicti Johannis[2] viri mei reddere consuevimus. Pro hac autem donatione et concessione mea dedit michi predictus Willelmus centum solidos et unum pallium premanibus. Unde ut hec mea donatio et concessio rata et stabilis permaneat presens scriptum sigilli mei inpressione corroboravi. *Testibus.*

[1] John was dead by 27 May 1238 (no. 529).

[2] MS. *predictis Johanni.*

531. *Charter of Jordan le Veske to William Curtelone confirming the land in the street of the cobblers next to the land of William the cordwainer, with 3 shops on the street, and the land which belonged to the house of Nicholas Miparty, for a rent of 40s. William may alienate the holding but Jordan and his heirs shall have the right to buy back the land for 1 bezant less than to others. On any succession William's heirs will render 1 pound of pepper as relief. William has paid him a gold coin in recognition. (c. 1238 × 55.)*

Sciant presentes et futuri quod ego Jordanus le Veske dedi et concessi et presenti carta confirmavi Willelmo Curtelune et heredibus suis quandam terram in vico sutorum proximam terre Willelmi cordiwanarii, videlicet tres seldas[1] in fronte, cum tota terra que pertinebat ad mansum Nicholai Miparti. Habendam et tenendam prefato Willelmo et heredibus suis de me et heredibus meis libere et quiete integre et honorifice et in concusse. Reddendo inde annuatim michi et heredibus meis post me xl solidos pro omni servicio ad quatuor terminos [f. 187][2] anni, videlicet x solidos in Pascha, et x solidos in Nativitate Beati Johannis Baptiste.[3] Pro hac autem donatione et concessione dedit michi prefatus Willelmus auri[4] de recognitione. In mutatione vero dominorum heredes ipsius Willelmi dabunt michi vel heredibus meis unam libram piperis de relevamine. Unde ego et heredes mei warantizare debemus prefatam terram prefato Willelmo Curtelone et heredibus suis contra omnes homines et omnes feminas qui sunt vel esse poterunt. Licet etiam sepedicto Willelmo Curtelune vel heredibus suis terram preassignatam dare vel vendere inpignorare vel excambire cuicumque voluerint, salvo predicto me vel heredum[5] meorum redditu. Ita tamen quod michi vel heredibus meis prius offeratur pro minori precio quam aliquis aliis dare voluerit, scilicet de i bezantio. Quod ut magis ratum et stabilis permaneat et inconcussum presentem cartam sigilli mei inpressione dignum duxi corroborandum. T*estibus*.

[1] MS. *solidos*.
[2] Rubric: *Bristoll'*.
[3] The remaining terms, Michaelmas and Christmas, have been omitted.
[4] Presumably intended for *aureum*.
[5] MS. *heredes*.

532. *Charter of Alice, widow of Maurice de Berkeley, to St Augustine's granting in free alms, with the assent of her son Robert de Berkeley, the house and land in Redcliffe Street which Maurice bought from Ralph Thuremund and gave to her. The text is taken from the original charter. (After 1190.)*[1]

Omnibus sancte matris ecclesie fidelibus ad quos presens carta pervenerit . Aelesia[2] de Berkelai salutem . Sciatis quod dominus meus Mauricius dedit michi quandam domum et terram in vico de Redeclive ex parte Avane quam ipse emit de Rad*ulfo* Thuremund . Et ego pro salute mea . et liberorum nostrorum et omnium parentum nostrorum predictam domum cum terra dedi et concessi ecclesie Sancti Augustini et canonicis ibidem deo servientibus in liberam et perpetuam elemosinam Robe*rto* de Berk'[3] filio meo concedente liberam et quietam ab omni seculari servicio excepto landgabulo[4] . Et hanc donationem eisdem canonicis presenti carta . et sigilli mei inpressione confirmavi. His Testibus[5] . domino Robe*rto* de Berk' . Hugone le Petit . Philippo de Berkelai . Reginaldo . et Ric*ardo* . capellanis . magistro Petro de Paris . Waltero Blundo.

Original charter BCM, SC no. 58. Single fold, parchment tag, seal. Endorsed (1) Carta domine Adelesie de terra et domo de Radecliva. (2) .g. .iiij. (3) (*Modern*) For the Soul. (4) (Jeayes) S 58.

Calendared: Jeayes, *Select Charters*, pp. 25–6, no. 58.

Marginal notes: (1) Carta de ten' novo constr' in Rediclyv'. (2) (*Modern*) Alicia uxor Maur' domini Berkeley.

¹   Maurice de Berkeley died in 1190. Robert de Berkeley, who assented to and attested this charter, died in 1221.   ² *Alesia*, Cartulary.
    ³ *Berkele*, Cartulary.   ⁴ *langabulol*, Cartulary.   ⁵ *T*[*estibus*], Cartulary.

533. *Charter of Alice, widow of Maurice de Berkeley, granting her son Thomas in fee and heredity the land in Redcliffe Street which she bought from Alsi de Baton', and which Gerard son of Richard the smith held of her. Thomas is to pay 12d for landgavel. (After 1190.)*¹

Omnibus Christi fidelibus ad quos presens carta pervenerit Aelisia que fuit uxor Mauricii de Berkel', salutem. Noveritis me terram meam in vico de Redeclive quam emi de Alsi de Baton'² quam Girardus filius Ricardi fabri de me tenuit dedisse et concessisse Thome filio meo pro homagio et servicio suo. Habendam sibi et heredibus suis in feudo et hereditate libere et quiete integre et honorifice. Reddendo inde annuatim pro omni servicio xii denarios de langabulo [f. 187v.]³ excepto regali servicio. Et ut hec donatio et concessio firmissime et stabilis robur obtineat eam sigilli mei inpressione corroboravi. *Testibus.*

¹   Maurice de Berkeley died in 1190.
²   If Alsi was a local burgess, he may have been linked with Barton.   ³ Rubric: *Bristoll'*.

534. *Charter of Elias son of Norman of Trivel to St Augustine's quitclaiming his house beyond the abbey, next to the house of Robert le Bulur, which he had formerly held of the abbey. The grant is not formally described as in free alms, but the only service due for it is the canons' prayers, with three half pence to be paid to Richard son of Arthur for landgavel. (? Before 1250.)*¹

Omnibus Christi fidelibus ad quos presens scriptum pervenerit Elyas filius Normanni de Trivela, salutem in domino. Noverit universitas vestra me concessisse dedisse [et] quietam et absolutam clammasse deo et ecclesie Sancti Augustini de Bristoll' et canonicis regularibus ibidem deo servientibus domum meam ultra abatiam que sita est juxta domum quam tenet Robertus le Bulur, quam etiam domum de dictos canonicos tenere consuevi. Ita quod dicti canonici nec michi nec alicui heredum meorum pro dicta domo aut terra in aliquo respondeant nisi soli deo in orationibus, salvis tamen tribus obolis Ricardo filio Arturi et heredibus suis singulis annis in festo Sancti Michaelis pro langabulo persolvendis. Quod ut ratum perpetuo perseveret presens scriptum sigilli mei appositione duxi roborandum. *Testibus.*

¹   A Robert le Bole, or le Bulle, occurs in charters issued not later than 1248 and *c.* 1250–1 (*St Mark's Cartulary*, pp. 107, 109, nos. 154, 159).

535. *Charter of Thomas son of Michael issued with the assent of his wife Leticia to Hermer the mason, of Redcliffe, granting him half an acre of land on the*

Redcliffe bank of the river, between two plots of land held by John, clerk of Redcliffe, above the mill, to be held in fee and heredity. The other half of this acre was held by John, clerk of Redcliffe. Hermer owes a rent of 8d a year, and has paid 2s in recognition. (c. 1208 × 27.)[1]

Sciant presentes et futuri quod ego Thomas filius Michaelis assensu et voluntate Leticie uxoris mee concessi et hac mea carta confirmavi Hermero sementario de Radecliva illam dimidiam acram terre super rupe Radeclive cujus acre medietatem tenuit Johannes clericus de Radeclive, que predicta dimidia acra jacet inter duas terras ejusdem Johannis supra molendinum. Habendam et tenendam predictam dimidiam acram terre eidem Hermero et heredibus suis de me et uxore mea et heredibus nostris in feudo et hereditate inperpetuum. Reddendo inde annuatim ille et heredes sui michi et uxori mee et heredibus nostris viii denarios esterlingorum ad quatuor terminos anni, videlicet ad festum Sancti Michaelis ii denarios, ad Nathale Domini ii d*enarios*, ad Hockeda ii d*enarios*, ad Nativitatem Sancti Johannis ii d*enarios* pro omni servicio et exactione ad me et ad heredes meos pertinente. Et licet eidem Hermon et heredibus suis de predicta dimidia acra terre placitum suum[2] facere in omnibus, salvo redditu supradicto per annum. Pro hac autem concessione ac confirmatione memoratus Hermerus dedit michi et uxori mee duos solidos de recognitione. Quare ego Thomas et uxor mea Leticia et heredes nostri debemus warantizare predictam dimidiam acram terre sepedicto Hermero et heredibus [f. 188][3] suis contra omnes homines et feminas. T*estibus*.

Marginal note (in rubricator's hand, or similar hand): Carte de terra nostra super Redcleveshull juxta Tryvelmylles.

[1] John the clerk of Redcliffe occurs in 1208 (*Pleas before the King or his Justices, 1198–1212*, iv, ed. D. M. Stenton, Selden Soc., 84, 1967, pp. 49, 53, 66, nos. 2955, 3008, 3128, 3164. For the later limit see no. 536.

[2] MS. *tuum.*   [3] Rubric: *Bristoll'.*

536. *Charter of William son of Hermer the mason to St Augustine's granting in free alms the land which his father had held, lying above Redcliffe near Trivel mills, between the land of William Veirchild and the mills. He also confirms the little plot of land which his brother Nicholas bought from Hugh the servant of John some time vicar of St Mary's, Redcliffe. The canons are responsible for 11d to the capital lords, made up of 8d to the heirs of Thomas Michel, and 3d to Hugh for landgavel. (Second quarter of the thirteenth century.)*[1]

Omnibus Christi fidelibus ad quos presens scriptum pervenerit Willelmus filius Hermeri cementarii, salutem in domino. Noveritis me pro salute anime mee patris mei et matris mee antecessorum et successorum meorum dedisse et concessisse et hac presenti karta mea confirmasse deo et ecclesie Sancti Augustini de Bristoll' et canonicis regularibus ibidem deo servientibus totam illam terram meam cum pertinenciis suis supra Redeclivam proximam molendinis de Trivel que jacet inter terram Willelmi Veirchild et molendina de Trivel quam quidem pater meus jure perpetuo tenuit. Dedi et concessi et presenti carta mea confirmavi eisdem canonicis illam terrulam meam que jacet juxta predictam terram quam Nicholaus frater meus emit de Hugone serviente Johannis quondam vicarii ecclesie Beate Marie de Redecliva. Tenendas et habendas sibi inperpetuum de me et de heredibus meis libere et quiete integre et pacifice sicut liberam puram et perpetuam elemosinam. Ita quod nec michi nec alicui heredum meorum vel alicui alii inde respondeant nisi soli deo in orationibus, salvis capitalibus dominis singulis annis undecim denariis, videlicet heredibus Thome Michel octo denarios duobus terminis persolvendis, scilicet quatuor denarios in festo Sancti Michaelis et quatuor ad Hockedai, et Hugoni predicti terminis supradictis duobus[2] persolvendis tribus denariis pro langabulo. Ego vero et heredes mei predictas terras cum omnibus pertinenciis suis supradictis canonicis contra omnes homines et feminas warantizare debemus inperpetuum. Et ut hec mea donatio et concessio rata et stabilis permaneat presenti scripto sigillum meum est appensum. *Testibus*.

[1]   John the clerk of Redcliffe had either died or he may have moved to a new appointment. Thomas Michel is presumably the Thomas son of Michael, of Redcliffe, who occurs in a final concord dated 16 February 1227 (*Som. Fines*, p. 56). That would place the charter in the second quarter of the thirteenth century.   [2] *terminis* repeated.

537. *Charter of William of Cardiff to St Augustine's, confirming with the assent of his wife Roesia the gift which William Hermer had made of land above Trivel mills near Redcliffe. (c. 1214 × c. 1249.)*[1]

Sciant presentes et futuri quod Willelmus de Hardif voluntate et assensu Roeysie uxoris mee concessi et presenti scripto confirmavi canonicis Sancti Augustini de Bristoll' illam donationem et concessionem quam Willelmus Hermeri fecit eisdem canonicis de quadam terra cum pertinenciis suis, que quidem terra jacet supra molendina de Trivel juxta Radeclivam. Ita quod dicti canonici dictam terram cum omnibus pertinenciis suis habeant et teneant inperpetuum, libere et quiete integre et pacifice sicut carta dicti Willelmi dictis canonicis super dicta terra confecta plenius [f. 188v.][2] et melius testatur. Quod ne in posterum devocetur indubium presenti scripto sigillum meum duxi apponendum. *Testibus*.

[1]   William of Cardiff witnesses a charter of Geoffrey de Mandeville, earl of Essex and Gloucester, between 1214 and 1216 (*EGC*, p. 36, no. 8), and occurs (as William de Ardif) with his wife Roesia in a dispute with Maurice de Berkeley settled in 1249 (*Som. Fines*, p. 131).
[2]   Rubric: *Bristoll'*.

538. *Charter of Hugh of Blagdon to Nicholas son of Hermer the mason, granting him, with the assent of his lord John of Redcliffe the chaplain, the corner of land on the Trivel, near the mill, between the Trivel road and the land of Nicholas, who is to pay an annual rent of 3d and has paid 26d as an entry fine. John has given the land to Hugh. (Second quarter of the thirteenth century.)*[1]

Sciant presentes et futuri quod ego Hugo de Blocdune concessi et assensu domini mei Johannis de Radecliva capellani dedi concessi et hac mea carta confirmavi

Nicholao filio Hermeri sermentarii illam terram meam angularem super Trivele que est proxima molendino inter viam de Trivele et terram ipsius Nicholai. Habendam et tenendam ipsi[2] Nicholao et heredibus suis vel quibuscumque eam dare vel assignare voluerit de me et heredibus meis libere et quiete inperpetuum. Reddendo inde singulis annis michi et heredibus meis iii denarios ad duos terminos anni, scilicet ad festum Sancti Michaelis iii obolos, ad Hockedai iii obolos pro omnibus serviciis et demandis ad nos pertinentibus. Et sciendum est quod predictus Johannes de Radecliva eandem particulam terre michi dedit pro servicio meo. Pro hac autem donatione et concessione mea dedit michi predictus Nicholaus xxvi denarios de introitu. Quare ego Hugo et heredes mei debemus warantizare dictam terram angularem predicto Nicholao et heredibus suis ut predictum est contra omnes homines et feminas. Quod ut magis ratum et stabile permaneat ego Hugo sigilli mei inpressionem[3] huic carte mee apposui. Testibus.

1 No. 535 offers a slight indication of date.
2 MS. *ipsius* altered to *ipsi*.
3 MS. *inpressione*.

539. *Charter of Baldwin son of Richard of Wilton, burgess of Bristol, to Hugh Dagun of Bristol granting him land lying between the land of Gilbert the tanner and William the hooper; it extends to the moat of Bristol castle. Hugh is to render a pair of white gloves to Baldwin, and 2d to St Peter's church for incense, and has paid 20s as an entry fine. (Second quarter of the thirteenth century, before 1245.)*[1]

Sciant presentes et futuri quod ego Baldwinus filius Ricardi de Wiltone burgensis Bristoll' dedi et concessi et hac presenti carta mea confirmavi Hugoni Dagun de Bristoll' [totam illam terram . . .][2] videlicet inter terram Gileberti tann' et[3] terram Willelmi circularii; que terra continet in parte anteriori viginti pedes et in eadem latitudine se extendit usque ad fossatum castri Bristoll'. Habendam et tenendam dictam terram dicto Hugoni Dagun et heredibus suis de me et de heredibus meis, libere et quiete pacifice et honorifice hereditabiliter et inconcusse inperpetuum. Reddendo inde annuatim michi vel heredibus meis ad festum Sancti Michaelis unam pariam albarum cirotecarum, et duos denarios ecclesie Sancti Petri Bristoll' ad incensum emendum, pro omnibus serviciis querelis et demandis ad me vel ad heredes meos pertinentibus. Licet etiam predicto Hugoni Dagun et heredibus suis vel attornatis suis de dicta terra facere totum [f. 189][4] libitum illorum salvo redditu supradicto per annum. Pro hac autem concessione et donatione mea dedit michi predictus Hugo Dagun viginti solidos de introitu. Quare ego Baldwinus et heredes mei dictam terram dicto Hugoni Dagun et heredibus suis vel attornatis suis contra omnes homines et feminas warantizabimus inperpetuum. Et quod hec mea donatio et concessio firma et stabilis permaneat presentem cartam sigilli mei inpressione corroboravi. Testibus.

1 The date of nos. 539–41 can be suggested only in tentative terms. Roger Waspail, the most prominent figure named in them (no. 540), belonged to a family which used the name Roger over several generations. One Roger held 5 fees of the earldom of Gloucester in 1166 (*RBE*, p. 289), a tenure attested in the later twelfth and early thirteenth centuries. In February 1233 Roger Waspail,

son of another Roger, had seisin of his father's lands (*Excerpta e Rot Fin.* i, p. 236). The Roger named in this charter is probably one of these two men. Richard of Pisa, who is named in no. 541, attests a charter issued before *c.* 1244 (*St Mark's Cartulary*, p. 95, no. 135), and a meadow which he had formerly held was used to define property in a deed ascribed to *c.* 1235–45 (ibid. p. 249, no. 413). A date in the 1230s is not unlikely.

   [2]   Part of the definition of this land has been omitted here.

   [3]   MS. adds *inter*.   [4]   Rubric: *Bristoll'*.

540. *Charter of Ivo Fresel, the draper, to Hugh Dagun, the butcher, confirming to him the land south of St Peter's church lying between the land held by his brother Hugh and the castle moat. Roger Waspail, had granted this land to Ivo by charter; it was part of the fee of the canons of Keynsham. Hugh is to enjoy it with all the liberties of the barony of Bristol. Hugh owes Ivo a rent of 8s and has paid half a mark as an entry fine; on any succession his heirs shall pay half a pound of cumin as relief. He may alienate the land, except to a religious house or to the Jews. If the land is sold, Ivo retains the right of pre-emption for 15 days at a price 1 bezant less than to others. (Second quarter of the thirteenth century, before 1245.)*[1]

Sciant presentes et futuri quod ego Yvo Fresel draparius de Bristollo dedi concessi et hac mea presenti carta[2] confirmavi Hugoni Dagun carnifici totam illam terram in australi parte ecclesie Sancti Petri qui est inter terram que fuit Hugonis fratris mei et fossatum castelli; quam vero terram dominus Rogerus Waspail michi incartavit, que est de feudo canonicorum de Keinsham. Habendam et tenendam cum pertinenciis suis ipsi Hugoni et heredibus suis in feodo et hereditate de me et de heredibus meis, bene et in pace cum omnibus libertatibus et liberis consuetudinibus que ad terram baronie in Bristollo pertinet inperpetuum. Reddendo inde singulis annis michi et heredibus meis octo solidos sterelingorum ad quatuor terminos anni, videlicet ad Nativitatem Sancti Johannis Baptiste ii solidos, ad festum Sancti Michaelis ii solidos, ad Nathale Domini ii solidos, ad Pascha ii solidos. Et in mutatione heredum dicti Hugonis dimidiam libram cymini de relevio, pro omnibus serviciis et demandis ad nos pertinentibus. Licet etiam predicto Hugoni Dagun et heredibus suis totam predictam terram dare vel invadiare aut excambire cuicumque voluerint preter quam viris religionis aut Judeis, salvo nobis redditu predicto per annum. Set si eam vendere voluerint erimus nos inde propinquiores de quodam bizantio quam omnes alii. Nos etiam venditionem illam impedire non possumus ultra proximos xv dies postquam nobis oblata fuerunt. Pro hac autem donatione et concessione mea dedit michi predictus Hugo dimidiam marcam argenti de introitu. Unde ego Yvo Fresel et heredes mei warrantizabimus totam predictam terram sepedicto Hugoni et heredibus suis contra omnes homines et [f. 189v.][3] feminas, sigillo illud affirmante, cujus inpressione presens scriptum meum sigillavi. T*estibus*.

   [1]   See no. 539.   [2]   *mea* repeated.   [3]   Rubric: *Bris'*.

541. *Charter of Hugh Dagun, burgess of Bristol, to St Augustine's, granting in free alms the land near St Peter's church which he holds, lying between the*

castle and the land of Laurence the vintner. The canons are responsible for an
annual payment of 7s 2d to Richard of Pisa and of 10d to Keynsham abbey.
(Second quarter of the thirteenth century, before 1245.)[1]

Sciant presentes et futuri quod ego Hugo Dagun burgensis Bristoll' pro salute
anime mee uxoris mee et liberorum nostrorum dedi concessi et hac presenti carta
mea confirmavi deo et ecclesie Beati Augustini de Bristollo et canonicis
regularibus ibidem deo servientibus in liberam puram et perpetuam elemosinam
totam illam terram meam cum omnibus suis pertinenciis que jacet inter castellum
Bristolli ex parte orientali et terram que fuit Laurencii le vinder' ex parte
occidentali juxta ecclesiam Beati Petri. Tenendam et habendam de me et
heredibus vel assignatis meis [sibi] et successoribus suis inperpetuum libere et
quiete integre et pacifice sicut liberam puram et perpetuam elemosinam. Ita quod
inde dicti canonici et eorum successores in nullo alicui mortalium inperpetuum
respondeant nisi soli deo pro me et meis in orationibus suis, exceptis septem
solidis et duobus denariis Ricardo de Pisa et heredibus ejus annuatim pro dicta
terra solvendis ad quatuor anni terminos, scilicet ad festum Sancti Michaelis
viginti et uno denarios et obolum, ad Pasca viginti [et] uno denarios et obolum, et
ad festum Nativitatis Beati Johannis Baptiste viginti et uno denarios et obolum,[2]
et abbati et conventui de Kaynesham singulis annis decem denarios in festo
Sancti Michaelis, pro omnibus serviciis exactionibus et demandis ad dictos[3]
Ricardum de Pisa et heredes suos et abbatem et conventum de Kaynesham
pertinentibus. Ego vero et heredes mei vel assignati mei totam prenominatam
terram cum omnibus pertinenciis dictis canonicis et eorum successoribus contra
omnes mortales inperpetuum warantizabimus et de omnibus acquietabimus et
defendemus. In cujus rei testimonium presenti scripto sigillum meum apposui.
Testibus.

[1] See no. 539.   [2] The Christmas term has been omitted.   [3] MS. *dictas.*

542. *Charter of Thomas the cordwainer son of Roger the cordwainer, living*
outside Lawfords gate, confirming to William the marshal of Mary-le-Port Street
the croft opposite Thomas's house, next to the land held by Richard Petit, on the
lane leading to Stapleton. William owes a rent of 6d. Thomas and his heirs will
be responsible for landgavel. William has paid 7s to Thomas as an entry fine
and 1d to each of his sons, Nicholas, Richard, and Ralph in recognition. (After
1230; perhaps c. 1234 × c. 1245.)[1]

Sciant presentes et futuri quod ego Thomas Corduan' filius Rogeri Corduan'
extra portas Laffardi tradidi et concessi et hac mea carta confirmavi Willelmo
marescallo de vico Sancte Marie illam croftam meam extra portam que jacet ex
opposito domus mee juxta venale qua vertitur versus Stapilton', proxima terre
que fuit Ricardo Petit, cujus latitudo continet quinque viginti pedes et octo in
parte [f. 190][2] subteriori et longitudo quatuor viginti et duos pedes. Habendam et
tenendam ipsi Willelmo et heredibus suis quibuscumque voluerit in feudo et
hereditate de me et de heredibus meis libere et quiete inperpetuum. Reddendo

inde annuatim michi et heredibus meis sex denarios sterelingorum ad duos terminos anni, scilicet ad Pascha iii d*enarios* et ad festum Sancti Michaelis iii d*enarios* pro omnibus serviciis et demandis ad nos pertinentibus. Et nos de langabulo terre illius respondebimus. Pro hac autem traditione et confirmatione mea dedit michi predictus Willelmus septem solidos sterelingorum de introitu et Nicholao filio meo i d*enarium* et Ricardo filio meo i d*enarium* de recognitione et Radulfo filio meo [i denarium] de recognitione. Quare nos et heredes nostri warantizabimus predictam croftam ut predictum est prefato Willelmo et heredibus suis contra omnes homines et feminas. Unde sibi cartam presentem sigillo meo munitam in testimonium commisi. T*estibus*.

Marginal note: (*Modern*) Laffard' gate.

¹   Thomas occurs after 1230 (no. 491); he also occurs in a charter assigned to 1234 × *c*. 1245 (*St Mark's Cartulary*, p. 43, no. 40); the later limit is not secure.

²   Rubric: *Bristoll'*.

543. *Charter of Walter the tanner son of William the marshal to Thomas of Banwell, the miller, granting in fee and heredity, with the assent of his wife Dionisia, his land beyond Lawfords gate in the suburb of Bristol which lies opposite the house held by Thomas the cordwainer on the road to Stapleton. Thomas and his heirs shall render annually a pair of white gloves to Walter and his heirs, and a payment of 6d to the heirs of Thomas the cordwainer; Thomas has paid 2 marks as an entry fine. (Second quarter of the thirteenth century.)*[1]

Sciant presentes et futuri quod ego Walterus tainator filius Willelmi marescalli ex assensu et concensu Dionisie uxoris mee dedi et concessi et hac mea presenti carta confirmavi Thome de Banewelle molendinario totam illam terram meam cum suis pertinenciis extra portam Laffardi in suburbio Bristoll' que jacet ex opposito domus que fuit Thome corduanarii [in vico] que vertitur versus Stapiltone proxima terre que fuit Ricardi Petit, cujus terre longitudo continet quatuor viginti pedes et duos pedes et latitudo quinque viginti pedes et octo in parte subteriori. Habendam et tenendam totam illam predictam terram cum omnibus pertinenciis suis dicto Thome et heredibus suis vel assignatis suis de me et de heredibus meis in feudo et hereditate, libere quiete et integre inperpetuum. Reddendo inde annuatim michi et heredibus meis ipse Thomas et heredes sui vel assignati sui unum par cirotecarum albarum ad Pascha et heredibus Thome corduanarii filii Rogeri corduanarii sex denarios per annum ad duos anni terminos, scilicet ad Pascha iii denarios et ad festum Sancti Michaelis iii denarios pro omni servicio [et] exactione et pro omnibus querelis et demandis ad nos et ad heredes nostros pertinentibus. Pro hac autem donatione et concessione et presentis carte mee confirmatione dedit michi predictus Thomas duas marcas sterelinguorum [f. 190v.]² de introitu. Quare ego³ Walterus et heredes mei warantizabimus dicto Thome et heredibus suis et assignatis suis totam predictam terram cum omnibus pertinenciis suis contra omnes homines et feminas inperpetuum per servicium predictum. Unde sibi cartam presentem sigillo meo munitam in testimonio commisi. T*estibus*.

[1] Thomas the cordwainer occurs after 1230 (nos. 491, 542), and in 1238 (no. 529); William the marshal attests a charter assigned to 1234 × c. 1245 (*St Mark's Cartulary*, pp. 42–3, no. 39).
[2] Rubric: *Bris'*.
[3] MS. adds *et*.

544. *Charter of Alice, widow of Thomas the miller of Banwell to St Augustine's granting the land she has outside Lawfords gate in the suburb of Bristol on the road to Stapleton, opposite the house of Thomas the cordwainer son of Roger the cordwainer. The canons are to render to Walter the tanner and his heirs 1 pair of white gloves or 1d, and 6d to Thomas the cordwainer. (Second quarter of the thirteenth century.)*

Sciant presentes et futuri quod ego Alicia quondam uxor Thome molendinarii de Banewell' dedi et concessi et hac presenti carta mea confirmavi ecclesie Sancti Augustini de Bristoll' et canonicis regularibus ibidem deo servientibus totam illam terram meam cum omnibus suis pertinenciis extra portam Laffardi in suburbio Bristoll', que jacet ex opposito domus que fuit Thome corduanarii in vico qui tendit versus Stapiltone, et est proxima terre que fuit Ricardi le Petit, cujus terre longitudo continet quatuor viginti et duos pedes et latitudo quinque viginti pedes et octo in parte subteriori. Habendam et tenendam totam illam predictam terram cum omnibus pertinenciis suis memoratis abbati et conventui de me et heredibus meis libere et quiete integre et pacifice inperpetuum. Reddendo inde Waltero tannatori et heredibus suis singulis annis in Pascha unum par cirotecarum albarum vel unum denarium[1] et heredibus Thome corduanarii filii Rogeri corduanarii per annum sex denarios ad duos anni terminos, videlicet ad Pascha iii d*enarios* et in festo Sancti Michaelis iii denarios pro omnibus serviciis et demandis ad me vel ad heredes meos pertinentibus. Ego vero et heredes mei totam predictam terram cum omnibus suis pertinenciis supradictis abbati et conventui contra omnes homines et feminas inperpetuum warantizabimus acquietabimus et defendemus. Et ut hec mea donatio et concessio perpetue stabilitatis robur obtineat eam presenti scripto sigilli mei inpressione roborato duxi confirmandum. T*estibus*.

Marginal note (in rubricator's hand or similiar hand): de terra extra portam Laffardi.

[1] This alternative was not included in no. 543.

545. *Charter of Alice, widow of Richard Crispin, to St Augustine's confirming in free alms the land she holds outside Lawfords gate, with its houses and curtilages. The holding is not described, and no further payments are specified. (Probably early thirteenth century.)*[1]

Sciant presentes et futuri quod ego Alicia relicta Ricardi Crispin in ligia viduitate et libera potestate mea dedi concessi et hac presenti carta mea confirmavi deo et ecclesie Sancti Augustini de Bristoll' et canonicis regularibus ibidem deo servientibus in liberam puram et [f. 191][2] perpetuam elemosinam totam terram meam cum domibus et curtillagiis et omnibus aliis pertinenciis suis memoratis canonicis et eorum successoribus quam habui extra portam Laffardie. Habendam et tenendam predictam terram cum domibus curtillagiis et aliis pertinenciis suis memoratis canonicis et eorum successoribus inperpetuum de me et heredibus meis libere quiete bene in pace et integre. Ita ut nulli omnino hominum in aliquo respondeant nisi soli deo in orationibus. Ego vero Alicia et heredes mei prefatam terram cum domibus curtillagiis et aliis pertinenciis suis ut dictum est memoratis canonicis et eorum successoribus contra omnes mortales ut puram et perpetuam elemosinam de omnibus rebus que quocumque modo inde exigi poterunt warantizabimus acquietabimus et defendemus inperpetuum. Et ut hec mea donatio et concessio perpetuo perseverat presens scriptum sigilli mei inpressione roboravi. T*estibus.*

Marginal note: Carta de diversis terra et domibus extra portam Laffardi.

[1]   The charter may be assigned to a period of growth in this suburb.   [2]   Rubric: *Bristoll '.*

546. *Charter of Walter, abbot of Tewkesbury, to Roger the chaplain, kinsman of Richard the priest of St Werburgh's, granting him land on the bank of the Avon in Worship Street* (Spudeshipestreta), *lying between the land held by William the ropemaker and Athelicia Pultram. The monks received it by gift of Henry Cumin, and Stephen Chele held it of them. Roger is to pay 5s annually to the priory of St James of Bristol, a cell of the abbey, and to be responsible for 3¾d for landgavel. On any succession his heirs shall render 1 pound of cumin as relief. (1203 × 14.)*[1]

Notescat[2] presentibus et futuris quod ego W*alterus* dei gratia abbas de Teukesburi et conventus de communi concensu concessimus Rogero capellano cognato Ricardi sacerdotis de Sancta Wareburg' et heredibus suis illam terram in Bristoll' super ripam Avene in Spudeshipestreta,[3] que jacet inter terram que fuit Willelmi Cordarii et terram que fuit Athelicie Pultram, quam habemus de dono Henrici Cumin, quam etiam Stephanus Chele de nobis tenuit. Habendam et tenendam de nobis et de ecclesia nostra libere et quiete. Reddendo inde singulis annis ecclesie Sancti Jac*obi* de Bristoll' cellule nostre quinque solidos pro omni servicio et querela et exactione, ad Nathale scilicet Domini xv denarios, ad Nathale Sancti Johannis Baptiste xv denarios, ad Pascha xv d*enarios*, et ad festum Sancti Michaelis xv d*enarios*. Idem vero Rogerus et heredes sui predictam terram annuatim de langabulo scilicet de tribus denariis et tribus quadrantis acquietabunt, et in mutatione heredum heredes prefati Rogeri successive dabunt nobis et predicte ecclesie nostre de Bristoll' unam libram cimini de relevio. Memoratus autem Rogerus nobis fidem prestitit quod predictum redditum statutis terminis nobis fideliter persolvet. Quod ut ratum permaneat et in concussum presentis carte testimonio [f. 191v.][4] et munimine duximus confirmare. T*estibus.*

[1]   Abbot Walter was consecrated on 12 August 1203 and died 7 May 1214 (D. Knowles, C. N. L. Brooke, and V. C. M. London, *Heads of Religious Houses England and Wales 940–1216*, 1972, p. 73; *Annales Monastici*, ed. H. R. Luard, Rolls Series, 1864, i, pp. 57, 61).

[2]   The scribe wrote *notescat*, and the rubricator added a capital N.

[3]   MS. *inspudeshipestreta.*   [4]   Rubric: *Bris '.*

547. *Charter of Roger son of William the cordwainer, rector of St Mary-le-Port, Bristol, to Dionisia daughter of William of Abbotstone (Hants.) confirming all his land in Worship Street, which he bought from Roger formerly dean of Bristol. Dionisia is to pay annually to the lord of the fee 3¾d for landgavel and to the priory of St James, Bristol, 5s. For this grant Dionisia has given him her land in Dublin: land near the new gate which William of Abbotstone held of Robert la Warre and a rent of 21d from land in the suburb of Dublin which William Pollard held of William of Abbotstone near the bridge of the Ostmen. (Early thirteenth century.)*[1]

Sciant presentes et futuri quod ego Rogerus filius Willelmi corduanarii rector ecclesie Sancte Marie in Bristoll' dedi et concessi et hac presenti carta mea confirmavi Dionisie filie Willelmi de Albedestone et heredibus ejus totam illam terram meam in Bristoll' cum edificiis et aliis pertinenciis in Wrþslipestret quam emi de Rogero quondam decano Bristoll'. Habendam et tenendam predicte Dionisie et heredibus ejus libere et quiete plenarie et integre inperpetuum. Reddendo inde annuatim domino fundi tres denarios et tres quadrantes de langabulo ad Hockedai, et priori Sancti Jacobi Bristoll' quinque solidos ad quatuor terminos anni, scilicet ad festum Sancti Michaelis quindecim denarios, ad Pascha quindecim denarios, ad Nathale Domini quindecim denarios,[2] pro omni servicio querela et demanda ad predictam terram pertinenti.[3] Pro hac autem donatione et concessione mea dedit et concessit predicta Dionisia michi Rogero et assignatis[4] meis totam terram suam in Dublinia versus novam portam quam predictus Willelmus de Albedestone tenuit de Roberto la Warre et heredibus suis per liberum servicium unius cimini libri vel duorum denariorum annuatim reddendorum [...] et heredibus ipsius Roberti la Warre[5] ad festum Sancti Michaelis pro omni servicio et demanda ad illam terram pertinente. Et preterea viginti et unum denariorum redditus annuatim ad Pascha percipiendi de quadam terra in suburbio Dubl' quam Willelmus Pollard de Dublin tenuit de predicto Willelmo de Abbedestone versus pontem Ostinanorum. Quare ego Rogerus et assignati mei warantizabimus predicte Dionisie et heredibus ejus totam predictam terram cum edificiis et pertinenciis contra omnes homines et feminas inperpetuum per predictum . Quod ut ratum et stabile perseveret sigilli mei inpressione presens scriptum corroboravi. *Testibus.*

Marginal note: ij s' priori Sancti Jacobi.[6]

[1]   William of Abbotstone occurs in 1194 (*PR 6 Richard I*, PRS, NS, 5, p. 240). This charter comes from the next generation.

[2]   The fourth term, the Nativity of John the Baptist, has been omitted.

[3]   MS. *pertinente.*

[4]   *suis* written and expuncted for deletion.

[5]   MS. adds *et heredibus suis (sic) Roberti la Warre.*

[6]   There is a discrepancy between the 5s of the text and the 2s of the marginal note.

548. *Charter of Alexander the furrier (or trimmer) of Bristol and Dionisia his wife to St Augustine's granting in free alms their land between the cemetery of St*

Mary-le-Port and the Avon. The canons are to pay 5s a year to the priory of St James, and 3¾d to the capital lord for landgavel. (? Early thirteenth century.)[1]

Omnibus Christi fidelibus ad quos presens scriptum pervenerit Alexander parmentarius de Bristoll' et Dionisia uxor ejus, salutem in domino. Noverit universitas vestra nos unanimi voluntate et ascensu [f. 192][2] dedisse concessisse et hac presenti karta nostra confirmasse deo et ecclesie Beati Augustini de Bristoll' et canonicis regularibus ibidem deo servientibus et eorum successoribus inperpetuum in liberam puram et perpetuam elemosinam totam illam terram nostram cum omnibus edificiis et pertinenciis suis que jacet inter cimiterium ecclesie Beate Marie in burgo Bristoll' et Abbanam. Tenendam et habendam de nobis et heredibus vel assignatis nostris sibi et successoribus suis inperpetuum, libere et quiete bene et in pace sicut liberam et perpetuam elemosinam. Reddendo inde annuatim monachis ecclesie Beati Jacobi Bristolli quinque solidos sterelingorum ad quatuor anni terminos, videlicet ad Pascha quindecim denarios, in Nativitate Beati Johannis Baptiste quindecim denarios, in festo Sancti Michaelis quindecim denarios, et in Nathale Domini quindecim denarios pro omnibus serviciis et secularibus demandis ad dictos monachos pertinentibus, et tres denarios et tres quadrantes capituli domino pro langabulo. Nos vero Alexander et Dionisia et heredes vel assignati nostri totam prenominatam terram cum omnibus edificiis et pertinenciis suis contra omnes mortales [predictis] canonicis et eorum successoribus warantizabimus acquietabimus et defendemus in omnibus inperpetuum. Quod ne in posterum devocetur indubium presenti scripto sigilla nostra apposuimus. T*estibus*.

[1] There are signs that this charter was given a rubric, but it is badly faded and illegible.
[2] Rubric: *Bristoll'*.

549. *Charter of Philip the wheelwright and his wife, Eve daughter of Llywelyn the mercer to St Augustine's granting in free alms the land which they held of the canons near Blindgate (St John's Gate).*[1] *The canons are to pay 1½d for landgavel.*[2]

Rubric: Carta Philippi rotarii et Eve uxoris ejus de terra juxta portam cecam Bristoll'.

Omnibus Christi fidelibus presens scriptum visuris vel audituris Philippus rotarius et Eva filia Leolwin le mercer uxor ejus, salutem in domino. Noverit universitas vestra nos unanimi voluntate et ascensu dedisse concessisse et hac presenti karta nostra confirmasse deo et ecclesie Beati Augustini de Bristoll' et canonicis regularibus ibidem deo servientibus et eorum successoribus inperpetuum in liberam puram et perpetuam elemosinam totam illam terram cum edificiis et omnibus aliis pertinenciis suis juxta portam cecam Bristolli quam de dictis canonicis aliquando tenuimus. Ita quod dicti canonici et eorum successores dictam terram cum edificiis et omnibus aliis pertinenciis suis habeant et teneant inperpetuum plene et integre bene et in pace sicut liberam puram et perpetuam elemosinam nulli omnino hominum inde in aliquo responsuri nisi soli deo in orationibus, excepto langabulo trium obolorum. Et [f. 192v.][3] nos dictam terram cum edificiis et omnibus aliis pertinenciis suis memoratis canonicis et eorum successoribus contra omnes mortales inperpetuum warantizabimus acquietabimus et defendemus. In cujus rei testimonium presenti scripto sigilla nostra apposui fecimus. T*estibus*.

¹ [1] Roger Leech places this on the north side of (Narrow) Wine Street (Leech, *Topography*, p. 186). That would place the Blind gate as a gate in the old wall of the borough.
[2] The formal structure of this charter may suggest a date early in the thirteenth century.
[3] Rubric: *Bris'*.

550. *Charter of Jordan Germund to St Augustine's granting in free alms rents to maintain his anniversary, when 30 paupers were to be fed: a rent of 10s which he received from land in Redcliffe held by Geoffrey of Filton, lying between the land held by Roger Tomkin and Thomas Harang, and a rent of 4s which he received from land in Temple Street, lying between the land of Hugh the smith and Richard de Stnguewill', which Jordan of Cardiff held of the fee of Berkeley. He also granted the relief of 1 bezant due from the heirs of Geoffrey of Filton. (Late twelfth or early thirteenth century.)*[1]

Sciant presentes et futuri quod ego Jordanus Germundi dedi concessi et hac presenti carta mea confirmavi deo et ecclesie Sancti Augustini de Bristoll' et canonicis regularibus ibidem deo servientibus in puram et perpetuam elemosinam, ad anniversarium meum singulis annis cum evenerit in ecclesia sua faciendum, et ad tresdecim pauperes in hospitio suo ipso die anniversarii perpetuo pascendos, decem solidos quos annuatim percipere consuevi ad duos terminos anni, scilicet ad Pascha tres solidos et ad festum Sancti Michaelis tres solidos, de terra quam Galfridus de Filton' tenuit. Que quidem terra jacet in vico de Redecliva in parte orientali inter terram que fuit Rogeri Thomekin et terram que fuit Thome Harang', et extenditur a platea anteriori usque ad commune fossatum posterius. Et quatuor solidos quos percipere consuevi ad duos terminos anni, scilicet in Nativitate Sancti Johannis Baptiste duos solidos et ad Nathale Domini duos solidos, de quadam terra quam Jordanus de Kerdif tenuit de feudo domini de Berkel' in vico Templi, in parte occidentali inter terram que fuit Hugonis fabri et terram que fuit Ricardi de Stnguewill', et extenditur a placea anteriori usque ad communem fossatum posterius. Dedi etiam dictis canonicis relevium unius bizantii quod michi debebatur et assignatis meis in mutatione singulorum heredum et assignatorum memorati Galfridi de Filton' pro memorata terra. Quod ne inposterum devocetur indubium presenti scripto sigillum meum apposui. T*estibus*.

Marginal notes: (1) vj s' redditus assis' in Redclifstrete. (2) iiij s' redditus assis' in vico Templi.

[1] Jordan Germund and Jordan of Cardiff occur in 1207 and 1208 (*PR 9 John*, PRS, NS, 22, p. 218; *PR 10 John*, PRS, NS, 23, p. 21.)

551. *Charter of Alwine the carpenter to St Augustine's, confirming in free alms all his land, rents, and possessions in the suburb of Bristol in Woodwell Street. (Second quarter of the thirteenth century.)*[1]

Notum sit tam presentibus quam futuris quod ego Alewinus carpentarius pro salute anime mee et omnium antecessorum et successorum meorum dedi concessi et hac mea presenti carta confirmavi deo et ecclesie Sancti Augustini de Bristoll' et canonicis regularibus ibidem deo servientibus in liberam puram et perpetuam elemosinam omnes terras redditus et possessiones cum omnibus earum pertinenciis quas tenui in suburbio Bristoll' [f. 193]² in vico de Wodewelle.³ Tenendas et habendas sibi et successoribus suis inperpetuum libere et quiete integre et pacifice. Ita quod michi nec heredibus meis nec alicui alii in aliquo pro dictis terris redditibus aut possessionibus sint respondentes nisi soli deo in orationibus. Ego vero et heredes mei omnia predicta memoratis canonicis contra omnes gentes warantizabimus acquietabimus et defendemus. Et quia volo quod hec mea donatio et concessio rata et stabilis permaneat inperpetuum eam presenti scripto sigilli mei appositione roborato duxi confirmandum. *Testibus.*

¹ Alwine attests a charter of an Abbot William (1234 × 64) (*St Mark's Cartulary*, pp. 39–40, no. 39; the editor assigned it to 1234 × *c.* 1245.   ² Rubric: *Bristoll'.*
³ Woodwell Street or Woodwell Lane, on the boundary of Bristol, lay along the line of Jacob's Wells Road on the southern slope of Brandon Hill.

552. *Charter of Alwine the carpenter to St Augustine's quitclaiming all right in the lands, rents, and possessions which he had held of the canons in the suburb of Bristol. (Second quarter of the thirteenth century.)*

Notum sit¹ universis presens scriptum visuris vel audituris quod ego Alewinus carpentarius sponte et absolute resignavi remisi et quietum clamavi pro me et heredibus meis inperpetuum abbati et conventui Sancti Augustini de Bristoll' totum jus quod habui vel aliquo modo habere potui vel debui in omnibus² terris redditibus et possessionibus cum eorum pertinenciis quas in suburbio Bristoll' de prefatis canonicis tenui. In cujus rei testimonium presenti scripto sigillum meum apposui. Valete.

¹ MS. *Noverit universi.* Conflicting forms of words have been used in this address. *Notum sit universis* or *Noverit universitas vestra* may have been intended.
² *red* written after *omnibus* and erased.

553. *Charter of John de St John to John le Franceys granting him in fee and heredity all the land which John de St John's grandfather John le Veske had held in Wine Street, lying between the land once held by Robert Sprud and Richard Cofin. John le Franceys is to hold the land for a rent of 24s and has paid 1 gold bezant as an entry fine; on any succession his heirs shall render annually 1 pound of pepper in recognition. (Late twelfth or early thirteenth century.)*¹

Sciant tam presentes quam futuri quod ego Johannes de Sancto Johanne dedi et concessi et presenti carta confirmavi Johanni le Franceis et heredibus suis totam terram quam Johanne le Veske avus meus tenuit in vico de Winchestret' inter terram que fuit Roberti Sprud et terram que fuit Ricardi Cofin. Habendam et tenendam de me et de heredibus meis sibi et heredibus suis in feudo et hereditate, libere quiete et integre. Reddendo inde michi et heredibus meis annuatim xxiiii[or] solidos in quatuor terminis anni, videlicet in Nathale Beati Johannis, in festo Sancti Michaelis, in Nathale Domini, et Paschate.[2] Prefatus vero Johannes dedit michi de introitu unum bizantium auri, et heredes ejus in mutatione heredum dabunt michi et heredibus meis unam libram piperis de recognitione. Ut autem hec mea donatio firma et stabilis permaneat eam presenti scripto et sigilli mei appositione confirmavi. *Testibus.*

[1] The donor looks back to the time of his grandfather John le Veske, and to Robert Sprud and Richard Cofin, tenants who were contemporaries of Robert fitz Harding and Earl William of Gloucester. Richard Cofin junior occurs in a final concord dated 23 November 1192, and Richard Cofin senior is identified as his uncle (*Historia et Cartularium Monasterii Sancti Petri Gloucestriae*, ed. W. H. Hart, Rolls Series, i, 1863, p. 172, no. XLV). That would place the older Richard somewhere near 1150–60.   [2] No quarterly figure is stated.

554. *Charter of John le Veske son of John le Veske, burgess of Bristol, granting to the sons of John le Franceys, Peter, Thomas, and John, that they should hold the land in Wine Street which their father had held of John le Veske in fee and heredity, paying an annual rent of 24s and on any succession 1 pound of cumin as relief. In accordance with John le Franceys's will the land is to be divided, half to the eldest son Peter and half to Thomas and John. They may sell the land, but John le Veske is to have first refusal at a preferential price. (Mid-thirteenth century.)*[1]

Sciant presentes et futuri quod ego Johannes[2] le Veske filius Johannis [f. 193v.][3] le Veske burgensis de Bristollo dedi et concessi liberis Johannis Franci de Bristollo, videlicet Petro Thome et Johanni, et eorum heredibus vel assignatis totam terram meam in Winchestret' quam Johannes Francis[4] prenominatus pater predictorum liberorum de me tenuit per cartam meam in feudo et hereditate. Habendam et tenendam prenominatis P*etro* et Thoma et *Johanni* et heredibus vel assignatis suis de me et successoribus meis libere quiete plenarie integre et honorifice. Reddendo inde annuatim michi et successoribus meis viginti quatuor solidos in quatuor terminos anni, videlicet in vigilia Nathali Domini sex solidos, et [in] vigilia Pasche sex solidos, in vigilia Beati Johannis Baptiste sex solidos, et in die Beati Michaelis sex solidos pro omni servicio et demanda et exactione que ad me et successores meos pertineant. In mutatione vero heredum ex utraque parte vestri prefati P*etrus* et Th*omas* et *Johannes* et heredes eorum vel assignati dabunt michi vel successoribus meis unam libram cimini de relevio. Prefati vero P*etrus* et Th*omas* et *Johannes* fidem prestiterunt de redditu prenominato michi et successoribus meis fideliter persolvendo. Et sciendum quod predicta terra sic partita est inter prenominatos P*etrum* et Th*omam* et *Johannem* in testamento Johannis Franci patris eorum: quod eorum major natu, scilicet[5] Petrus, et heredes vel assignati sui medietatem totius predicte terre versus occidentem jure hereditario possidebunt. Reliqui vero, scilicet Th*omas* et *Johannes* et heredes vel assignati sui residuam ejusdem terre partem obtinebunt. Et liceat prenominatis P*etro* et Th*ome et Johanni* et heredibus vel assignatis suis prenominatam terram dare vendere vel inpignorare vel in testamento relinquere quibuscumque voluerint[6] salvo redditu prenominato. Hoc tamen excepto quod si eam vendere voluerint michi vel successoribus meis prius offeratur pro minori pretio quam aliis [. . .][7] vendicione per me vel successores meos perseveret eam presenti carta et sigilli mei inpressione confirmavi. *Testibus.*

[1] The Le Franceys family was established by an immigrant from France. An Everard le Franceys was active in Bristol by 1220 (no. 123); as nos. 554–7 demonstrate, John le Franceys and his sons, Peter, Thomas, and John, were securely though perhaps modestly established. Between 1284 and 1294 two members of the family held the office of mayor (*St Mark's Cartulary*, p. 285). John and his sons may be placed in the middle decades of the thirteenth century. It might be expected that John's will would be carried out through the agency of his kindred. One possible explanation is that John le Franceys may have married a daughter of John le Veske, and that Peter, Thomas, and the younger John were John le Veske's grandsons. The charter has some curious features, and presents a mixture of formal and informal elements. The regular payments are identified for the whole tenement, and are not divided specifically into smaller payments due from individual brothers for different parts of the tenement, though each brother has undertaken that the rent will be paid. Payment is to be made to John le Veske and his successors, not to his heirs and assigns. The phrase *in mutatione vero heredum ex utraque parte vestri* carries personal overtones; it does not appear to be a misreading of an impersonal phrase identifying heirs sprung from each of the brothers.
[2] MS. *Hannes.* There are several lapses in the transcription of this document.
[3] Rubric: *Bris'.*   [4] The scribe has written *tenuit* here and again later in the sentence.
[5] MS. adds *et.*   [6] *michi et successoribus meis* written and expuncted for deletion.
[7] The scribe has omitted the last part of one sentence and at least the first part of the sealing clause.

555. *Charter of Master Peter le Franceys of Bristol to St Augustine's confirming in free alms the land in Wine Street which his father John le Franceys had held of the abbey. It had originally been given to the abbey by Robert Sprud. He also grants his rights in the neighbouring plot of land which he held from John le Veske. (Mid-thirteenth century.)*[1]

Sciant presentes et futuri quod ego magister[2] Petrus Gallicus de Bristoll' pro salute anime mee et omnium antecessorum et benefactorum meorum dedi et concessi et presenti karta mea confirmavi deo et ecclesie Beati Augustini de Bristoll' et canonicis regularibus ibidem deo servientibus in liberam puram et perpetuam elemosinam totam illam terram cum [f. 194][3] edificiis et ceteris pertinenciis suis in vico de Winchestret' apud Bristoll' quam Johannes Gallicus pater meus tenuit de ecclesia prenominata Sancti Augustini, quam quidem terram perhabuit predicta ecclesia de dono Roberti Sprud. Preterea dedi et concessi prefate ecclesie totum jus quod habui vel quocumque modo habere potui in tota illa terra cum suis pertinenciis quam tenui de Johanne le Veske et heredibus suis in Bristoll' supradicte terre proxima versus orientem, salvis redditibus pro predicta terra capitalibus dominis solvendis. Et quia volo quod hec mea donatio concessio et carte mee confirmatio rata et stabilis perpetuo perseveret presens scriptum sigilli mei inpressione duxi roborandum. *Testibus.*

Marginal note: terr' Lesuesqe.

[1] This is later in date than nos. 553 and 554.
[2] MS. *Mauricius.* For the correct reading, see no. 556.   [3] Rubric: *Bristoll'.*

556. *Charter of Joan daughter of Richard the cook,*[1] *formerly the abbot of St Augustine's cook, to Master Peter le Franceys, quitclaiming all her right to land in Wine Street which Richard held of Peter in fee. (Mid-thirteenth century.)*

Sciant presentes et futuri quod ego Johanna filia Ricardi coco concessi remisi et quietum clamavi pro me et heredibus [meis] magistro Petro Gallico et heredibus vel assignatis suis totum jus et clamium meum quod habui vel habere potui in totas terras cum edificiis et omnibus pertinenciis suis in villa de Bristoll' in vico de Winchestrete quas dictus Ricardus cocus, quondam cocus domini abbatis Sancti Augustini, de dicto magistro Petro Gallico inperpetuum feudum tenuit. Habendas et tenendas sibi magistro Petro Galligo et heredibus vel assignatis suis libere et quiete absque omni reclamatione vel calumpnia mei vel heredum meorum inperpetuum. In cujus rei testimonium huic scripto sigillum meum apposui. T*estibus*.

[1]   Richard the cook's trade-name became the surname Cokkes (cf. nos. 559, 560); that family held land and tenements in Wine Street in the later middle ages (Leech, *Topography*, pp. 174, 176, 177, 180).

557. *Charter of William of Hereford and Alditha his wife to Peter le Franceys, quitclaiming all right in the land in Wine Street which Richard the cook, formerly the abbot of St Augustine's cook, held of Peter in fee. (Mid-thirteenth century.)*

Sciant presentes et futuri quod ego Willelmus de Hereford' et Alditha uxor mea dedimus concessimus remisimus resignavimus et quietum clamavimus magistro Petro Gallico et heredibus vel assignatis suis et hac presenti carta nostra confirmavimus totum jus et clamium nostrum quod habuimus vel habere potuimus in totas terras illas cum edificiis et omnibus aliis pertinenciis suis quas Ricardus cocus quondam cocus domini abbatis Sancti Augustini de eodem magistro Petro Gallico inperpetuum feudum tenuit in villa de Bristoll' in vico de Winchestrete. In cujus rei testimonium huic scripto sigilla nostra apposuimus. Hiis testibus.

558. *Charter of Vincent the cordwainer brother and heir of Master Roger the cordwainer to St Augustine's recording a series of grants in Bristol: 1 mark rent of assise from land near All Saints' church which had belonged to his father Thomas the cordwainer; 4s 1d rent of assise in Temple Street made up of 12d from the land held by William Noreys, 12d from the land held by Jordan the skinner, 13d from the land held by Richard of Glastonbury the clerk, and 12d from the land held by William Mittehude son of Geoffrey Mittehude lying between the land held by Richard the draper and Elias the baker; land which Vincent held in Worship Street and in Mary-le-Port Street, lying between the land held by Osbert Nest and Walter the ropemaker, at an annual rent of half a mark to the monks of Kingswood abbey; a vacant plot in Mary-le-Port Street near St Mary's church between the land held by Robert Picard and that held by*

Thomas Mailledeu; the land in the market lying between the land of the abbey of Keynsham and that of Luke le curceler, at an annual rent of 1 pound of cumin annually to Keynsham abbey; and the land once held by Philip Long lying between Temple Street and St Thomas's Street, called Long Row. (c. 1250 × 70.)[1]

[f. 194v.][2] Sciant presentes et futuri quod ego Vincentius Cordewanarius frater et heres magistri Rogeri Cordewanarii pro salute anime mee patris mei et matris mee et omnium antecessorum et successorum meorum dedi concessi et hac mea presenti carta confirmavi deo et ecclesie Beati Augustini de Bristoll' et canonicis regularibus ibidem deo ministrantibus et eorum successoribus in liberam puram et perpetuam elemosinam unam marcam annui redditus assisa de terra que fuit Thome Cordewanarii patri mei, que jacet juxta ecclesiam Omnium Sanctorum ad quatuor terminos anni percipiendam. Insuper modo predicto dedi et concessi supranominatis canonicis quatuor solidos et unum denarium annui redditus assisi in vico Templi apud Bristollum, de terra que fuit Willelmi Norensis duodecim denarios, et de terra que fuit Jordani pelliparti duodecim denarios, de terra que fuit Rogeri de Glouastonia clerici tresdecim denarios, de terra que fuit Willelmi Mittehude filii Galfridi Mittehude duodecim denarios; que vero terra jacent inter terram que fuit Ricardi draparii et terram que fuit Helie pistoris. Preterea supradicto modo dedi dictis canonicis totam terram meam cum omnibus edificiis et ceteris omnibus pertinenciis suis tam in Wrtheslupestret' quam in vico Sancte Marie, que jacet inter terram que fuit Osberti Nest et terram que fuit Walteri Rop. Reddendo inde singulis annis abbati et conventui de Gingeswude unam dimidiam marcam argenti ad quatuor terminos anni. Dedi etiam eisdem canonicis sicut predictum est totam illam terram vacuam cum suis pertinenciis juxta ecclesiam Beate Marie in vico ejusdem Beate Marie Virginis que jacet inter terram Roberti Picard et terram que fuit Thome Mailledeu,[3] et extendit se a vico anterius usque ad terram que fuit Willelmi de Bruge posterius. Et totam illam terram in Feyria de Bristoll' que jacet inter terram que fuit abbatis et conventus de Kaynesham et terram que fuit Luce le curceler, quam aliquando Thomas tenuit pater meus. Reddendo inde singulis annis abbati et conventui de Kainesham unam libram cimini ad festum Sancti Michaelis pro omnibus serviciis et demandis; et totam illam terram cum suis pertinenciis que fuit aliquando Philippi Longi que jacet inter vicum Templi et vicum Sancti Thome [f. 195][4] que vocatur Lagerewe. Ego vero Vincentius et heredes mei omnes predictas terras redditus et possessiones contra omnes mortales supramemoratis canonicis warantizabimus et eos acquietabimus et defendemus. Et quod hec mea donatio et concessio rata et inconcussa permaneat presentem cartam sigilli mei munimine corroboravi. *Testibus.*

Marginal notes: (1) redditus assisus xiij s' iiij d' juxta ecclesiam Omnium Sanctorum. (2) Item iiij s' j d' redditus assisi in vico Templi. (3) Nota de diversis terris et domibus in vico Sancte Marie et Witheslupstrete pro redditus vj s viij d abbati et conventui de Kyngeswode. (4) Nota de vacuis terris datis in vico Beate Marie et in ffeiria. (5) Nota terris in Langerewe.

[1] The date is tentative. Walter Rop (le Ropere) occurs after 1255 (*St Mark's Cartulary*, pp. 91–2, no. 128); in another context he cannot be dated more precisely than *c.* mid-thirteenth century (*Bath Deeds*, p. 38, I, no. 61). Philip Long's son Thomas has been identified in the second half of the thirteenth century (ibid. p. 39, I, no. 63). These dates suggest that Vincent and Master Roger were sons of the Thomas the cordwainer who occurs before 1238.   [2] Rubric: *Bris'*.

[3] The name occurs as Maylledieu (*Accounts of the Constables of Bristol Castle*, ed. M. Sharp, BRS xxiv, p. 33, n. 37).   [4] Rubric: *Bristoll'*.

559. *Charter of Elias Noreys to St Augustine's granting in free alms the land in Redcliffe Street which was once held by his sister Galiena, lying between the land held by the prior of Bath and Nicholas the cooper. The canons owe 6d a year to Maurice de Berkeley and his heirs for landgavel, and 1 pound of pepper to the nuns of Buckland.[1] He also grants his 3 messuages on the great road from Redcliffe to Bedminster lying between the land held by Robert the plumber and Robert the cook, with a curtilage extending to the meadow of the hospital of St John of Bristol at Redcliffe. For this the canons will pay 14d a year to the heirs of Walter and 4d to the hospital of St John. (Mid-thirteenth century.)*[2]

Sciant presentes et futuri quod ego Elias Norensis dedi concessi et hac presenti karta mea confirmavi in liberam puram et perpetuam elemosinam pro salute anime mee et omnium parentum meorum deo et ecclesie Sancti Augustini de Bristoll' et canonicis regularibus ibidem deo servientibus et eorum successoribus inperpetuum totam terram meam in vico de la Redeclive que fuit quondam Galiene sororis mee cum omnibus edificiis et pertinenciis suis. Que quidem terram jacet inter terram prioris Bathon' ex parte una et terram Nicholai le cuppere ex altera. Reddendo inde singulis annis domino Mauricio de Berkel' et heredibus suis sex denarios pro langabulo, scilicet ad Hockedai tres denarios et ad festum Sancti Michaelis iii denarios et dominabus de Bocland' unam libram piperis in eodem festo Sancti Michaelis. Item dedi eisdem canonicis tria illa mesuagia mea in magno vico qui se extendit a la Redeclive versus Bedministriam cum omnibus pertinenciis suis, que sunt sita inter terram que fuit Roberti plumbarii ex parte una et terram que fuit Roberti cok ex altera, cum curtillagio extendente se a dictis mesuagiis usque ad pratum hospitalis Sancti Johannis Bristoll' de la Redeclive. Reddendo inde singulis annis decem et octo denarios, scilicet heredibus Walteri cum quatuordecim denariis, et hospitali Sancti Johannis Bristoll' quatuor denariis, duobus anni terminis supradictis. Tenendam et habendam sibi et successoribus suis inperpetuum libere et quiete ab omnibus serviciis secularibus sicut liberam puram et perpetuam elemosinam. Que quidem omnia premissa cum omnibus edificiis et pertinenciis suis dictis canonicis et eorum successoribus ego Elias et heredes vel assignati mei contra omnes homines et feminas inperpetuum warantizabimus acquietabimus et defendemus. In cujus rei [f. 195v.][3] testimonium presenti scripto sigillum meum apposui. T*estibus.*

Marginal note [f. 195]: redditus unius libre piperis solvendis [*sic*] dominabus de Boclande.

[1] Buckland, or Minchin Buckland, was an Augustinian priory, transferred to the Hospitallers *c.* 1180, for the sisters of that order.
[2] This charter was issued after the succession of Maurice de Berkeley in 1243.   [3] Rubric: *Bris'*.

560. *Charter of Nicholas Noreys, to Elias Noreys his brother, issued with the assent of John his son and heir, granting him 2 messuages and a curtilage on the road from Redcliffe to Bedminster. The messuages lie between the land held by Robert the plumber and Robert the cook, and the curtilage extends to the meadow of the hospital of St John. Elias is to hold them as his mother Mary had held them, paying landgavel to the capital lords. (Mid-thirteenth century.)*[1]

Sciant presentes et futuri quod ego Nicholaus Norensis voluntate et ascensu Johannis filii et heredis[2] mei dedi concessi et hac presenti carta mea confirmavi Elie Norensi fratri meo tota illa duo mesuagia in vico qui se extendit a Redecliva versus Bedministriam que sunt[3] sita inter terram que fuit Roberti plumbarii ex parte una et terram que fuit Roberti cok ex parte altera cum curtillagio extendente a dictis mesuagiis usque ad pratum hospitalis Sancti Johannis de Redecliva et omnibus aliis pertinenciis suis nullo jure michi et heredibus meis inde retento. Tenenda et habenda dicta mesuagia cum omnibus pertinenciis suis sibi et heredibus suis quibuscumque vel cuicumque ea[4] assignare voluerit adeo libere et quiete prout domina Maria mater mea ea aliquo tempore tenuit vel tenere potuit, salvo in omnibus dominis capitalibus langabulo debito et consueto. Et ut hec mea donatio et concessio rata et stabilis perseveret presens scriptum sigilli mei inpressione duxi roborandum. *Testibus.*

[1]   This may be similar in date to no. 559.
[2]   MS. *heredes.*   [3]   MS. *fuit.*   [4]   MS. *ei.*

561. *Charter of David Long son and heir of Thomas Long, sometime burgess of Bristol, to St Augustine's, confirming in free alms the rent of half a mark from land in Redcliffe Street once held by Robert the ropemaker. The money is to maintain an anniversary for Agnes wife of Philip Long, his grandfather, and to provide wine and fish for the occasion. (c. 1240 × 60.)*[1]

Sciant presentes et futuri quod ego Davit Longus filius et heres[2] Thome Longi quondam burgensis Bristoll' pro salute anime mee patris mei et matris mee et omnium antecessorum et successorum meorum dedi concessi et hac presenti carta mea confirmavi in liberam puram et perpetuam elemosinam deo et ecclesie Sancti Augustini de Bristoll' et canonicis regularibus ibidem deo servientibus dimidiam marcam annui redditus de terra quam Robertus Cordarius in vico de Redeclive apud Bristoll' quondam tenuit percipiendam, cum toto jure quod ego vel heredes mei umquam ullo modo habuimus vel habere potuimus. Habendam et tenendam de me et heredibus meis sibi et successoribus suis inperpetuum ad anniversariam Agnetis quondam uxoris Philippi Longi avi mei singulis annis perficiendam cum evenerit, et conventum dicti loci vino et pisce reficiendum. Ego vero et heredes mei predictam dimidiam marcam memoratis canonicis contra omnes mortales warantizabimus acquietabimus et defendemus. Et quare volo quod hec mea donatio et concessio rata et stabilis perpetuo perseveret presenti scripto sigillum meum apposui. *Testibus.*

[1]   Thomas Long was brother of Elias Long, who was alive in 1255 (no. 590) and who was mayor in 1244 and *c.* 1250 (*St Mark's Cartulary*, p. 283). They were grandsons of Philip Long, who should be placed in the late twelfth and early thirteenth centuries. Thomas attested charters in 1244 (ibid. p. 95, no. 136), between 1246 and 1250 (ibid. p. 185, no. 286), and in 1255–6 (*TBGAS*, 56, p. 170). He occurs in other deeds assigned to the 1240s.

[2]   MS. *Johannis*; in a slightly later hand this has been deleted and *heres* interlined.

562. *Charter of Thomas Mathias to Thomas Long son of Philip Long of Bristol confirming a rent of assise of 13s 8d in the parish of St James, made up of half a mark due from land held by John de Beuues, lying between land held by Richard de Beuues and William the tanner, and 7s from land in Broadmead held by Innocent the draper lying between the land held by Elias Aki and Henry Aylward. Thomas Long retains a rent of 1 pound of pepper and owes an annual render of a pair of white gloves or ½d. In Thomas Mathias's urgent necessity, Thomas Long had paid him 11 marks. (c. 1244 × c. 1256.)*[1]

[f. 197][2] Sciant presentes et futuri quod ego Thomas Mathias dedi et concessi et hac presenti carta mea confirmavi Thome Longo filio Philippi Longi de Bristoll' tresdecim solidatas et octo denarios redditus assisi in suburbio Bristoll', scilicet in parochia Sancti Jacobi prioratus, videlicet dimidiam marcham de terra que fuit Johannis de Beuues[3] que jacet inter terram que fuit Ricardi de Beuues ex una parte et terram que fuit Willelmi tannatoris ex altera, salvo inde annuatim redditu unius libre piperis heredibus Thome juvenis ad festum Sancti Michaelis, et septem solidatis redditus assisi de terra que fuit Innocentii draparii in lato prato que jacet inter terram que fuit Helie Aki et terram que fuit Henrici Ailward. Habendas et tenendas[4] dicto Thome Longo et heredibus suis vel assignatis suis de me et heredibus meis sive assignatis meis libere quiete pacifice et integre inperpetuum. Reddendo inde annuatim unum par albarum cyrotecharum vel unum obolum argenti michi vel heredibus meis ad festum Sancti Michaelis pro omnibus serviciis. Licet[5] autem predictis Thome Longo et heredibus suis vel assignatis suis predictos[6] redditus assisos dare vendere excambire vel alio quocumque modo alienare, salvis redditibus supradictis per annum. Pro hac donatione et presentis carte mee confirmatione dedit michi dictus Thoma Longus ad urgens negotium meum undecim marchas sterelinguorum. Quare ego Thomas Mathias et heredes mei vel assignati mei warantizabimus dicto Thome Longo et heredibus sive assignatis suis predictos tresdecim solidos et viii denarios redditus assisi contra omnes homines et feminas inperpetuum. Quod ut ratum et stabile semper perseveret presentem cartam sigilli mei inpressione pro me et heredibus meis roboravi. T*estibus*.

[1]   See no. 561 n. 1.   [2]   Rubric: *Bristoll'*. When the folios were numbered, no. 196 was omitted.
[3]   The name appears as Beaueys in *TBGAS*, 58, p. 237.
[4]   MS. *habendam et tenendam*.   [5]   MS. *Lice*.   [6]   MS. *predictas*.

563. *Charter of James la Warre to Thomas Long confirming the rent of assise of 6s which Robert Scot (Schoche) paid him for the land he held in the Parmentaria[1] lying between the land held by Thomas Mathias and Thomas*

Harsent. Thomas Long owes a rent of a pair of gloves or ½d annually. He may alienate the land but James has the right of first refusal. He has paid James 5 marks. (c. 1237 × 56.)[2]

Sciant presentes et futuri quod ego Jacobus la Warre dedi et concessi et hac mea carta confirmavi Thome Longo illos sex solidatos assisi redditus quos Robertus Schoche michi reddere consuevit annuatim de terra quam de me tenuit in parmentria[3] Bristoll'. Que quidem terra jacet inter terram que fuit Thome Mathias ex una parte et terram que fuit Thome ex altera parte Harsent. Habendos et tenendos[4] [f. 197v.][5] dictos sex solidos assisi redditus dicto Thome Longo et heredibus suis vel suis assignatis de me et heredibus meis libere quiete et integre in perpetuum. Reddendo inde annuatim michi et heredibus meis ipse Thomas et heredes et sui assignati unum par cirotecarum vel unum obolum in festo Sancti Michaelis pro omnibus serviciis exactionibus et demandis michi vel heredibus meis pertinentibus. Licet vero predicto Thome Longo et heredibus suis et assignatis dictos sex solidos assisi redditus vendere dare vel invadiare cuicumque voluerint, preterquam viris religiosis vel Judeis. Sed si dictos sex solidos assisi redditus vendere voluerint ego Jacobus la Warre et heredes mei et mei assignati inde erimus propinquiores omnibus aliis. Pro hac autem mea donatione et concessione dedit michi dictus Thomas Long' quinque marcas argenti premanibus. Quare ego Jacobus la Warre et heredes mei et mei assignati debemus warantizare contra omnes homines inperpetuum. Et ut hec mea donatio et concessio rata et stabilis permaneat presenti scripto sigillum meum apposui. T*estibus*.

[1] In a narrow sense this may be where the furriers or trimmers settled; in a wider sense it may be an area where clothiers settled.

[2] James la Warre was mayor in 1237 (*St Mark's Cartulary*, p. 282), and occurs in 1245 (*TBGAS*, 58, p. 242). The later limit is from Thomas Long's attestations. [3] MS. *inparmentria*.

[4] MS. *tenendo* with an *s* added later. [5] Rubric: *Bris'*.

564. *Charter of Thomas Mathias recording the sale of a rent of assise of 2 marks to Thomas Long and quitclaiming all right in the rent. It is due from the heirs of Richard the cook and the heirs of Roger Terri, from land in the Parmentaria in Wine Street, lying between the land once held by Robert Scot and Laurence the vintner. Of these 2 marks, a rent of 6s is due to the heirs of Saphir the widow. Thomas Long owes Thomas Mathias a render of a pair of gloves worth ½d, and for this sale and quitclaim he has paid 18 marks. (c. 1244 × c. 1256.)*[1]

Sciant presentes et futuri quod ego Thomas Mathias vendidi Thome Longo de Bristoll' et quietum clamavi pro me et heredibus meis inperpetuum duas marchas redditus assisi recipiendum annuatim de heredibus Ricardi coci et de heredibus Rogeri Terri ad quatuor terminos anni de terra cum pertinenciis suis in parmentria in Winchestrete Bristoll', que jacet inter terram que fuit aliquando Roberti Scot ex una parte et terram que fuit Laurencii le vindare ex altera parte; videlicet ad festum Sancti Michaelis dimidiam marcam, ad Nathale Domini dimidiam marcam, ad Pascha dimidiam marcam, et ad festum Sancti Johannis Baptiste dimidiam marcam; salvis tamen de dictis duabus marcis sex solidis[2] annuatim heredibus Saphiris vidue[3] ad duos terminos anni, videlicet ad festum Sancti Michaelis tres solidos et ad Hockedai tres solidos. Habendas et tenendas predictas duas marcas reditus assisi salvis predictis sex solidis reditus predicto Thome et heredibus suis et assignatis quibuscumque voluerit cum omni jure et clamio quod in dictis duabus marcis [f. 198][4] habui vel habere potui. Reddendo inde annuatim in festo Sancti Michaelis michi et heredibus meis unam par albarum cirotecarum de pretio unius oboli pro omnibus serviciis ad me vel ad heredes meos pertinentibus. Pro hac autem mea venditione et quieta clamatione dedit michi predictus Thomas Longus decem et octo marcas argenti premanibus. Quare ego Thomas et heredes mei debemus warantizare predicto Thome Longo et heredibus suis predictas duas marchas redditus assisi, salvis predictis sex solidis predictis heredibus Saphir' vidue,[5] contra omnes homines et feminas inperpetuum per servicium predictum. Et ut hec mea venditio et quieta clamatio rata stabilis et inconcussa inperpetuum permaneat presenti scripto sigillum meum apposui. *Testibus*.

[1] See no. 561.	[2] MS. *solidos*.	[3] MS. *videe*.
[4] Rubric: *Bristoll'*.		[5] MS. *videe*.

565. *Charter of Peter Long son of Thomas Long, burgess of Bristol, to St Augustine's, granting in free alms a number of rents in Bristol. The writer of the charter has abandoned formal prose, and lists various grants. In the first half of the list he notes the rent first, followed by the land from which it is due; in the second half he reverses this order. One rent is not ascribed to any holding. Most of the rents were acquired by Thomas Long as recorded in nos. 562–4. The abbey is said to acquire 2 marks and 10s 4d from property in Wine Street, 32d from property in the parish of St James, and half a mark from Broadmead subject to an annual render of 3 pairs of white gloves or 1½d to Thomas Mathias. (After 1256.)[1]*

Sciant presentes et futuri quod ego Petrus Longus filius Thome Longi burgensis Bristoll' dedi concessi et hac mea presenti carta confirmavi pro salute anime mee patris mei matris mee et omnium antecessorum et successorum meorum deo et ecclesie Beati Augustini de Bristoll' et canonicis regularibus ibidem deo servientibus et eorum successoribus duas marcas annui[2] redditus assisi in liberam puram et perpetuam elemosinam, scilicet de terra illa in Winchestrete que fuit Ricardi coci, et jacet inter terram que fuit aliquando Roberti Scoche ex una parte et terram que fuit Laurencii le vinder ex altera: decem solidos et iiii[or] denarios de terra que fuit Roberti Scoche in eodem vico, que jacet inter terram que fuit Thome Mathias ex una parte et terram que fuit Thome Harsent ex altera parte; triginta duos denarios in parochia Sancti Jacobi; de terra que fuit Johannis de Beuues, que jacet inter terram que fuit Ricardi de Beuues ex parte una et terram que fuit Willelmi tannator ex altera dimidiam marcam; de terra que fuit Innocentii draparii in la Brodemede que jacet inter terram que fuit Elie Aki ex parte una et terram que fuit Henrici Ailward ex altera septem solidos; ad duos terminos anni percipiendos, scilicet ad Pascha medietatem et alteram medietatem ad festum Sancti Michaelis; reddendo singulis anni Thome Mathias et heredibus suis tria paria albarum cirotecharum vel tres obolos in festi Sancti Michaelis pro [f. 198v.][3] omnibus serviciis exactionibus et secularis demandis. Ego vero Petrus et heredes mei omnes predictos redditus cum omnibus suis pertinenciis memoratis canonicis et eorum successoribus contra omnes mortales warantizabimus acquietabimus et defendemus inperpetuum. Et quia volo quod hec mea donatio concessio et carte mee confirmatio robur stabilitatis obtineat presentem cartam sigilli mei inpressione munivi. *Testibus.*

Marginal notes: (1) Nota de xxvj s' viij d' redditus assisi in Wynchestrete. (2) x s' iiij d' ibidem. (3) xxxij d' in parochia Sancti Jacobi. (4) vj s' viij d' in Brodemede. (5) vij s'.

[1]   Thomas Long was still alive in 1255–6 (no. 561).
[2]   MS. *anni.*   [3]   Rubric: *Bris'.*

566. *Charter of John Long son of Thomas Long, some time burgess of Bristol, to St Augustine's granting in free alms rents of assise in Gloucester: 2s from the house which William de Baili held in Longsmith Street; 3s from the house which Felicia widow of William of Worcester held in Travel Lane; 10s from two shops in Northgate Street, next to St Martin's church, 4s from one which Richard Pons held and 6s from one which Robert de Puteleye held. (After 1256.)*

Sciant presentes et futuri quod ego Johannes Longus filius Thome Longi quondam burgensis Bristoll' dedi concessi et hac presenti carta mea confirmavi pro salute anime mee patris mei et matris mee[1] et omnium antecessorum et successorum meorum deo et ecclesie Beati Augustini de Bristoll' et canonicis regularibus ibidem deo servientibus et eorum successoribus in liberam puram et perpetuam elemosinam duos solidos annui[2] redditus assisi in Smittestrete Closestrie de domo quam Willelmus de Baili tenuit que jacet inter burgagium Johannis Media et burgagium Johannis Swift, ad quatuor terminos anni annuatim percipiendos, scilicet ad festum Sancti Michaelis sex denarios, in Nativitate Domini sex denarios, ad Pascha sex denarios, et in Nativitate Beati Johannis Baptiste sex denarios. Item tres solidos annui redditus assisi de domo quam Felicia relicta Willelmi de Wigorn' tenuit in Traverlane que jacet inter domum quam Johannis Blakesmit tenuit et domum quam tenuit Walterus de Banebur', ad quatuor terminos anni percipiendos annuatim, videlicet in festo Sancti Michaelis novem denarios, in Nathale[3] Domini novem denarios, in Pascha novem denarios, et in Nathale Beati Johannis Baptiste novem denarios. Item decem solidos annui redditus assisi de duabus seldis proximis ecclesie Beati Martini in magno vico ex parte aquilonare dicte ecclesie [quarum] proximiorem Ricardus Pons tenuit solvendo inde quatuor solidos annuatim ad duos anni terminos, scilicet ad festum Sancti Michaelis duos solidos et ad Pascha duos solidos; et aliam seldam tenuit Robertus Puteleye, solvendo inde sex solidos annuatim ad quatuor anni terminos, scilicet ad festum Sancti Michaelis decem et octo denarios, in Nathale Domini decem et octo denarios, ad Pascha decem et octo denarios, et in Nativitate Beati

Johannis Baptiste decem et octo denarios. Ego vero Johannes et heredes mei omnes supra memoratos[4] redditus assisos contra omnes mortales predictis canonicis warantizabimus et eos in omnibus [f.199][5] inperpetuum acquietabimus et defendemus. Et ut hec mea donatio et concessio rata et inconcussa permaneat presentem cartam sigilli mei munimine roboravi. Testibus.

Marginal notes: (1) Redditus ass' in Glouc' ij s'. (2) Item iij s'. (3) Item x s'.

[1] MS. *me*.	[2] MS. *anni*.	[3] MS. *Nathalis*.
[4] MS. *memoratis*.		[5] Rubric: *Bristoll'*.

567. *Charter of David Long son and heir of Thomas Long, burgess of Bristol, to St Augustine's confirming in free alms rents of assise given to the abbey by his brother John Long: 40d from the land held by Robert Scot in Wine Street, lying between the land held by Thomas Mathias and Thomas Harsent, and 10s 4d from land in the Parmentaria in Wine Street held by Richard the cook and Roger Terri, lying between the land held by Robert Scot and Laurence the vintner, and 4s from land in Baldwin Street held by Nicholas the smith, lying between the land held by Roger de Berkham and William Blund. (After 1256.)*

Sciant presentes et futuri quod ego David Longus filius et heres Thome Long burgensis Bristoll' concessi et presenti carta mea confirmavi pro salute anime mee uxoris mee et liberorum nostrorum et omnium parentum meorum deo et ecclesie Beati Augustini de Bristoll' et canonicis regularibus ibidem deo servientibus et eorum successoribus in liberam puram et perpetuam elemosinam donationem quam frater meus Johannes Longus dictis canonicis fecit me annuente et carta sua confirmavit de quadraginta denariis annui[1] redditus assisi de terra que fuit Roberti Scoche in Winchestret in parmentaria Bristoll', que quidem terra jacet inter terram que fuit Thome Mathias ex parte una et terram que fuit Thome Harsent ex altera; et donationem ejusdem Johannis de decem solidis et quatuor denariis annui[1] redditus assisi in vico qui appellatur Winchestret in parmentaria Bristoll' de terra que fuit Ricardi coci et Rogeri Terri que jacet inter terram que fuit Roberti Scoche ex una parte et terram que fuit Laurencii le vindere ex altera; et donationem memorati Johannis de quatuor solidis annui redditus assisi in vico qui appellatur Baluonistret de terra que fuit Nicholai fabri que jacet inter terram que fuit Rogeri de Berkeham ex parte una et terram Willelmi Blundi ex altera; sicut carta dictis canonicis a memorato Johanne fratre meo confecta plenius testatur. Ego vero David et heredes mei omnes supramemoratos redditus assisos contra omnes mortales predictis canonicis warantizabimus et eos acquietabimus et defendemus in omnibus inperpetuum. Et ut hec mea concessio et confirmatio perpetua firmiter stabilitate [perseveret] sigilli mei munimine presens scriptum roboravi. Testibus.

Marginal notes: (1) iij s' iiij d' in Wynchestrete redditus assisi. (2) x s' redditus assisi ibidem. (3) iiij s' redditus assisi in Baluonistrete.

[1] MS. *anni*.

568. *Charter of John Long son of Thomas Long, burgess of Bristol, to St Augustine's granting in free alms rents of assise in Bristol: 40d from the land held by Robert Scot in Wine Street, in the Parmentaria, between the land held by Thomas Mathias and Thomas Harsent; 10s 4d from the land held by Richard the cook and Roger Terri in the same street, lying between the land held by Robert Scot and Laurence the vintner; 4s in Baldwin Street from the land of Nicholas the smith, lying between the land held by Roger de Berkham and William Blund. Small rents are due to the heirs of James la Warre and Thomas Mathias. (After 1256.)*

Sciant presentes et futuri quod ego Johannes Longus filius Thome Longi burgensis Bristoll' dedi concessi et hac mea presenti carta confirmavi pro salute anime mee et omnium antecessorum meorum et successorum deo et ecclesie Beati Augustini de Bristoll' et canonicis regularibus ibidem deo servientibus et eorum successoribus in liberam puram et perpetuam [f. 199v.][1] elemosinam quadraginta denarios annui redditus assisi de terra que fuit Roberti Scoche in Winchestret in parmentaria Bristoll', que quidem terra jacet inter terram que fuit Thome Mathias ex parte una et terra que fuit Thome Harsent ex parte altera, ad duos anni terminos percipiendos annuatim, videlicet ad Pascha viginti denarios et in festo Sancti Michaelis viginti denarios, reddendo inde annuatim unum quadrantem heredibus Jacobi la Warre in festo Sancti Michaelis; et decem solidos et quatuor denarios annui redditus in Winchestret in parmentaria Bristoll' de terra que fuit Ricardi coci et Rogeri Tyrri, que jacet inter terram que fuit Roberti Scoche ex una parte et terram que fuit Laurencii le vinder ex altera, ad duos anni terminos annuatim percipiendos, scilicet in Pasche quinque solidos et duos denarios· et in festo Sancti Michaelis quinque solidos et duos denarios, reddendo inde annuatim heredibus Thome Mathias unum quadrantem in festo Beati Michaelis; et quatuor solidos annui redditus assisi in vico qui appellatur Baluonistret de terra que fuit Nicholai fabri, que jacet inter terram que fuit Rogeri de Berham ex parte una et terram Willelmi Blundi ex altera, ad quatuor anni terminos annuatim percipiendos, videlicet in Pascha duodecim denarios, in Nativitatem Beati Johannis Baptiste duodecim denarios, in festo Sancti Michaelis duodecim denarios et in Nathale Domini duodecim denarios. Ego vero Johannes et heredes mei omnes supramemoratos redditus assisos contra omnes mortales predictis canonicis warantizabimus et eos acquietabimus et defendemus in omnibus inperpetuum. T*estibus*.

[1] Rubric: *Bris'*.

569. *Charter of Jordan son of Roger son of Farthen to John son of Selwyn, granting him in fee and heredity the land near St Augustine's lying between the land of Richard of Portbury and Adam son of Edwin of Barry. John is to pay a rent of 16d, and on any succession his heirs shall pay 14d for relief. Jordan reserves the right of first refusal if the holding is sold. (Late twelfth century.)[1]*

Sciant presentes et futuri quod ego Jordanus filius Rogeri filii[2] Fartheni dedi et concessi Johanni filio Selewini quandam terram apud Sanctum Augustinum proximam inter terram Ricardi de Porburi[3] et terram Ade filii Edwini de Barri, habendam et tenendam sibi et heredibus suis de me et heredibus meis in feudo et hereditate libere et quiete et hereditarie. Reddendo inde annuatim xvi denarios pro omni servicio, scilicet viii denarios ad Pascha et viii denarios ad festum Sancti [f. 200][4] Michaelis. Et in permutatione dominorum sive heredum dabit xiiii denarios de relevamine. Et licentiam habeat vendendi et invadiandi quicumque voluerit predictam terram salvo redditu meo, set ut michi prius offeretur pro eodem pretio quo aliquis aliis emere voluerit. Et ut hec mea donatio stabilis sit et firma sigillo meo confirmavi. Testibus.

[1] The simplicity of the document suggests an early date. Farthen could have lived as early as the reign of Henry I or Stephen. He may be the Farhem of Bristol whose descendants were active in Bath in the late twelfth and early thirteenth centuries. Farhem's grandson John sold land to David the chaplain of Bath, and between 1189 and 1223 his son Peter settled the land on a niece (Bath Deeds, p. 36, I, no. 49).

[2] MS. filius.   [3] MS. Porbiru.   [4] Rubric: Bristoll'.

570. *Charter of Jordan son of Roger son of Farthen to Richard of Portbury, granting him in fee and heredity land near St Augustine's lying between the land of John son of Selwyn and Silvester de Hanerford. Richard is to pay a rent of 12d, and on any succession his heirs shall pay 10d in relief. Jordan reserves the right of first refusal if the holding is sold. (Late twelfth century.)*

Sciant presentes et futuri quod ego Jordanus filius Rogeri filii Farthen dedi et concessi Ricardo de Porbiri quandam terram apud Sanctum Augustinum proximam inter terram Johannis filii Selewini et terram Silvestri de Hanerford, tenendam et habendam illi et heredibus suis de me et heredibus meis in feudo et hereditate libere et quiete [et] hereditarie. Reddendo michi annuatim xii denarios pro omni servicio, scilicet vi denarios[1] et ad festum Sancti Michaelis. Et in permutatione dominorum sive heredum dabit x denarios de relevamine. Et licentiam habeat vendendi et invadiandi cuicumque voluerit predictam terram salvo redditu meo, set ut michi prius offeratur pro eodem pretio quo aliquis alicui eam emere voluerit. Et ut hec mea donatio stabilis et firma sit sigillo meo confirmavi. Testibus.

[1] The first term, Easter, has been omitted.

571. *Charter of William son of Richard of Portbury to Caradog of St Augustine's granting him in fee and heredity his land near St Augustine's lying between the land of John son of Selwyn and Silvester de Hanerford. Caradog is to render annually a pair of white gloves and be responsible to the capital lord for 12d for landgavel and 10d for relief. Caradog may alienate the land; there is no bar on his freedom to sell as he wishes. (Late twelfth century.)[1]*

Sciant presentes et futuri quod ego Willelmus filius Ricardi Portbiri dedi et concessi et hac presenti carta mea confirmavi Craddoco de Sancto Augustino Bristoll' totam terram meam apud Sanctum Augustinum que jacet inter Johannis filii Selewini terram et terram Silvestri de Hanerford. Tenendam et habendam de me et de heredibus meis in feudo et hereditate libere quiete et pacifice cum edificiis in ea constructis et omnibus pertinenciis suis. Reddendo inde michi et heredibus meis in feudo et hereditate singulis annis unam par cirotecarum albarum in Pascha pro omnibus serviciis et demandis, salvis capitali domino singulis annis duodecim denarios de langabulo, videlicet sex denarios in Pascha et sex denarios in festo Sancti Michaelis. Et in permutatione[2] singulorum dominorum sive heredum decem denarios capitali domino pro relevio persolvendis. Licebit autem dicto Craddoc et heredibus suis predictam terram dare vendere vel invadiare vel excambire cuicumque [f. 200v.][3] voluerit, salvo michi redditu meo, et salvo principali domino langabulo et relevio suo sicut supradictum est. Ego vero et heredes mei dictam terram cum omnibus pertinenciis suis supradicto Craddocho et heredibus suis contra omnes homines et feminas warantizabimus inperpetuum. Et ut hec mea donatio et concessio rata et stabilis perpetuo perseveret presentem cartam sigilli mei inpressione roboravi. *Testibus.*

[1]   The names of those whose tenements are used to set the boundaries for this holding point to a twelfth-century date.
[2]   MS. *inpermutatione.*   [3]   Rubric: *Bris '.*

572. *Charter of William Selwyn to Caradog of St Augustine's granting him his land near St Augustine's, lying between the land held by Baldwin of Hereford, and the land which William had sold to Caradog of the fee of Geoffrey Langbord. It extends from the street back to the land of the monks of Neath. Caradog is to pay 5d annually for all services, and 16d to the capital lord for landgavel; he has paid 30s 6d as an entry fine, and he may alienate the land. (Late twelfth century.)[1]*

Sciant presentes et futuri quod ego Willelmus Selewi dedi concessi et hac presenti carta mea confirmavi Craddoco de Sancto Augustino totam illam terram meam cum suis pertinenciis versus Sanctum Augustinum in suburbio Bristoll' que jacet inter terram que fuit Baldewini de Harefordia et terram illam quam vendidi eidem Craddoco de feudo Galfridi Langbord. Et extendit se in longitudine de vico anteriori usque ad terram monachorum de Neth posterius. Habendam et tenendam totam illam predictam terram cum omnibus edificiis et pertinenciis suis dicto Craddoco et heredibus suis vel eorum assignatis de me et heredibus meis in feudo et hereditate libere et quiete pacifice et integre inperpetuum. Reddendo inde annuatim michi et heredibus meis ipse Craddocus et heredes sui vel eorum assignati quinque denarios argenti ad festum Sancti Michaelis pro omnibus serviciis querelis et demandis ad me et ad heredes meos pertinentibus, salvis tamen capitali domino singulis annis sexdecim denariis de langabulo, videlicet octo denarios ad Hockedai et octo denarios ad festum Sancti Michaelis. Licet etiam eidem Craddoco et heredibus suis et eorum assignatis totam predictam terram cum omnibus edificiis et pertinenciis suis dare vendere invadiare vel excambire cuicumque voluerint, salvo michi et heredibus meis supradicto redditu nostro per annum, et salvo capitali domino dicto langabulo. Pro hac autem donatione concessione et presentis carte mee confirmatione dedit michi predictus Craddocus triginta solidos esterlingorum et sex denarios de introitu. Quare ego Willelmus Selewy et heredes mei warantizabimus dicto Craddoco et [f. 201]² heredibus suis et eorum assignatis totam predictam terram cum omnibus edificiis et pertinenciis suis contra omnes homines et feminas inperpetuum per predictum redditum. Quod ut ratum et stabile permaneat &c. T*estibus*.

¹ See no. 571.   ² Rubric: *Bristoll' et Redelande*. On f. 201 *et* is repeated.

573. *Charter of John Marc to Robert Hod granting him a curtilage in Redland between the curtilages of Richard Bilhoc and David son of Elias Long, and which extends in the rear to the garden of Richard la Warre. Robert owes a rent of 2s 6d. (Mid-thirteenth century.)*¹

Sciant presentes et futuri quod ego Johannes Marc dedi et concessi et hac mea carta confirmavi Roberto Hod² totum illud curtillagium meum cum pertinenciis suis in Redelanda quod jacet inter curtillagium quod Ricardus Bilhoc de me ibidem tenet et curtillagium David filii³ Elie Longi, et extenditur a venella anterius usque ad gardinum Ricardi la Warre posterius. Habendum et tenendum sibi et heredibus vel assignatis suis de me et heredibus meis libere quiete et integre inperpetuum. Reddendo inde annuatim michi et heredibus meis duos solidos et sex denarios ad quatuor terminos anni, scilicet ad Pascha septem denarios et obolum, ad Nathale Sancti Johannis Baptiste septem denarios et obolum, ad festum Sancti Michaelis septem denarios et obolum, et ad Nathale Domini septem denarios et obolum pro omnibus serviciis et demandis ad me et ad heredes meos pertinentibus. Ego siquidem et heredes mei warantizabimus predicto Roberto et heredibus vel assignatis suis totum predictum curtillagium cum pertinenciis contra omnes homines et feminas inperpetuum per servicium predictum. Quod ut ratum et stabile permaneat presens scriptum sigilli mei inpressione corroboravi. T*estibus*.

¹ The date depends upon the use as boundaries of land held by Richard la Warre and David son of Elias Long. Richard occurs in the 1240s. David's father was still alive in 1256 (no. 590), but David himself could have been a householder during his father's lifetime.
² The scribe wrote *Hodere* and erased the second part of the name.   ³ MS. *filie*.

574. *Charter of Robert Hod to Geoffrey of Trivel, the miller, granting him his curtilage in Redland; it had formerly belonged to David son of Elias Long, and it lay between the curtilages of Richard Bilhoc and David son of Elias Long, and extended in the rear to the garden of Richard la Warre. Geoffrey owes a rent of 2s to the heirs of John Marc, and a second payment of 6d to the brothers and sisters of St Mary Magdalen, and he has given Robert 3 marks in recognition. (Mid-thirteenth century.)*

Sciant presentes et futuri quod ego Robertus Hod dedi et concessi et hac presenti carta mea confirmavi Galfrido de Trivele molendinario totum illud curtillagium quod fuit aliquando David filii Elie Longi et curtillagium meum cum pertinenciis suis in Redelanda, quod jacet inter curtillagium quod Ricardus Bilhoc tenuit et curtillagium quod fuit aliquando David filii[1] Elie Longi [et] extenditur a venella anterius usque ad gardinum Ricardi la Warre posterius. Habendum et tenendum dicto Galfrido de Trivele et heredibus suis et assignatis de me et heredibus meis et assignatis meis libere et quiete et integre inperpetuum. Reddendo inde annuatim heredibus Johannis Marc vel eorum assignatis duos solidos argenti ad quatuor terminos anni [f. 201v.][2] scilicet ad Pascha sex denarios, ad Nathale Sancti Johannis Baptiste sex denarios, et ad festum Sancti Michaelis sex denarios, ad Nathale Domini sex denarios, et fratribus et sororibus Sancte Marie Magdalene sex denarios in festo Sancti Michaelis pro omnibus serviciis et demandis ad dictum curtillagium pertinentibus. Pro hac autem donatione et concessione dedit michi predictus Galfridus tres marchas argenti premanibus. Quare ego Robertus Hod et heredes et assignati mei debemus warantizare predicto Galfrido et heredibus et assignatis suis totum predictum curtillagium suum cum suis pertinenciis contra omnes homines et feminas inperpetuum per servicium predictum. Et ut hec mea donatio et concessio rata stabilis et inconcussa permaneat presens scriptum sigilli mei inpressione corroboravi. Testibus.

[1] MS. filie.   [2] Rubric: Bris'.

575. *Charter of John son of Geoffrey the tailor to William of Cardiff confirming to him his land in Redcliffe Street lying between the land once held by Thomas son of Michael and Osmund the tanner. He is to pay an annual rent of 5s to John and 3½d to the lord of the fee for landgavel; on any succession his heirs shall pay 1 pound of cumin as relief. William has paid 20s for an entry fine. John has made his pledge with William, hand in hand, before the hundred of Redcliffe. (After 1227.)[1]*

Sciant presentes et futuri quod ego Johannes filius Galfridi scissoris concessu et assensu heredum meorum dedi concessi et hac presenti carta mea confirmavi Willelmo de Herdif illam terram meam in vico Radeclive que jacet inter terram que fuit Thome filii[2] Michaelis et terram que fuit Osmundi tannarii. Habendam et tenendam totam predictam terram predicto Willelmo et heredibus suis in feudo et hereditate de me et de heredibus meis libere et quiete inperpetuum. Reddendo inde singulis annis michi et heredibus meis quinque solidos sterelinguorum ad duos terminos anni, videlicet ad Nativitatem Sancti Johannis Baptiste duos solidos et vi denarios, ad Nathale Domini duos solidos et vi denarios; et in mutatione heredum ipsius Willelmi unam libram cimini de relevio, et domino fundi iii denarios et obolum de langabulo per annum pro omnibus serviciis et demandis ad nos pertinentibus. Licet etiam memorato Willelmo et heredibus suis de predicta terra plenam voluntatem suam facere in omnibus, salvo redditu supradicto per annum. Pro hac autem donatione concessione [et] mea confirmatione dedit michi predictus Willelmus viginti solidos sterelinguorum de introitu. Quare ego Johannes et heredes mei debemus warantizare totam predictam terram sepedicto Willelmo et heredibus suis contra omnes homines et feminas. Que [f. 202]³ vero firmiter et sine dolo tenenda ego Johannes pro me et heredibus meis manu mea dextra in manum ipsius Willelmi coram hundredo Radeclive affidavi et presenti carta mea cum sigilli mei munimine sicut melius et plenius predictus est corroboravi. Testibus.

1 William of Cardiff occurs in 1249 (no. 537). Thomas son of Michael, who had died before this charter was issued, occurs in 1227 (*Som. Fines*, p. 56). A date of *c.* 1230 × *c.* 1250 may be sound.
    ² MS. *filie*.   ³ Rubric: *Bristoll'*.

576. *Charter of Robert son of Gregory (de Turri) to Safreus granting him the land in Bristol beyond the wall of the cellar of Henry son of Ailric, which extends to the river Frome, next to the house of Geoffrey the archer (see no. 511) with the garden made by Ainulf the goldsmith, and 4 shops on that land. In Robert's presence and before Robert's court Henry has quitclaimed this land to Robert in return for a series of payments: 5½ marks in recognition, a russet tunic which Safreus gave to Henry, 9d to Henry's mother Cecilia for her assent, 2s to his wife, 4d to his son Elias as heir, and 2d each to Elias's brother and sister. Safreus owes to Robert an annual render of 1 pound of cumin.¹ (c. 1172 × c. 1199.)*

Sciant tam presentes quam futuri quod ego Robertus filius Gregorii dedi Safreo totam illam terram pro servicio suo que est extra murum celarii Henrici filii Ailrici et inter domum Galfridi archiarii pro ut ipsa extendit in longitudine et latitudine a vico usque in aquam Frome, cum gardino quod Ainulfus aurifaber edificaverat, et cum iiii^or seldis² que super prefatam terram posite sunt; predicto Henrico clamante michi illam terram quietam per v marcas argenti et dimidiam, et unam tunicam de ruget quam ipse Safreus sibi dedit, et Cecilie matri ejus ix denarios pro assensu suo, et uxori ipsius Henrici ii solidos, et Helie filii ejus, scilicet heredi, iiii denarios, et fratri ejus ii denarios, et sorori eorum ii denarios de recognitione, coram me et curia mea. Tenendam de me et de heredibus meis sibi et heredibus suis libere et quiete et honorifice per unam libram cimini singulis annis inde reddendo ad festum Sancti Michaelis pro omnibus consuetudinibus et pro omnibus querelis et exactionibus. Testibus.

¹ Gregory was alive in 1166 and died before 1172 (No. 6). The oldest of his sons was William, who had children of his own (no. 579). He and his younger brother Robert were both active in Bristol in the second half of Henry II's reign. William confirmed the grant of this tenement to St Augustine's (no. 578). During Richard I's reign John, then holding the earldom of Gloucester, confirmed dispositions which Robert had made for his sister, and William may have been dead by then (*EGC*, p. 105, no. 107).   ² MS. *soldis*.

577. *Charter of Robert son of Gregory (de Turri) to St Augustine's granting, at the request of Safreus, his man, the tenement which he had given Safreus for his service and which is described in the terms of no. 576. (c. 1172 × c. 1199.)*

Robertus filius Gregorii omnibus amicis suis et universis sancte ecclesie fidelibus ad quos presens carta pervenerit, salutem. Sciatis quod ego petitione Safrei hominis mei et pro amore dei et salute anime mee et patris mei et antecessorum meorum concessi ecclesie Sancti Augustini de Bristoll' totum tenementum quod idem[1] Safreus de me tenuit apud Bristoll', scilicet totam terram quam ei dederam pro servicio suo extra murum cellarii Henrici filii Ailrici et inter domum Gaufridi archarii pro ut se extendit in longitudine et latitudine a vico usque in aqua de Froma cum gardino quod Ainulfus aurifaber ibi fecerat, et cum quatuor seldis que super prefatam terram posite sunt. Habendam et tenendam perpetuo libere et quiete et honorifice de me et de heredibus meis per idem [f. 202v.] servicium quod Safreus michi facere solebat per unam libram cimini annuatim michi et heredibus meis reddendam ad festum Sancti Michaelis apud Bristoud pro omnibus consuetudinibus et pro omnibus querelis et exactionibus. *Testibus.*

[1]   The scribe began to write the name Safreus, and erased it.

578. *Charter of William son of Gregory (de Turri) to St Augustine's confirming, at the request of his brother Robert, the grant of the tenement held by Safreus. (c. 1172 × c. 1199.)*

Willelmus filius Gregorii omnibus hominibus et amicis suis et universis sancte ecclesie fidelibus ad quos presens carta pervenerit, salutem.[1] Sciatis me ascensu et petitione Roberti fratris mei concessisse et presenti carta confirmasse ecclesie Sancti Augustini de Bristoll' concessionem quam ipse Robertus frater meus fecit predicte ecclesie Sancti Augustini de tenemento quod Safreus de ipso tenuerat de feudo meo apud Bristoll', scilicet de tota terra que est extra murum celarii Henrici filii Ailrici et inter domum Gaufredi archarii pro ut ipse extendit in longitudine et in latitudine a vico usque ad Fromam cum gardino quod Ainulfus aurifaber ibi fecerat, et cum quatuor seldis que super prefatam terram posite sunt, ut scilicet canonici Sancti Augustini habeant et teneant perpetuo predictam terram libere et quiete integre et honorifice sicut carta predicti Roberti fratris mei testatur. *Testibus.*

[1]   The scribe wrote *pervenerit scilicet; salutem* was interlined at a later date.

579. *Charter of William son of Gregory (de Turri) to St Augustine's confirming in free alms the grant made by Safreus, his man, of his tenement in Blackswarth. He reserves to the abbey of Keynsham the render of 1 pound of cumin annually. (c. 1172 × c. 1199.)*[1]

Willelmus filius Gregorii omnibus hominibus et amicis suis et universis sancte ecclesie fidelibus tam presentibus quam futuris ad quos hec carta pervenerit, salutem. Sciatis quod ego petitione et assensu et plena voluntate Safrei hominis mei pro salute anime mee et liberorum meorum et patris et matris mee et aliorum antecessorum meorum concessi et presenti carta mea confirmavi ecclesie Sancti Augustini de Bristoll' et canonicis regularibus ibidem deo servientibus totum tenementum quod idem Safreus de me tenebat apud Blakeneswurd, ut predicti canonici de Sancto Augustino illud tenementum habeant et teneant inperpetuam[2] et puram elemosinam libere et quiete in omni seculari servicio exactione et consuetudine, salva canonicis de Kaimsham una libra cimini annuatim quam predictus Safreus meo concessu reddebat sicut carta quam de me inde habent testatur, quam libram cimini annuatim[3] [f. 203][4] canonici de Sancto Augustino ecclesie de Kamesham perpetuo reddent, sicut quos predictus Safreus coram me et meo concessu et ascensu de predicto tenemento suos fecit heredes. *Testibus.*

[1] See no. 576. Earl William gave Keynsham as part of its endowment all his rents of pepper and cumin (N. Vincent, 'The early years of Keynsham abbey', *TBGAS*, 111, p. 107). The rent due from Safreus may have been included in that general grant.

[2] MS. *imperpetuum.*

[3] At this point the scribe repeated, with the addition of the word *eis*, the passage *quam predictus Safreus eis meo concessu reddebat sicut carta quam de me inde habent testatur, quam libram cimini*; in this duplicated passage folio 202v. ends with the name Safreus.

[4] Rubric: *Blakeneswurth'.*

580. *Charter of William son of Gregory (de Turri) confirming at the petition of his brother Robert the grant to Safreus of land beyond the wall of the cellar of Henry son of Ailric. (c. 1172 × c. 1199.)*

Willelmus filius Gregorii omnibus hominibus suis et amicis, salutem. Sciatis me concessisse et attestatione sigilli mei confirmasse Saffreo petitione Roberti fratris mei terram illam que est extra murum celarii Henrici filii[1] Ailrici et inter domum Galfridi archarii sicut carta Roberti fratris mei quam habet sibi testatur. Et volo ut ratum habeat per idem servicium pro omnibus querelis sicut in carta predicti Roberti fratris mei extinguitur. *Testibus.*

[1] MS. *filius.*

581. *Charter of Geoffrey son of Wulfward of Wraxall to Reginald White granting him the land in Blackswarth which he holds of St Augustine's, and which Wulfward's father and mother had held. It consisted of 60 acres of profitable (i.e. arable) land and 6 acres of meadow. Reginald owes an annual rent of 10s, and has paid 30s to Geoffrey and half a mark to his wife and sons as an entry fine. Geoffrey's charter has been sealed publicly. (c. 1179 × c. 1208.)[1]*

Sciant tam presentes quam futuri quod ego Galfridus filius Wlwardi de Wreokeshale dedi et concessi Reginaldo Albo et heredibus suis totam terram meam de Blakernesuerde quam teneo de canonicis Sancti Augustini et pater meus et mater mea tenuerunt, scilicet lx[ta] acras terre lucrabilis et vi acras prati cum omnibus pertinenciis suis. Tenendam et habendam de me et heredibus meis sibi et heredibus suis libere et quiete plene et integre inperpetuum. Reddendo inde annuatim michi vel heredibus meis x solidos scilicet ad Hockedai v solidos et ad festum Sancti Michaelis v solidos pro omni servicio quod ad me vel ad heredes meos pertinet, excepto regali servicio. Pro hac autem donatione et concessione tenenda predictus *Reginaldus* dedit michi triginta solidos de introitu et uxori mee et pueris meis dimidiam marcam. Unde ego et heredes mei sibi et heredibus suis predictam terram contra omnes homines et feminas warantizare debemus. Hanc autem donationem et concessionem firmiter et legaliter tenendam uterque nostrum affidavit. Et ut hec mea donatio et concessio nulla inposterum inpediatur calumpnia cartam hanc sigilli mei publice dependentis munimine[2] roboravi. Testibus.

[1]   See no. 583.   [2]   MS. munine.

582. *Charter of Reginald White to St Augustine's granting all his land of Blackswarth which he once held by gift of Geoffrey son of Wulfward of Wraxall, quit of all service except 2s to be paid annually to Geoffrey. For this grant the abbey has paid Reginald 15 marks. He has taken an oath in chapter that he and his heirs will observe the terms of this grant. (c. 1179 × c. 1208.)[1]*

Omnibus ad quos presens scriptum pervenerit Reginaldus Albus, salutem. Noverit universitas vestra me totam terram meam [f. 203v.][2] de Blakeneswrd' cum omnibus pertinenciis suis quam quondam tenui de donatione et concessione Galfridi filii Wlwardi de Wrokeshal' dedisse et concessisse deo et ecclesie Sancti Augustini de Bristoll' et canonicis regularibus ibidem deo servientibus. Tenendam sibi et habendam inperpetuum integre et plene libere et quiete ab omni servicio quod ad me vel heredes meos pertineat exceptis duobus solidis quos supradicto Galfrido nomine meo annuatim persolvant ad Hockedai. Pro hac autem donatione et concessione dicti canonici dederunt michi quindecim marcas argenti. Unde ego et heredes mei dictis canonicis dictam terram contra omnes homines [et] feminas warantizare debemus. Et ideo ad hoc fideliter observanda fidem et juramentum in capitulo dictorum canonicorum pro me et heredibus meis publice interposui. Et ut hec mea donatio et concessio stabilis et firma permaneat eam presenti scripto sigilli mei appositione roborato confirmavi. Testibus.

Marginal note (at foot of folio): Require indentatum inter dominum abbatem et magistrum Sancti Laurencii in xxx[mo] folio precedenti.[3]

[1]   See no. 583.   [2]   Rubric: *Bla'*.
[3]   No. 485, a deed concerning the grant made to the hospital of St Laurence by Robert of London, goldsmith.

583. *Charter of Walter Cumin to Reginald White confirming to him in fee and heredity his land outside Lawfords gate for a rent of half a mark a year. He is free to alienate the land at will. (c. 1179 × c. 1208.)[1]*

Sciant presentes et futuri quod ego Walterus Cumin dedi et concessi et hac mea presenti carta confirmavi Reginaldo Albo pro servicio suo in feudo et hereditate totam terram meam extra portam Laffardi ex utraque parte vie versus orientem cum pertinenciis suis. Tenendam et habendam sibi et heredibus suis de me et de heredibus meis libere et quiete plenarie et integre pacifice et hereditabiliter. Reddendo inde michi et heredibus meis post me dimidiam marcam per annum pro omni servicio et exactione ad me et ad heredes meos pertinente, salvo regali servicio, scilicet ad quatuor terminos anni, ad Hockedai xx denarios, ad Nativitatem Sancti Johannis Baptiste xx denarios, ad festum Sancti Michaelis xx denarios, et ad festum Sancti Thome Apostoli xx *denarios*. Quare ego et heredes mei predictam terram[2] predicto *Reginaldo* et heredibus suis contra omnes homines warantizare debemus. Et licet prescripto *Reginaldo* et heredibus suis prefatam terram dare vel vendere inpignorare vel excambire cuicumque voluerint, salvo jam dicto redditu nostro. Et ut hec mea donatio et concessio rata et stabilis inposterum permaneat presenti carte sigilli mei munimine apposui. *Testibus*.

[1]   The dating of this charter, and of the group of charters of which it forms part, turns on the identification of Walter Cumin. One man of that name occurs in 1179 (*PR 25 Henry II*, PRS, NS, 28, p. 41); he was in default in 1185 (*PR 31 Henry II*, PRS, NS, 34, p. 147); he was involved in litigation in the Curia Regis in 1198 (PRS, NS, 31, p. 116); and again in 1208 (*Pleas before the King or his Justices 1198–1212*, iv, ed. D. M. Stenton, Selden Society, 84, pp. 49, 53, 69, nos. 2955, 3008, 3164). An earlier Walter Cumin occurs *c.* 1159 × *c.* 1166 (*Sir Christopher Hatton's Book of Seals*, ed. D. M. Stenton, 1949, p. 126, no. 177; p. 350, no. 509) whose links with Bristol are indicated by the name of a tenant on his Warwickshire estate, Walter de Bristue (ibid. no. 509). The evidence that this earlier Walter Cumin may be the man named in this charter is not fully convincing.

[2]   MS. repeats *predictam terram*.

584. *Charter of Reginald White to St Augustine's granting the land outside Lawfords gate which he held of Walter Cumin. The canons are to pay Walter half a mark a year, and have given Reginald 20s. (c. 1179 × c. 1208.)*

Sciant presentes et futuri quod ego Reginaldus Albus dedi et [f. 204][1] concessi et hac presenti carta mea confirmavi deo et monasterio Sancti Augustini de Bristoll' et canonicis regularibus ibidem deo servientibus totam meam terram illam extra portam Laffardi quam tenui de Waltero Cumin ex utraque parte vie ejusdem porte versus orientem cum omnibus suis pertinenciis. Tenendam et habendam sibi inperpetuum libere et quiete plene et integre. Reddendo inde annuatim supradicto *Waltero* Cumin nomine meo dimidiam marcam argenti pro omni servicio et exactione ad ipsum *Walterum* pertinente, salvo regali servicio, videlicet ad Hockeda viginti denarios, ad festum Sancti Johannis Baptiste viginti denarios, ad festum Sancti Michaelis viginti denarios, et ad festum Sancti Thome Apostoli viginti denarios. Pro hac autem donatione et concessione dicti canonici dederunt michi viginti solidos sterelingorum. Quare ego et heredes mei dictis canonicis supradictam terram contra omnes homines et feminas warantizare debemus. Et ut hec mea donatio et concessio rata permaneat inperpetuum eam pro me et heredibus meis fidei interpositione et presenti scripto sigilli mei appositione roborato confirmavi. *Testibus*.

[1]   Rubric: *Blakeneswurth*.

585. *Charter of William of London, son of Maurice, to St Augustine's granting in free alms the land in his fee of Blackswarth, with its men and other appurtenances. They are to hold it for the salvation of himself and his wife and sons, and for the souls of his father and ancestors. When he gave this land the canons pardoned him the debt of 16 marks incurred by his father. (1149 × 54.)[1]*

Willelmus de Londonus filius Mauricii omnibus sancte matris ecclesie filiis fidelibus, salutem in Christo. Notum sit presentibus et futuris me concessisse et inperpetuam elemosinam dedisse ecclesie Sancti Augustini de Bristoll' et canonicis regularibus ibidem deo servientibus totam terram que est in feudo meo apud Blakeneswerd cum omnibus hominibus et pertinenciis suis liberam et quietam ab omni servicio et inquietudine et exactione seculari sicut liberam elemosinam. Tenendam de me et heredibus meis pro mea et uxoris mee et puerorum meorum salute et pro anima patris mei et antecessorum meorum. Quare volo et firmiter precipio ut prefata ecclesia Sancti Augustini et canonici in eadem deo servientibus predictam terram integre et inconcusse[2] teneant et libere et quiete habeant. Et quando hanc donationem predictis canonicis feci ipsi michi condonaverunt xvi marcas argenti de debito patris mei quod ab ipso fide astrictus debebam persolvere. *Testibus.*

[1]   Maurice of London died in 1149 (*Glamorgan County History*, iii, ed. T. B. Pugh, 1971, p. 385). Henry II confirmed the grant of William's land in Blackswarth before his accession (no. 5).
[2]   MS. *concusse.*

586. *Charter of Beatrice daughter of Maurice of London to St Augustine's, confirming the grant of his land in Blackswarth by her brother William of London. It had been given to her as her marriage portion when she married her first husband, Richard Foliot. Now, for her salvation and the salvation of her brother and lord, and of her husbands, Richard Foliot and Randulph de Lenz, and their children, she quitclaims the land to the canons. She has offered her charter on the altar of St Augustine. (Mid-twelfth century.)*[1]

[f. 204v.][2] Noverit tam presentes quam futuri quo ego Beatrix filia Mauricii de Lond' concessi et firmam habeo donationem quam dominus Willelmus de Lond' frater meus fecit canonicis Sancti Augustini de Bristoll' de terra de Blakeneswrd et carta sua confirmavit, quam ego a prefato fratre meo michi in maritagium nominatam clamavi quando primo Ricardo Foliot fui desponsata. Ne autem canonici causa nominatis illius quam michi a predicto fratre meo factam dicebam in presenti aut in futuro calumpnia aut vexatione de me vel de heredibus meis sustineant, ego pro salute anime mee et domini mei fratris mei predicti et patris mei et matris mee et aliorum antecessorum meorum, et pro anime Ricardi Foliot et Rand' de Lenz dominorum meorum et liberorum meorum, omne jus quod in predicta terra de Blakew' habui vel clamare potui inperpetuum canonicis quietum clamavi dedi et concessi per presentem cartam [quam] super altare Sancti Augustini manu mea obtuli et confirmavi, ut ipsi canonici terram prenominatam sicut liberam et puram et perpetuam[3] elemosinam, bene et in pace sine vexatione et calumpnia inperpetuum habeant et teneant. *Testibus.*

[1]   The earliest limit of date for this charter (1149 × 54) is provided by the succession of William of London in 1149 and the confirmation of his grant by Duke Henry (nos. 5, 585). The charter is a very crude piece of drafting, which may point to an early date. William lived until 1200, and although Beatrice's quitclaim could have been issued as late as that it seems unlikely.
[2]   Rubric: *Blac.*
[3]   MS. repeats *puram.*

587. *Charter of Richard of Hanham to St Augustine's granting in free alms the land which his grandfather Hugh of Barton held in Blacksworth. His grant is made with the assent of his lord, William, earl of Gloucester, and in his presence. (1147 × 83.)*[1]

Ricardus de Hanum omnibus sancte ecclesie fidelibus, salutem. Sciatis quod ego ad honorem dei et mei tenementum sancte religionis dedi et concessi pro salute anime mee et uxoris mee et liberorum nostrorum et omnium antecessorum nostrorum canonicis Sancti Augustini de Bristoll' totam terram Hugonis de Berton' avi mei quam habuit apud Blakeneswrd' inperpetuam et liberam elemosinam, ut eam teneant ita libere et quiete quod de nullo servicio alicui inde respondeant nisi soli deo. Et hanc donationem feci per concessionem domini mei Willelmi comitis Glouc', et coram ipso. T*estibus*.

[1] The limits of date are those of Earl William's tenure of the earldom of Gloucester.

588. *Agreement between William of Breadstone, abbot of St Augustine's, and Richard Aillard, mayor of Bristol, defining control over and access to parts of Canons Marsh to make possible the new course of the Frome. (24 March 1240.)*[1]

[f. 205][2] Hec est conventio facta inter dominum Willelmum de Bradestone tunc abbatem Sancti Augustini de Bristoll' et ejusdem loci conventum ex una parte et Ricardum Ailard tunc majorem Bristoll' et totam communam Bristoll' ex altera parte. Scilicet quod dictus abbas et conventus concesserunt pro se et successoribus suis inperpetuum majori et commune Brist' et eorum heredibus totam terram illam in marisco Sancti Augustini Bristoll' que jacet extra fossatum quod circuit terram arabilem dictorum canonicorum directe versus orientem usque ad marginem portus Frome. Quod quidem fossatum extenditur a grangia dictorum canonicorum versus Abanam, salvis abbati et conventui predictis[3] de terra proxima predicto fossato versus grangiam predictam, ubi dicta communa incipit[4] fossare, septies[5] viginti et quatuor pedibus terre in latitudine, et in medio dicti marisci quater viginti et duodecim pedibus terre in latitudine, et in exteriori parte dicti marisci versus Abanam[6] sexaginta pedibus terre in latitudine, super quam terram sic mensuratam communa Bristoll' et eorum[7] heredes habere debent liberum iter suum introitus[8] exitus[9] et transitus[10] ad naves suas, et ad spaciandum pro voluntate eorum de die et nocte, longe et prope pacifice et sine contradictione inperpetuum, sicut semper habere consueverunt. Debent autem predicta communa et eorum heredes salvare abbati et conventui predictis[11] et successoribus suis eandem terram mensuratam. Ita scilicet quod si cursus aque ipsam terram deterioraverit dicta communa illam debet emendare. Residuam vero terram dicti marisci Sancti Augustini Bristoll' versus Fromam et versus mariscum ville Bristoll' ex orientali et australi parte predicti fossati debent predicta communa et eorum heredes integre habere et possidere ad faciendum inde trencheam[12] portum et quicquid dicte commune melius sederit absque omni inpedimento et contradictione inperpetuum. Pro hac siquidem concessione et pro bono pacis dederunt predictus major et communa Bristoll' predicto abbati et conventui novem marcas argenti. Unde ut hec concessio rata et stabilis permaneat tam sigillum predicti conventus quam commune sigillum Bristollie mutuo appensa sunt huic cirographo. Hiis testibus,[13] domino Johanne filio Galfridi, Thoma de Berkeley, Roberto de Gornay, Willelmo de Pyccot, Ignatio de Clyfton, Jordano le Warre de Cnolle, Johanne le Warre de Bristulton', Henrico de Whadden', Henrico de Gaunt, et aliis. Facta autem conventio vigilia annunciationis Beate Marie, anno regni domini regis Henrici filii regis Johannis vicesimo quarto.[14]

Printed: The Great Red Book of Bristol (Text part I), ed. E. W. W. Veale, BRS, iv, 1933, pp. 89–90. S. Seyer, *Memoirs Historical and Topographical of Bristol and its neighbourhood*, ii, 1821, p. 19. J. F. Nichols and J. Taylor, *Bristol Past and Present*, 1821–2, i, pp. 122–3.

[1]   The cartulary text could be dated 1239–40 from William of Breadstone, abbot 1234–42 and Richard Aillard, mayor 1239–40 (*St Mark's Cartulary*, p. 282). The full dating clause is from the text in the *Great Red Book*. Where that text used the forms *communia* and *Abona*, the cartulary scribe preferred the forms *communa* and *Abana*, which are retained here. The writer of the text in the *Great Red Book* had a firmer grasp of classical Latin and his readings have been adopted for the relevant phrases. Minor variations have not been noted.

[2]   Rubric: *Bristoll' et Bylleswyke*.   [3]   MS. *predicto*.   [4]   MS. *incepit*.
[5]   MS. *septicies*.   [6]   MS. *Abanem*.   [7]   MS. adds *et*.   [8]   MS. *introitum*.
[9]   MS. *exitum*.   [10]   MS. *transitum*.   [11]   MS. *predicto*.   [12]   MS. adds *et*.

[13]   The section, *predicto abbati . . . Hiis testibus*, was added in a later hand. MS. reads *communa Bristoll' mutuo appensa sunt huic cyrographo*, which has been underlined and marked with a cross at the beginning and end of the phrase for deletion and replacement.

[14]   The list of witnesses and the dating clause are taken from the *Great Red Book*. Seyer took his text from the cartulary and added these, with variant spellings, and with the last two names omitted, from the *Great Red Book*.

589. *Agreement between William (Long), abbot of St Augustine's, and Robert de Pumfreit (Ponte Frigido). The abbot has granted him the land which John le Waleys, Matilda his wife, Alice daughter of William Devenish, and Thomas Scakel son of Nicholas Scakel had given the abbey. It lay near the stone cross and Trivel mill. Robert owes a rent of 5s a year, and is responsible for service to the capital lord and for landgavel. On any succession he and his heirs shall pay the abbot 1 bezant or 2s in relief. He is to build on the holding within a year from the Easter following so that the canons may distrain on the holding for non-payment of rent; if he fails to make due payment they may distrain on all his holdings in Bristol and elsewhere in the counties of Gloucestershire and Somerset. Dated the octave of Epiphany 41 Henry III (13 January 1257).*

Hec est conventio facta inter dominum Willelmum abbatem Sancti Augustini de Bristoll' et ejusdem loci conventus ex parte una et Robertum de Ponte [f. 205v.] Frigido ex altera anno regni regis Henrici filii regis Johannis quadragesimo primo in octavo Epiphanie Domini. Videlicet quod abbas et conventus dederunt concesserunt et presenti scripto confirmaverunt dicto Roberto et heredibus suis et suis assignatis totam illam terram cum suis pertinenciis quam habuerunt de dono Johannis le Waleis et Matilde uxoris sue et Alicie filie Willelmi Devoniensis et Thome Scakel filii Nicholai Scakel juxta crucem lapideam versus molendinum de

Trivel. Habendam et tenendam sibi et heredibus suis vel suis assignatis de dictis canonicis et eorum successoribus inperpetuum. Reddendo singulis annis quinque solidos sterelinguorum ad duos anni terminos, scilicet ad Pascha duos solidos et sex denarios et ad festum Sancti Michaelis duos solidos et sex denarios. Et in mutatione[1] singulorum heredum vel dicte terre dominorum percipient dicti canonici unum bizantium vel duos solidos de relevio pro omnibus serviciis et demandis ad dictos canonicos pertinentibus, salvo servicio capitalis domini et langabulo. Supramemorati autem[2] canonici totam predictam terram cum pertinenciis dicto Roberto et heredibus suis et suis assignatis contra omnes homines et feminas inperpetuum warantizabunt. Dictus vero Robertus vel heredes sui aut sui assignati infra unum annum a Pascha proxima sequenti post presentis instrumenti confectionem super prenominatam terram sufficienter edificabunt. Ita quod dicti canonici dictum redditum de predicto tenemento ut predictum est plene percipere possint et dictum tenementum si necesse fuerit pro defectu dicti redditus distringere. Et si ita contingat quod dictus Robertus vel heredes sui aut assignati in edificationem dicti tenementi defecerint aut negligentes inventi fuerint et morosi, ex tunc obligavit se dictus Robertus pro se et heredibus suis et assignatis scripto presenti quod dicti canonici dictum Robertum et heredes suos et assignatos per omnia tenementa sua in villa Bristoll', et alibi tam in comitatu Glouc' quam Sumers' ad dictum redditum solvendum libere compellere possint sine aliqua contradictione vel reclamatione. Ad majorem autem hujus [f. 206][3] rei securitatem presenti scripto in modum cyrographi confecto et inter partes diviso sigilla partium huic inde sunt appensa. Testibus.

[1] MS. inmutatione.
[2] The scribe has repeated *pro omnibus serviciis et demandis ad dictos canonicos pertinentibus, salvo servicio capitalis domini et langabulo. Supramemorati autem.* [3] Rubric: *Bristoll'.*

590. *Agreement between William (Long), abbot of St Augustine's, and Robert Pumfreit. The abbot remits all arrears of the rent of 7s which Robert owes for land in Redcliffe. The abbot may distrain on Robert's tenement in Redcliffe Street, which lies next to the house of Geoffrey Long, for three years. During that time Robert shall be responsibe for the rent; he or his heirs are to rebuild the property. If they fail the abbot may distrain on any of their holdings in Bristol or in the counties of Gloucestershire and Somerset. Dated the feast of St Gregory, 39 Henry III (12 March 1255).*

Hec est conventio facta inter dominum Willelmum abbatem Sancti Augustini de Bristoll' et ejusdem loci conventum ex parte una et Robertum Punfreit ex altera, anno regni regis Henrici filii regis Johannis tricesimo nono in festo Beati Gregorii, in presentia venerabilis patris abbatis Westm', Elie de Cumbe tunc senescalli domini Edwardi apud Bristoll', Henrici de Gant, Elie Longo, et Rogeri de Kantoc. Videlicet quod dicti abbas et conventus remiserunt dicto Roberto omnia arreragia annui redditus septem solidorum de quadam terra in Radecliva, quem videlicet redditus dictis canonicis annuatim solvere debuisset. Pro qua autem remissione concessit dictus Robertus de Pumfreit pro se et heredibus et assignatis suis quod memorati abbas et conventus habeant liberam elemosinam et potestatem de namio capiendo in tenemento illo quod memoratus Robertus tenuit in vico de Radecliva, quod est proximum domum Galfridi Long in parte occidentali, per tres annos proximo sequentes, et de dicto namio prefato Roberto et heredibus vel assignatis suis absque contradictione restituendo. Infra vero dictos tres annos memoratus Robertus vel heredes vel assignati sui dictum tenementum reedificabunt bene et sufficienter. Ita videlicet quod dicti canonici dictum redditum de predicto tenemento ut predictum est plene percipere possint et dictum tenementum si necesse fuerit pro defectu[1] dicti redditus distringere. Et si contingat quod dictus Robertus vel heredes vel assignati sui in edificatione dicti tenementi defecerunt aut negligentes inventi fuerunt et morosi, ex tunc obligavit se[2] dictus Robertus pro se et heredibus et assignatis suis, scripto presenti quod dicti canonici dictum Robertum et heredes et suos assignatos per omnia tenementa sua in villa Bristoll' tam in comitatu Glouc' quam Sumers' ad dictum redditum solvendum compellere possint sine omni contradictione vel reclamatione. Ad majorem hujus conventionis securitatem presenti scripto in modum cyrographi confecto et inter partes diviso signa partium huic inde sunt appensa.

[1] The scribe wrote *defectuit* and deleted the last two letters.   [2] MS. *sive.*

591. *Agreement between St Augustine's and St Mark's defining their rights in areas where their interests had clashed, notably in Bilswick and in the manors of Pawlett, Almondsbury, and Earthcott. They bind themselves by stringent penalties under pain of 40s for each article not observed and submit to the jurisdiction of the bishop of Worcester if the terms of the agreement are broken. Dated 1251.*

[f. 206v.] Noveritis universi presens scriptum inspecturi vel audituri quod cum multiplices et diverse contentiones mote essent tam in loco forensi quam ecclesiastico inter domum Sancti Augustini de Bristoll' ex una parte et domum Sancti Marci de Billeswike ex altera, ratione testamenti vel doni bone memorie domini Mauricii de Gant, et elemosine ejusdem in prefata domo Sancti Marci pauperibus Christi inperpetuum erogande: super situ ipsius domus et novo opere ibidem inchoato et collegio habendo; similiter et super manerio de Poulet cum pertinenciis suis, diversimodis decimis, oblationibus, redditibus, terris, serviciis, sectis hundredorum, communis pasturarum, essartis, fructatis, amerciamentis, quibusdam debitis necnon; et super omnibus rebus et possessionibus ad sustentationem pauperum a memorato Mauricio pie quondam assignatis, et multimodis dampnis, huic inde assartis: tandem omnes lites et contentiones mote in utroque foro inter dictas domos in hunc modum conquieverunt. Videlicet quod dicta domus Sancti Augustini concessit dictam domum Sancti Marci liberam esse et absolutam ab omni exactione super qua eandem impetebat eadem domus Sancti Augustini, et ab omni jure quod sibi in eadem competere dicebat ratione testamenti vel doni dicti Mauricii de Gant, vel ratione doni alicujus alterius, super quo vel quibus lis mota fuit usque ad confectionem presentis instrumenti ipsam;

et quietam clamando tam super decimis quam oblationibus et omnibus obventionibus que possint oriri et exigere infra septa ipsius domus Sancti Marci de quibuscumque rebus[1] ecclesiam Sancti Augustini de jure contingentibus inperpetuum. Concessit etiam dicta domus Sancti Augustini ut dicta domus Sancti Marci liberum habeant monasterium pro sue voluntatis arbitrio disponendum, liberum cimiterium, et sepulturam liberam infra septa sua, clocheria, campanas, et alia que libet libera et absoluta inperpetuum; et quod corpora mortuorum si qua contigit ibidem esse legata, absque reclamatione vel inpedimento dicte domus Sancti Augustini, in dicta domo Sancti Marci libere recipiantur et sepeliantur. Set nichil juris in planitie de Billeswik'[2] sibi umquam dicta domus Sancti Marci [f. 207][3] extra murum qui erectus erat ante confectionem presentis instrumenti poterit vendicare. Nec licebit umquam domui Sancti Marci nec alicui habitanti in ea murum aliquem exigere super Billeswike extra eundem murum nisi de speciali licencia dicti domus Sancti Augustini, cum tota illa planitie.[4] Liberum sit cimiterium dicte domus Sancti Augustini salvis[5] dicte domui Sancti Marci[6] et omnibus habitantibus in ea omnibus eisiamentis et libertatibus suis prius usitatis ante tempus confectionis istius instrumenti in omnibus agendis suis in dicta planitie absque contradictione vel inpedimento dictorum abbatis et conventus inperpetuum. Renunciavit autem dicta domus Sancti Augustini omni juri quod sibi competere dicebat autem competere potuit in manerio de Poulet et ejus[7] pertinere ratione predicti testamenti vel doni sive elemosine prefati Mauricii de Gant, vel ratione alicujus alterius, salvis eidem domui Sancti Augustini hiis in quorum possessione fuit tempore confectionis presentis instrumenti. Remisit autem domus Sancti Augustini et quietam clamavit domui Sancti Marci unam virgatam terre in eodem manerio quam de dono pie memorie Roberti juvenis se dicebat aliquando possedisse. Similiter et redditum duorum solidorum quem percipere consuevit de terra quam Michaelis de Magor clericus aliquando tenuit de eadem domo ante ecclesiam Sancti Augustini minorem. Dicta autem domus Sancti Marci omnes decimas tam majores quam minores ex quibuscumque rebus vel possessionibus suis sitis infra limites parochiarum de Pouleth et de Were supradictis abbati et conventui integre perpetuo sine omni diminutione cavillatione et contradictione secundum consuetudinem vicinarum ecclesiarum persolvet. Remisit autem domus Sancti Marci et quietam clamavit domui Sancti Augustini omnimodam sectam curie de Poulet quam ab ea exigit ratione cujusdam dimidie virgate terre quam prefata domus Sancti Augustini possidet in manerio de Poulet. Remisit etiam[8] scutagium quantum pertinet ad dictam dimidiam virgatam terre de quo quidem scutagio ipsam domum Sancti Augustini acquietabit inperpetuum. Concessit insuper domus Sancti Marci domui Sancti Augustini quia si ipsa vel homines sui in hundredo de Perreton' ammercientur, ammerciamenta eorundem eisdem remittentur. Preterea domus Sancti Marci quietam clamavit [f. 207v.] domui Sancti Augustini communam pasture de fossato facto apud Poulet. Similiter et communa et assarto facto apud Allemodesbur', scilicet in Middelscase, renunciando expresse omni clamio facto vel unquam faciendo de communa marisci de Almodesbur' quam sibi dicebat competere ratione manerii sui de

Erdecote, salva utriusque domui communa pasture sue, tam in boscis quam extra in mariscis de Almodesbur' et de Erdecote, preterquam in assartis hinc inde factis et faciendis, et viis et semitis debitis et consuetis. Licebit autem domui Sancti Marci assartum facere in manerio suo de Herdecote et idem manerium meliorare pro ut voluerit absque reclamatione dicto domus Sancti Augustini et contradictione aliqua vel commune exactione vel aliqua alia inquietatione. Et eodem modo licebit domui Sancti Augustini manerium suum de Almodesb' meliorare sine contradictione dicto domus Sancti Marci. Remisit etiam domus Sancti Marci domui Sancti Augustini redditum duodecim denariorum quam de eadem percipere consuevit pro terra que fuit quondam Benedicti sacerdotis in Froggemerestret'. Omnis autem vexatio vel seculari exactio super debitis, arreragiis, aut quibuscumque aliis rebus, factis, dictis, pretextu prescriptarum rerum, aut alia occasione ante presentis instrumenti confectionem, mota hinc inde plenarie remissa est inperpetuum. Partes vero omnia instrumenta ratione quorum lites vel contentiones poterant vel possint in futurum evenire[9] alternatim restituent. Et si fortassis aliquod vel aliqua super premissis penes alternatam partem vel aliquem alium reperiantur, nullius erunt momenti. Ad hanc autem compositionem fideliter in omnibus et sine dolo observandam juramento corporaliter prestito sese obligavit, pars utraque renuncians in hiis omnibus appellationibus, cavillationibus, exactionibus, et omni juris remedio canonici et civilis, et maxime prohibitioni regie, necnon et omnibus scriptis et instrumentis autenticis que huic compositioni possint obviare similiter, et omni alii exceptioni que possit obici contra factum hoc vel instrumentum. Hoc adjecto, quod si altera partium predictarum contra aliquem predictorum articulorum inposterum venire presumpserit pars delinqueris alteri parti quadraginta solidos argenti pro quolibet articulo non observato nomine pene persolvet totali conventione prescripta [f. 208][10] nichilominus perpetuo diutura.[11] Quod ut inposterum firmiter observetur pars utraque se subjecit jurisdictione domini Wigorn' [episcopi] qui pro tempore fuerit ut pars contradictam conventionem venietis in aliquo articulo predictam penam parti alteri per omnimodam censuram ecclesiasticam per ipsum refundere compellatur. Ut autem hec compositio rata et stabilis perpetuo perseveret eam presenti scripto in modum cyrographi confecto et inter partes diviso, et tam signis partium quam signis domini Willelmi Longi tunc abbatis Sancti Augustini et domini Henrici de Gaunt tunc magistri domum Sancti Marci signato, pars utraque confirmavit. Facta est siquidem hec compositio anno gracie milesimo ducentesimo quinquagesimo primo.[12] [Hiis testibus, domino Roberto Waller' Roberto de Gournay, Ada de Grenevill', Ivone de Sturton, Radulfo de Cerney, Reginaldo de Neuton' et aliis.]

Calendared: St Mark's Cartulary, pp. 35–7, no. 34.

[1] MS. adds *et*. [2] *extra eundem murum nisi in speciali licencia*, written and deleted.
[3] Rubric: *Bylleswyke*. [4] MS. *planities*.
[5] MS. *salve*. [6] *nec alicui* written and deleted.
[7] *et ejus* is clear; classical usage would be *ad eos pertinere*. [8] MS. *etiam et*.
[9] *evenire* interlined. [10] Rubric: *Bylleswyke*. [11] Conjectural reading.
[12] MS. *T[estibus]*. Witness list is taken from St Mark's copy (*St Mark's Cartulary*, p. 37).

592. *Agreement between William, abbot of St Augustine's, and Henry de Gaunt, master of St Mark's hospital. The abbey has granted to St Mark's rents of 18s 8d from 10 or more burgages on the eastern side of Frogmore Street, in the suburb of Bristol. The tenants are named and their rents specified. The abbey also grants in free alms 3 messuages in the same street, at a rent of 4s 6d, in exchange for a rent of 2 marks from land and houses between St John's gate and St Giles's gate. The abbey undertakes to pay to St Mark's the difference between 2 marks and 23s 2d until the abbey has made provision for the payment of the full rent. (c. 1234 × c. 1248; probably issued in the late 1240s.)[1]*

Hec est conventio facta inter Willelmum abbatem Sancti Augustini de Bristoll' et ejusdem loci conventum ex una parte et Henricum de Gant magistrum domus Sancti Marci de Bileswike juxta Bristoll' et ejusdem loci fratres ex altera. Videlicet quod dicti abbas et conventus dederunt et concesserunt memorato Henrico et fratribus supradicte domus Sancti Marci redditum decem et octo solidorum et octo denariorum cum omnibus suis pertinenciis in parte orientali de Froggemerestret in suburbio de Bristoll' quos annuatim percipere consueverunt ad duos anni terminos, ad Pascha videlicet medietatem et ad festum Sancti Michaelis medietatem, videlicet de burgagio quod Willelmus le cat tenuit tres solidos et sex denarios, de burgagio quod Reginaldus Ragge tenuit decem et octo denarios, de burgagio quod Rocelinus tannator tenuit decem et octo denarios, de burgagio quod Juliana Kepe tenuit duos solidos, de burgagio quod Rogerus cinginere tenuit ii solidos, de burgagio quod Ricardus le Bolur tenuit sexdecim denarios, de burgagio quod Ricardus de Cardif [tenuit] sexdecim denarios, de burgagio quod Helias de Pisa tenuit duodecim denarios, et de burgagiis que Adam de Wdewell' tenuit iiii[or] solidos et sex denarios. Insuper concesserunt et dederunt supradicti abbas et conventus in liberam puram et perpetuam elemosinam predictis magistro et fratribus domus Sancti Marci mesuagia illa cum pertinenciis que aliquando tenuerunt Johanna Malepece, Achim,[2] et Johannes [f. 208v.] Brendan in eodem vico in extento quatuor solidorum et vi denariorum quos dicti Johanna, Achim, et Johannes annuatim ipsi solvere consueverunt, in excambium duarum marcarum annuarum quas supramemorati magister et fratres domus Sancti Marci de Bileswike singulis annis ad quatuor anni terminos de terra et domibus que fuerunt Roberti Arding inter portam Sancti Johannis et portam Sancti Egidii per manus Benedicte quondam uxoris Roberti de Lega et heredum ejusdem Benedicte percipere consueverunt. Ita quod dicti abbas et conventus quod superfuerit ultra viginti et tres solidos et duos denarios de duabus marcis prenominatis prefatis magistro et fratribus supradicte domus Sancti Marci in festo Sancti Michaelis plene restituent donec ipsis in totidem solidorum redditu [per] predictos abbatem et conventum in loco competenti fuerit provisum vel prospectum. Etsi vero dicti abbas et conventus de eo quod superfuerit ultra viginti tres solidos et duos denarios de dictis duabus marcis in dicto festo Sancti Michaelis solvendo defecerunt, licebit dictis magistro et fratribus dicte domus Sancti Marci feodum predictum secundum consuetudinem Bristoll' distringere quousque eisdem de predictis fuerit plene satisfactum. Tenendum et habendum dictum redditum annuum simul cum tribus mesuagiis supradictis magistro et fratribus dicte domus Sancti Marci et successoribus suis libere quiete bene in pace honorifice plenarie et integre cum omnibus pertinenciis suis in releviis et eschatis cum omnibus libertatibus suis et liberis consuetudinibus suis, vel liberam puram et perpetuam elemosinam, ita quod nulli unquam hominum inde respondeant nisi soli dei in orationibus. Sepedicti vero abbas et conventus mesuagia predicta cum redditibus predictis memoratis magistro et fratribus Sancti Marci et successoribus suis contra omnes mortales warantizabunt acquietabunt et defendent inperpetuum. Prefati autem abbas et conventus predictas duas marcas cum omnibus earum pertinenciis libertatibus et liberis consuetudinibus sibi et successoribus suis tenebunt et habebunt libere quiete bene in pace honorifice plenarie et integre absque omni diminutione ut liberam puram et perpetuam elemosinam et modo supradicto possidebunt inperpetuum. [f. 209][3] ita quod nulli unquam omnino hominum inde respondeant nisi soli deo in orationibus. Supermemorati enim magister et fratres domus Sancti Marci dictis abbati et conventui et eorum successoribus[4] dictas duas marcas cum omnibus earum pertinenciis ut predictum est contra omnes mortales warantizabunt acquietabunt et defendent.[5] Ad majorem hujus vero conventionis securitatem presenti scripto in modum cirographi confecto et inter partes diviso signa partium huic inde sunt appensa. [Hiis testibus,[6] Jacobo la Warre tunc majore Bristoll', Thoma Longo, Helias Longo, Willelmo clerico, Willelmo de Bello Monte, Waltero de Parys, Elia Aky, Willelmo filio Nicholai, Henrico Langbord', et multis aliis.]

Calendared: *St Mark's Cartulary*, p. 44, no. 41.

[1]   The earlier limit of date is set by the appointment of Henry de Gaunt as master of the hospital, an office he held by January 1234. The later limit is set by the tenure of office of mayor by James la Warre, but that cannot be given with the same precision. He served as mayor with three different groups of reeves, and was mayor as early as 1235 or 1237, and at intervals, perhaps as late as 1248. The editor of the cartulary of St Mark's suggested an arbitrary date for this agreement of *c.* 1245, which would be consistent with other documents bearing on these properties.

[2]   MS. marks the minims clearly for *Achim*; *St Mark's Cartulary* has *Achun*.

[3]   Rubric: *Bylleswyke*.   [4]   MS. adds *suis*.

[5]   MS. repeats *tenebunt et habebunt . . . et perpetuam elemosinam*.

[6]   MS. *T*[*estibus*]. Witness list is taken from St Mark's copy.

593. *Memorandum recording the settlement of a dispute between St Augustine's and St Mark's over an ox bequeathed to St Augustine's by Nicholas Burel of Earthcott. Henry de Gaunt, master of St Mark's had seized and kept the ox. The abbey sought the return of the animal or its equivalent value. Gregory of Lydiard, commissary of the archdeacon of Gloucester, adjudicated; Henry de Gaunt appealed and the bishop of Worcester's official, John of Winchester, decided in favour of the abbey, awarding the abbot 12s from St Mark's. Dated Friday next (8 May) after the feast of St John at the Latin Gate 1259.*

Memorandum quod die Veneris proxima post festum Sancti Johannis ante Portam Latinam, anno domini m° cc° l° nono in minori ecclesia Sancti Augustini de Bristoll' comparuerunt coram me Johanne de Wintone officiale venerabilis patris Wigorn' episcopi, Willelmus abbas Sancti Augustini de Bristoll' et ejusdem loci conventus ex parte una et dominus Henricus ex parte altera magister domus Sancti Marci de Billeswyk' personaliter, et cum prius datus libellus coram magistro Gregorio de Lidiard commissario archidiaconi Glovern' inter predictas partes in forma subscripta. Dicunt abbas et conventus Sancti Augustini de Bristoll' contra Henricum de Gant quod cum Nicholaus Burel de Erdecote in ultima voluntate sua constitutus unum bovem[1] precii duodecim solidorum eis legaret, dictus Henricus de Gant, quod cum nichil temere veniens contra voluntatem defuncti eundem bovem in periculum anime sue occupatur injuste et adhuc detinet occupatum. Quare petunt idem abbas et conventus dictum Henricum ad reddendum memoratum legatum si exstet vel ad precium predictum si non exstet per sententiam diffinitoram compelli. Hoc dicunt salvo sibi juris benefitio in omnibus ac idem Gregorius[2] contra dictum Henricum pro predictis religiosis sententiam tulisset diffinitam idem Henricus ipsam asserens unquam in eam ob hoc audientiam appellatur ut dicebat. Et cum inter predictas partes esset coram me altercatum, tandem predicti abbas et conventus et Henricus de Gant mee in hiis submiserunt se [f. 209v.] ordinationi propter quod ego habito cum partibus ipsis prius et super earum juribus ac defensionibus diligenti ac sollempni contracinde earum concensu expresso in forma subscripta duxi ordinandum. Videlicet quod predictus Henricus duodecim solidos nomine estimationis dicti bovis ex causa legati predictis abbati et conventui contra festum Sancte Trinitatis persolvet dictum bovem si exstet penes se retinendo. Ita tamen quod ex solutione dicte estimationis seu retentione dicti bovis nichil juris aut possessionis in tenemento predicti quondam Nicholai Burel in Erdecote alterum parcium accrescat. Set salvum sit utrique parti ubi voluerit jus suum prosequendum. Ad hoc de earum consensu expresso supradicte ordinationi adicio quod siquis predictorum alteri de cetero questionem movere voluerit primitus alterum amicabiliter requirat ut sibi super hiis studeat satisfacere. In cujus rei testimonium et perpetuum approbationem signa ipsarum partium approbationem una cum signo officio Wigorn' presentibus huic inde sunt appensa alternatim.

[1] *bovem* interlined in a later hand.   [2] MS. *Georgius.*

---

594. *Settlement, by ordinance of the bishop of Worcester, Walter (de Cantilupe), of a dispute between the abbey and St Mark's hospital over the use of the open ground of Bilswick (St Augustine's Green), which the hospital has claimed to be common. Neither the hospital nor the abbey is to use the ground as pasture, each acknowledging that it is the abbey's cemetery. Burials in front of the hospital's gate are to remain, but raised mounds are to be flattened and future burials are to be in the accustomed part of the cemetery. The inhabitants of the hospital may use the ground for their amenity, keeping sledges and carts to the existing tracks. The abbot may cut herbage for strewing in the greater and smaller churches of St Augustine, but he may not hedge it. Dated Saturday (13 September) before the feast of the Holy Cross 1259.*

Noverint universi quod cum controversia orta esset inter dominum abbatem et conventum monasterii Sancti Augustini Bristoll' ex parte una et dominum

Henricum de Gant magistrum domus Sancti Marci de Billeswik' ex altera super planitie de Beleswik', quam predictus magister ratione domus sue suam asservit esse communam, eadem controversia ex ordinatione seu provisione venerabilis patris Walteri dei gratia Wigorn' episcopi conquievit. Videlicet quod neutra pars jus pascendi in predicta planitie sibi de cetero vendicabit, cum utraque pars recognoscat totam dictam planitiem esse cimiterium monasterii supradicti Sancti Augustini. Et si contingat animalia dicte domus Sancti Marci seu alia dictam planitiem causa pascendi ingredi, seu si ibidem pascantur, facta admonitione trina per ministros dicti monasterii Sancti Augustini illis quorum fuerint ut inde fugentur, liceat dictis ministris dicta averia inde fugare, et si iterum redeant pascendum liceat tunc dictis ministris eadem includere donec per decanum [f. 210][1] loci liberentur, et salva sit dicto domino episcopo exactio dimidie marce contra hujusmodi delinquentes. Si vero averia dicti monasterii Sancti Augustini ibidem inventa fuerint causa pascendi et post ternam ammonitionem cujuscumque non fuerint revocata, per vicariam Sancti Augustini minoris fugentur, et si redierint per decanum Bristoll' includantur, et dimidia marca per decanum ipsum[2] nomine multe exigatur a transgressore. Ordinavit etiam predictus episcopus quod corpora de novo sepulta ante portam dicte domus Sancti Marci ibidem remaneant. Ita tamen quod supereminens terra abradatur propter loci amenitatem conservandam et ad planitiem redicatur,[3] ita tamen quod ob rationem predictam non minus cimiterium censeatur. Item ordinavit ex supradicta causa amenitatis quod corpora defunctorum de cetero sepeliantur in parte dicti cimiterii antea consueta nec ultra egrediati, nisi necessitas aut evidens utilitas id quod exposcat. Item ordinavit quod inhabitantes dictam domum Sancti Marci dictam planitiem ingredi possint et egredi causa eundi, ambulandi, spaciandi, equitandi, ubique voluerint, set dreias kareitas bigas [et] ducendi per vias utiles et sibi necessarias et ad hoc prius usitatas. Item ordinavit quod abbas monasterii predicti possit dictam planitiem falcare cum herba fuerit ibi falcanda sine alicujus inpedimento et herbam spergere in ecclesiis suis Sancti Augustini majoris et minoris. Hoc adjecto quod idem abbas aliquam defensionem que wlgaliter appellatur hayning' non adhibeat quo magis dicte domui supernis concessa inpediantur. Falcator tamen cum ibi fuerit non inpedietur in suo officio exequendo. Salvis etiam abbati et conventui Sancti Augustini juribus libertatibus et usibus quibus monasterium predictum Sancti Augustini et commorantes ibidem antea fuerint excepto jure pascendi tantum ut superius est expressum. In cujus rei testimonium tam dictus venerabilis pater quam predicte partes huic scripto inter ipsos diviso signa sua alternatim apposuerunt. Actum apud Bristoll' die sabbati ante festum Crucis, anno gracie m° cc° l° nono.[4]

Calendared: St Mark's Cartulary, pp. 37–9, no. 35.

[1] Rubric: *Bylleswyke.*
[2] MS. *ipse.*
[3] In a later hand *v* has been interlined above this verb.
[4] To identify the feast the scribe has marked the text at *Crucis* and added the words *exaltatio Sancte* at the end of the dating clause, where a later hand has mistakenly added *Crucis.*

595. *Charter of William, abbot of St Augustine's, to Robert the ropemaker granting him a tenement in the parish of St Augustine's, in Frome Bridge Street. It had been held by Hamo the cobbler and lay between the tenements held by Lambert the brewer and William Samson. Robert owes 2s a year rent, and on any succession his heirs shall pay 1 bezant in relief. He has freedom to alienate the holding, except to a house of religion or to the Jews. The abbey shall have for fifteen days the right of pre-emption at an advantage of 12d. (1234 × 64.)*[1]

[f. 210v.] Omnibus Christi fidelibus ad quos presens scriptum pervenerit Willelmus dei gratia abbas Sancti Augustini de Bristoll' et ejusdem loci conventus, salutem in domino. Noverit universitas vestra nos unanimi voluntate et assensu dedisse concessisse et hac[2] presenti carta nostra confirmasse Roberto cordario et heredibus suis totam terram nostram que fuit Hamonis suthoris que est in parochia Sancti Augustini in vico qui tendit versus pontem Frome, illam videlicet que jacet inter terram que fuit Lamberti brucere et terram que fuit Willelmi Sampsonis. Tenendam et habendam dicto Roberto et heredibus suis de nobis in feudo et hereditate inperpetuum cum omnibus edificiis et pertinenciis suis libere et quiete integre et pacifice. Reddendo inde domui nostre singulis annis duos solidos esterelingorum ad duos terminos anni, scilicet ad festum Sancti Michaelis duodecim denarios,[3] et in mutatione singulorum heredum unum bizantium de relevio, pro omni servicio et exactione ad nos pertinente. Licebit autem dicto Roberto et heredibus suis totam illam prenominatam terram cum omnibus edificiis et pertinenciis suis dare vendere invadiare vel excambire cuicumque voluerint preter quam religiosis et Judeis. Quod si predictus Robertus vel heredes sui dictam terram vendere voluerint preter quam juris eam nobis prius offerre debebunt et nos emptionem illius propinquiores erimus de duodecim denariis quam aliqui alii, ita quod venditionem illam ultra quindecim dies non inpediamus postquam nobis oblata fuerit. Nos vero sepedicto Roberto et heredibus suis dictam terram cum omnibus edificiis et pertinenciis suis per predictum servicium contra omnes homines et feminas warantizare debemus inperpetuum. Et ut hec nostra donatio et concessio perpetue stabilitatis robur obtineat eam presenti scripto sigilli nostri munimine roborato duximus confirmandum.

[1] This conveyance was issued either by William of Breadstone or by William Long.
[2] MS. *hanc.*   [3] The Easter term has been omitted.

596. *Charter of Margaret widow of William Samson to Robert the ropemaker granting him in fee and heredity the tenement opposite St Augustine's beyond the Frome, lying between the land once held by Albert of Cardigan and that once held by Hamo the cobbler. Robert owes a rent of 2s, and for Margaret's lifetime an annual render of 1 pound of wax; after her death the pound of wax is to be paid to the priory of St James. Robert has paid her 1 mark on entry. (Mid-thirteenth century.)*[1]

Sciant presentes et futuri quod ego Margareta quondam uxor Willelmi Sampsonis dedi concessi et hac presenti carta mea confirmavi Roberto le ropere quandam terram versus Sanctum Augustinum de Bristoll' ultra Frome, que jacet inter terram que fuit Albrichti de Gardigan versus occidentem et terram que [f. 211]² fuit Hamundi sutoris versus orientem. Tenendam et habendam sibi et heredibus suis vel cuicumque eam assignare voluerit de me et heredibus meis in feudo et hereditate libere et quiete integre et plenarie cum omnibus libertatibus et liberis consuetudinibus ad eandem terram pertinentibus. Reddendo inde annuatim ille et heredes sui vel ille cui dictam terram assignaverit michi et heredibus meis vel assignatis meis duos solidos in festo Sancti Michaelis pro omni servicio et exactione et demanda ad me vel heredes meos pertinente, salva tamen michi quoad vixero de dicto Roberto et heredibus suis singulis annis una libra cere in festo Sancti Michaelis, quam ceram predictus Robertus et heredes sui post obitum meum prioratui Sancti Jacobi Bristollie pro me³ et meis singulis annis in festo Sancti Michaelis persolvent. Ego vero et heredes mei totam predictam terram predicto Roberto et heredibus suis contra omnes homines et feminas qui vivunt vel mori possint pro predicto redditu inperpetuum warantizabimus. Pro hac autem donatione et concessione [et] confirmatione et warantizatione dedit michi predictus Robertus unam marcam ad introitum. Testibus.

¹　This charter may not be far removed in date from no. 595.
²　Rubric: *Bristoll'*.

³　MS. *mei*.

---

597. *Charter of Robert the ropemaker to St Augustine's granting two tenements: one held by Hamo the cobbler in the parish of St Augustine's in Frome Bridge Street, between the land held by Lambert the brewer and William Samson, the other between the land held by Hamo the cobbler and the land which Robert had given to Robert of Martock in free marriage with his daughter Isabella, reserving for Robert of Martock the right to use the alleyway between these tenements. He also grants all his right in the lands which he gave to Robert of Martock with Isabella and to Alexander de Weyvile with Mabel, his daughters, in free marriage; if they do not produce heirs, the lands are to revert to the canons as Robert's assigns in free alms. (Mid-thirteenth century.)*¹

Sciant presentes et futuri quod ego Robertus le cordur dedi concessi et hac presenti carta mea confirmavi deo et ecclesie Sancti Augustini de Bristoll' et canonicis regularibus ibidem deo servientibus et eorum successoribus in liberam puram et perpetuam elemosinam totam illam terram meam cum edificiis et omnibus aliis pertinenciis suis que fuit Hamonis sutoris, que est in parochia Sancti Augustini in vico qui tendit versus pontem Frome, illam scilicet que jacet inter terram que fuit Lamberti le brucere et terram que fuit Willelmi Sampsonis. Preterea dedi et concessi eisdem canonicis totam illam terram meam cum edificiis et omnibus aliis pertinenciis suis que jacet inter terram que fuit quondam Hamonis sutoris versus orientem et terram quam dedi Roberto de Mertok cum Isabella filia mea in liberum maritagium versus occidentem. Ita scilicet ut idem Robertus et heredes sui per descensum thimini inter dictas terras existentis liberum inperpetuum habeant ingressum et egressum a via regia in cellarium suum sicut solebant. Item dedi et concessi [f. 211v.] dictis canonicis et eorum successoribus omne jus meum quod me aliquo modo contingere poterit in terris illis seu edificiis cum pertinenciis suis omnibus quas dedi dicto Roberto de Mertok' cum dicta Ysabella filia mea et Alexandro de Weyvile cum Mabilia filia mea in liberum maritagium. Ut si heredes de se non habuerint ad memoratos canonicos sicut ad assignatos meos dicte terre cum edificiis et omnibus pertinenciis suis plene revertantur. Volo igitur quod dicti canonici et eorum successores habeant et teneant inperpetuum omnia supradicta cum omnibus edificiis et pertinenciis suis libere et quiete integre et pacifice sicut liberam puram et perpetuam elemosinam nulli omnino hominum inde in aliquo responsuri nisi soli deo in orationibus, exceptis duabus solidis annuatim solvendis Rogero de Berkham et heredibus ejus in festo Sancti Michaelis pro omnibus serviciis et demandis secularibus. In cujus rei testimonium presenti scripto sigillum meum appposui. *Testibus*.

[1]   Robert of Martock attests a charter issued in 1252–3, when Roger de Berkham was mayor, and William of Bruges and John of Kenfig were reeves (*St Mark's Cartulary*, p. 59, no. 63).

598. *Charter of Elias of Clifton to St Augustine's grantir.? in free alms the land which Suelph held, with the messuage of Ham at Rownham and half an acre of meadow and pasture for 5 cows and 20 sheep. This gift he placed on the altar of St Augustine. He reserves only the right of access for himself and his family to their house at Rownham. (c. 1166 × 99.)*[1]

Elias de Cliftona omnibus hominibus et amicis suis et universis Christi fidelibus ad quos presens carta pervenerit, salutem. Sciatis quod ego ad honorem dei et pro salute anime mee et uxoris mee et omnium parentum meorum concessi et dedi ecclesie Sancti Augustini de Bristoll' et canonicis regularibus ibidem deo servientibus in liberam et perpetuam elemosinam totam terram quam Seulphus tenuit cum mesuagio de Hamma apud Reueham,[2] et dimidiam acram prati juxta eandem Hamma et pasturam quinque vaccarum et pasturam viginti ovium. Et hec omnia optuli propria manu super altare Sancti Augustini sicut elemosinam meam puram et quietam ab omni servicio terreno. Ita ut canonici nulli hominum super hiis respondeant nisi soli deo in orationibus suis, exceptis tamen passagio meo et proprie familie de domo mea apud Reueham. Et ut hec mea donatio firma permaneat semper eam sigilli mei inpressione munita roboravi. *Testibus*.

[1]   Elias occurs as a knight of William, earl of Gloucester, in 1166 (*RBE*, i, p. 289). His son had succeeded by 1199 (*PR 1 John*, PRS, NS, 10, p. 28).
[2]   The place-name occurs later as Rowenham, but the form used in this charter is closer to the elements which make up the name, *ruh* and *Hamm*.

599. *Charter of Roger, lord of Clifton, son of Elias of Clifton, granting to St Augustine's in free alms the springs and water-courses arising in the croft once held by Adam the reeve, between that croft and Adam's house as far as the hill, and above the canons' conduit at Woodwell, opposite the hill (Brandon Hill). He also grants stone from his quarries of Clifton for any building within the gates of their monastery. (c. 1205 × c. 1235.)*[1]

Noverit universi ad quos presens scriptum pervenerit quod ego Rogerus dominus de Clifton' filius et heres Elie de Clifton' dedi et concessi et hac mea presenti carta confirmavi pro salute anime mee et [f. 212] patris mei et matris mee et antecessorum meorum deo et ecclesie Sancti Augustini de Bristoll' et canonicis regularibus ibidem deo servientibus generaliter omnes ductus et sursas aquarum illarum que surgunt in crofta quam Adam quondam prepositus tenuit, et omnes sursas que sunt inter croftam illam et domum quam idem Adam tenuit usque ad montem, et omnes sursas que sunt supra conductum predictorum canonicorum apud Wdewelle versus montem quas ducere poterunt ad conductum suum de terra mea apud Clifton' in puram et perpetuam elemosinam. In super caritat's intuitu eisdem canonicis concessi ut de lapidicinis meis de Clifton' quod eis opus fuerit ad omne edificium intra januas monasterii sui construendum fodiant et libere et quiete sibi adducant, salvo eo quod nec terre mee arabili nec bosco meo aliquod inferant detrimentum. Et ego et heredes mei pro amore dei et Beati Augustini hec omnia predictis canonicis contra omnes homines sicut puram et perpetuam elemosinam intuitu caritatis in omnibus warantizabimus. Ut autem hec mea donatio et concessio rata et firma perpetuo perseveret eam presenti scripto sigilli mei appositione roborato duxi confirmandam. *Testibus.*

[1] Roger was in custody as a minor by 1199, first with William la Warre and then with his son Thomas la Warre (*PR 1 John*, PRS, NS, 10, p. 28). He was handling his own affairs by 1205 (*PR 7 John*, PRS, NS, 19, p. 106). The date of his death cannot be established; his successor occurs in an agreement dated 1240 (*The Great Red Book of Bristol*, ed. E. W. W. Veale, BRS, ii, 1931, p. 90), and in an earlier agreement which may perhaps have been made *c.* 1235 (*St Mark's Cartulary*, p. 257, no. 431). In an early paper, 'On the manorial history of Clifton', A. S. Ellis used and commented on these two charters of Elias and Roger of Clifton (*TBGAS*, 3, 1890, pp. 211–31).

ADDITIONAL DOCUMENTS

Add. Doc. 1. *Charter of Richard Pauncefoot to St Augustine's quitclaiming his right in land called* la Berewe, *in Ashleworth, with 12 acres of meadow which he claimed against the abbey in the king's court. (1255–6 × c. 1263.)*[1]

[f. 1v.][2] Omnibus Christi fidelibus presens scriptum visuris vel audituris Ricardus de Pauncefoth dominus de Hasfeld, salutem in domino. Noverit universitas vestra me remisisse pro me et heredibus meis et quietum clamasse abbati et conventui Sancti Augustini de Bristoll' et eorum successorum in perpetuum totum jus et clamium quod habui vel aliquo modo habere potui in tota illa terra que vocatur la Berewe cum omnibus pertinenciis suis et illis duodecim acris prati cum omnibus suis pertinenciis de quibus in curia domini regis abbati et conventui aliquando questionem movi. Ita quod nec ego nec heredes mei nec assignati mei in tota illa terra que vocatur la Berewe aut aliqua sui parte sive quibusdam aliis terris quas dicti abbas et conventus tempore confectionis hujus instrumenti habuerunt et tenuerunt aliquid jure vendicare vel questionem movere poterimus inperpetuum. In cujus rei testimonium presenti scripto quieta clamancie et remissionis mei et eidem a me confecto sigillum meum apposui. Hiis testibus, domino Mauricio de Berkel' et aliis.

[1] *TBGAS*, 71, 1952, pp. 123–4. Grimbald Pauncefoot's confirmation of this quitclaim (Add. Doc. 2) shows that the Maurice de Berkeley who attests this document was the son and successor of Robert de Berkeley. [2] Rubric (divided between f. 1v. and f. 2): *Ashel/worth*.

Add. Doc. 2. *Charter of Grimbald Pauncefoot, son and heir of Richard Pauncefoot of Hasfield, to St Augustine's, confirming his father's gift of 10 acres of meadow, pasture for 50 oxen in meadows in Ashleworth, and common of pasture for the abbey's men of Ashleworth in Hasfield. He also confirms his father's quitclaim of* la Barewe *and the gifts of meadow from Roger Bigod and Henry Humfrey. (Probably 1272 × c. 1274.)*[1]

Omnibus ad quos presens scriptum pervenerit Grimbaldus Pauncefot filius et heres Ricardi Pauncefot, dominus de Hasfeld, salutem in domino sempiternam. Noverit universitas vestra me presenti scripto confirmasse et concessisse in liberam puram et perpetuam elemosinam pro me et heredibus[2] et assignatis meis domino Ricardo abbati Sancti Augustini de Bristoll' et ejusdem loci conventui et successoribus suis imperpetuum donacionem illam quam dictus pater meus in plena et libera [f. 2] potestate sua fecit abbati et conventui dicti loci de decem acris prati cum omnibus pertinenciis suis quas de patre meo aliquando tenuerunt cum omnibus libertatibus et liberis consuetudinibus suis que continetur in carta dicti patris mei. Eodem vero confirmo dictis abbati et conventui et successoribus suis pro me et heredibus et assignatis meis liberam communam pasture singulis annis quinquaginta bobus in manerio suo de Asseleseworth existentibus quam dictus pater meus dedit et concessit [. . .] per tota prata et pascua de Wydenham et de Wynhalles cum omnibus libertatibus et liberis consuetudinibus suis sicut et plenius et melius in carta dicti patris mei continetur. Similiter confirmo et concedo eisdem abbati et conventui et successoribus suis concessionem commune pasture de Hasfeld quam pater meus predictus concessit omnibus hominibus de Asselleseworth manentibus a domo Ernaldi de Asselleseworth usque ad villam de Hasfeld cum omnibus libertatibus et liberis consuetudinibus suis sicut in cyrographo inter abbatem et conventum Sancti Augustini et patrem meum predictum confecto plenius et melius continetur. Salvis michi hiis que michi et heredibus et assignatis meis per tenorem dicti cyrographi debentur. Modo eciam supradicto confirmo et concedo eisdem abbati et conventui et successoribus suis remissione et quieta clamacionem quam pater meus predictus eisdem fecit de communa de Foxcombe et toto jure et clamio quod pater meus predictus dicebat se competere in tota terra illa que vocatur la Berewe [f. 2v.][3] et xii[ti] acris prati cum omnibus pertinenciis suis et quibuscumque aliis terris quas dicti abbas et conventus possident apud Asselleseworth sicut in cartis et remissionibus dicti patris mei plenius et melius continetur. Eodem eciam modo confirmo et concedo eisdem [abbati et conventui] et successoribus suis donaciones quas Rogerus Bigod eisdem fecit de toto prato illo cum omnibus pertinenciis suis quod idem Rogerus emit de Roberto de Pesebrugge et Eva uxore suo et Henrico Humfrey de Hassefeld' et de toto prato illo in Wydenham quod vocatur Humfreyshurst quod eciam Henricus Humfrey eisdem dedit et concessit sicut in cartis dictorum Rogeri et Henrici plenius et melius continetur. Volo igitur et concedo pro me et heredibus ac assignatis meis quod predicti abbas et conventus et successores sui habeant et teneant omnia supradicta cum omnibus pertinenciis et libertatibus suis in liberam puram et perpetuam elemosinam sicut in cartis et scriptis superius annotatis liberius et plenius continetur absque vexacione calumpnia et inpedimento seu gravamine mei vel heredum ac assignatorum meorum inperpetuum. In cujus rei et attestim' presenti scripto sigillum meum apposui. Hiis testibus, domino Petro de Chauvent tunc vicecomite Glouc', domino Willelmo de la Mar', et aliis.

¹ Grimbald succeeded in *c.* 1264. Reginald de Acle had succeeded Peter de Chauvent as sheriff of Gloucestershire by November 1273.
² *meis* deleted.   ³ Rubric (divided between f. 2v. and f. 3): *Assel/worth.*

Add. Doc. 3. [f. 3] *Charter of John, abbot of St Augustine's, to Ernald of Ashleworth, son of Hadewi Pinbert, granting him for life 9 acres in Ashmore and 3 acres in Foscombe. (1186/7 × 1216.) Copy of no. 379.*

Add. Doc. 4. *Agreement between Richard (of Malmesbury), abbot of St Augustine's and William the clerk of Pudbrook in Ashleworth. The agreement is couched as a charter issued by the abbot, granting 2 messuages and 9 acres in Ashleworth to William and his heirs of the body for an annual rent of 1 pound of cumin. If he has no children, the land is to revert to the abbey, but if William should give or sell the land, the abbey is to have the option to purchase it. (1264 × 75.)*

Notum sit omnibus presentibus et futuris quod convenit inter dominum Ricardum abbatem et conventum Sancti Augustini de Bristoll' ex parte una et Willelmum clericum de Asseleword ex altera in forma subscripta. Omnibus Christi fidelibus ad quos presens scriptum pervenerit Ricardus dei gracia abbas Sancti Augustini Bristoll' et ejusdem loci conventus, salutem in domino sempiternam. Noverit nos unanimi assensu nostro concessisse et hac presenti carta nostra confirmasse Willelmo clerico de Podibroc de Esseleworth' pro servicio suo unum mesuagium et sex acras terre cum pertinenciis suis [cum] redditu pratis pascuis pasturis et cum omnibus aliis pertinenciis suis in Pudibroc. Et eciam unum mesuagium et tres acras terre cum pertinenciis suis in Esselworth' de eodem feodo. Habendas et tenendas predicto Willelmo et heredibus suis de se procreatis totam predictam terram cum omnibus aliis pertinenciis imperpetuum, faciendo inde servicia debita et consueta capitalibus dominis. Et reddendo inde annuatim nobis et successoribus nostris unam libram cimini ad festum Sancti Michaelis et alia servicia que nobis de predicta terra debebantur. Et si evenerit, quod absit, quod dictus Wyllelmus sine herede de se procreato decesserit ex tunc tota predicta terra cum omnibus suis pertinenciis dictis abbati et conventui et eorum [f. 3v.] successorum plene et integre revertetur sine aliqua contradictione vel impedimento aliquorum imperpetuum; nisi evenerit quod dictus Willelmus in ligia potestate sua vel in sua egritudine de predicta terra dare vel vendere alicui voluerit, dicti abbas et conventus propinquiores in empcione predicte terre de predicto Willelmo vel heredibus ejus sine impedimento aliquorum erint; ita tamen quod satisfaciant eis pro predicta terra sicud aliis eis optulerint. Et ad majorem hujus rei securitatem huic presenti scripto inter partes diviso sigilla parcium alternati sunt appensa. Hiis testibus, Roberto de Ledene, Johanne Gurumbile, Ricardo Toky, Waltero de Passue de Hawe, Petro de Staunton, Henrico de Marewent, Roberto Keys, et multis aliis.

Add. Doc. 5. *Memorandum of the foundation of the abbey.*[1]

[f. 8] M^d quod monasterium Sancti Augustini fundatum erat anno domini millesimo cxl.[2]

Item quod R. Wigorn' et B. Exon' et R. Landaven' et G. Assau' episcopi dedicaverunt ecclesiam predictam anno domini millesimo cxlvj.

Item quod Alur' episcopus Wigorn' introduxit primo canonicos in monasterium predictum anno domini millesimo cxlviij° tempore regis Stephani.[3]

---

[1] See Introduction, p. xxii. [2] *in festo Pasch'* added in a later hand.
[3] A note added in a modern hand (not the hand of any of the usual annotators): *N^a 1140 5. Stephani Regis the monastery was founded.*

Add. Doc. 6. *A list of medieval kings, the names heavily and erratically abbreviated, added after the accession of Henry VI. (After 1 September, 1422.)*

[f. 10v.] Reges post conquestum. Will*elmus'* Con', Will*elmus* Rufus, Hen*ricus*, Steph*anus*, Hen*ricus* q*uoque* secundus, Ri*cardus*, Jo*hannes*, Henric*us*, Edward*i* tres, Ri*cardi* q*uoque* secundus. Henricus quart*us*, Hen*ricus* quintus, Hen*ricus* q*uoque* sext*us*.

Add. Doc. 7. *Amendment of instructions for taking view of frankpledge. The statement of principle is followed by a writ of Edward I to the bailiffs of Bristol market, dated 15 March, in the first year of his reign, ordering that the abbot of Kingswood should not be compelled to attend the view of frankpledge. (15 March 1273.)*[1]

Rubric: Nota. Remedium de adventu ad visum Franciplegii.

Item. Ad turnum vicecomitis non distringantur venire prelati, comites, barones, viri religiosi aut mulieres, nisi eorum presencia sit necessaria. Et habentes terras in diversis hundredis non veniant ad turnum vicecomitis nisi ubi fuerunt conversantes.

Item. Edwardus dei gracia rex Anglie dominus Hibernie et dux Aquitanie ballivis suis de mercato Bristollie, salutem. Cum de communi consilio regnis nostri provisum sit quod viri religiosi non habeant necesse venire ad visum franciplegii nisi eorum presencia ob aliam causam specialiter exigatur, vobis precipimus quod non distringatis abbatem de Kyngeswode ad veniendum ad visum franciplegii in curia nostra de mercato Bristollie contra formam provisionis predicte. Et districtionem siqua ei ea occasione feceretis sine dilacione relaxatis eidem. Teste me ipso apud Westm*onasterium*, xv^mo die Marcii anno regni nostri primo.

Marginal note: Eray.

¹ The principle was laid down in the Provisions of Westminster, in October 1259, and restated in the Statute of Marlborough, in November 1267 (*English Historical Documents*, iii, ed. H. Rothwell, 1975, pp. 371, 388; W. A. Morris, *The Medieval English Sheriff to 1300*, 1927, p. 203).

Add. Doc. 8. *Charter of James Barry, abbot of St Augustine's, granting to Gilbert de Clare, earl of Gloucester and Hertford, and his heirs the island of Steep Holme.*¹ *He also grants in exchange for the advowson of Marshfield, in the diocese of Llandaff, the advowson of Great Gransden (Hunts.), with the disposition of a pension of 10 marks a year from that church. (c. 1307–8.)*²

Rubric [f. 11]: Carta de Platholmes et de ecclesia de Grauntesdene alienata.

Sciant presentes et futuri quod nos Jacobus Barry abbas Sancti Augustini de Bristoll' et ejusdem loci conventus dedimus concessimus et hac presenti carta nostra confirmavimus nobili viro domino Gilberto de Clare comiti Glouc' et Hertford' et heredibus suis imperpetuum totam insulam que vocatur Plathol cum omnibus suis pertinenciis infra eandem insulam existentibus sine ullo retenemento. Ita quod nos aut successores nostri in predicta insula de Platholm' cum suis pertinenciis ut predictum est nichil jus aut clamium decetero vendicare vel exigere possimus. Dedimus insuper et concessimus pro nobis et successoribus nostris imperpetuum dicto domino comiti et heredibus suis advocacionem seu patronatum ecclesie de Grauntesden', Lincol' diocese, cum suis pertinenciis in escambium pro advocacione ecclesie de Mersfeud', Land' diocese, cum suis pertinenciis quam idem comes pro se et heredibus suis nobis et successoribus nostris in perpetuum concessit. Volentes et concedentes specialiter et expresse pro nobis et successoribus nostris inperpetuum quod idem dominus comes et heredes sui ad eandem ecclesiam de Grauntesden' cum suis pertinenciis quociens eam vacare contigerit personam quam voluerint sine contradictione vel impedimento nostri aut successorum nostrorum libere valeant presentare. Dedimus eciam et concessimus pro nobis et successoribus nostris imperpetuum dicto domino comiti et heredibus suis pensionem annuam x marcarum quam percipere consuevimus de predicta ecclesia de Grauntesden', ita quod idem dominus comes et heredes sui eandem pensionem sine contradictione nostri aut successorum nostrorum cuicumque voluerit libere valeat deferre et de eadem pensione disponere pro sue libito voluntatis. Nos autem, dicti abbas et conventus et successores nostri predictam insulam de Pleteholm cum suis pertinenciis, ut dictum est, et eciam advocationem ecclesie de Grauntesden' supradicta et quicquid in eadem ecclesia habuimus vel habere potuimus dicto domino comiti et heredibus suis warantizabimus contra omnes gentes in perpetuum. Et ut hoc factum nostrum ratum et stabile maneat imperpetuum presentem cartam sigillorum nostrorum impressione in pleno capitulo nostro fecimus consignari. Hiis testibus, dominis Johanne Wake, Rogero de Moubray, Willelmo le Ros, Johanne Engayn, Willelmo de Mortuomari, Henrico de Rale, Johanne de

Umfrevile, Reymundo de Sully, Roberto le Bel, Johanne de Crepping' tunc vicecomite Glamarg', militibus, Nicolao tunc abbate de Keynesham, Simone tunc priore de Kerdif, Thoma de Puielesdon' clerico, et aliis.

[1] For Steep Holme see no. 43.

[2] The date of this charter presents some difficulty. Abbot James Barry is said to have died on 12 November 1306 (*TBGAS*, 14, p. 128), but Gilbert de Clare did not succeed to the earldom until after the death of his mother, Joan of Acre, in April 1307; he was given livery of his Welsh lands on 18 August and of his father's lands on 26 November 1307 (*Complete Peerage*, v, p. 712). The dispute between the abbot and the prior of Worcester in 1307 (*Worc. Reg. Sede Vac.*, Worc. Hist. Soc., pp. 117–20) may have a bearing on the transaction. The source for James Barry's death (on which *VCH Glos.* i, p. 79 is based) is precise, and the dates are internally consistent with other details.

Add. Doc. 9. *Charter of James Barry, abbot of St Augustine's, to Robert son of Adam le Jouone of Ashleworth, granting the messuage with a curtilage and land which William de Langerethe formerly held in Ashleworth, for an annual rent of 7s. Robert has paid 7 marks as an entry fine. (1294 × c. 1307.)*[1]

[f. 11v.] Omnibus Christi fidelibus ad quos presens scriptum pervenerit Jacobus dei gracia abbas Sancti Augustini de Bristoll' et ejusdem loci conventus, salutem in domino. Noverit universitas vestra nos unanima voluntate et assensu et consensu nostra dedisse concessisse et presenti scripto nostro confirmasse Roberto filio Ade le Jouone de Ashleworth' pro servicio suo unum mesuagium cum curtillagio et totam terram arabilem jacentem sub Wyvelrig' cum grava haycis pratis pasturis et aliis pertinenciis suis, quod mesuagium cum curtillagio et quam terram cum omnibus pertinenciis predictis Willelmus de Langerethe aliquando de nobis tenuit in Ashleworth'. Habenda et tenenda omnia supradicta de nobis et successoribus nostris predicto Roberto et heredibus suis vel suis assignatis libere et quiete integre bene et in pace jure hereditario inperpetuum. Reddendo inde annuatim nobis et successoribus nostris predictus Robertus et heredes sui vel sui assignati[2] septem solidos argenti ad quatuor anni terminos usuales pro omnibus serviciis consuetudinibus querelis et demandis ad nos vel successores pertinentibus nostros, salva nobis et successoribus nostris secta curie nostre de Asselworth' secundum morem aliorum libere tenentium nostrorum, et salvo servicio regali quantum pertinet ad tantum tenementum in eadem villa. Pro hac autem donacione concessione et presentis scripti confirmacione nostra dedit nobis predictus Robertus vij marcas sterlingorum premanibus de introitu. Et nos vero et successores nostri predicto Roberto et heredibus suis vel assignatis predictum mesuagium cum curtilagio [et] totam predictam terram cum omnibus pertinenciis suis ut supradictum est contra omnes mortales acquietabimus et defendemus inperpetuum. In cujus rei testimonium presenti scripto etc. Teste, Thoma Gude et aliis.

[1] The dates are those of Abbot James Barry's tenure (*TBGAS*, 14, pp. 127–8).

[2] *vij s* written and expuncted for deletion.

Add. Doc. 10. *Charter of J., abbot of St Augustine's, to John of Acton, granting him the land in Acton which Isolde daughter of Alexander of Acton had given* *the abbey, namely the half-virgates held by Richard Waldyng and Walter Waldyng. John is to pay a rent of 2s. If children are born to him and his wife, they shall inherit the holding; if he dies without children of that marriage, the land is to revert to the abbey. (1275 × 80.)*[1]

[f. 12] Universis sancte matris ecclesie filiis ad quos presens carta pervenerit J. dictus abbas Sancti Augustini de Bristoll' et ejusdem loci conventus, eternam in domino salutem. Noverit universitas vestra quod nos terras quas Issillia filia Alexandri de Egatone de sua hereditate nobis in elemosinam dedit apud Egeton' unanimi assensu dimisimus et concessimus et hac presenti carta nostra confirmavimus Johanni de Egaton' pro servicio suo et homagio. Habendas et tenendas de ecclesia nostra tota vita sua, scilicet totam illam dimidiam[2] virgatam terre quam Ricardus Waldyng tenuit et illam dimidiam virgatam terre quam Walterus Waldyng tenuit. Reddendo inde annuatim ecclesie nostre duos solidos, scilicet duodecim denarios ad Pascha et duodecim denarios ad festum Sancti Michaelis pro omni servicio quod ad nos pertinent, salvo tamen regali servicio quantum scilicet ad tantam terram pertinebit. Preterea omnes libertates quas predicta Isillia nobis concessit et carta sua confirmavit in bosco et in plano in pratis et pasturis et in omnibus rebus predicto Johanni sicut nobis concesse sunt dimisimus et concessimus. Has vero terras predicto Johanni ita concessimus quod si liberos de propria sponsa habuerit ipsi easdem terras cum libertatibus sicut dictus Johannes tenuit de domo nostro tenebunt. Quod si absque liberis de propria sponsa obierit predicte terre libere quiete et integre ad nos revertentur. Et ut hec donacio etc. In cujus rei etc.

[1]   Isolde issued charters as a widow in the early years of the thirteenth century confirming the grants of these lands to St Augustine's (nos. 249, 250). Abbot J. can be John de Marina or James Barry. Three men called John of Acton occur in the thirteenth century: one was accused of the death of Adam of Saltmarsh (Isolde's husband) in 1200 (*PR 2 J*, PRS, NS, 12, p. 125). Whether he survived the accusation is not known. Two men, a father and son, occur between 1236 and 1278 (Jeayes, *Select Charters*, pp. 81, 94, 95, 133, 147, nos. 237, 238, 283, 284, 427, 456); John, son and heir of John, occurs in 1261 (BCM, GC no. 301). The indications are that this grant was issued by Abbot John de Marina in favour of this younger John of Acton.   [2]   *dimidiam* interlined.

Add. Doc. 11. *Charter of Hugh Despenser, son of Hugh Despenser the younger, to St Augustine's, sealed with the seal of his chancellery, and dated 2 April, 20 Edward III (1346). He confirms a grant by William, earl of Gloucester. The formal elements of Hugh's deed are transcribed in full, but so little is quoted even of the address of Earl William's charter that it cannot be identified. Dated, at Cardiff, 2 April 20 Edward III (1346).*

Hugo le Despens' filius et heres domini Hugonis le Despens' et Alianore consortis ejus omnibus sancte matris ecclesie filiis ad quos presens scriptum pervenerit, salutem. Sciatis quod inspeximus celebris et pie memorie cartam domini Willelmi comitis Glouc' quam fecit deo et ecclesie Sancti Augustini de Bristoll' et canonicis regularibus ibidem deo servientibus in hec verba:

Willelmus comes Glouc' dapifero suo etc omnia visuris (?) continetur in eadem carta.

Nos vero predictus Hugo predictam cartam ratam habentes et gratam eamque pro nobis et heredibus nostris predictis canonicis et eorum successoribus concedimus et confirmamus eamque tenore presencium innovamus, volentes et concedentes quod carta predicta in omnibus suis articulis imperpetuum firmiter et inviolabiliter observetur etiam et aliqui articuli in eadem carta contenti hujusque forsitan non fuerint observati. In cujus rei testimonium huic presenti carte confirmacionis sigillum cancellarii nostri duximus apponendum. Hiis testibus, domino Matheo le Sor tunc vicecomite nostro Glam', Henrico de Unfrevill', Gilberto de Turbervill', Rogero de Berkeroles, Thoma ap Bren, Johanne le Norreys militibus, Thoma de Barry, Pagano de Turbervill', Johanne Lovel, et aliis. Datum apud Kaerdif secunda die Aprilis anno regni regis *Edwardi* tercii post conquestum vicesimo.

Add. Doc. 12. *Charter of Henry III to St Augustine's confirming in detail grants of jurisdiction, exemptions and privileges. The witnesses and dating clause have not been transcribed in the cartulary. (1216 × 72.)*[1]

[f. 32] Henricus dei gratia rex Angl' dominus Hibern' dux Norm' et Aquit' et comes Andeg' archiepiscopis episcopis abbatibus prioribus comitibus baronibus justiciis vicecomitis forestariis viridariis prepositis ministris et omnibus ballivis et fidelibus suis, salutem. Noveritis quod nos locum juxta Bristoll' in quo sita est ecclesia Beati Augustini, et omnes donaciones que a predecessoribus nostris regibus Angl' et a quibuscumque aliis deo et predicte ecclesie et abbati et canonicis ejusdem loci ibidem deo servientibus facte sunt et in futurum fuerint faciende, et omnes terras homines et possessiones et libertates predictis abbati et canonicis collatas vel in futurum a nobis vel ab aliis conferendas, intuitu dei et pro salute anime nostre et animarum antecessorum et heredum nostrorum predictis abbati et canonicis regia potestate concedimus et confirmamus pro nobis et heredibus nostris. Videlicet quod habeant soc et sac, et tol et theam, et infangenethef et utfangenethef, et quod ipsi et homines sui imperpetuum sint quieti de omnibus geldis danegeldis hidagiis carucagiis schiris hundredis socis schirarum et hundredorum, et auxiliis vicecomitum, et de custodiis et operacionibus castellorum pontium et clausurum parcarum, et de wardpeni anedpeni thethinpeni hamwite flemonewyte lerwyte clodwyte fythwyte grethbreche fremoneswyte et forstal hamsocum et heyford et de francopleggio. Ita tamen quod visus francipleggii in terris predictorum abbatis et canonicorum fiat coram serviente nostro ad hoc vocato. Et [. . .][2] si qua inde continget [. . .] predictorum abbatis et canonicorum. Et quod predicti abbas et conventus et eorum homines sint imperpetuum quieti de espeltament' canium per omnes terras suas. Et quod bosci et assarta dictorum abbatis et canonicorum tam nova quam vetera sint quieta imperpetuum de vasto et regardo foreste, et quod sine visu forestariorum virdariorum et ministrorum suorum capient predicti abbas et conventus de boscis suis propriis ad usus suos proprios quantum eis necesse fuerit. Et quod ipsi abbas et canonici sint quieti de theoloniis per totam terram nostram de omnibus rebus quas ad usus suos proprios emerint et per terram vel per aquam deportare fecerunt. Quare volumus et firmiter precipimus pro nobis et heredibus nostris quod predicti abbas et canonici habeant imperpetuum omnes libertates et quietancias predictas sicut predictum est. Hiis testibus.

[1]   As a confirmation, this document might have been issued early in Henry III's reign, though there is nothing in it to point to a precise date.

[2]   The folio is very faded, and short sections are lost.

Add. Doc. 13. *Enrolment of proceedings in the view of frankpledge in South Cerney. The abbot and convent of St Augustine's demonstrate that they are quit of suit of court, and that they should have common for their animals with the lord's tenants, for which they pay 2s annually. 4 November 21 Henry VII (1505).*

Rubric [f. 32v.]: South Cerney.

In curiam cum visu franciplegii tentam ibidem quarto die mense Novembris anno regni regis Henrici septimi xxj° taliter irrotulatur. Ad istam eandem curiam dominus remisit et relaxavit abbati et conventui de Sancto Augustino juxta Bristolliam et successoribus suis sectam sue curie huic manerio faciendam pro eo quod concilium dicti abbatis magnam fecit domino instanciam et eidem domino ostendit evidencias suas et alias cartas progenitorum domini hujus manerii et eisdem abbati et conventui factas ac per que idem abbas et conventus ac successores sui erunt quieti de secta sua predicta ibidem facienda ac omnibus aliis exactionibus et serviciis. Et dominus hujus manerii nullum vetus presidens ostendere potest per quod idem abbas et conventus aut successores sui tenerentur aut deberent sectam huic manerio faciendam nisi tempore Thome Lymery regis senescalli ejusdem manerii qui predictum abbatem exactum fecit ex malicia et non aliter. Et ulterius ad istam eandem curiam ordinatum et stabilitatum existat quod per assensum et consensum predicti abbatis tenure sue vocate Sonyng' habebit communam suam cum universis animalibus suis in le Comen More quando et sicut tenentes domini habent et usi fuerunt. Reddendo inde annuatim domino ij solidos pro eadem inde habenda.

Add. Doc. 14. *Charter of Joseph, abbot of Reading, recording the settlement between Reading and St Augustine's over the churches of Berkeley Harness. St Augustine is to have the churches, paying 20 marks a year to Reading.*[1] *Dated the feast of St Luke (18 October), 1175.*

[f. 64v.] Josep dei gratia Rading abbas totusque ejusdem loci conventus universis sancte ecclesie filiis, salutem. Ad publicam volumus noticiam devenire quod causa que inter nos et canonicos Sancti Augustini de Bristoll' super ecclesia de Berkel' aliquamdiu ventilata est coram domino Roberto Hereford' episcopo et domino Simone abbate Sancti Albani qui in eadem causa a domino papa Alexandro iii judices fuerant delegati presente domino regi Henrico secundo et ad pacem plurimum operam dante sub apostolica auctoritate qua in hiis dicti judices fungebantur tali compositione mediante terminata est. Videlicet quod jam dicti canonici ecclesias de Berkelhernesse, scilicet ecclesiam de Berkelea et de Wtton' et de Beverstana et de Almodesbury et de Esseleswrd' et de Cromhala, singulis cum suis pertinenciis, nomine nostro perpetuo possidebunt, solvendo annuatim ecclesie Rading' viginti marcas, x ad Pascha et x ad festum Sancti Michaelis. Si vero alia que ab aliis quacumque injuria detinentur, nominatim ecclesiam de Camma et ecclesiam de Erlyngham aut quecumque alia ecclesiastica bona ad ecclesias de Berkelehernesse pertinencia, utrisque partibus placuerit revocari equis sumptibus utrius partis hoc fiet, et quecumque inde assegire[2] potuerint equis porcionibus divident. Dominus eciam rex predictus pro desiderio pacis advocat se ita provisurum quod quamdiu tenuerit Henricus Exon' archidiaconus et monachi [Rading']³ a canonicis annuatim percipiant pensionem et canonici tamen indempnes existant. Celebrata est autem hec transactio anno dominice incarnacionis [mclxxv]⁴ die Sancti Luce apud Lond' papante domino Alexandro papa iii, regnante Henrico secundo. Hiis testibus, Ricardo Cant' archiepiscopo, Gilberto Lond' episcopo, Ricardo Wynt' episcopo, Roberto Hereford' episcopo, Gaufrido Elyens' episcopo, Simone abbate Sancti Albani, Mauricio de Berkele, Roberto et Ricardo filiis ejus.

Marginal note: Carta Rading' super ecclesiis de Berkelhernesse.

[1] For the parallel document issued by Richard, abbot of St Augustine's, see *Reading Abbey Cartularies*, ed. B. R. Kemp, i, p. 233, no. 280.

[2] An alternative form of *assessire*.

[3] MS. and *Reading Abbey Cartularies* no. 280 have *suam*. For *Rading'* see *Reading Abbey Cartularies*, i, p. 230, no. 277, the record of the settlement issued by the papal judges-delegate, Robert, bishop of Hereford, and Simon, abbot of St Albans.

[4] The date was added in the margin: *anno domini mclxxv°*, and is confirmed by the judgement in the Reading Cartularies.

Add. Doc. 15: *Record of the settlement of a dispute between Thomas, abbot of St Peter's, Gloucester, and John, abbot of St Augustine's, over financial commitments. In place of earlier payments, St Peter's remits to St Augustine's 1 mark a year for tithe from the fisheries of Garn and Ruddle and quitclaims the third prebend of Berkeley. Walter, dean of Cam, is to retain the third prebend during his lifetime, subject to an annual pension of 20s, from which St Augustine's is to pay half a mark to St Peter's. St Augustine's is also to acquit St Peter's of an annual payment of 3 marks to Reading abbey. These 3 marks comprise 1 mark in respect of 12 herdacres[1] in Weston, Horfield, Almondsbury, and Elberton (all in Berkeley Harness) given by St Peter's to St Augustine's, 1 mark is from the fisheries, and 1 mark is the balance of the pension of 20s due from Walter. After Walter's death St Augustine's may appropriate the prebend and is to acquit St Peter's of an annual payment of 6 marks a year to Reading abbey, of which 3 marks are drawn from the income of the prebend. The canons will continue to pay half a mark a year to St Peter's. This protracted dispute has reached the stage where the judges-delegate appointed by Pope Clement III record an agreement between the parties. (20 December 1187 × late March 1191.)[2]*

[f. 80] Sciant presentes et futuri quod controversia inter Thomam abbatem et conventum Glouc' et Johannem abbatem et conventum Sancti Augustini de

Bristoll' a domino papa Clemente tercio super tercia prebenda de Berkelei venerabilibus viris Willelmo Hereford' episcopo et Ricardo abbati Cirencestr' et Gaufrido priori Lonton' commissa, communi assensu utriusque ecclesie tali fine conquievit. Monachi quidem Gloucestr' debebant sex marcas argenti annuatim, tres monachis Rading' et tres canonicis Bristoll' per manum monachorum Rading' pro quadam transactione inter eos super ecclesia de Camma et suis pertinenciis in presencia domini Henrici regis secundi et aliorum magnorum virorum facta. Canonici vero debebant ante hanc transactionem annuatim unam marcam monachis Gloucestr' pro decime piscariarum de Gerna et Redeleia, et in contractu[3] hujus transactionis predicti monachi concesserunt et inperpetuum dederunt prefatis canonicis de herdacris quas habent in Berkeleishurnes duodecim omnino scilicet tres apud Westona et tres apud Horefeld' et tres apud Almondesburiam et tres apud [El]bertonam. Et prefatam marcam predictarum piscariarum eis inperpetuum remiserunt et predictam prebendam de Berkeleia sine contradictione et proclamacione jamdictis canonicis quietam simili remiserunt inperpetuum. Ita tamen quod Walterus decanus de Camma quoad vixerit prebendam nomine canonicorum sub annua viginti solidorum pensione possedebit. Post ejus decessum ad prenominatos canonicos Bristoll' plenarie redebit et ipsi eam in usus proprios convertent. Canonici vero Bristoll' in vita prefati Walteri dimidium marce[4] argenti monachis Glouc' de prefata viginti solidorum pensione annuatim persolvent et eos aquietabunt erga monachos Rading' de tribus marcis supradicti transactionis ecclesie de Camma quas videlicet tres marcas id est[5] canonici pro monachis Gloucestr' monachis Rading' ad solvend' percipient, unam de herdacris, et unam de piscariis, et de pensione jamdicta unam. Et monachi Glouc' monachos Rading' ipso Waltero vivente de tribus marcis respondebunt. Post decessum vero predicti Walteri idem canonici acquietabunt monachos Glouc' de sex marcis erga predictos monachos Rading' de tribus scilicet quas ante decessum[6] Walteri monachis Rading' persolvebant, et de tribus aliis percipiendis de prebenda, et predictam dimidiam marcam argenti nichilominus monachis Glouc' [f. 80v.] sicut dictum est annuatim ad festum Sancti Michaelis persolvent. Canonici vero monachos de Glouc' tam adversus ecclesiam suam quam adversus ecclesiam Rading' super hac liberatione et immunitate facienda [. . .][7] ecclesie Rading' et Bristolli plene convenerunt. Et [. . .] possit de uno suscitari scriptis autenticis ex utriusque partis renunciatum est [. . .] auctoritate lis prius inter eos super supradicta prebenda mota fuit. In cujus rei testimonium presens scriptum divisum inter nos cyrographe sigillum utriusque ecclesie scilicet de Glouc' et de Bristoll' apposue roboratum est etc.

[1]   The precise meaning of *herdacre* is elusive; in this context it may be 'cow-pastures'. The first element appears to be *heorde*, though that is normally found with *wic*, as in Hardwicke, with the meaning of a dairy farm, and occurs very rarely in other contexts.

[2]   This dispute is linked with no. 12, a confirmation issued by Henry II (late 1175 or early 1176), and it continued to the end of the twelfth century. The latest limit of date for this agreement is 24 December 1198, from the death of William de Ver, bishop of Hereford, but this attempt at a settlement is likely to have been reached before the death of Clement III. The document is one of a series of attempts to clarify the rights of the three religious houses. For the details see *Reading Abbey Cartularies*, ed. B. R. Kemp, i, pp. 225–44, nos. 267–294; David Walker 'Some charters

relating to St. Peter's Abbey, Gloucester', *A Medieval Miscellany for Doris Mary Stenton*, PRS, NS, 36, p. 265, no. 13.

³ The abbreviations are clear; perhaps *in contracto* or *in contractione* might have been expected.

⁴ The case endings are clear.

⁵ *idem canonici* might be a better reading, but *id est* is clear.

⁶ MS. adds *vere predict'* which has been deleted. The scribe has gone back to *decessum* two lines earlier in his text before realising his mistake.

⁷ Part of five lines of text has faded, and some words are difficult to read. Charters relating to this transaction do not provide exact parallels for the text of this agreement.

Add. Doc. 16. *A note about the taxation of the church of Berkeley.*

[f. 80v.] Ecclesia de Berkeleya taxatur in sexaginta tres marcis. Inde porcio abbatis Radyng' viginti marcas. Inde decima duas marcas. Item inde porcio prioris de Stanl' viginti solidos. Inde decima duos solidos. Item inde porcio Episcopi quinque marcas que estimantur, et det in spiritualibus episcopi et in spiritualibus rectori triginta sex marcas et dimidiam. Inde decima tres marcas et octo solidos et octo denarios. Preter hoc porcio vicarii novemdecim marcas. Inde decima unam marcam et duodecim solidos. Item preter hoc porcio prioris de Stanl' in hardacr' triginta sex solidos et octo denarios. Inde decima tres solidos et octo denarios. Articulus collect' liberatio.¹

Marginal note: Taxatio ecclesie de Berkeley.

1 The last phrase has been added as a rubric.

Add. Doc. 17. *A note on the payment of pensions.*

[f. 80v.] Si aliqua ecclesia pencio aliqua capiatur annuatim de qua ecclesia dari debet rector ejusdem ecclesie dictam decimam soluere compellatur et tantum sibi retineat de predicta pensione etc.

Marginal note: Nota.

Add. Doc. 18. *Letter of Hamelin, abbot of St Peter's, Gloucester, to Simon, bishop of Worcester, resigning any claim he could make to the third prebend of Berkeley which Walter, dean of Cam, once held, but reserving to Stanley priory a pension of half a mark. (5 December 1148 × 20 March 1150.)*¹

[f. 80v.] Reverendo domino et patri in Christo karissimo S*imoni* dei gracia Wigorn' episcopo devoti filii H*amelinus* divina miseracione abbas et conventus Sancti Petri Glouc', salutem et devotum cum debita reverencia in Christo famulat'. Peticioni vestre de mandato graviter et devote sicut decet volentes condescendens sponte et absolute totum jus meum quod in tercia prebenda de Berkel' habuisse dinoscimur quam W*alterus* decanus de Chame olim possedit paternitati vestre per has literas nostras patentes resignamus salva prioratui nostro de Stanl' antiqua et debita pensione dimidie marce quam prior de Stanl' qui pro tempore fuerit semper et pacifice et in concusse precepit. Valeat in domino[2] paternitas vestra etc.

¹ The limits of date are provided by the election of Hamelin as abbot of Gloucester, and the death of Simon, bishop of Worcester.

² A heavily abbreviated word, partly obscured by an elongated tail from the previous line, has been added at this point.

Add. Doc. 19. *Charter of Richard, abbot of St Augustine's, to Adam of Leigh, the abbey's man, granting him the half-virgate of land in Radford which Richard of Radford held with the mill there, for an annual rent of 17d, and for a gold coin* (aureus) *as an entry fine. The text is badly faded in patches. The grantor is presumably Richard of Malmesbury. (1264 × 75.)*

[f. 108v.] Universis sancte ecclesie fidelibus ad quos presens carta pervenerit Ricardus dei gracia abbas Sancti Augustini de Bristoll' et ejusdem loci conventus, salutem. Notum [vobis fecimus quod nos dedimus et] concessimus Ade de Lega homini nostro dimidiam virgatam terre videlicet illam quam Ricardus de Radford tenuit cum molendino [. . .que] est super aqua de Radford' que [. . .] interesse [. . .] ipsi Ricardo et heredibus suis [. . .] hereditabiliter. [Reddendo inde] annuatim decem et septem solidos ad duos anni terminos, dimidiam ad festum Sancti Michaelis et dimidiam ad Pascha pro omni servicio quod ad nos pertinet et pro uno aureo quem pro ingressu dabunt [. . .] quicumque predicti Ade successerunt. Ut hec nostra concessio predict' Ade et heredibus ejus firma consuetur [. . .] scripti presenti et ecclesie nostre [? sigillo] corroboravimus. Test' Thoma capel' de Lega in [. . .] etc.

Add. Doc. 20. *Note that each portioner of Halberton is to receive the lesser tithes and the obventions of the altar, and to be responsible for all burdens, according to the extent of his portion. (c. 1270.)*

[f. 128] Nota. Vicar*ius* de Halberton' precipit omnes minutas decimas et omnes proventus altaris et sustinebit omnia onera ordinaria et extraordinaria pro quantitate sue porcionis etc.

Add. Doc. 21. *Ordinance for the maintenance of a vicarage at Halberton, made by Walter Bronescombe, bishop of Exeter, on the institution of Gregory of Halberton as vicar. Dated at Sampford Peverell, on the Thursday (28 August) after the feast of St Bartholomew the Apostle, 1270.*

[f. 128v.] Universis presentes literas inspecturis Walterus miseracione divina Exon' episcopus, salutem in domino sempiternam. Ad universitatis vestre noticiam tenore presentem volumus pervenire quod cum ad presentacionem religiosorum virorum abbas et conventus Sancti Augustini Bristoll' verorum patronorum ecclesie de Halberton' vacantem vicariam predicte ecclesie dilecto filio Gregorio de Halbertona capellano contulerimus intuitu caritatis eandem vicariam taxamus in hinc modum assignantes eidem et successoribus suis post ipsum nomine vicarie totum altelagium et totam decimam feni lini fabarum et pisarum tocius parochie in ortis crescens(?). Et ipse et vicarii qui pro tempore fiunt sustinebint omnia debita et consueta que omnia per nostram taxationem seu ordinacionem tenore presencium approbamus et dedimus et futuris temporibus inviolabiliter observare. In cujus rei testimonium presentibus hiis sigillum nostrum duximus apponendum. Datum apud Saunford' Peverell' die thours proxima post festum Sancti Bartholomei Apostoli, anno domini millesimo cc^{mo} lxx^{mo}, et consecracionis nostre duodecimo. Istud scriptum semper rem*anens* penes vicarium de Halberton' qui pro tempore fuerit sigillo domini episcopi signatum.

Add. Doc. 22. *Final concord recording the settlement of a case heard by the king's justices at Gloucester between the abbot of St Augustine's, represented by Ralph, canon of St Augustine's, and Roger de Cevyll', over half a hide in Ashleworth. Roger quitclaimed the land to the abbot. Dated the Sunday (7 July) after the octave of the feast of St Peter and St Paul, 2 Richard I (1191).*

[f. 135] Hec est finalis concordia facta in curia domini regis apud Glouc' die dominice proxima post octabas appostolorum Petri et Pauli anno regni regis Ricardi secunde coram Willelmo Hereford' episcopo et Willelmo Marischall', Roberto de Witffelde, Ricardo de Pecto justiciis domini regis et¹ aliis baronibus et fidelibus domini regis tunc ibi presentibus inter Radulfum canonicum de Sancto Augustino de Bristoll' positum loco abbatis sui de eodem loco et Rogerum de Cevyll' de dimidia hida terre cum pertinenciis suis in Aschelworth' quam predictus Rogerus clamavit versus prenominatum abbatem sicut jus et hereditatem suam et unde placitum fuit inter eos in curia domini regis, scilicet quod prescriptus Rogerus quietum clamavit totum jus et clamium suum quod dicebat se habere in prenominata terra prenominato abbati de Sancto Augustino de Bristoll' et ejusdem domi de se et heredibus suis² imperpetuum. Et pro hac quieta clamancia predictus abbas de Sancto Augustino dedit prefato Rogero undecim marcas argenti etc.

¹ The scribe has added *s* at this point.
² MS. has *domi contra de se et heredibus suis*; *suis* establishes the phrase *de se et heredibus suis*. For *contra* the scribe may have intended *con[ven]t[ualis]*.

Add. Doc. 23. *Charter of Reginald le Waleys to John Pessun confirming land with a messuage, crofts, and a meadow, in the Woodland, in Winterbourne, which William Pessun had held. He also confirms 9½ acres in his assart in Ashridge. John is to pay annually 9s 6d and 12d for common of pasture for 12 pigs. John has given to Reginald 3½ marks as an entry fine and to Reginald's wife 2s. (Mid-thirteenth century.)*¹

Rubric: Almondesbury.

[f. 161] Sciant omnes presentes et futuri quod ego Reginaldus le Waleys dedi et concessi et hac mea presenti carta confirmavi Johanni Pessun totam terram illam cum messuagio, croftis, prato, et cum omnibus pertinenciis, illam videlicet quam Willelmus Pessun quandam tenuit in þe Wudlond in manerio de Wynterburne, inter terram Ade de Wude et terram Willelmi Lyngvir; et preterea novem acras terre et dimidiam in essarto meo deo Aysrigg' ex parte aquilonis juxta terram abbatis Sancti Augustini Bristoll'. Habendam et tenendam sibi Johanni Pessun et heredibus et assignatis suis de me et heredibus meis libere quiete pacifice integre, in feudo et hereditate, cum omnibus libertatibus in omnibus rebus et in omnibus locis imperpetuum. Reddendo inde singulis annis michi et heredibus meis novem solidos et sex denarios ad quatuor terminos anni, videlicet ad festum Sancti Michaelis duos solidos et quatuor denarios et obolum, et ad festum Sancte Andree duos solidos et quatuor denarios et obolum, et ad Annunciacionem Beate Marie duos solidos et quatuor denarios et obolum, et ad Nativitatem Sancti Johannis Baptiste duos solidos et quatuor denarios et obolum. Et preterea duodecim denarios ad festum Sancti Martini pro duodecim porcis quos dictus Johannes et heredes et assignati sui debent et possint habere ubique in libera communa de Wynterburne pro omnibus serviciis querelis et demandis secularibus imperpetuum, salvo forinseco servicio domini regis. Et ego Reginaldus le Waleys et heredes mei debemus warantizare totam predictam terram cum omnibus pertinenciis suis et duodecim porcos in libera communa de Wynterburne tam in boscis quam alibi dicto Johanni et heredibus et assignatis suis contra omnes homines et feminas imperpetuum. Et pro hac donacione concessione et hujus carte confirmacione dedit michi predictus Johannes tres marchas et dimidiam argenti, et uxori mee duos solidos. Et in hujus rei testimonium et securitatem, huic carte sigillum meum apposui. Hiis testibus, domino Ada de Aystone, Petro de la Seguine(?), Willelmo de Frompton', Willelmo filio Eleye de la Haye, Johanne serviente, Willelmo Lyngvire, Roberto Honypur, et aliis.

[1]   Reginald le Waleys occurs in 1234 (*St Mark's Cartulary*, pp. 183, 188, nos. 283, 293); his son Richard occurs in 1256 (ibid. p. 208, no. 333). Reginald, with John Pessun, attests a charter issued before 1253 (ibid. p. 227, no. 370). William of Frampton occurs between 1248 and 1279, and may have been active as early as 1230 and as late as 1285 (ibid. pp. 185–7, 191, 202–3, 209–6, 220, 223, nos. 288, 290–1, 298, 321, 323, 335–6, 358, 363.

Add. Doc. 24. *Charter of Roger of Clifton to St Augustine's confiming in free alms 5 acres of land in Rownham with free access. He also confirms to the almoner common of pasture in all his land in Clifton for 6 oxen, 2 cows, and 80 sheep. (c. 1205 × ? c. 1235.)*[1]

[f. 272] Universis Christi fidelibus presens scriptum visuris vel audituris Rogerus de Clifton' juxta Bristollum, salutem in domino sempiternam. Noverit universitas vestra pro salute anime mee et antecessorum meorum me dedisse concessisse et hac presenti carta mea confirmasse deo et ecclesie Sancti Augustini de Bristoll' et canonicis regularibus ibidem deo servientibus totum illud tenementum meum apud Rowenam quod est situm inter boscum meum et fossatum aquaticum continentes quinque acris terre, quarum una dimidia acra jacet proximo ultra fossatum predictum in parte australi cum domibus [et] curtilag' adjacentibus, cum tota wartha a predicto fossato usque ulterium terminum suum borialem, et cum toto passagio ibidem cum omnibus suis pertinenciis. Item fateor me dedisse concessisse et hoc scripto confirmasse elemosinario ecclesie predicte cuicumque qui pro loco et tempore fuerit et omnibus suis successoribus omnimodam communem pasturam in omnibus locis terrarum mearum de Clifton' [in] viis semitis aquis stagnis planis vallibus boscis et in omnibus aliis pascuis nostris ad sex boves [et] duos bovea, et ad octoginta oves vel multones per totam terram meam predictam imperpetuum. Tenenda et habenda predictis religiosis et eorum successoribus omnia predicta et singula, cum omnibus suis pertinenciis et cum omni libero introitu et exitu cum suis hominibus equis jumentis cartibus ad omnem solacionem, et cum quisbuscumque suis averiis ac bonis seu catallis ad quamcumque partem et angulum terre nostre predicte extra pratum et bladum a festo Pasche usque ad gulam Augusti, et ad passagium predictum ubicumque et quandocumque voluerint libere quiete bene et in pace integre in puram et perpetuam elemosinam imperpetuum absque contradictione reclamatione et calumpnia mea vel heredum meorum, sive assignatorum aut nostrorum hominum. Ita quod predicti religiosi nulli hominum inde respondeant nisi soli deo in oracionibus. Quare ego predictus Rogerus dominus de Clyfton' volo et precipio quod heredes mei sive assignati universa et singula ut predictum est predictis religiosis et eorum successoribus contra omnes mortales warantizare acquietare et defendere teneantur imperpetuum tanquam puram et perpetuam nostram elemosinam. In cujus rei testimonium huic scripto presenti sigillum meum duxi apponendum. Hiis testibus, Randulpho de Filton', Reginaldo de Gosynton', Ricardo de Brokenburgh, Johanne de Lideherd, W. de Gatevill'.

¹ See no. 599.

Add. Doc. 25. *Instructions for holding a general chapter of the order of St Victor of Paris.*¹

Rubric: Hec est forma tenendi capituli generale juxta modum ordinis Sancti Victoris Parisiensis.

Abbas conventus loci quo capitulum celebrabitur summo mane surget illo die, et dato signo in dormitorio fratres ibunt ad lavatorium, deinde ad capitulum. Capitulo ibi tento ibunt ad ecclesiam et ibi dicent omnes horas diei et missam magnam, et xxv psalmos si r[. . .]lina fuerit excepta ultima hora None et horis Beate Marie, quas singuli dicent per se, et omnes fratres intersint capitulo generale. Istis completis statim pulsabunt ad capitulum generale. Et cum omnes fratres capitulum sunt ingressi et in sedibus suis collocati, frater provisque ad predicandum verbum dei statim surget et coram presidente inclinabet et dicet 'Jube domine benedicare'. Et presidens dicet ita ut omnibus audiatur, scilicet, 'Dominus sit in corde tuo et in labiis tuis ad pronuncianda sacra dei eloquia, in nomine patris et fratris etc.' Et omnes dicent 'Amen'. Sermone itaque completo, presidens dicet 'Benedicite' et omnes dicent 'dominus', et dicet procuratoribus 'Vos procuratores conventuales habetis aliquid dicere?', et respondebunt 'Eciam domine'. Et dicet unus de procuratoribus primo 'Pater habemus animas fratrum et amicorum primo recommendandas si placet', et dicet sic. 'Nos de conventu talis loci rogamus ut habeatis istas animas fratrum nostrorum et animas amicorum nostrorum nuper defunctorum recommendandas, scilicet animas fratris N. et fratris N. et fratris N. canonicorum nostrorum nuper defunctorum.' Et postea leget familiares, scilicet Willelmum N. et Ricardum N. et Johannem N., et ceteros benefactorum nostrorum specialium nuper defunctorum. Et respondebit presidens unicuique procuratori cum perlegent fratres et familiares 'Requiescant in pace', quibus per ordinem singularis perlectis dicent *De profundis clamavi*, et *Pater noster*, et tres oraciones, scilicet *Deus Venie largitor*, *Deus indulgenciarum*, et *Fidelium deus*. Post modum dicet presidens vice omnium prelatorum 'Nos injungimus omnibus canonicis nostris sacerdotibus qui missas celebrare possunt ut pro istis animabus hic recommendatis dicant singuli singulas missas, et ceteri fratres non celebrantes unum psalterum, et uniusquisque conversorum fratrum *centum Pater noster* cum totidem *Ave Maria*. Deinde dicet presidens 'Vos procuratores conventuales ubi sunt vestra procuratoria?', et ipsi ostendent procuratoria sua et tradent presidenti ad examinandum si sint sufficiencia, quibus examinatis, omnia eisdem procuratoribus restituet. Tunc [f. 217] presidens dicet omnibus assistentibus 'Fratres mei, ecce in nomine domini sumus hic vocati et congregati ad videndum et corrigendum defectus et excessus in divinis officiis, in personis et rebus, et ad statuendum per communem assensum super eisdem que deo placeant et fratribus ac nobis perficiant ad salutem animarum, et ut in presenti capitulo generali possumus sic agere et proficere ea que agenda sunt ad laudem dei et ad honorem omnium sanctorum et sancte ecclesie ac ad animarum nostrarum utilitatem secundum spem in adjutorium innocencium.' Et tunc dicent himnum *Veni creator spiritus*, quo dicto dicet presidens oracionem, scilicet *Deus qui corda fidelium*. Et tunc dicet omnibus 'Habetisne aliqua motiva legittima proponenda super defectibus et excessibus in officiis divinis aut in rebus aut in personis que per istud capitulum poterunt emendari? Et respondebunt illi qui habent aliqua proponenda dicendo, 'Eciam domine'. Et tunc lectent fratres proponentes sua motiva in scriptis. Et tunc eligatur unus presidens per communem assensum pro tempore futuro. Quo electo et pro tribunali sedente, surget presidens perteritus et stans coram presidente electo officium suum resignet coram omnibus dicendo 'Fratres mei dilecti pro deo recto michi parcatis si in officio michi comisso negligens extiterum vel remissus, nam nomine dei invocato suscepto presidencie officio, coram vobis cedo et in manus sancte paternitatis vestre coram vobis fratribus et testibus illud pater reverende resigno. Et presidens respondebit 'Indulgeat tibi deus' et omnes fratres dicent 'Amen'. Postea electantur quatuor persone ad minus per quem assensum ad omnia motiva per fratres ibidem preposita examinanda qui religione et discrecione sint approbati, qui habito super hiis tractatu diligenti statuant et diffiniant super prepositis per omnem assensum ea qua magis cultui Domino et animarum saluti sibi viderint expedire, et ea que secundum deum et jura canonica approbaverint,[2] ab omnibus approbentur et rata debent permanere secundum quod loquitur capitulum de statu monachorum. Et capitula que sic incipiunt[3] in singulis provinciis et in scriptis redictantur modo debito ut per autenticis teneantur et sub sigillo presidentis singulis conventibus provincie liberentur. Hiis cum deliberacione peractis vocentur [f. 217v.] visitatores temporis preteriti ut de officio illis commisso respondeant. Et si quid habeant revelandum revelent et quod dicendum est referant, metas tamen visitacionis minime excedendo. Et si iidem visitatores in officio visitandi negligentes extiterint, vel in visitando in aliquo excesserint, super hac corripiantur, et juxta ipsorum merita condigne puniantur, ita quod pena eorum sit ceteris in exemplum quia eorum officium est diversi mode periculosum[4] nisi debito modo in visitando processerunt. Post hec eligantur tres visitatores per communem assensum pro tempore futuro qui sciant officium visitandi debito modo exequi prout decet. Ita ut nec nullus eorum in propriis domibus visitet, set inter alios fratres a duobus collegiis suis visitetur ut ceteri. Postmodum nominentur locus et dies proximi capituli futuri. Ita quod ultra proximum terminum minime prefigantur, et in fine statutorum conscribentur. Ut omnibus fratribus valeant [. . .]o testere. Et notand' quod quociens necessitas visitandi exigerit, per presidentem litteratorie debent visitatores excitari, et conventus locorum sufficienter premuniri.

[1]   These instructions provide for a general chapter meeting which lasted for only one day. That was the case with the Augustinian general chapter until 1249, when the chapter was extended over two or three days (*Chapters of the Augustinian Canons*, ed. H. E. Salter, Cant. and York Soc., 1922, p. 144).   [2]   MS. *approbraverint*.

[3]   MS has *capitulum qui sic incipit*, but the sense requires the plural form.

[4]   MS. *periclosum*.

Add. Doc. 26. *Charter of Adam of Horwood, burgess of Chipping Sodbury (Sodbur' Marche), to Robert son of Eric of Chalkely granting a place in Chipping Sodbury with its houses and buildings, lying between the land once held by the smith and that of Alice de Palegrave, with a frontage on High Street of 33 feet and extending from the street to the land of William of Radford the less minor for a length of 119 feet. Robert and his heirs are to pay 13d a year to the smith or his heirs and assigns, 2d to the capital lord of the fee, 3d to the church of St Mary of Chipping Sodbury, and 13d to the abbey of St Augustine, Bristol. Robert has paid 50s to Adam for his most urgent business expenditure, and 2s to Adam's wife Milicent, since she would be unable to claim dower in the holding if she survived Adam.[1] (Second half of the fourteenth century.)[2]*

Rubric [f. 219]: Sodbur'.

Sciant presentes et futuri quod ego Adam de Horrewode[3] burgensis de Sodbur' Marche dedi et concessi et hac presenti carta mea confirmavi Roberto filio Eyricii de Chalkele[4] unam placeam terre in Sodbur' Marche cum domibus et edificiis super dictam placeam levatis et constructis jacentem inter terram quondam fabri[5] et terram Alicie de Palegrave que continet in fronte magnum vicum triginta et tres pedes in latitudine et a magno vico usque ad terram Willelmi de Radford minor continet in longitudinem centum et decem[6] et novem pedes. Tenendam et habendam dictam placeam terre cum domibus et edificiis et cum omnibus aliis pertinenciis suis et liberis consuetudinibus ad dictam placeam terre et edificia[7] spectantibus sibi et heredibus suis vel suis assignatis et eorum heredibus libere et quiete bene et in pace hereditarie [et] integre imperpetuum ubicumque et cuicumque voluerit dare vendere legare vel assignare. Reddendo inde annuatim ipse et heredes sui vel sui assignati et eorum heredes idem fabro de Sodbur' Marche et heredibus suis vel suis assignatis et eorum heredibus tresdecim denarios sterlingorum ad quatuor anni terminos, scilicet ad Natale domini tres denarios [et ad Pascha tres denarios][8] et ad Nativitatem Sancti Johannis Baptiste tres denarios et ad festum Sancti Michaelis quatuor denarios, et capitali domini feodi duos denarios ad eundem, et ecclesie Beate Marie de Sodbur tres denarios ad Pascha, et abbati Sancti Augustini de Bristoll' tresdecim denarios ad quatuor terminos, scilicet ad Natale domini tres denarios et quaderantem et ad Pascha tres denarios et quaderantem et ad festum Sancti Johannis Baptiste tres denarios et quaderantem et ad festum Sancti Michaelis tres denarios et quaderantem pro omnibus serviciis et exactionibus et demandis. Pro hac autem donacione mea et concessione dedit michi dictus Robertus quinquaginta solidos sterlingorum premanibus in gersumma ad negocia mea urgentissima expendenda et uxori mee Milicent duos solidos sterlingorum nomine dotis de dicta placea veniente et edificiis quia non habebit potestatem petendi et optinendi dotem de dicta placea nec de edificiis [dictis] si contingerit vivere post mortem meam. Et ego dictus [Adam][9] et heredes mei et assignati mei et eorum heredes dictam placeam terre cum domibus et edificiis levatis et levandis dicto Roberto et heredibus suis vel suis assignatis et eorum heredibus contra omnes mortales warantizabimus et imperpetuum defendemus. Et quia volo quod hec mea donacio concessio et presentis carte mee confirmacio perpetue firmitatis robur optineat imperpetuum presentem cartam sigilli mei impressione corroboravi.

[1]   For Chipping Sodbury see M. Beresford, *New Towns of the Middle Ages*, 1967, p. 441. The borough was established under the patronage of the earls of Gloucester and the market from which it took its distinctive name was developed in the thirteenth century, with a royal charter granted in 1218 (*Rot. Lit. Clos.*, i, p. 368) and confirmed in 1227 (*Cal. Chart. Rolls*, i, p. 43); a later charter was issued in November 1270 (*Cal. Chart. Rolls*, ii, p. 156). The French form of the name, Sodbury Marche, is recorded in 1280 (*P-NG*, iii, p. 51). St Augustine's interest in the tenement is not noted in any charter in the main text of the cartulary.

[2]   An approximate date for this charter and Add. Doc. 27 may be provided by the names of Robert Chalkeleye and Nicholas Brown. Two men with those names occurred as jurors for Grumbald's Ash hundred in 1361; a Robert de Chalkeleye occurs again in 1384 (*TBGAS*, 62, pp. 61, 103). If they are the men named in these charters, both documents belong to the second half of the fourteenth century; Add. Doc. 27 is the later charter.

[3]   Horwood survives in Horton and Chipping Sodbury (*P-NG*, iii, pp. 36, 54).

[4]   Chalkley Farm in Hawkesbury (*P-NG*, iii, p. 29).   [5]   MS. omits a personal name.

[6]   *et decem* interlined.   [7]   MS. *edificiis*.

[8]   The second term was omitted here, but included in the later series of payments due to St Augustine's.   [9]   MS. omits the personal name.

Add. Doc. 27. *Charter of John Brown, son of Nicholas Brown of Chipping Sodbury, to Robert Trompelyn and Alice his wife conveying land in Chipping Sodbury called Bareland, lying between land held on each side by William*

Pelot, extending 78 feet from the king's highway and with a frontage on the street of 33 feet and in the rear, adjoining William Pelot's land, of 26 feet. The land is to be held by Robert and Alice and Robert's legitimate issue; they are to pay to the capital lord of the fee 2d and to do all due service to him, and to John and his heirs and assigns an annual rent of 3s 6d by equal amounts paid in 4 instalments at the usual terms. There are also payments due from this tenement of 13d to St Augustine's, Bristol, and of 3d to the church of Old Sodbury (Sobbur' Magna). (Second half of the fourteenth century.)[1]

[f. 219v.] Universis presens scriptum visuris vel audituris Johannes Brouun[2] filius Nicholai Brouun de Chepyng Sobbur', salutem in domino sempiternam. Noveritis me dedisse concessisse et hoc presenti scripto meo indentato confirmasse Roberti Trompelyn et Alicie uxori sue quandam placeam terre vocatur le Barelond in villa de Sobbur' predicta situatam inter tenementum Willelmi Pelot ex utraque parte, et continet dicta placea terre in longitudine sexaginta et octodecim pedes a vico regale usque ad terram predicti Willelmi Pelot, et in latitudine in fronte anteriori triginta et tres pedes, et in fronte posteriori juxta terram dicti Willelmi viginti et sex pedes regales. Habendam et tenendam predictam placeam terre cum omnibus suis pertinenciis prefatis Roberto et Alicie et heredibus predicte corpore predicti Roberti legitime procreatis de me et heredibus meis imperpetuum. Reddendo capitalibus dominis feodi illius duos denarios et faciendo inde servicium debitum et de jure consuetum. Reddendo inde annuatim michi prefato Johanni [et] heredibus meis vel assignatis meis tres solidos et sex denarios usualis monete ad quatuor anni terminos usuales equis porcionibus. Et si contingat predictum redditum trium solidorum et sex denariorum in retro fore in parte vel in toto per unam mensem post aliquum terminum solucionis quod ex tunc bene liceat prefato Johanni [et] heredibus vel assignatis suis in predicta placea terre cum omnibus suis pertinenciis distringere et distr*ictiones* penes se retinere quousque de predicto redditu eis plenarie fuerit satisfactum, et si sufficiens distr*ictiones* in eadem placea inveniri non poterit per unum annum et unam diem post aliquum terminum solucionis quod ex tunc bene liceat prefato Johanni [et] heredibus ac assignatis suis predictam placeam terre cum omnibus suis pertinenciis reentrare desseisire et pacifice possidere donec de predicto redditu eis plenarie fuerit satisfactum. Reddendo eciam abbat' Sancti Augustini de Bristoll' tresdecim denar' ad quatuor anni terminos usuales equis porcionibus et ecclesie Beate Marie de Sobbur' Magna tres denar' ad festum Pascha. Et ego vero predictus Johannes et heredes meis predictam placeam terre cum omnibus suis pertinenciis prout predictum est prefato Roberto et Alicie et heredibus de corpore predicti Roberti legitime procreatis contra omnes gentes warantizabimus et defendemus imperpetuum. In cujus rei testimonium huic presenti scripto partes predicti sigilla sua alternatim apposuerunt. Hiis testibus.

---

[1] See Add. Doc. 26.

[2] This family may be linked with the name, Brown's Shambles, which is recorded in 1688 (*P-NG*, iii, p. 52).

Add. Doc. 28. [f. 227v.] *A note, so faint and heavily abbreviated that a reliable transcription is not possible, recording two decisions by the [Fourth] Lateran Council held by Innocent III in November 1215. The first extended to other orders, enjoying the same privileges as the Cistercians, a Cistercian statute stating that land previously paying tithes to a church and acquired by the monks should continue to pay tithes to that church. The second recorded the approval by the pope in council of the order of Friars Minor.*[1]

[1] Cf. J. P. Mansi, *Sacrorum Conciliorum Nova Collectio* (reprint, Graz, 1961), vol. xxii, cols. 1042–3 (Cap. LV), 1078 (Add. XII). Stephen, prior of Worcester, who attended the council, later became bishop of Worcester, and his successors, William of Blois and Walter de Cantilupe, had access to some of the council's decrees and issued constitutions based upon them (M. Gibbs and J. Lang, *Bishops and Reform 1215–72*, 1934, p. 120).

INDEX OF PERSONS AND PLACES

References are to the numbers of the documents in the cartulary; where a page reference is useful it is given in brackets. Page references with roman numerals refer to the Introduction. Place-names in Gloucestershire are given without the name of the shire. County locations for other place-names are provided from the historic shires, in accordance with the pre-1974 boundaries. Abbreviated names of counties, personal names, and such abbreviations as archd. and bp., are self-explanatory. The addition (Br) indicates those who lived, worked, or held property in Bristol.

SELECTIVE INDEX OF SUBJECTS

The references in arabic numerals are to the numbers of the charters or of Additional Documents; those in roman numerals are to the pages of the Introduction.